5-1

초등 수학

자습서

&평가문제집

금성출판사

구성과 특징

자습서 구성 및 활용 방법

수학 다잡기

수학 교과서의 본책

체계적인 예습, 진도, 평가
시스템을 갖춘 3단계 개념 학습

평가 문제 다잡기

**시험 대비
자료집**

다양한 유형의 문제로
평가 대비 강화

교과서 다잡기 구성과 특징

체계적인 3단계 개념 학습(선수 학습 , 본 학습 , 마무리 학습)과 다양한 유형의 문제로 교과서 개념과 각종 시험까지 완벽 대비할 수 있습니다.

선수 학습 - 예습

❯❯ 단원 도입

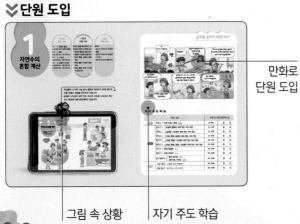

만화로
단원 도입

그림 속 상황   자기 주도 학습

❯❯ 준비 팡팡

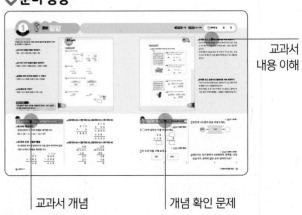

교과서
내용 이해

교과서 개념   개념 확인 문제

본 학습-진도

단원의 주요 개념을 파악합니다.

그림으로
개념 잡기

서술형

수학 교과
역량

문제 해결력
문제

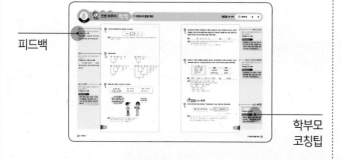

피드백

학부모
코칭팁

교과서
개념

참고 자료

마무리 학습-평가

다양한 유형의 문제를 통해 실력을 확인합니다.

≫ 개념+확인

교과서 개념과 확인 문제를 풀면서 개념을 이해합니다.

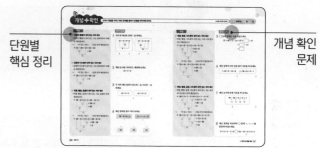

단원별
핵심 정리

개념 확인
문제

≫ 서술형 문제 해결하기

서술형 평가에 대비하며 문제 해결력을 기릅니다.

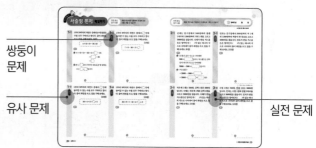

쌍둥이
문제

유사 문제

실전 문제

≫ 단원 평가

다양한 문제를 풀면서 단원에 대한 학습을 마무리합니다.

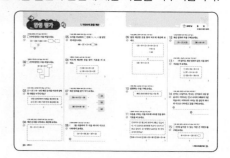

차례

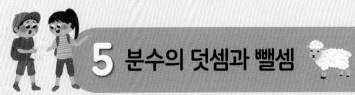

지도 계획표 (5-1)

지도 계획표는 선생님들께서 사용하시는 지도서의 학기 지도 계획표를 『수학 다잡기』에 맞추어 수정 구성한 것입니다. 학교마다 다를 수 있으니 참고하시기 바랍니다.

3월

1주
1차시	**1. 자연수의 혼합 계산** 단원 도입 / 준비 팡팡
2차시	1 덧셈과 뺄셈이 섞여 있는 식의 계산
3차시	2 곱셈과 나눗셈이 섞여 있는 식의 계산
4차시	3 덧셈, 뺄셈, 곱셈이 섞여 있는 식의 계산

2주
5차시	4 덧셈, 뺄셈, 나눗셈이 섞여 있는 식의 계산
6차시	5 덧셈, 뺄셈, 곱셈, 나눗셈이 섞여 있는 식의 계산
7차시	문제 해결력 쑥쑥
8차시	단원 마무리 척척

3주
9~10차시	놀이 속으로 풍덩 / 이야기로 키우는 생각
1차시	**2. 배수와 약수** 단원 도입 / 준비 팡팡
2차시	1 배수
3차시	2 공배수와 최소공배수

4주
4차시	3 약수
5차시	4 공약수와 최대공약수
6차시	5 배수와 약수의 관계

4월

1주
7차시	6 최대공약수를 구하는 방법
8차시	7 최소공배수를 구하는 방법
9차시	문제 해결력 쑥쑥
10차시	단원 마무리 척척

2주
11차시	놀이 속으로 풍덩 / 이야기로 키우는 생각
1차시	**3. 규칙과 대응** 단원 도입 / 준비 팡팡
2차시	1 두 양 사이의 대응 관계

3주
3차시	2 대응 관계를 표로 나타내고 규칙 찾기
4차시	3 대응 관계를 식으로 나타내기
5차시	4 생활 속에서 대응 관계를 찾아 식으로 나타내기

4주
6차시	문제 해결력 쑥쑥
7차시	단원 마무리 척척
8~9차시	놀이 속으로 풍덩 / 이야기로 키우는 생각

5월

1주
1차시	**4. 약분과 통분** 단원 도입 / 준비 팡팡
2차시	1 크기가 같은 분수 (1)
3차시	2 크기가 같은 분수 (2)

2주
4차시	3 분수를 간단하게 나타내기
5차시	4 분모가 같은 분수로 나타내기
6차시	5 분모가 다른 분수의 크기 비교
7차시	6 분수와 소수의 크기 비교

3주
8차시	문제 해결력 쑥쑥
9차시	단원 마무리 척척
10~11차시	놀이 속으로 풍덩 / 이야기로 키우는 생각

4주
1차시	**5. 분수의 덧셈과 뺄셈** 단원 도입 / 준비 팡팡
2차시	1 분모가 다른 진분수의 덧셈 (1)
3차시	2 분모가 다른 진분수의 덧셈 (2)

6월

1주
4차시	3 분모가 다른 대분수의 덧셈
5차시	4 분모가 다른 진분수의 뺄셈
6차시	5 분모가 다른 대분수의 뺄셈 (1)
7차시	6 분모가 다른 대분수의 뺄셈 (2)

2주
8차시	7 분수의 덧셈과 뺄셈의 활용
9차시	문제 해결력 쑥쑥
10차시	단원 마무리 척척

3주
11차시	놀이 속으로 풍덩 / 이야기로 키우는 생각
1차시	**6. 다각형의 둘레와 넓이** 단원 도입 / 준비 팡팡
2차시	1 다각형의 둘레

4주
3차시	2 넓이의 단위 1 cm^2
4차시	3 직사각형의 넓이
5~6차시	4 넓이의 단위 1 m^2, 1 km^2

7월

1주
7~8차시	5 평행사변형의 넓이
9~10차시	6 삼각형의 넓이
11차시	7 마름모의 넓이
12~13차시	8 사다리꼴의 넓이

2주
14차시	문제 해결력 쑥쑥
15차시	단원 마무리 척척
16차시	놀이 속으로 풍덩 / 이야기로 키우는 생각

1

자연수의
혼합 계산

이전에 배운 내용

3-1 1. 덧셈과 뺄셈
· 세 자리 수의 덧셈과 뺄셈

3-2 1. 곱셈
· (두 자리 수)×(두 자리 수)

3-2 3. 나눗셈
· (세자리 수)÷(한 자리 수)

4-1 3. 곱셈과 나눗셈
· (세자리 수)×(두 자리 수)
· (세자리 수)÷(두 자리 수)

이번에 배울 내용

괄호가 없을 때와 괄호가 있을 때의 자연수의 혼합 계산
· 덧셈과 뺄셈의 혼합 계산
· 곱셈과 나눗셈의 혼합 계산
· 덧셈, 뺄셈, 곱셈의 혼합 계산
· 덧셈, 뺄셈, 나눗셈의 혼합 계산
· 덧셈, 뺄셈, 곱셈, 나눗셈의 혼합 계산

다음에 배울 내용

중학교
· 정수와 유리수의 덧셈과 뺄셈
· 정수와 유리수의 곱셈과 나눗셈
· 정수와 유리수의 혼합 계산

· 학생들이 도시락 나눔 봉사 활동에 참여하기 위해 샌드위치를 만들고 과일을 준비하고 있습니다.
· 곱셈과 나눗셈이 섞여 있는 하나의 식으로 나타내고 계산하는 방법에 대해 궁금해하고 있습니다.

그림 속 상황

자/기/주/도/학/습

1 차시

 준비 **팡팡**

학습 목표

'무엇을 알고 있나요'와 '함께 생각해 볼까요'를 통하여 단원을 준비할 수 있습니다.

🔹 **세 수의 덧셈과 뺄셈 계산하기**
· $38-13=25, 25+26=51$

🔹 **세 자리 수의 덧셈과 뺄셈 계산하기**
· $356+273=629, 673-235=438$

🔹 **곱셈을 하여 빈칸에 알맞은 수 써넣기**
· $132×4=528, 132×24=3168$

🔹 **나눗셈의 몫 구하기**
· $432÷2=216, 540÷12=45$

학부모 코칭 Tip

나눗셈에서 몫의 자리를 어림하지 못하는 경우 곱셈으로 몫을 어림해 보게 합니다.

 준비 **팡팡** 수학 익힘 7쪽

무엇을 알고 있나요

1 세 수의 계산을 해 보세요.

$$38-13+26=\boxed{51}$$

$$\begin{array}{r} 3\ 8 \\ -\ 1\ 3 \\ \hline 2\ 5 \end{array} \rightarrow \boxed{25} \quad \begin{array}{r} \\ +\ 2\ 6 \\ \hline 5\ 1 \end{array} \rightarrow \boxed{51}$$

2 계산해 보세요.

$$\begin{array}{r} 3\ 5\ 6 \\ +\ 2\ 7\ 3 \\ \hline 6\ 2\ 9 \end{array} \qquad \begin{array}{r} 6\ 7\ 3 \\ -\ 2\ 3\ 5 \\ \hline 4\ 3\ 8 \end{array}$$

3 곱셈을 하여 빈칸에 알맞은 수를 써넣으세요.

$132×4$
528

$132×24$
3168

4 나눗셈의 몫을 구해 보세요.

$$\begin{array}{r} 216 \\ 2{\overline{)432}} \end{array} \qquad \begin{array}{r} 45 \\ 12{\overline{)540}} \end{array}$$

10

교과서 개념 완성 | 배운 것을 다시 생각하기

🔹 세 수의 계산하기

앞에서부터 두 수씩 차례로 계산합니다.
$$25+16-14=41-14=27$$

🔹 세 자리 수의 덧셈과 뺄셈

각 자리의 수끼리 맞추어 쓴 다음 일의 자리부터 같은 자리 수끼리 차례로 계산합니다.

$$\begin{array}{r} {\scriptstyle 1\ 1} \\ 1\ 5\ 7 \\ +\ 2\ 8\ 3 \\ \hline 4\ 4\ 0 \end{array} \qquad \begin{array}{r} {\scriptstyle 7\ 13\ 10} \\ 8\ \cancel{4}\ 2 \\ -\ 3\ 9\ 6 \\ \hline 4\ 4\ 6 \end{array}$$

🔹 (세 자리 수)×(한 자리 수), (세 자리 수)×(두 자리 수)

$$\begin{array}{r} {\scriptstyle 1} \\ 2\ 1\ 3 \\ ×\quad 5 \\ \hline 1\ 0\ 6\ 5 \end{array} \qquad \begin{array}{r} 2\ 1\ 3 \\ ×\quad 2\ 5 \\ \hline 1\ 0\ 6\ 5 \\ 4\ 2\ 6\quad \\ \hline 5\ 3\ 2\ 5 \end{array}$$

🔹 (세 자리 수)÷(한 자리 수), (세 자리 수)÷(두 자리 수)

$$\begin{array}{r} 49 \\ 3{\overline{)147}} \\ 12\quad \\ \hline 27 \\ 27 \\ \hline 0 \end{array} \qquad \begin{array}{r} 25 \\ 14{\overline{)350}} \\ 28\quad \\ \hline 70 \\ 70 \\ \hline 0 \end{array}$$

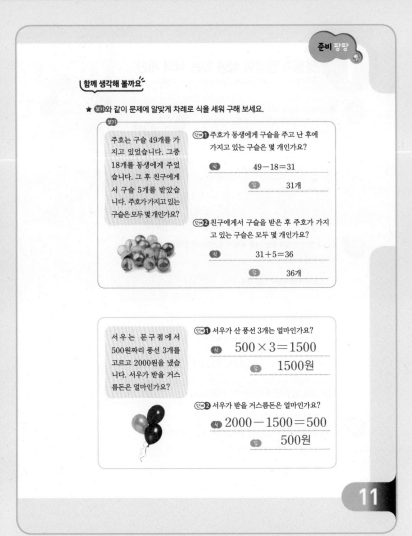

📦 문제를 읽고 뺄셈식과 덧셈식을 세워 해결하기

· 주호가 동생에게 구슬을 주고 난 후에 가지고 있는 구슬은 몇 개인지 식을 세워 구하면 49−18=31(개)입니다.

· 친구에게서 구슬을 받은 후 주호가 가지고 있는 구슬은 모두 몇 개인지 식을 세워 구하면 31+5=36(개)입니다.

📦 문제를 읽고 곱셈식과 뺄셈식을 세워 해결하기

· 서우가 산 풍선 3개의 값은 얼마인지 식을 세워 구하면 500×3=1500(원)입니다.

· 풍선 3개를 산 후 서우가 받을 거스름돈은 얼마인지 식을 세워 구하면 2000−1500=500(원)입니다.

개념 확인 문제　정답 및 풀이 202쪽

| 2-1 3. 덧셈과 뺄셈 |

1 ☐ 안에 알맞은 수를 써넣으세요.

$$\begin{array}{r} 2\ 6 \\ +\ 1\ 9 \\ \hline \end{array}$$
　−　8

| 3-1 1. 덧셈과 뺄셈 |

2 두 수의 차를 구해 보세요.

387　564

(　　　)

| 3-2 3. 나눗셈 |

3 빈칸에 나눗셈의 몫을 써넣으세요.

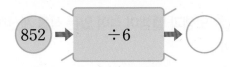

852 → ÷6 → ◯

| 4-1 3. 곱셈과 나눗셈 |

4 재은이는 문구점에서 450원짜리 공책을 12권 샀습니다. 공책의 값은 모두 얼마인가요?

(　　　)

1 덧셈과 뺄셈이 섞여 있는 식의 계산

학습 목표

덧셈, 뺄셈, ( )가 섞여 있는 식의 계산 순서를 설명하고 계산할 수 있습니다.

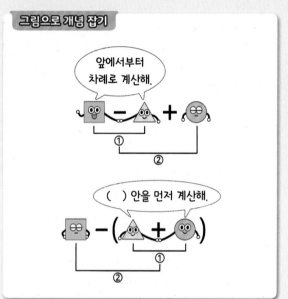

그림으로 개념 잡기

앞에서부터 차례로 계산해.

① ②

( ) 안을 먼저 계산해.

① ②

1 덧셈과 뺄셈이 섞여 있는 식의 계산

덧셈, 뺄셈, ( )가 섞여 있는 식의 계산 순서를 설명하고 계산할 수 있습니다.

생각 열기
복지관에 274명이 모여 있었습니다. 그중 오전에 62명이 집으로 돌아갔고, 오후에 47명이 복지관으로 더 왔습니다. 지금 복지관에 있는 사람이 몇 명인지 알아보려고 합니다.

○○복지관

• 구하려고 하는 것은 무엇인가요?
예 지금 복지관에 있는 사람 수
• 지금 복지관에 있는 사람 수를 어떻게 구할 수 있을까요?
예 복지관에 모여 있던 사람 수에서 집으로 돌아간 사람 수를 빼고, 복지관으로 더 온 사람 수를 더하면 됩니다.

탐구 하기 ❶
덧셈과 뺄셈이 섞여 있는 식을 어떻게 계산하는지 알아봅시다.

• 식을 차례로 만들어 보세요.

① 오전에 복지관에 있는 사람 수 $274 - 62 = 212$

② 오후에 복지관에 있는 사람 수 $212 + 47 = 259$

• 지금 복지관에 있는 사람은 몇 명인지 하나의 식으로 나타내어 구해 보세요.

$274 - 62 + 47 = 259$

• 덧셈과 뺄셈이 섞여 있는 식을 어떤 순서로 계산하는지 이야기해 보세요.
예 앞에서부터 차례로 계산합니다.

정리 하기 ❶
덧셈과 뺄셈이 섞여 있는 식을 계산하는 순서를 정리해 봅시다.
덧셈과 뺄셈이 섞여 있는 식은 앞에서부터 차례로 계산합니다.

$$274 - 62 + 47 = 212 + 47$$
$$① \qquad = 259$$
$$②$$

12

교과서 개념 완성

탐구하기 ❶ 덧셈과 뺄셈이 섞여 있는 식을 계산하는 순서 탐구하기

• 오전에 복지관에 있는 사람 수: $274 - 62 = 212$
• 오후에 복지관에 있는 사람 수: $212 + 47 = 259$
• 지금 복지관에 있는 사람은 몇 명인지 하나의 식으로 나타내기: $274 - 62 + 47 = 259$

학부모 코칭 **Tip**

문제에서 주어진 상황을 수학적 상황으로 쉽게 생각하지 못하는 경우 문제를 읽고 문제를 해결하는 데 사용될 핵심 단어를 찾고, 그 단어와 관계있는 수학적 식을 세우게 합니다.

탐구하기 ❷ 괄호가 없을 때와 괄호가 있을 때의 계산 순서 탐구하기

방법1 차례로 계산하기

뺄셈을 차례로 계산하는 하나의 식으로 나타내면 $100 - 47 - 32 = 21$입니다.

방법2 ( )를 사용하여 계산하기

먼저 계산해야 하는 부분을 ( )로 묶어 하나의 식으로 나타내면 $100 - (47 + 32) = 21$입니다.

학부모 코칭 **Tip**

괄호가 없는 식과 괄호가 있는 식의 계산 순서를 바르게 이해하고 계산하게 합니다.

탐구하기 ② 민지네 반 학생들이 색종이 100장을 준비하여 게시판을 장식하는 데 47장, 편지를 장식하는 데 32장을 사용하였습니다. 남은 색종이는 몇 장인지 알아봅시다.

• 남은 색종이의 수를 구하는 식을 두 가지 방법으로 나타내어 구해 보세요.

 방법1 차례로 계산하기

• 준비한 색종이 100장 중에서 게시판을 장식하고 남은 색종이의 수를 구한 다음, 편지를 장식하고 남은 색종이의 수를 구해 보세요.

$$100-47=\boxed{53}$$
$$\boxed{53}-32=\boxed{21}$$

 뺄셈을 차례로 계산하는 하나의 식으로 나타내어 보자.

• 두 식을 하나의 식으로 나타내어 보세요.

$$100-\boxed{47}-\boxed{32}=\boxed{21}$$

( )는 괄호라고 읽어요.

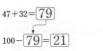 방법2 ( )를 사용하여 계산하기

• 게시판과 편지를 장식하는 데 사용한 색종이의 수를 구한 다음, 남은 색종이의 수를 구해 보세요.

$$47+32=\boxed{79}$$
$$100-\boxed{79}=\boxed{21}$$

먼저 계산해야 하는 부분을 ( )로 묶어 하나의 식으로 나타내어 보자.

• 두 식을 하나의 식으로 나타내어 보세요.

$$100-(\boxed{47}+\boxed{32})=\boxed{21}$$

• ( )가 없을 때와 ( )가 있을 때의 계산 순서를 비교해 보세요.
예 ( )가 없을 때는 앞에서부터 차례로 계산하고,
( )가 있을 때는 ( ) 안을 먼저 계산합니다.

13

 정리하기 ② ( )가 있는 식을 계산하는 순서를 정리해 봅시다.
( )가 있는 식은 ( ) 안을 먼저 계산합니다.

$$100-(47+32)=100-79$$
$$\qquad\qquad\qquad =21$$
①
②

확인하기 **1.** 계산 순서를 나타내고, 계산해 보세요.

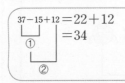
$$37-15+12=22+12$$
$$\qquad\qquad\qquad =34$$
①
②

$$37-(15+12)=37-27$$
$$\qquad\qquad\qquad\quad =10$$
①
②

2. 다빈이는 문구점에서 500원짜리 지우개 1개와 2000원짜리 볼펜 1자루를 고르고 5000원을 냈습니다. 거스름돈은 얼마인지 ( )가 있는 하나의 식으로 나타내고, 답을 구해 보세요.

식 $5000-(500+2000)=2500$　답 2500원

풀이 거스름돈은 낸 돈에서 구입한 물건값을 빼면 되므로
$5000-(500+2000)=5000-2500=2500$(원)입니다.

생각쑥쑥 식 $5000-(2500+1500)$에 알맞은 문제를 만들고, 친구와 비교해 보세요.

예 민주는 동생에게 2500원을 주었고, 1500원은 친구와 과자를 사 먹는 데 사용하였습니다. 처음에 민주가 가지고 있던 돈이 5000원이었다면 과자를 사 먹고 남은 돈은 얼마인가요?

14

 개념 확인 문제　정답 및 풀이 202쪽

1 가장 먼저 계산해야 하는 부분에 ○표 하세요.

(1) $60-24+13$　(2) $38-(10+17)$

2 계산 순서를 나타내고, 계산해 보세요.

$$29-(9+6)$$

3 계산 결과가 더 큰 것을 찾아 기호를 써 보세요.

㉠ $42+8-13$　㉡ $56-(12+9)$

(　　　　　　　)

4 성규가 70쪽인 동화책을 읽고 있습니다. 어제까지 15쪽을 읽었고, 오늘 22쪽을 읽었습니다. 오늘까지 읽고 남은 쪽수는 몇 쪽인지 하나의 식으로 나타내어 구해 보세요.

$$\boxed{}-(15+\boxed{})=\boxed{}(쪽)$$

2 | 곱셈과 나눗셈이 섞여 있는 식의 계산

학습 목표

곱셈, 나눗셈, ( )가 섞여 있는 식의 계산 순서를 설명하고 계산할 수 있습니다.

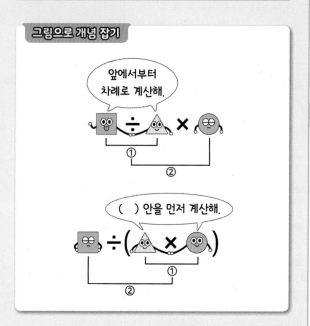

그림으로 개념 잡기

앞에서부터 차례로 계산해.

① ②

( ) 안을 먼저 계산해.

① ②

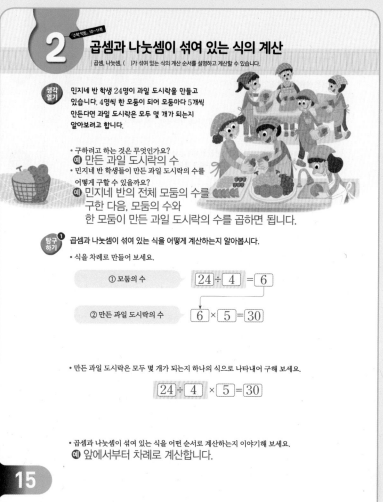

2 곱셈과 나눗셈이 섞여 있는 식의 계산

곱셈, 나눗셈, ( )가 섞여 있는 식의 계산 순서를 설명하고 계산할 수 있습니다.

생각열기 민지네 반 학생 24명이 과일 도시락을 만들고 있습니다. 4명씩 한 모둠이 되어 모둠마다 5개씩 만든다면 과일 도시락은 모두 몇 개가 되는지 알아보려고 합니다.

• 구하려고 하는 것은 무엇인가요?
예 만든 과일 도시락의 수
• 민지네 반 학생들이 만든 과일 도시락의 수를 어떻게 구할 수 있을까요?
예 민지네 반의 전체 모둠의 수를 구한 다음, 모둠의 수와 한 모둠이 만든 과일 도시락의 수를 곱하면 됩니다.

탐구하기1 곱셈과 나눗셈이 섞여 있는 식을 어떻게 계산하는지 알아봅시다.

• 식을 차례로 만들어 보세요.

① 모둠의 수   24 ÷ 4 = 6

② 만든 과일 도시락의 수   6 × 5 = 30

• 만든 과일 도시락은 모두 몇 개가 되는지 하나의 식으로 나타내어 구해 보세요.

24 ÷ 4 × 5 = 30

• 곱셈과 나눗셈이 섞여 있는 식을 어떤 순서로 계산하는지 이야기해 보세요.
예 앞에서부터 차례로 계산합니다.

15

 교과서 개념 완성

탐구하기 1 **곱셈과 나눗셈이 섞여 있는 식을 계산하는 순서 탐구하기**

• 모둠의 수: 24 ÷ 4 = 6

• 만든 과일 도시락의 수: 6 × 5 = 30

• 만든 과일 도시락은 모두 몇 개가 되는지 하나의 식으로 나타내기: 24 ÷ 4 × 5 = 30

학부모 코칭 Tip

하나의 식으로 나타내는 것을 어려워하는 학생들은 과일 도시락의 수를 구하는 데 필요한 두 식을 세운 후, 두 식에 공통으로 들어 있는 수를 표시하여 두 식을 하나의 식으로 나타내게 합니다.

탐구하기 2 **괄호가 있는 식을 계산하는 순서 탐구하기**

• 먼저 쟁반 한 개에 주스를 몇 병 놓을 수 있는지 계산해야 합니다. ➔ 3 × 4 = 12

• 먼저 계산해야 하는 부분을 ( )로 묶어 하나의 식으로 나타내어 구하면

48 ÷ (3 × 4) = 48 ÷ 12 = 4입니다.

확인하기 **곱셈과 나눗셈이 섞여 있는 식을 계산하기**

$$6 \times 8 \div 3 = 48 \div 3$$
①
= 16
②

$$45 \div (3 \times 5) = 45 \div 15$$
①
= 3
②

정리하기 ① · 곱셈과 나눗셈이 섞여 있는 식을 계산하는 순서를 정리해 봅시다.

곱셈과 나눗셈이 섞여 있는 식은 앞에서부터 차례로 계산합니다.

$$24 \div 4 \times 5 = 6 \times 5 = 30$$

 탐구하기 ② 주스 48병을 쟁반마다 한 줄에 3병씩 4줄로 놓으려고 합니다. 주스를 몇 개의 쟁반에 놓을 수 있는지 알아봅시다.

· 주스 48병을 몇 개의 쟁반에 놓을 수 있는지 구하려면 무엇을 먼저 계산해야 할까요?

예 쟁반 한 개에 놓을 수 있는 주스의 수

· 먼저 계산해야 하는 부분을 ( )로 묶어 주스를 몇 개의 쟁반에 놓을 수 있는지 하나의 식으로 나타내어 구해 보세요.

$$\boxed{48} \div (\ \boxed{3 \times 4}\ ) = \boxed{4}$$

· 위의 식을 어떤 순서로 계산하는지 이야기해 보세요.

예 곱셈, 나눗셈, 괄호가 섞여 있는 식은 괄호 안을 먼저 계산한 후, 앞에서부터 차례로 계산합니다.

 정리하기 ② · ( )가 있는 식을 계산하는 순서를 정리해 봅시다.

( )가 있는 식은 ( ) 안을 먼저 계산합니다.

$$48 \div (3 \times 4) = 48 \div 12 = 4$$

· 계산 순서를 나타내고, 계산해 보세요.

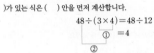
$$28 \div 7 \times 2 = 4 \times 2 = 8 \qquad 28 \div (7 \times 2) = 28 \div 14 = 2$$

16

 확인하기 1. 계산 순서를 나타내고, 계산해 보세요.

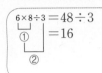
$$6 \times 8 \div 3 = 48 \div 3 = 16$$

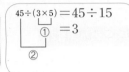
$$45 \div (3 \times 5) = 45 \div 15 = 3$$

2. 한 상자에 24개씩 들어 있는 딸기가 3상자입니다. 이 딸기를 4명에게 똑같이 나누어 주려면 한 명에게 딸기를 몇 개씩 주어야 하는지 하나의 식으로 나타내고, 답을 구해 보세요.

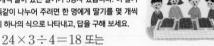
식 $24 \times 3 \div 4 = 18$ 또는
$24 \div 4 \times 3 = 18$

답 18개

 풀이 전체 딸기의 수를 식으로 나타내면 24×3입니다. 따라서 한 명에게 주어야 하는 딸기의 수는 $24 \times 3 \div 4 = 72 \div 4 = 18$(개)입니다.

생각 솔솔 주어진 단어를 사용하여 식 $36 \div (6 \times 2)$에 알맞은 문제를 만들고, 친구와 비교해 보세요.

쿠키, 상자, 생일 선물

예 쿠키를 한 줄에 6개씩 2줄을 넣을 수 있는 선물 상자가 있습니다. 친구 생일 선물로 쿠키 36개를 담으려면 이 선물 상자가 몇 개 필요한지 구해 보세요.

17

 개념 확인 문제 정답 및 풀이 202쪽

1 ☐ 안에 알맞은 수를 써넣으세요.

$$54 \div 6 \times 7 = \boxed{}$$

2 계산해 보세요.

(1) $28 \times 2 \div 7$ (2) $45 \div (3 \times 3)$

3 두 식의 계산 결과가 같으면 ○표, 다르면 ×표 하세요.

$$\boxed{32 \div 4 \times 2} \qquad \boxed{32 \div (4 \times 2)}$$

(   )

4 한 봉지에 12개씩 들어 있는 사탕 5봉지를 4명에게 똑같이 나누어 주려고 합니다. 한 명에게 사탕을 몇 개씩 주어야 하는지 하나의 식으로 나타내어 구해 보세요.

$$\boxed{} \times 5 \div \boxed{} = \boxed{}\text{(개)}$$

3 | 덧셈, 뺄셈, 곱셈이 섞여 있는 식의 계산

 학습 목표

덧셈, 뺄셈, 곱셈, (　　)가 섞여 있는 식의 계산 순서를 설명하고 계산할 수 있습니다.

그림으로 개념 잡기

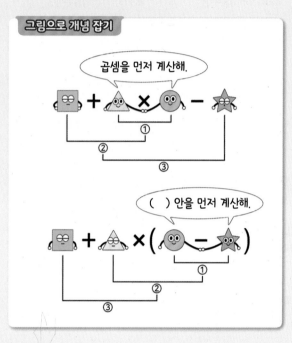

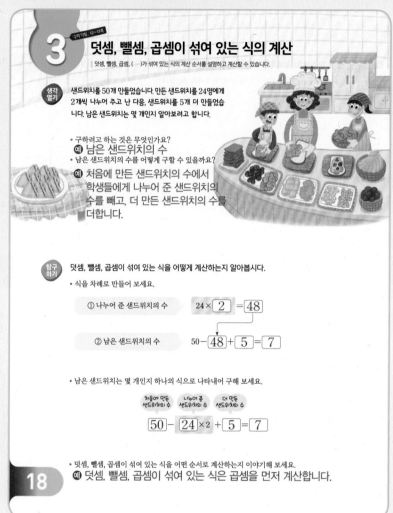

 교과서 개념 완성

탐구하기 덧셈, 뺄셈, 곱셈이 섞여 있는 식을 계산하는 순서 탐구하기

- 나누어 준 샌드위치의 수: $24 \times 2 = 48$
- 남은 샌드위치의 수: $50 - 48 + 5 = 7$
- 남은 샌드위치는 몇 개인지 하나의 식으로 나타내기:

  $50 - 24 \times 2 + 5 = 7$

학부모 코칭 Tip

남은 샌드위치의 수를 구하기 위해 학생들에게 나누어 준 샌드위치의 수를 식으로 나타낸 24×2를 먼저 계산해야 한다는 것을 문제 상황에서 이해하게 합니다.

확인하기 덧셈, 뺄셈, 곱셈이 섞여 있는 식을 계산하기

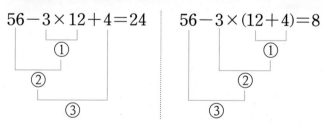

생각 솔솔 덧셈, 뺄셈, 곱셈이 섞여 있는 식의 계산에서 잘못 계산한 곳 찾기

덧셈, 뺄셈, 곱셈이 섞여 있는 식의 계산 순서는 곱셈을 먼저 계산해야 하는데 앞에서부터 차례로 덧셈을 먼저 계산하여 잘못 계산하였습니다.

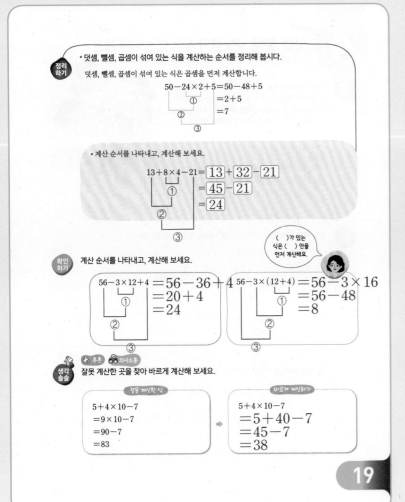

정리하기
• 덧셈, 뺄셈, 곱셈이 섞여 있는 식을 계산하는 순서를 정리해 봅시다.
덧셈, 뺄셈, 곱셈이 섞여 있는 식은 곱셈을 먼저 계산합니다.

$$50-24\times2+5=50-48+5$$
$$=2+5$$
$$=7$$

• 계산 순서를 나타내고, 계산해 보세요.

$$13+8\times4-21=\boxed{13}+\boxed{32}-\boxed{21}$$
$$=\boxed{45}-\boxed{21}$$
$$=\boxed{24}$$

( )가 있는 식은 ( ) 안을 먼저 계산해요.

확인하기 계산 순서를 나타내고, 계산해 보세요.

$$56-3\times12+4=56-36+4$$
$$=20+4$$
$$=24$$

$$56-3\times(12+4)=56-3\times16$$
$$=56-48$$
$$=8$$

생각 솔솔 ✱추론 🔍의사소통
잘못 계산한 곳을 찾아 바르게 계산해 보세요.

잘못 계산한 식
$5+4\times10-7$
$=9\times10-7$
$=90-7$
$=83$

→

바르게 계산하기
$5+4\times10-7$
$=5+40-7$
$=45-7$
$=38$

19

이런 문제가 셔술형으로 나와요

떡이 30개 있었습니다. 이 떡을 남학생 2명과 여학생 3명이 각각 3개씩 먹었습니다. 남은 떡은 몇 개인지 하나의 식으로 나타내어 구하려고 합니다. 풀이 과정을 쓰고, 답을 구해 보세요.

| 풀이 과정 |

❶ 남은 떡은 몇 개인지 구하는 식을 하나의 식으로 나타내기
남학생과 여학생이 먹은 떡의 수를 식으로 나타내면 $(2+3)\times3$이므로 남은 떡의 수를 하나의 식으로 나타내면 $30-(2+3)\times3$입니다.

❷ 남은 떡은 몇 개인지 구하기
$30-(2+3)\times3=30-5\times3=30-15=15$
이므로 남은 떡은 15개입니다.

답 15개

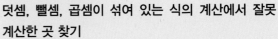•─ 수학 교과 역량 ─ ✱추론 🔍의사소통

덧셈, 뺄셈, 곱셈이 섞여 있는 식의 계산에서 잘못 계산한 곳 찾기
잘못 계산한 곳을 찾아 바르게 계산하는 방법을 설명하는 활동을 통하여 추론 능력과 의사소통 능력을 기를 수 있습니다.

✦개념 확인 문제　정답 및 풀이 202쪽

1 계산 순서를 바르게 나타낸 것에 ○표 하세요.

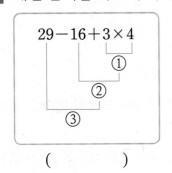

$$29-16+3\times4$$

(　　　)

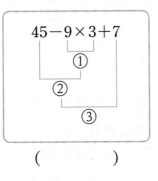

$$45-9\times3+7$$

(　　　)

2 계산해 보세요.
(1) $11-7+2\times6$　　(2) $7\times(8-5)+14$

3 바르게 계산한 사람은 누구인가요?

소정: $17+18-2\times5=25$
현우: $8\times(7-3)+4=57$

(　　　　　　　　　　)

4 하나의 식으로 나타내고 계산해 보세요.

21에 6과 4의 차를 3배 한 수를 더한 값

$$\boxed{}+(6-\boxed{})\times\boxed{}=\boxed{}$$

4 | 덧셈, 뺄셈, 나눗셈이 섞여 있는 식의 계산

학습 목표

덧셈, 뺄셈, 나눗셈, (   )가 섞여 있는 식의 계산 순서를 설명하고 계산할 수 있습니다.

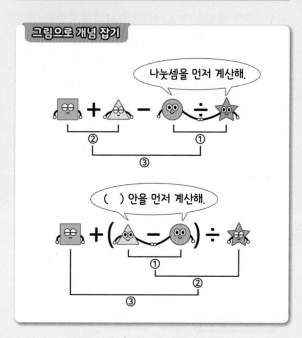

그림으로 개념 잡기

나눗셈을 먼저 계산해.

(   ) 안을 먼저 계산해.

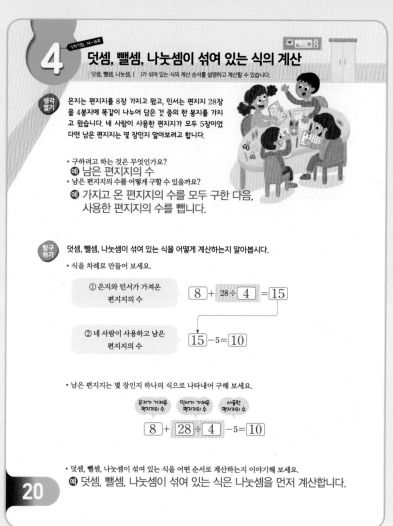

4 덧셈, 뺄셈, 나눗셈이 섞여 있는 식의 계산

덧셈, 뺄셈, 나눗셈, (   )가 섞여 있는 식의 계산 순서를 설명하고 계산할 수 있습니다.

생각 열기

은지는 편지지를 8장 가지고 왔고, 민서는 편지지 28장을 4봉지에 똑같이 나누어 담은 것 중의 한 봉지를 가지고 왔습니다. 네 사람이 사용한 편지지가 모두 5장이었다면 남은 편지지는 몇 장인지 알아보려고 합니다.

• 구하려고 하는 것은 무엇인가요?

예 남은 편지지의 수

• 남은 편지지의 수를 어떻게 구할 수 있을까요?

예 가지고 온 편지지의 수를 모두 구한 다음, 사용한 편지지의 수를 뺍니다.

탐구 하기 덧셈, 뺄셈, 나눗셈이 섞여 있는 식을 어떻게 계산하는지 알아봅시다.

• 식을 차례로 만들어 보세요.

① 은지와 민서가 가져온 편지지의 수 $8 + 28 \div 4 = 15$

② 네 사람이 사용하고 남은 편지지의 수 $15 - 5 = 10$

• 남은 편지지는 몇 장인지 하나의 식으로 나타내어 구해 보세요.

은지가 가져온 편지지의 수 / 민서가 가져온 편지지의 수 / 사용한 편지지의 수

$8 + 28 \div 4 - 5 = 10$

• 덧셈, 뺄셈, 나눗셈이 섞여 있는 식을 어떤 순서로 계산하는지 이야기해 보세요.

예 덧셈, 뺄셈, 나눗셈이 섞여 있는 식은 나눗셈을 먼저 계산합니다.

20

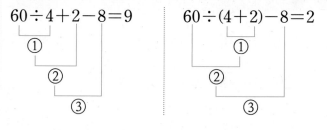

교과서 개념 완성

탐구하기 덧셈, 뺄셈, 나눗셈이 섞여 있는 식을 계산하는 순서 탐구하기

• 은지와 민서가 가져온 편지지의 수: $8 + 28 \div 4 = 15$

• 네 사람이 사용하고 남은 편지지의 수: $15 - 5 = 10$

• 남은 편지지는 몇 장인지 하나의 식으로 나타내기: $8 + 28 \div 4 - 5 = 10$

학부모 코칭 Tip

편지를 쓰기 전의 편지지의 수를 구하기 위해서는 민서가 28장을 4봉지에 똑같이 나누어 담은 것 중의 한 봉지를 가지고 온 것이 몇 장인지 먼저 계산해야 한다는 것을 문제 상황에서 이해하게 합니다.

확인하기 덧셈, 뺄셈, 나눗셈이 섞여 있는 식을 계산하기

$60 \div 4 + 2 - 8 = 9$

$60 \div (4 + 2) - 8 = 2$

생각 솔솔 계산 결과가 맞는 식이 되도록 알맞은 곳에 괄호 넣기

• 계산 결과가 35이므로 30에 5를 더하면 35가 되는 것을 생각하여 $15 \div 5 - 2$에서 괄호를 넣을 곳을 예상해 봅니다.

• $30 + 15 \div (5 - 2) = 35$

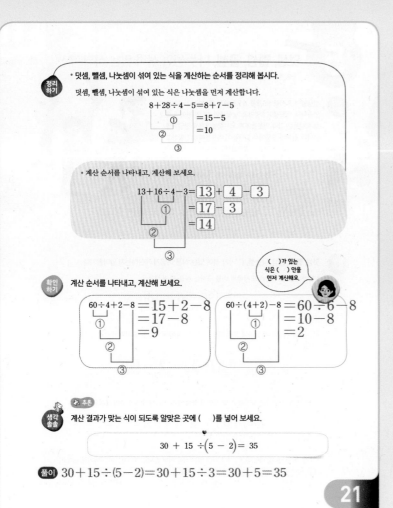

정리하기

• 덧셈, 뺄셈, 나눗셈이 섞여 있는 식을 계산하는 순서를 정리해 봅시다.

덧셈, 뺄셈, 나눗셈이 섞여 있는 식은 나눗셈을 먼저 계산합니다.

$$8+28÷4-5=8+7-5$$
$$=15-5$$
$$=10$$

• 계산 순서를 나타내고, 계산해 보세요.

$$13+16÷4-3=13+4-3$$
$$=17-3$$
$$=14$$

확인하기

계산 순서를 나타내고, 계산해 보세요.

$$60÷4+2-8=15+2-8$$
$$=17-8$$
$$=9$$

$$60÷(4+2)-8=60÷6-8$$
$$=10-8$$
$$=2$$

( )가 있는 식은 ( ) 안을 먼저 계산해요.

생각 활동 ★추론

계산 결과가 맞는 식이 되도록 알맞은 곳에 ( )를 넣어 보세요.

$$30 + 15 ÷ (5 - 2) = 35$$

풀이 $30+15÷(5-2)=30+15÷3=30+5=35$

21

이런 문제가 서술형으로 나와요

두 식의 계산 결과의 합은 얼마인지 풀이 과정을 쓰고, 답을 구해 보세요.

$$41-25÷(3+2)$$

$$21÷(7-4)+4$$

| 풀이 과정 |

❶ 두 식의 계산 결과 각각 구하기

$$41-25÷(3+2)=41-25÷5$$
$$=41-5=36$$
$$21÷(7-4)+4=21÷3+4=7+4=11$$

❷ 두 식의 계산 결과의 합 구하기

계산 결과의 합은 $36+11=47$입니다.

답 47

• **수학 교과 역량** ★추론

계산 결과가 맞는 식이 되도록 알맞은 곳에 괄호 넣기
계산 결과가 맞는 식이 되도록 알맞은 곳에 (　)를 넣는 활동을 통하여 추론 능력을 기를 수 있습니다.

개념 확인 문제
정답 및 풀이 203쪽

1 □안에 알맞은 수를 써넣으세요.

$$20+54÷6-5=20+\boxed{}-5$$
$$=\boxed{}-5=\boxed{}$$

2 계산 결과를 찾아 이어 보세요.

| $36÷9-3+7$ | ● | ● | 13 |
| $36÷(9-3)+7$ | ● | ● | 8 |

3 계산 결과를 비교하여 ○안에 >, =, <를 알맞게 써넣으세요.

$$17-8+14÷7 \bigcirc (15-3)÷3+6$$

4 복숭아 1개는 1000원, 사과 3개는 1200원, 참외 1개는 800원입니다. 복숭아 1개와 사과 1개를 같이 산 값은 참외 1개의 값보다 얼마나 더 비싼지 하나의 식으로 나타내어 구해 보세요.

$$\boxed{}+1200÷\boxed{}-\boxed{}=\boxed{}(원)$$

5 | 덧셈, 뺄셈, 곱셈, 나눗셈이 섞여 있는 식의 계산

학습 목표

덧셈, 뺄셈, 곱셈, 나눗셈, ( )가 섞여 있는 식의 계산 순서를 설명하고 계산할 수 있습니다.

그림으로 개념 잡기

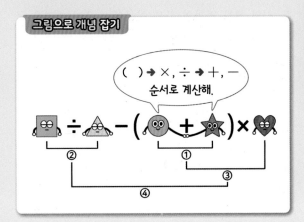

( ) ➡ ×, ÷ ➡ +, − 순서로 계산해.

5 덧셈, 뺄셈, 곱셈, 나눗셈이 섞여 있는 식의 계산

덧셈, 뺄셈, 곱셈, 나눗셈, ( )가 섞여 있는 식의 계산 순서를 설명하고 계산할 수 있습니다.

생각 열기

선생님이 도시락 96개를 6모둠에게 똑같이 나누어 주었습니다. 여학생이 3명이고, 남학생이 4명인 현아네 모둠 학생들은 각각 이웃들에게 도시락을 2개씩 전달하였습니다. 현아네 모둠에서 학생들이 이웃들에게 전달하고 남은 도시락은 몇 개인지 알아보려고 합니다.

• 현아네 모둠에 남은 도시락의 수를 어떻게 구할 수 있을까요?

예 이웃들에게 전달한 도시락의 수를 구한 다음, 처음 받은 도시락의 수에서 빼면 됩니다.

탐구 하기 덧셈, 뺄셈, 곱셈, 나눗셈, ( )가 섞여 있는 식을 어떻게 계산하는지 알아봅시다.

• 현아네 모둠이 받은 도시락의 수를 구하는 식을 써 보세요.

$$96 \div 6 = 16$$

• ( )를 사용하여 현아네 모둠 학생들이 이웃들에게 전달한 도시락의 수를 구하는 식을 써 보세요.

$$(3 + 4) \times 2 = 14$$

• 현아네 모둠에 남은 도시락은 몇 개인지 하나의 식으로 나타내어 구해 보세요.

$$96 \div 6 - (3 + 4) \times 2 = 2$$

• 덧셈, 뺄셈, 곱셈, 나눗셈, ( )가 섞여 있는 식을 어떤 순서로 계산하는지 이야기해 보세요.

예 덧셈, 뺄셈, 곱셈, 나눗셈이 섞여 있는 식은 곱셈과 나눗셈을 먼저 계산합니다. ( )가 있는 식은 ( ) 안을 먼저 계산합니다.

22

교과서 개념 완성

탐구하기 덧셈, 뺄셈, 곱셈, 나눗셈, 괄호가 섞여 있는 식을 계산하는 순서 탐구하기

• 현아네 모둠이 받은 도시락의 수: $96 \div 6 = 16$

• 현아네 모둠 학생들이 이웃들에게 전달한 도시락의 수: $(3 + 4) \times 2 = 14$

• 현아네 모둠에 남은 도시락은 몇 개인지 하나의 식으로 나타내기: $96 \div 6 - (3 + 4) \times 2$

$$= 96 \div 6 - 7 \times 2$$
$$= 16 - 7 \times 2$$
$$= 16 - 14 = 2$$

확인하기 덧셈, 뺄셈, 곱셈, 나눗셈이 섞여 있는 식을 계산하기

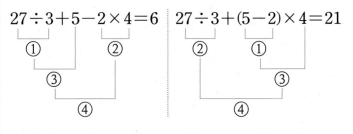

$$27 \div 3 + 5 - 2 \times 4 = 6$$

$$27 \div 3 + (5 - 2) \times 4 = 21$$

생각 솔솔 덧셈, 뺄셈, 곱셈, 나눗셈이 섞여 있는 식의 계산에서 잘못 계산한 곳 찾기

덧셈, 뺄셈, 곱셈, 나눗셈이 섞여 있는 식의 계산 순서는 곱셈과 나눗셈을 먼저 계산해야 하는데 앞에서부터 차례로 뺄셈을 먼저 계산하였습니다.

정리하기
- 덧셈, 뺄셈, 곱셈, 나눗셈이 섞여 있는 식을 계산하는 순서를 정리해 봅시다.
- 덧셈, 뺄셈, 곱셈, 나눗셈이 섞여 있는 식은 곱셈과 나눗셈을 먼저 계산합니다.
- ( )가 있는 식은 ( ) 안을 먼저 계산합니다.

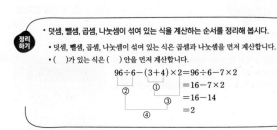

$$96 \div 6 - (3+4) \times 2 = 96 \div 6 - 7 \times 2$$
$$= 16 - 7 \times 2$$
$$= 16 - 14$$
$$= 2$$

확인하기
계산 순서를 나타내고, 계산해 보세요.

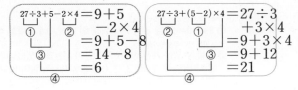

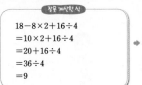 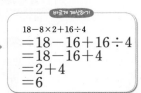

생각 솔솔 👧 추론 🔵 의사소통
잘못 계산한 곳을 모두 찾아 바르게 계산해 보세요.

잘못 계산한 식	바르게 계산하기
$18 - 8 \times 2 + 16 \div 4$ $= 10 \times 2 + 16 \div 4$ $= 20 + 16 \div 4$ $= 36 \div 4$ $= 9$	$= 18 - 16 + 16 \div 4$ $= 18 - 16 + 4$ $= 2 + 4$ $= 6$

23

이런 문제가 서술형으로 나와요

☐ 안에 들어갈 수 있는 가장 큰 자연수는 얼마인지 풀이 과정을 쓰고, 답을 구해 보세요.

$$32 - 3 \times (5+1) \div 2 > \boxed{}$$

| 풀이 과정 |

❶ $32 - 3 \times (5+1) \div 2$ 계산하기
$$32 - 3 \times (5+1) \div 2 = 32 - 3 \times 6 \div 2$$
$$= 32 - 18 \div 2$$
$$= 32 - 9 = 23$$

❷ ☐ 안에 들어갈 수 있는 가장 큰 자연수 구하기
☐는 23보다 작아야 하므로 ☐ 안에 들어갈 수 있는 가장 큰 자연수는 22입니다.

답 22

◆ 수학 교과 역량 ◆ 👧 추론 🔵 의사소통

덧셈, 뺄셈, 곱셈, 나눗셈이 섞여 있는 식의 계산에서 잘못 계산한 곳 찾기
잘못 계산한 곳을 찾아 바르게 계산하는 방법을 설명하는 활동을 통하여 추론 능력과 의사소통 능력을 기를 수 있습니다.

개념 확인 문제   정답 및 풀이 203쪽

1 계산 순서대로 ☐ 안에 1, 2, 3, 4를 써넣으세요.

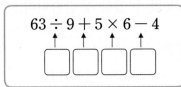

2 계산해 보세요.

$$81 \div (3+6) \times 5 - 13$$

(   )

3 다음을 구하는 식을 바르게 나타낸 것에 ○표 하고, 그 식의 답을 구해 보세요.

선우는 한 봉지에 15개씩 들어 있는 사탕 2봉지를 똑같이 3묶음으로 나누어 한 묶음을 가졌습니다. 이 중에서 4개를 먹고 2개를 형에게서 받았다면 지금 선우가 가지고 있는 사탕은 몇 개인가요?

$15 \times 2 \div 3 - 4 + 2$	$15 \times 2 \div 3 - (4+2)$

답 _____

 **7** 차시

문제 해결력 | 쑥쑥 ● 계산기로 계산해 보아요

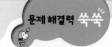 학습 목표

- 식 만들기 전략을 이용하여 문제를 해결하고, 해결한 방법을 설명할 수 있습니다.
- 조건을 바꾸어 새로운 문제를 만들고, 해결할 수 있습니다.

준비물 계산기, 붙임딱지

🔍 문제 해결 전략 식 만들기 전략

● 수학 교과 역량 📋 문제 해결 🐾 추론

계산기로 계산해 보아요

- 문제의 조건을 확인하고 문제 해결에 적절한 전략을 선택하는 과정에서 문제 해결 능력을 기를 수 있습니다.
- 문제를 해결하기 위해 조건을 검토하면서 가능 여부를 판단하는 추론 능력을 기를 수 있습니다.

🖊 문제 해결 Tip 사용할 수 있는 숫자 버튼 1, 4, 6, 8을 이용하여 99999와 97을 구하는 식을 각각 만듭니다.

문제 해결력 쑥쑥

계산기로 계산해 보아요

📋 문제 해결 🐾 추론

( )를 사용할 수 있는 계산기의 숫자 버튼 9, 7, 5, 3, 2, 0에 붙임딱지를 붙였습니다. 붙임딱지를 붙인 버튼을 사용하지 않고 99999 × 97을 계산하기 위해 이 계산기에 입력할 식을 구해 보세요.

문제 이해하기
- 구하려고 하는 것은 무엇인가요?
  예 99999 × 97을 계산하기 위해 이 계산기에 입력할 식
- 알고 있는 것은 무엇인가요?
  예 누를 수 있는 계산기의 숫자 버튼이 제한되어 있습니다. 숫자 버튼 9, 7, 5, 3, 2, 0에 붙임딱지가 붙어 있고, 붙임딱지가 붙어 있는 버튼을 사용할 수 없습니다. 괄호를 사용할 수 있는 계산기입니다.

계획 세우기
- 어떤 방법으로 문제를 해결할 수 있을지 계획을 세워 보세요.

24

 교과서 개념 완성

문제 이해하기

≫ 구하려고 하는 것

99999 × 97을 계산하기 위해 이 계산기에 입력할 식입니다.

≫ 알고 있는 것

- 누를 수 있는 계산기의 숫자 버튼이 제한되어 있습니다.
- 숫자 버튼 9, 7, 5, 3, 2, 0에 붙임딱지가 붙어 있고, 붙임딱지가 붙어 있는 버튼을 사용할 수 없습니다.
- 괄호를 사용할 수 있는 계산기입니다.

계획 세우기

- 사용할 수 있는 숫자 버튼 1, 4, 6, 8만 가지고 99999와 97을 만들 수 있는지 알아봅니다.
- 괄호를 사용할 수 있을 것 같습니다.

계획대로 풀기

99999 만들기: 88888 + 11111

97 만들기: 86 + 11

$99999 × 97 = (88888 + 11111) × (86 + 11)$

다양한 답이 나올 수 있습니다.

학부모 코칭 Tip

99999와 97을 만들었을 때 99999를 만든 식과 97을 만든 식을 괄호를 사용하여 묶어서 식을 표현하도록 합니다. 필요한 경우에는 계산기로 확인해 보게 합니다.

계획대로 풀기
- 사용 가능한 버튼을 사용하여 99999를 구하는 식을 만들어 보세요.
  예 88888 + 11111, 66666 + 11111 + 11111 + 11111 등
- 사용 가능한 버튼을 사용하여 97을 구하는 식을 만들어 보세요.
  예 86 + 11, 84 + 6 − 4 + 11 등
- 99999 × 97의 값을 구할 수 있는 식을 써 보세요.
  예 (88888 + 11111) × (86 + 11)

되돌아보기
- 구한 식이 맞았는지 확인해 보세요.
- 문제의 조건을 바꾸어 새로운 문제를 만들고 해결해 보세요.

  예 0, 3, 4, 6, 8, 9를 사용하지 않고 66666 × 88의 값을 구할 수 있는 식을 써 보세요.

붙임딱지를 다른 숫자 버튼에 붙여 볼까?

( )를 사용할 수 있는 계산기의 숫자 버튼 9, 7, 5, 3, 2, 0과 + 버튼에 붙임딱지를 붙였습니다. 붙임딱지를 붙인 버튼을 사용하지 않고 55555 × 887을 계산하기 위해 이 계산기에 입력할 식을 구해 보세요.
예 55555 × 887 = (66666 − 11111) × (888 − 1)

25

문제 이해하기
>> **구하려고 하는 것**
55555 × 887을 계산하기 위해 이 계산기에 입력할 식입니다.

>> **알고 있는 것**
- 숫자 버튼 9, 7, 5, 3, 2, 0을 사용할 수 없습니다.
- 덧셈 버튼을 사용할 수 없습니다.
- 괄호를 사용할 수 있는 계산기입니다.

계획 세우기
- 사용할 수 있는 숫자 버튼 1, 4, 6, 8만 가지고, 덧셈을 사용하지 않고 55555와 887을 만들 수 있다면 그 식을 입력할 수 있을 것 같습니다.
- 괄호를 사용할 수 있을 것 같습니다.

계획대로 풀기
55555 만들기: 66666 − 11111
887 만들기: 888 − 1
55555 × 887 = (66666 − 11111) × (888 − 1)

되돌아보기
풀이 과정과 답을 점검해 봅니다.

문제 해결력 문제   정답 및 풀이 203쪽

1 ( )를 사용할 수 있는 계산기의 숫자 버튼 8, 6, 5, 4, 2, 0에 붙임딱지를 붙였습니다. 붙임딱지를 붙인 버튼을 사용하지 않고 66666 × 94를 계산하기 위해 이 계산기에 입력할 식을 구해 보세요.

 식

2 ( )를 사용할 수 있는 계산기의 숫자 버튼 9, 6, 5, 4, 3, 0과 − 버튼에 붙임딱지를 붙였습니다. 붙임딱지를 붙인 버튼을 사용하지 않고 99999 × 76을 계산하기 위해 이 계산기에 입력할 식을 구해 보세요.

식

8
차시

추론

혼합 계산식의 계산 순서 알아보기
▶자습서 16~17쪽
덧셈, 뺄셈, 나눗셈이 섞여 있는
식은 나눗셈을 먼저 계산합니다.

추론

혼합 계산식의 계산 순서에 따라 계산하기
▶자습서 10~15쪽, 18~19쪽
(   )가 있는 식은 (   ) 안을
먼저 계산하는 것에 주의하여 계산
합니다.

문제 해결 추론

혼합 계산을 응용한 문장으로 된 문제 해결하기
▶자습서 12~13쪽

학부모 코칭 Tip
먼저 학생 수를 식으로 나타낸
후 색종이의 수를 학생 수로 나
누어 하나의 식으로 나타내게
합니다.

---

① 가장 먼저 계산해야 하는 부분에 ◯표 하세요.
21쪽

$$16 - \boxed{8 \div 2} + 5$$

풀이 덧셈, 뺄셈, 나눗셈이 섞여 있는 식은 나눗셈을 먼저 계산해야 하므로 가장 먼저 계산해야 하는 부분은 $8 \div 2$입니다.

② 계산해 보세요.
14, 16
19, 23쪽

$$37 - (4 + 12) = 37 - 16$$
$$= 21$$

$$54 \div 6 \times 4 = 9 \times 4$$
$$= 36$$

$$53 - 3 \times (5 + 2) = 53 - 3 \times 7$$
$$= 53 - 21$$
$$= 32$$

$$79 + 24 \div (8 - 2) \times 2 = 79 + 24 \div 6 \times 2$$
$$= 79 + 4 \times 2$$
$$= 79 + 8$$
$$= 87$$

③ 대화를 읽고 알맞은 식을 찾아 ◯표 하세요.
16쪽

| $4 \times 6 \div 48$ | $48 - 4 \times 6$ | $(48 - 4) \times 6$ |
| $\boxed{48 \div (4 \times 6)}$ | $48 \div 4 \times 6$ | $48 \div 6 + 4$ |

우리 반 학생들에게
색종이 48장을 똑같이 나누어
줄 거야. 4명씩 6모둠이니까
한 명에게 색종이를 몇 장씩
나누어 줄 수 있을까?

하나의 식으로
나타내어 보자.

풀이 4명씩 6모둠의 학생 수를 식으로 나타내면 4×6입니다.
따라서 한 명에게 나누어 줄 수 있는 색종이의 수는
$48 \div (4 \times 6) = 48 \div 24 = 2$(장)입니다.

26

4
19쪽

준석이네 반 학생은 25명입니다. 5명씩 4모둠으로 나누어 피구를 하고 있고, 나머지 학생들은 다른 반 학생 6명과 함께 응원을 하고 있습니다. 응원을 하고 있는 학생은 몇 명인지 하나의 식으로 나타내고, 답을 구해 보세요.

식 $25-5\times4+6=11$ 답   11명

풀이 준석이네 반 학생은 25명이고, 5명씩 4모둠의 학생 수를 식으로 나타내면 5×4입니다.
따라서 응원을 하고 있는 학생 수는
$25-5\times4+6=25-20+6=5+6=11$(명)입니다.

혼합 계산을 응용한 문장으로 된 문제 해결하기
▶자습서 14~15쪽

학부모 코칭 Tip

25명에서 피구를 하고 있는 학생 수를 뺀 다음, 응원을 하는 다른 반 학생 수를 더하여 하나의 식으로 나타내게 합니다.

5
23쪽

하연이가 수제비 2인분을 만들려고 합니다. 슈퍼마켓에서 감자와 바지락을 고르고 5000원을 냈습니다. 거스름돈은 얼마인지 하나의 식으로 나타내고, 답을 구해 보세요.

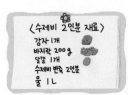

재료	가격
감자 3개	1500원
바지락 100 g	500원

식 $5000-1500\div3-500\times2=3500$ 답   3500원

풀이 감자 1개의 값을 식으로 나타내면 $1500\div3$이고,
바지락 200 g의 값을 식으로 나타내면 500×2입니다.
따라서 5000원을 내고 받은 거스름돈은
$5000-1500\div3-500\times2$
$=5000-500-500\times2$
$=5000-500-1000$
$=4500-1000=3500$(원)입니다.

혼합 계산을 응용한 문장으로 된 문제 해결하기
▶자습서 18~19쪽

학부모 코칭 Tip

거스름돈은 낸 돈에서 구입한 물건값을 빼는 것을 알고 하나의 식으로 나타내게 합니다.

 생각 넓히기 추론 정보 처리

6
23쪽

1부터 9까지의 자연수 중에서 ☐ 안에 들어갈 수 있는 수를 모두 구해 보세요.

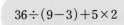 $36\div(9-3)+5\times2$ $>$ 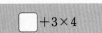 ☐$+3\times4$

(1, 2, 3   )

풀이 $36\div(9-3)+5\times2=36\div6+5\times2=6+5\times2=6+10=16$
$16>$☐$+3\times4$이므로 ☐$+3\times4$가 16보다 작은 수가 되어야 합니다.
따라서 ☐ 안에 들어갈 수 있는 수는 1, 2, 3입니다.

혼합 계산식을 응용한 문제 해결하기
▶자습서 18~19쪽

학부모 코칭 Tip

부등호 왼쪽의 식을 먼저 계산한 다음 ☐ 안에 들어갈 수 있는 수를 구하게 합니다.

27

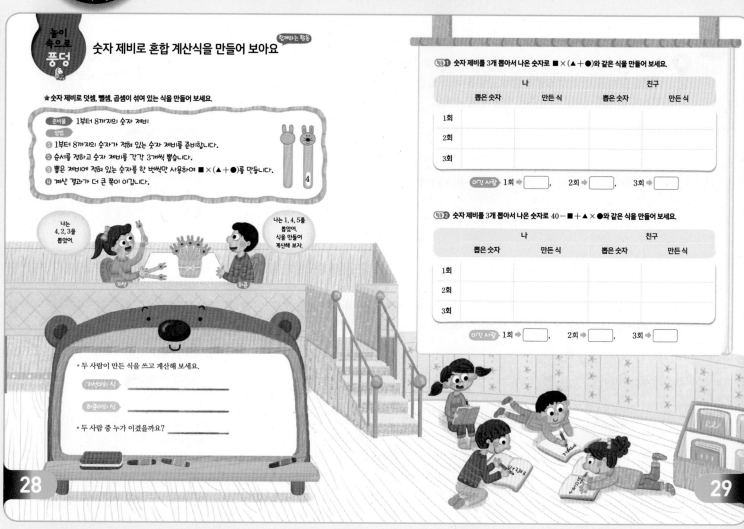

교과서 개념 완성

 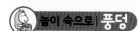

1 준비물 확인 및 놀이 방법 살펴보기

- 1부터 8까지의 숫자 제비가 준비되었는지 확인합니다.
- 놀이 방법을 읽어 봅니다.
- 놀이 방법을 단계별로 설명해 봅니다.

2 실제 친구와 놀이하기

㉠ 지선이가 4, 2, 3을 뽑고, 하준이가 1, 4, 5를 뽑은 경우

활동1 ■×(▲+●)와 같은 식 만들기

지선이의 식 $4 \times (2+3) = 20$

하준이의 식 $5 \times (1+4) = 25$

➡ 20 < 25이므로 하준이가 이겼습니다.

활동2 $40 - ■ + ▲ \times ●$와 같은 식 만들기

지선이의 식 $40 - 2 + 4 \times 3 = 50$

하준이의 식 $40 - 1 + 4 \times 5 = 59$

➡ 50 < 59이므로 하준이가 이겼습니다.

학부모 코칭 Tip

혼합 계산식의 값이 커지려면 어떻게 해야 하나요?
활동1 은 곱해지는 수에 가장 큰 수를 넣으면 계산 결과가 커집니다.
활동2 는 빼는 수에 가장 작은 수를 넣으면 계산 결과가 커집니다.

이야기로 키우는 생각

미술관에서 작품을 관람해요 *창의력 키우기*

가족들이나 친구들과 함께 미술관을 찾아가 본 적이 있나요? 미술관을 찾아 미술품을 직접 보면 책이나 영상을 통하여 볼 때와는 또 다른 매력이 있답니다. 관련 정보를 미리 탐색한 후 미술관에 방문하면 더욱 깊이 있는 감상을 할 수 있습니다.

그럼 새미네 반 친구들과 미술관 단체 관람을 준비해 볼까요? 새미네 반 친구들은 '우리 미술관'에서 열리고 있는 '재미있는 현대 미술'을 관람하기로 하였습니다. 새미네 반 학생 35명 중 8명은 다른 전시를 관람하기로 했습니다. 남은 학생들이 3모둠으로 나누어 입장한다고 하면 한 모둠은 표를 몇 장씩 사야 할까요?

$(35-8) \div 3 = 9$이므로 한 모둠은 표를 9장씩 사야 합니다.

'재미있는 현대 미술' 전시에는 모두 55점의 작품들이 전시 중입니다. 그중 장소와 공간 전체를 체험할 수 있는 설치 작품이 15점이고, 나머지는 그림 작품입니다. 친구들은 1시간 20분 동안 그림 작품을 각자 감상한 후, 다 같이 모여 설치 작품을 보기로 했습니다. 모든 그림 작품을 똑같은 시간을 들여 감상하려면 작품별로 몇 분 동안 감상해야 할까요?

55점의 작품 중 15점이 설치 작품이므로 그림 작품은 $55-15=40$(점)입니다. 1시간 20분은 80분이고 $80 \div (55-15) = 2$이므로 작품별로 2분 동안 감상해야 합니다.

그럼 이제 작품을 감상하러 가 볼까요? 즐거운 감상을 위해 관람 예절은 꼭 지키도록 해요.

관람 예절

이야기로 키우는 | 생각

작품을 감상하는 방법

1. 전시 자료를 통하여 사전 정보를 입수합니다.

홈페이지 또는 전시실 입구나 안내 데스크에 마련된 인쇄물을 미리 읽어 보면 작품에 대한 이해를 높일 수 있습니다. 또한 전시 기획의 배경을 이해하고 작품과 비교해 감상하면 더욱 좋습니다.

2. 전체 작품을 돌아본 후 관심 작품은 집중적으로 감상합니다.

전시장의 안내 동선에 따라 천천히 전체적으로 돌아본 후 관심 있는 작품은 다시 집중적으로 살펴보는 것도 좋은 방법입니다.

더욱 깊이 있는 작품 감상을 위해 전시 해설에 참여하거나 전시장에서 관람객에게 전시와 관련한 설명을 해 주는 사람 또는 작가에게 질문을 하여 설명을 듣는 것도 좋습니다.

3. 편안한 마음으로 감상합니다.

작품의 이해보다는 작품과 대화하듯 편안한 마음으로 관람합니다.

4. 감상을 정리합니다.

관람을 마치고 돌아갈 때 감상을 정리하는 시간을 가집니다.

[출처] 부산시립미술관, 2020.

개념 ÷ 확인

교과서 개념을 익히고 확인 문제를 풀면서 단원을 마무리해 보아요.

개념

➡ 덧셈과 뺄셈이 섞여 있는 식의 계산

· 덧셈과 뺄셈이 섞여 있는 식은 앞에서부터 차례로 계산합니다.

· (　)가 있는 식은 (　　) 안을 먼저 계산합니다.

예) $54-23+15=31+15$
　　　①　　　　　$=46$
　　　　②

➡ 곱셈과 나눗셈이 섞여 있는 식의 계산

· 곱셈과 나눗셈이 섞여 있는 식은 앞에서부터 차례로 계산합니다.

· (　)가 있는 식은 (　　) 안을 먼저 계산합니다.

예) $40÷(5×2)=40÷10$
　　　　　①　　　　$=4$
　　　　　②

➡ 덧셈, 뺄셈, 곱셈이 섞여 있는 식의 계산

· 덧셈, 뺄셈, 곱셈이 섞여 있는 식은 곱셈을 먼저 계산합니다.

예) $38-6×2+4=38-12+4$
　　　　①　　　　　$=26+4$
　　　②　　　　　　$=30$
　　　　③

· (　)가 있는 식은 (　　) 안을 먼저 계산합니다.

예) $38-6×(2+4)=38-6×6$
　　　　①　　　　　$=38-36$
　　　②　　　　　　$=2$
　　　　③

확인 문제

1 바르게 계산한 것에 ○표 하세요.

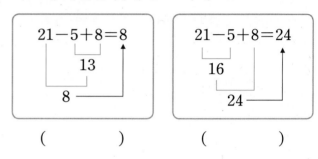

(　　　　)　　　(　　　　)

2 계산 순서를 나타내고, 계산해 보세요.

$$8×7÷2$$

3 두 식의 계산 결과가 같으면 ○표, 다르면 ×표 하세요.

| $42÷2×3$ | $42÷(2×3)$ |

(　　　　　　　　　　　　　)

4 계산 결과를 찾아 이어 보세요.

| $96-8×9+3$ | $(5+7)×3-13$ |

· 　　　　　　·

·　　　　·　　　　·

| 23 | 25 | 27 |

개념

덧셈, 뺄셈, 나눗셈이 섞여 있는 식의 계산

• 덧셈, 뺄셈, 나눗셈이 섞여 있는 식은 나눗셈을 먼저 계산합니다.

예) $54 \div 6 - 3 + 11 = 9 - 3 + 11$
　　　①　　　　　　$= 6 + 11$
　　　②　　　　　　$= 17$
　　　③

• (　　)가 있는 식은 (　　) 안을 먼저 계산합니다.

예) $54 \div (6-3) + 11 = 54 \div 3 + 11$
　　　①　　　　　　$= 18 + 11$
　　　②　　　　　　$= 29$
　　　③

덧셈, 뺄셈, 곱셈, 나눗셈이 섞여 있는 식의 계산

• 덧셈, 뺄셈, 곱셈, 나눗셈이 섞여 있는 식은 곱셈과 나눗셈을 먼저 계산합니다.

예) $39 \div 3 + 7 - 2 \times 6 = 13 + 7 - 2 \times 6$
　　①　　　　②　　　$= 13 + 7 - 12$
　　　③　　　　　　$= 20 - 12$
　　　④　　　　　　$= 8$

• (　　)가 있는 식은 (　　) 안을 먼저 계산합니다.

예) $39 \div 3 + (7-2) \times 6 = 39 \div 3 + 5 \times 6$
　　②　　　①　　　$= 13 + 5 \times 6$
　　　③　　　　　　$= 13 + 30$
　　　④　　　　　　$= 43$

확인 문제

5 ☐ 안에 알맞은 수를 써넣으세요.

$37 + 65 \div 5 - 14 = 37 + \boxed{} - 14$
　　　　　　　　$= \boxed{} - 14$
　　　　　　　　$= \boxed{}$

6 계산 결과가 12인 것을 찾아 기호를 써 보세요.

| ㉠ $16 + 9 - 18 \div 6$ 　　 ㉡ $(30+8) \div 2 - 7$ |

(　　　　　　　　)

7 계산 순서에 맞게 기호를 써 보세요.

$29 - 36 \div (3+3) \times 4$
　　㉠　㉡　㉢　　㉣

(　　　　　　　　)

8 계산 결과를 비교하여 ◯ 안에 >, =, <를 알맞게 써넣으세요.

$9 \times 5 \div 3 - 7 + 8 \bigcirc (31-6) \div 5 + 3 \times 4$

1-1 1부터 9까지의 자연수 중에서 ■에 알맞은 수를 모두 구하려고 합니다. 풀이 과정을 쓰고, 답을 구해 보세요. [8점]

$$4 \times (5+2) - 25 > \blacksquare$$

풀이

❶ $4 \times (5+2) - 25 = 4 \times \boxed{} - 25$

$\quad = \boxed{} - 25$

$\quad = \boxed{}$

❷ ■는 $\boxed{}$보다 작아야 하므로 ■에 알맞은 수는 $\boxed{}$, $\boxed{}$입니다.

답 _____

1-2 (쌍둥이) 1부터 9까지의 자연수 중에서 ⬜ 안에 들어갈 수 있는 수를 모두 구하려고 합니다. 풀이 과정을 쓰고, 답을 구해 보세요. [12점]

$$7 + 9 - 36 \div 3 > \boxed{}$$

풀이

답 _____

1-3 (유사) 1부터 9까지의 자연수 중에서 ⬜ 안에 들어갈 수 있는 수를 모두 구하려고 합니다. 풀이 과정을 쓰고, 답을 구해 보세요. [15점]

$$16 \div 4 \times 2 > \boxed{} + 5$$

풀이

답 _____

1-4 (실전) 1부터 9까지의 자연수 중에서 ⬜ 안에 들어갈 수 있는 수를 모두 구하려고 합니다. 풀이 과정을 쓰고, 답을 구해 보세요. [15점]

$$35 \times 2 \div 7 - 6 + 4 < \boxed{} + 2$$

풀이

답 _____

→ 정답 및 풀이 204쪽

2-1 선재는 문구점에서 500원짜리 볼펜 1자루와 1200원짜리 가위 1개를 고르고 2000원을 냈습니다. 선재가 받을 거스름돈은 얼마인지 ( )가 있는 하나의 식으로 나타내어 풀이 과정을 쓰고, 답을 구해 보세요. [8점]

풀이

❶ 산 물건 값을 식으로 나타내면

500+[   ]입니다. 거스름돈은 얼마인지 하나의 식으로 나타내면

2000−(500+[   ])입니다.

❷ (거스름돈)

$=2000-(500+\boxed{})$

$=2000-\boxed{}=\boxed{}$(원)

답

2-2 **쌍둥이** 연호는 문구점에서 800원짜리 자 1개와 1300원짜리 색종이 한 묶음을 고르고 3000원을 냈습니다. 연호가 받을 거스름돈은 얼마인지 ( )가 있는 하나의 식으로 나타내어 풀이 과정을 쓰고, 답을 구해 보세요. [12점]

풀이

답

2-3 **유사** 지우개 1개는 500원, 공책 1권은 600원입니다. 수혜는 지우개 1개와 공책 3권을 고르고 3000원을 냈습니다. 수혜가 받을 거스름돈은 얼마인지 ( )가 있는 하나의 식으로 나타내어 풀이 과정을 쓰고, 답을 구해 보세요. [15점]

풀이

답

┌ 연필 1타는 12자루입니다.

2-4 **실전** 수첩 1권은 700원, <u>연필 1타</u>는 3600원입니다. 민지는 수첩 1권과 연필 3자루를 고르고 5000원을 냈습니다. 민지가 받을 거스름돈은 얼마인지 ( )가 있는 하나의 식으로 나타내어 풀이 과정을 쓰고, 답을 구해 보세요. [15점]

풀이

답

| 덧셈과 뺄셈이 섞여 있는 식의 계산 |

01 ☐ 안에 알맞은 수를 써넣으세요.

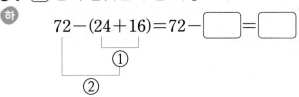

$$72-(24+16)=72-\boxed{}=\boxed{}$$

① ②

| 곱셈과 나눗셈이 섞여 있는 식의 계산 |

02 ☐ 안에 알맞은 수를 써넣으세요.

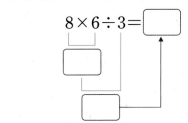

$$8\times6\div3=\boxed{}$$

| 덧셈, 뺄셈, 나눗셈이 섞여 있는 식의 계산 |

03 $17+27\div9-4$의 계산 순서를 바르게 설명한 사람은 누구인가요?

> 상민: 앞에서부터 차례로 계산해야 해.
> 유나: $27\div9$를 가장 먼저 계산해야 해.

( )

| 덧셈, 뺄셈, 곱셈, 나눗셈이 섞여 있는 식의 계산 |

04 계산 순서를 나타내고, 계산해 보세요.

$$21-2\times7+9\div3$$

| 덧셈, 뺄셈, 곱셈이 섞여 있는 식의 계산 |

05 크기를 비교하여 ◯ 안에 >, =, <를 알맞게 써넣으세요.

$$86-27\times2+9\ \bigcirc\ 35$$

| 곱셈과 나눗셈이 섞여 있는 식의 계산 |

06 바르게 계산한 것을 찾아 기호를 써 보세요.

> ㉠ $18\div3\times2=12$
> ㉡ $18\div(3\times2)=12$

( )

| 덧셈, 뺄셈, 곱셈이 섞여 있는 식의 계산 |

07 계산 결과를 찾아 이어 보세요.

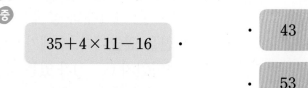

$35+4\times11-16$ ·   · 43

· 53

$26+9\times(9-6)$ ·   · 63

| 덧셈과 뺄셈이 섞여 있는 식의 계산 |

08 ( )를 사용하여 두 식을 하나의 식으로 나타내어 보세요.

$$14+5=19,\ 34-19=15$$

식

| 덧셈, 뺄셈, 곱셈이 섞여 있는 식의 계산 |

09 잘못 계산한 곳을 찾아 바르게 계산해 보세요.
중

$$(18-9) \times 3 + 2 = 9 \times 3 + 2$$
$$= 9 \times 5$$
$$= 45$$

↓

$$(18-9) \times 3 + 2$$

| 덧셈, 뺄셈, 나눗셈이 섞여 있는 식의 계산 |

10 설명하는 수를 구해 보세요.
중

96을 54와 48의 차로 나눈 몫

(   )

| 곱셈과 나눗셈이 섞여 있는 식의 계산 |

11 다음을 구하는 식을 바르게 나타낸 것을 찾아 기호를 써 보세요.
중

도화지가 한 묶음에 18장씩 3묶음 있습니다. 이 도화지를 6명에게 똑같이 나누어 주려고 합니다. 한 명에게 도화지를 몇 장씩 주어야 할까요?

㉠ $18 \div 3 \times 6$ ㉡ $18 \div (3 \times 6)$ ㉢ $18 \times 3 \div 6$

(   )

| 덧셈과 뺄셈이 섞여 있는 식의 계산 |

12 계산 결과의 차를 구해 보세요.
중

| $15-11+19$ | $36-(8+9)$ |

(   )

| 덧셈, 뺄셈, 나눗셈이 섞여 있는 식의 계산 |

13 (   )가 없어도 계산 결과가 같은 식을 찾아 기호를 써 보세요.
중

㉠ $12 + (24-9) \div 3$
㉡ $27 - 3 \times (4+2)$
㉢ $(33+2) - 24 \div 8$

(   )

| 덧셈, 뺄셈, 곱셈이 섞여 있는 식의 계산 |

14 선미는 12살이고, 언니는 선미보다 3살 많습니다. 어머니는 언니 나이의 3배보다 2살 적습니다. 어머니의 나이는 몇 살인지 하나의 식으로 나타내고, 답을 구해 보세요.
중

답 _____

| 덧셈, 뺄셈, 곱셈, 나눗셈이 섞여 있는 식의 계산 |

15 ☐ 안에 들어갈 수 있는 가장 큰 자연수를 구해 보세요.
중

$6 \times (3+4) - 15 \div 5 > \boxed{}$

(   )

| 덧셈, 뺄셈, 곱셈, 나눗셈이 섞여 있는 식의 계산 | (서술형)

16 다음과 같이 약속할 때, 11◉8은 얼마인지
(중) 풀이 과정을 쓰고, 답을 구해 보세요.

$$가◉나=가×(나-2)÷2+5$$

(풀이)

(답) _____

| 덧셈과 뺄셈이 섞여 있는 식의 계산 |

17 어떤 수에 35를 더하고 21을 뺐더니 16이
(중) 되었습니다. 어떤 수를 구해 보세요.

(   )

| 덧셈, 뺄셈, 나눗셈이 섞여 있는 식의 계산 |

18 계산 결과가 맞는 식이 되도록 알맞은 곳에
(상) (   )를 넣어 보세요.

$$72+45÷9-4=81$$

| 덧셈, 뺄셈, 나눗셈이 섞여 있는 식의 계산 | (서술형)

19 지구에서 잰 무게는 달에서 잰 무게의 약
(상) 6배입니다. 세 사람이 모두 달에서 몸무게
를 잰다면 선생님의 몸무게는 하린이와 서
연이의 몸무게의 합보다 몇 kg 더 무거운지
하나의 식으로 나타내어 풀이 과정을 쓰고,
답을 구해 보세요.

지구에서 잰 몸무게

선생님	하린	서연
66 kg	24 kg	30 kg

(풀이)

(답) _____

| 덧셈, 뺄셈, 나눗셈이 섞여 있는 식의 계산 | (서술형)

20 숫자 카드 1, 3, 5를 한 번씩만 사용
(상) 하여 다음과 같은 식을 만들려고 합니다.
계산 결과가 가장 클 때는 얼마인지 풀이 과
정을 쓰고, 답을 구해 보세요.

$$48÷(□+□)-□$$

(풀이)

(답) _____

생선을 세는 단위에는 무엇이 있을까요?

오늘은 생선을 사러 왔으니까……

어서 오세요.^^

생선

조기 2두름과 고등어 3손 주세요.

엄마 두름이랑 손이 무슨 말이에요?

두름과 손은 생선의 수를 세는 단위야.

조기 한 두름은 20마리, 고등어 한 손은 2마리란다.

조기 한 두름

고등어 한 손

자~ 여기 있습니다. 맛있게 드세요.

생선

네~ 많이 파세요~

생선이 모두 $20 \times 2 + 2 \times 3 = 40 + 6 = 46$(마리)가 되었구나. 당분간 생선 걱정은 없겠는걸~

시장

오늘 저녁에 고등어 구워 먹어요. 엄마~

2

배수와 약수

- 전통문화 체험전에서 다양한 체험을 하고 있습니다.
- 도자기 만들기 체험과 탈 만들기 체험이 몇 시간 뒤에 동시에 열리게 될지 궁금해하고 있습니다.

그림 속 상황

자/기/주/도/학/습

준비 **팡팡**

'무엇을 알고 있나요'와 '함께 생각해 볼까요'를 통하여 단원을 준비할 수 있습니다.

◆ ▢ 안에 알맞은 수 써넣기

· $5 \times \square = 30$에서 $5 \times 6 = 30$이므로 $\square = 6$
· $600 \times 9 = 5400$
· $\square \times 20 = 800$에서 $40 \times 20 = 800$이므로 $\square = 40$
· $6 \times 7 = 42$이므로 $42 \div 6 = 7$
· $\square \div 2 = 8$에서 $2 \times 8 = 16$이므로 $\square = 16$
· $56 \div \square = 7$에서 $7 \times 8 = 56$이므로 $\square = 8$

◆ 두 자연수의 곱으로 나타내기

· 곱이 24인 두 자연수는 4와 6, 3과 8, 2와 12, 1과 24입니다.
· 곱이 18인 두 자연수는 3과 6, 2와 9, 1과 18입니다.

◆ 곱셈식을 나눗셈식으로, 나눗셈식을 곱셈식으로 나타내기

하나의 곱셈식을 2개의 나눗셈식으로, 하나의 나눗셈식을 2개의 곱셈식으로 바꿀 수 있습니다.

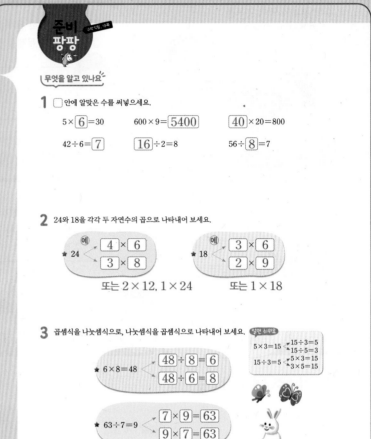

준비 **팡팡**

무엇을 알고 있나요

1 ▢ 안에 알맞은 수를 써넣으세요.

$5 \times \boxed{6} = 30$ $600 \times 9 = \boxed{5400}$ $\boxed{40} \times 20 = 800$

$42 \div 6 = \boxed{7}$ $\boxed{16} \div 2 = 8$ $56 \div \boxed{8} = 7$

2 24와 18을 각각 두 자연수의 곱으로 나타내어 보세요.

예 $\star$ 24 → $\boxed{4} \times \boxed{6}$ / $\boxed{3} \times \boxed{8}$
또는 2×12, 1×24

예 $\star$ 18 → $\boxed{3} \times \boxed{6}$ / $\boxed{2} \times \boxed{9}$
또는 1×18

3 곱셈식을 나눗셈식으로, 나눗셈식을 곱셈식으로 나타내어 보세요.

$\star$ $6 \times 8 = 48$ → $\boxed{48} \div \boxed{8} = \boxed{6}$ / $\boxed{48} \div \boxed{6} = \boxed{8}$

$5 \times 3 = 15$ → $15 \div 3 = 5$ / $15 \div 5 = 3$
$15 \div 3 = 5$ → $5 \times 3 = 15$ / $3 \times 5 = 15$

$\star$ $63 \div 7 = 9$ → $\boxed{7} \times \boxed{9} = \boxed{63}$ / $\boxed{9} \times \boxed{7} = \boxed{63}$

34

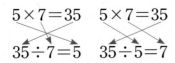

교과서 **개념 완성** | 배운 것을 다시 생각하기

◆ 곱셈식으로 나타내기

3의 6배
→ [덧셈식] $3 + 3 + 3 + 3 + 3 + 3$
→ [곱셈식] 3×6

◆ 곱셈식을 나눗셈식으로 나타내기

하나의 곱셈식을 2개의 나눗셈식으로 바꿀 수 있습니다.

$5 \times 7 = 35$ $5 \times 7 = 35$

$35 \div 7 = 5$ $35 \div 5 = 7$

◆ 나눗셈식을 곱셈식으로 나타내기

하나의 나눗셈식을 2개의 곱셈식으로 바꿀 수 있습니다.

$32 \div 8 = 4$ $32 \div 8 = 4$

$8 \times 4 = 32$ $4 \times 8 = 32$

◆ 곱셈식을 이용하여 나눗셈의 몫 구하기

곱셈식을 이용하여 나눗셈의 몫을 구할 수 있습니다.

$12 \div 2 = \square$ → $2 \times 6 = 12$

곱하는 수가 6이므로 몫은 6입니다.

$12 \div 2 = \square$ → $6 \times 2 = 12$

곱해지는 수가 6이므로 몫은 6입니다.

함께 생각해 볼까요

1 보기와 같이 똑같은 개수로 묶어 보고, 곱셈식으로 나타내어 보세요.

보기

$3 \times 8 = 24$

$4 \times 6 = 24$
(4개씩 묶으면)

$6 \times 4 = 24$
(6개씩 묶으면)

2 규칙을 찾아 뛰어 세어 빈칸에 알맞은 수를 써넣으세요.

· 3 6 9 12 15 18

풀이 3씩 뛰어 셉니다.

· 11 22 33 44 55 66

풀이 11씩 뛰어 셉니다.

3 5장의 숫자 카드가 있습니다. ☐ 안에 숫자 카드의 수를 알맞게 써넣어 계산식을 만들어 보세요.

2 4 5 6 9

$2 \times 5 \times 6 = 60$ 또는 $2 \times 6 \times 5 = 60$

$2 \times 4 \times 9 = 72$ 또는 $4 \times 2 \times 9 = 72$

35

🔹 **똑같은 개수로 묶어 보고, 곱셈식으로 나타내기**
· 2개씩 묶으면 12묶음이므로 $2 \times 12 = 24$입니다.
· 4개씩 묶으면 6묶음이므로 $4 \times 6 = 24$입니다.
· 6개씩 묶으면 4묶음이므로 $6 \times 4 = 24$입니다.
· 8개씩 묶으면 3묶음이므로 $8 \times 3 = 24$입니다.
· 12개씩 묶으면 2묶음이므로 $12 \times 2 = 24$입니다.

🔹 **규칙을 찾아 뛰어 세어 빈칸에 알맞은 수 써넣기**
· 3 - 6 - 9
→ 3씩 커지므로 3씩 뛰어 세는 규칙입니다.
· 22 - 33 - 44
→ 11씩 커지므로 11씩 뛰어 세는 규칙입니다.

🔹 **☐ 안에 숫자 카드의 수를 알맞게 써넣어 계산식 만들기**
· 2와 곱해서 60이 되는 두 수는 5, 6입니다.
→ $2 \times 5 \times 6 = 60$ 또는 $2 \times 6 \times 5 = 60$
· 9와 곱해서 72가 되는 두 수는 2, 4입니다.
→ $2 \times 4 \times 9 = 72$ 또는 $4 \times 2 \times 9 = 72$

개념 확인 문제

정답 및 풀이 207쪽

| 2-1 6. 곱셈 |

1 ♥의 수를 곱셈식으로 나타내어 보세요.

♥ ♥ ♥ ♥ ♥ ♥ ♥
♥ ♥ ♥ ♥ ♥ ♥

2의 ☐ 배 → $2 \times ☐ = ☐$

| 3-1 3. 나눗셈 |

2 ☐ 안에 알맞은 수를 써넣으세요.

$4 \times ☐ = 20$ → $20 \div 4 = ☐$

| 3-1 3. 나눗셈 |

3 나눗셈식을 곱셈식으로 나타내려고 합니다. ☐ 안에 알맞은 수를 써넣으세요.

$27 \div 9 = 3$
$9 \times ☐ = ☐$
$☐ \times ☐ = ☐$

| 3-1 3. 나눗셈 |

4 빈칸에 알맞은 수를 써넣으세요.

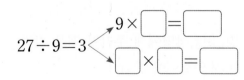

÷6	18	30	48

1 | 배수

배수의 의미를 알고 배수를 구할 수 있습니다.

그림으로 개념 잡기

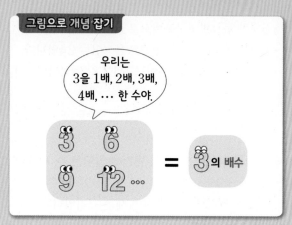

우리는
3을 1배, 2배, 3배,
4배, … 한 수야.

3 6
9 12 ··· = 3의 배수

참고 어떤 수의 배수는 셀 수 없이 많습니다.

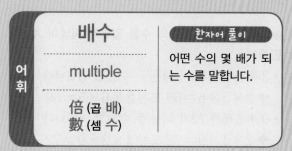

어휘	배수	한자어 풀이
	multiple	어떤 수의 몇 배가 되는 수를 말합니다.
	倍 (곱 배) 數 (셈 수)	

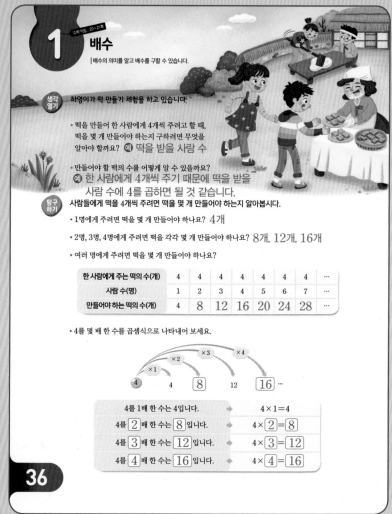

1 배수
|배수의 의미를 알고 배수를 구할 수 있습니다.

생각 열기 하영이가 떡 만들기 체험을 하고 있습니다.

• 떡을 만들어 한 사람에게 4개씩 주려고 할 때, 떡을 몇 개 만들어야 하는지 구하려면 무엇을 알아야 할까요? 예 떡을 받을 사람 수

• 만들어야 할 떡의 수를 어떻게 알 수 있을까요?
예 한 사람에게 4개씩 주기 때문에 떡을 받을 사람 수에 4를 곱하면 될 것 같습니다.

탐구 하기 사람들에게 떡을 4개씩 주려면 떡을 몇 개 만들어야 하는지 알아봅시다.

• 1명에게 주려면 떡을 몇 개 만들어야 하나요? 4개

• 2명, 3명, 4명에게 주려면 떡을 각각 몇 개 만들어야 하나요? 8개, 12개, 16개

• 여러 명에게 주려면 떡을 몇 개 만들어야 하나요?

한 사람에게 주는 떡의 수(개)	4	4	4	4	4	4	4	…
사람 수(명)	1	2	3	4	5	6	7	…
만들어야 하는 떡의 수(개)	4	8	12	16	20	24	28	…

• 4를 몇 배 한 수를 곱셈식으로 나타내어 보세요.

4 →(×1) 4 →(×2) 8 →(×3) 12 →(×4) 16 ···

4를 1배 한 수는 4입니다. ➡ $4 \times 1 = 4$
4를 2배 한 수는 8입니다. ➡ $4 \times 2 = 8$
4를 3배 한 수는 12입니다. ➡ $4 \times 3 = 12$
4를 4배 한 수는 16입니다. ➡ $4 \times 4 = 16$

36

교과서 개념 완성

탐구하기 4를 몇 배 한 수를 구하고 곱셈식으로 나타내기

1명, 2명, 3명, 4명에게 주려면 떡을 각각 4개, 8개, 12개, 16개 만들어야 합니다.

• 1명이 받는 떡의 수는 4개이고, 만들어야 하는 떡의 수는 4에 사람 수를 곱한 것과 같습니다.

• 4를 1배 한 수: $4 \times 1 = 4$
4를 2배 한 수: $4 \times 2 = 8$
4를 3배 한 수: $4 \times 3 = 12$
4를 4배 한 수: $4 \times 4 = 16$

확인하기 자연수의 배수 구하기

• $3 \times 1 = 3$, $3 \times 2 = 6$, $3 \times 3 = 9$, $3 \times 4 = 12$이므로 3의 배수는 3, 6, 9, 12, …입니다.

• $8 \times 1 = 8$, $8 \times 2 = 16$, $8 \times 3 = 24$, $8 \times 4 = 32$이므로 8의 배수는 8, 16, 24, 32, …입니다.

생각 솔솔 자연수의 배수를 이용한 실생활 문제 해결하기

• 달력에 적힌 수 중에서 7의 배수를 찾아보면 7, 14, 21, 28입니다.

• 일주일이 7일이므로 7의 배수는 같은 요일입니다.

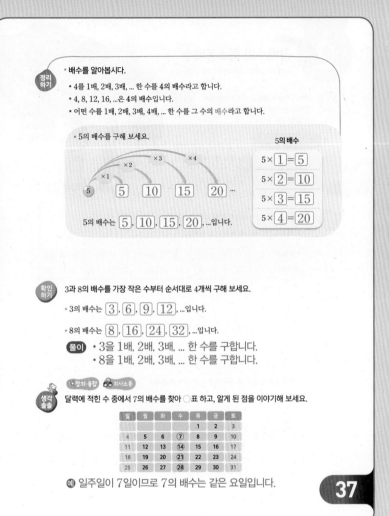

정리하기

• 배수를 알아봅시다.
• 4를 1배, 2배, 3배, ... 한 수를 4의 배수라고 합니다.
• 4, 8, 12, 16, ...은 4의 배수입니다.
• 어떤 수를 1배, 2배, 3배, 4배, ... 한 수를 그 수의 배수라고 합니다.

• 5의 배수를 구해 보세요.

$5 \times 1 = 5$
$5 \times 2 = 10$
$5 \times 3 = 15$
$5 \times 4 = 20$

5의 배수는 5, 10, 15, 20, ...입니다.

확인하기

3과 8의 배수를 가장 작은 수부터 순서대로 4개씩 구해 보세요.

• 3의 배수는 3, 6, 9, 12, ...입니다.
• 8의 배수는 8, 16, 24, 32, ...입니다.

풀이 • 3을 1배, 2배, 3배, ... 한 수를 구합니다.
• 8을 1배, 2배, 3배, ... 한 수를 구합니다.

생각 열기 · 창의·융합 · 의사소통

달력에 적힌 수 중에서 7의 배수를 찾아 ○표 하고, 알게 된 점을 이야기해 보세요.

일	월	화	수	목	금	토
				1	2	3
4	5	6	⑦	8	9	10
11	12	13	⑭	15	16	17
18	19	20	㉑	22	23	24
25	26	27	28	29	30	31

예 일주일이 7일이므로 7의 배수는 같은 요일입니다.

37

이런 문제가 서술형으로 나와요

어떤 수의 배수를 가장 작은 수부터 차례로 쓴 것입니다. 8번째 수는 얼마인지 풀이 과정을 쓰고, 답을 구해 보세요.

11, 22, 33, 44, 55, ...

| 풀이 과정 |

❶ 어떤 수의 배수를 쓴 것인지 구하기

어떤 수의 배수에서 가장 작은 수는 어떤 수이므로 11의 배수를 차례로 쓴 것입니다.

❷ 8번째 수 구하기

8번째 수는 $11 \times 8 = 88$입니다.

답 88

수학 교과 역량 · 창의·융합 · 의사소통

자연수의 배수를 이용한 실생활 문제 해결하기

달력을 이용하여 실생활에서 배수의 관계를 찾고 설명하는 과정을 통하여 창의·융합 능력과 의사소통 능력을 기를 수 있습니다.

개념 확인 문제
정답 및 풀이 207쪽

1 □안에 알맞은 수를 써넣으세요.

$2 \times 1 = 2$, $2 \times 2 = \square$, $2 \times 3 = \square$이므로

2의 배수는 2, □, □, ...입니다.

2 9의 배수를 가장 작은 수부터 순서대로 4개 써 보세요.

□, □, □, □

3 수 배열표를 보고 6의 배수를 모두 찾아 색칠해 보세요.

1	2	3	4	5	6	7	8	9	10
11	12	13	14	15	16	17	18	19	20

4 다음 수 중에서 8의 배수는 모두 몇 개인가요?

32　16　26　40

(　　　)

학습 목표

공배수와 최소공배수의 의미를 알고 구할 수 있습니다.

그림으로 개념 잡기

난 2의 배수도 되고 3의 배수도 돼.

2와 3의 공배수이구나.

어휘

공배수

common multiple

公 (공평할 공) 倍 (곱 배) 數 (셈 수)

---

2 공배수와 최소공배수

공배수와 최소공배수의 의미를 알고 구할 수 있습니다.

생각 열기

도자기 만들기 체험은 2시간에 한 번씩 열리고, 탈 만들기 체험은 3시간에 한 번씩 열립니다.

• 지금 두 체험이 동시에 열렸다면 바로 다음 번으로 동시에 열리는 때는 몇 시간 후인지 어떻게 알 수 있을까요?
예 2의 배수와 3의 배수에서 같은 수를 찾아봅니다.

탐구 하기

2의 배수도 되고 3의 배수도 되는 수를 알아봅시다.

• 2의 배수와 3의 배수에 각각 ○표 하세요.

| 2의 배수 | 1 | ② | 3 | ④ | 5 | ⑥ | 7 | ⑧ | 9 | ⑩ | 11 | ⑫ | 13 | ⑭ | 15 | ⑯ | 17 | ⑱ | … |
| 3의 배수 | 1 | 2 | ③ | 4 | 5 | ⑥ | 7 | 8 | ⑨ | 10 | 11 | ⑫ | 13 | 14 | ⑮ | 16 | 17 | ⑱ | … |

• 2의 배수도 되고 3의 배수도 되는 수를 찾아 써 보세요. 6, 12, 18

• 2와 3의 공통인 배수 중 가장 작은 수를 찾아 써 보세요. 6

• '두 수의 공통인 배수'와 '공통인 배수 중 가장 작은 수'를 각각 무엇이라고 부르면 좋을지 이야기해 보세요.
예 공통인 배수이므로 공배수, 공배수 중 가장 작은 수는 최소를 붙여 최소공배수라고 부르면 좋을 것 같습니다.

38

교과서 개념 완성

탐구하기 2의 배수도 되고 3의 배수도 되는 수 탐구하기

• 2의 배수도 되고 3의 배수도 되는 수는 6, 12, 18이고, 그중 가장 작은 수는 6입니다.

• '두 수의 공통인 배수'는 공배수, '공통인 배수 중 가장 작은 수'는 최소를 붙여 최소공배수라고 부르면 좋을 것 같습니다.

학부모 코칭 Tip

공배수와 최소공배수의 이름을 지을 때 단순히 공배수, 최소공배수의 이름을 붙이기보다는 왜 그런 이름을 붙였는지를 공배수, 최소공배수의 의미와 관련지어 이해하게 합니다.

확인하기 두 수의 공배수와 최소공배수 구하기

• 4와 5의 공배수와 최소공배수 구하기

4의 배수: 4, 8, 12, 16, 20, 24, 28, 32, 36, 40, …

5의 배수: 5, 10, 15, 20, 25, 30, 35, 40, …

➡ 4와 5의 공배수: 20, 40, 60, …

4와 5의 최소공배수: 20

• 8과 12의 공배수와 최소공배수 구하기

8의 배수: 8, 16, 24, 32, 40, 48, …

12의 배수: 12, 24, 36, 48, …

➡ 8과 12의 공배수: 24, 48, 72, …

8과 12의 최소공배수: 24

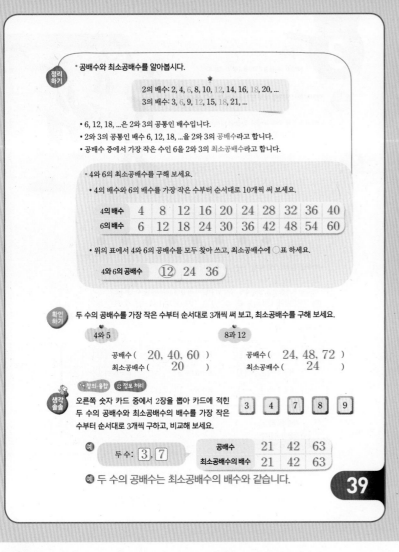

정리하기

• 공배수와 최소공배수를 알아봅시다.

2의 배수: 2, 4, 6, 8, 10, 12, 14, 16, 18, 20, ...
3의 배수: 3, 6, 9, 12, 15, 18, 21, ...

• 6, 12, 18, ...은 2와 3의 공통인 배수입니다.
• 2와 3의 공통인 배수 6, 12, 18, ...을 2와 3의 공배수라고 합니다.
• 공배수 중에서 가장 작은 수인 6을 2와 3의 최소공배수라고 합니다.

• 4와 6의 최소공배수를 구해 보세요.
• 4의 배수와 6의 배수를 가장 작은 수부터 순서대로 10개씩 써 보세요.

| 4의 배수 | 4 | 8 | 12 | 16 | 20 | 24 | 28 | 32 | 36 | 40 |
| 6의 배수 | 6 | 12 | 18 | 24 | 30 | 36 | 42 | 48 | 54 | 60 |

• 위의 표에서 4와 6의 공배수를 모두 찾아 쓰고, 최소공배수에 ○표 하세요.

4와 6의 공배수 ⑫ 24 36

확인하기

두 수의 공배수를 가장 작은 수부터 순서대로 3개씩 써 보고, 최소공배수를 구해 보세요.

4와 5
공배수(20, 40, 60)
최소공배수(20)

8과 12
공배수(24, 48, 72)
최소공배수(24)

생각수학 창의·융합 정보 처리

오른쪽 숫자 카드 중에서 2장을 뽑아 카드에 적힌 두 수의 공배수와 최소공배수의 배수를 가장 작은 수부터 순서대로 3개씩 구하고, 비교해 보세요.

3 4 7 8 9

예 두 수: ③, ⑦

| 공배수 | 21 | 42 | 63 |
| 최소공배수의 배수 | 21 | 42 | 63 |

예 두 수의 공배수는 최소공배수의 배수와 같습니다.

39

이런 문제가 서술형으로 나와요

6과 10의 공배수 중에서 가장 작은 수를 구하려고 합니다. 풀이 과정을 쓰고, 답을 구해 보세요.

| 풀이 과정 |

❶ 6과 10의 공배수 구하기

6의 배수: 6, 12, 18, 24, 30, 36, 42, 48, 54, 60, ...

10의 배수: 10, 20, 30, 40, 50, 60, ...

➡ 6과 10의 공배수: 30, 60, ...

❷ 6과 10의 공배수 중에서 가장 작은 수 구하기

6과 10의 공배수 중에서 가장 작은 수는 30입니다.

답 30

수학 교과 역량 창의·융합 정보 처리

두 수의 공배수와 최소공배수의 배수 비교하기

숫자 카드를 활용하여 공배수와 최소공배수의 관계를 탐구하는 활동을 통하여 창의·융합 능력과 정보 처리 능력을 기를 수 있습니다.

개념 확인 문제 정답 및 풀이 207쪽

1 다음을 보고 ◯ 안에 알맞은 수를 써넣으세요.

• 3의 배수: 3, 6, 9, 12, 15, 18, 21, 24, ...
• 4의 배수: 4, 8, 12, 16, 20, 24, 28, 32, ...

3과 4의 공배수: ◻, ◻, ...

3과 4의 최소공배수: ◻

2 6과 9의 최소공배수를 구해 보세요.

( )

3 2와 5의 공배수가 아닌 것을 찾아 기호를 써 보세요.

㉠ 10   ㉡ 25   ㉢ 30

( )

4 어떤 두 수의 최소공배수가 21일 때, 두 수의 공배수를 가장 작은 수부터 순서대로 3개 써 보세요.

( )

4 차시

3 | 약수

학습 목표

약수의 의미를 알고 약수를 구할 수 있습니다.

그림으로 개념 잡기

우리는 6을 나누어 떨어지게 할 수 있어.

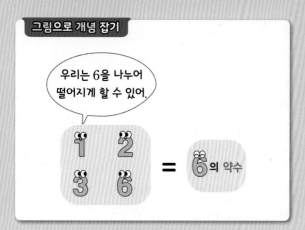

$$\begin{matrix} 1 & 2 \\ 3 & 6 \end{matrix} = 6 \text{의 약수}$$

약수

어휘

divisor

約 (맺을 약)
數 (셈 수)

한자어 풀이

어떤 수를 나누어떨어지게 하는 수를 말합니다.

---

3 약수

(수학익힘: 24~25쪽)

약수의 의미를 알고 약수를 구할 수 있습니다.

생각 열기 아저씨께서 학생들에게 엽전을 나누어 주고 있습니다.

• 엽전 8개를 학생들에게 똑같이 나누어 주려고 합니다. 몇 명일 때 엽전을 남김없이 똑같이 나누어 줄 수 있을까요? **예** 2명, 4명 등

탐구 하기 바둑돌 8개를 남김없이 똑같이 나누어 봅시다.

● ● ● ● ● ● ● ●

• 바둑돌 8개를 1명에게 나누어 줄 수 있나요?
예 나누어 줄 수 있습니다.
• 바둑돌 8개를 2명, 3명에게 각각 남김없이 똑같이 나누어 줄 수 있나요?
예 2명에게 나누어 줄 수 있고, 3명에게 나누어 주면 2개가 남습니다.
• 바둑돌 8개를 몇 명에게 남김없이 똑같이 나누어 줄 수 있는지 나눗셈을 해 보고, 표를 완성해 보세요.

$8 \div 1 = 8 \cdots 0$	$8 \div 2 = 4 \cdots 0$	$8 \div 3 = 2 \cdots 2$
$8 \div 4 = 2 \cdots 0$	$8 \div 5 = 1 \cdots 3$	$8 \div 6 = 1 \cdots 2$
$8 \div 7 = 1 \cdots 1$	$8 \div 8 = 1 \cdots 0$	

사람 수(명)	1	2	3	4	5	6	7	8
남김없이 똑같이 나누어 줄 수 있나요?	○	○	×	○	×	×	×	○

• 8을 나누어떨어지게 하는 수를 모두 찾고, 이를 통하여 알게 된 점을 이야기해 보세요.
예 8을 나누어떨어지게 하는 수는 1, 2, 4, 8입니다.
나누어떨어지게 하는 수에는 1과 자기 자신도 있습니다.

40

교과서 개념 완성

탐구하기 8을 나누어떨어지게 하는 수 찾기

• 바둑돌 8개를 남김없이 똑같이 나누기
$8 \div 1 = 8$, $8 \div 2 = 4$, $8 \div 3 = 2 \cdots 2$, $8 \div 4 = 2$,
$8 \div 5 = 1 \cdots 3$, $8 \div 6 = 1 \cdots 2$, $8 \div 7 = 1 \cdots 1$,
$8 \div 8 = 1$이므로 1명, 2명, 4명, 8명일 때 남김없이 똑같이 나누어 줄 수 있습니다.

학부모 코칭 Tip

어떤 수를 나누어떨어지게 하는 수를 찾아 문제 상황에서 남김없이 나누어 주는 수임을 알고 약수는 나누어떨어지게 하는 수임을 이해하게 합니다.

확인하기 자연수의 약수 구하기

• 10을 나누어떨어지게 하는 수는 1, 2, 5, 10입니다.
• 12를 나누어떨어지게 하는 수는 1, 2, 3, 4, 6, 12입니다.

생각 솔솔 어떤 수의 약수에서 가장 작은 수와 가장 큰 수 찾기

약수에서 가장 작은 수는 1이고, 가장 큰 수는 그 수와 같습니다.

학부모 코칭 Tip

다양한 수에서 가장 작은 약수와 가장 큰 약수는 1과 자기 자신임을 이해하게 합니다.

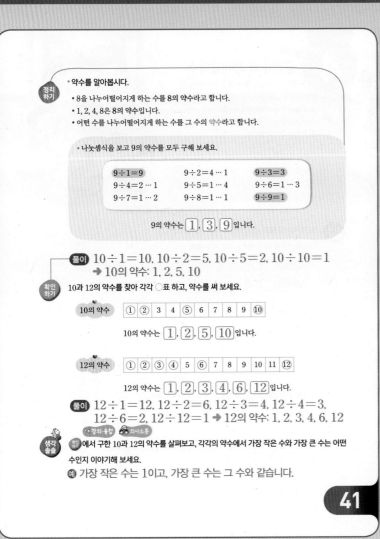

정리하기

• 약수를 알아봅시다.
• 8을 나누어떨어지게 하는 수를 8의 약수라고 합니다.
• 1, 2, 4, 8은 8의 약수입니다.
• 어떤 수를 나누어떨어지게 하는 수를 그 수의 약수라고 합니다.

• 나눗셈식을 보고 9의 약수를 모두 구해 보세요.

$9 \div 1 = 9$	$9 \div 2 = 4 \cdots 1$	$9 \div 3 = 3$
$9 \div 4 = 2 \cdots 1$	$9 \div 5 = 1 \cdots 4$	$9 \div 6 = 1 \cdots 3$
$9 \div 7 = 1 \cdots 2$	$9 \div 8 = 1 \cdots 1$	$9 \div 9 = 1$

9의 약수는 ① , ③ , ⑨ 입니다.

풀이 $10 \div 1 = 10$, $10 \div 2 = 5$, $10 \div 5 = 2$, $10 \div 10 = 1$
→ 10의 약수: 1, 2, 5, 10

확인하기 10과 12의 약수를 찾아 각각 ○표 하고, 약수를 써 보세요.

10의 약수 ① ② 3 4 ⑤ 6 7 8 9 ⑩

10의 약수는 1 , 2 , 5 , 10 입니다.

12의 약수 ① ② ③ ④ 5 ⑥ 7 8 9 10 11 ⑫

12의 약수는 1 , 2 , 3 , 4 , 6 , 12 입니다.

풀이 $12 \div 1 = 12$, $12 \div 2 = 6$, $12 \div 3 = 4$, $12 \div 4 = 3$,
$12 \div 6 = 2$, $12 \div 12 = 1$ → 12의 약수: 1, 2, 3, 4, 6, 12

생각 솔솔 (창의·융합) (의사소통)
풀이 에서 구한 10과 12의 약수를 살펴보고, 각각의 약수에서 가장 작은 수와 가장 큰 수는 어떤 수인지 이야기해 보세요.
예 가장 작은 수는 1이고, 가장 큰 수는 그 수와 같습니다.

41

이런 문제가 서술형으로 나와요

18의 약수의 개수는 몇 개인지 풀이 과정을 쓰고, 답을 구해 보세요.

| 풀이 과정 |

❶ 18의 약수 구하기
$18 \div 1 = 18$, $18 \div 2 = 9$, $18 \div 3 = 6$,
$18 \div 6 = 3$, $18 \div 9 = 2$, $18 \div 18 = 1$이므로
18의 약수는 1, 2, 3, 6, 9, 18입니다.

❷ 18의 약수의 개수 구하기
18의 약수는 6개입니다.

답 6개

• 수학 교과 역량 창의·융합 의사소통

어떤 수의 약수에서 가장 작은 수와 가장 큰 수 찾기
다양한 수에서 약수를 살펴보고 가장 작은 약수와 가장 큰 약수의 관계를 찾아 설명하는 활동을 통하여 창의·융합 능력과 의사소통 능력을 기를 수 있습니다.

개념 확인 문제
정답 및 풀이 207쪽

1 나눗셈식을 보고 ⃞ 안에 알맞은 수를 써넣으세요.

$15 \div 1 = 15$, $15 \div 3 = 5$, $15 \div 5 = 3$, $15 \div 15 = 1$

→ 15의 약수: 1, ⃞ , ⃞ , ⃞

2 14의 약수를 모두 구해 보세요.

(　　　　　　)

3 ⃞ 안에 알맞은 수를 써넣으세요.

25의 약수 중에서 가장 작은 수는 ⃞ ,
가장 큰 수는 ⃞ 입니다.

4 사탕 16개를 친구들에게 남김없이 똑같이 나누어 주려고 합니다. 나누어 줄 수 있는 사람 수를 모두 찾아 ○표 하세요.

2명　　4명　　6명

4 | 공약수와 최대공약수

학습 목표

공약수와 최대공약수의 의미를 알고 구할 수 있습니다.

그림으로 개념 잡기

난 4의 약수도 되고 6의 약수도 돼.

4와 6의 공약수이구나.

어휘	공약수
	common divisor
	公 (공평할 공) 約 (맺을 약) 數 (셈 수)

---

4 공약수와 최대공약수

공약수와 최대공약수의 의미를 알고 구할 수 있습니다.

생각 열기 전통 매듭 만들기 체험장에서 선생님께서 노란색 실 24가 닥과 파란색 실 40가닥을 각각 학생들에게 남김없이 똑같이 나누어 주려고 합니다.

• 학생 몇 명에게 똑같이 나누어 줄 수 있을지 어떻게 알 수 있을까요?

　예 24의 약수와 40의 약수에서 같은 수를 찾아봅니다.

탐구 하기 24의 약수도 되고 40의 약수도 되는 수를 알아봅시다.

• 24의 약수와 40의 약수를 모두 써 보세요.

24의 약수	1, 2, 3, 4, 6, 8, 12, 24
40의 약수	1, 2, 4, 5, 8, 10, 20, 40

• 24의 약수도 되고 40의 약수도 되는 수를 찾아 써 보세요. 1, 2, 4, 8

• 24와 40의 공통인 약수 중 가장 큰 수를 찾아 써 보세요. 8

• '두 수의 공통인 약수'와 '공통인 약수 중 가장 큰 수'를 각각 무엇이라고 부르면 좋을지 이야기해 보세요.

　예 공통인 약수이므로 공약수, 공약수 중 가장 큰 수는 최대를 붙여 최대공약수라고 부르면 좋을 것 같습니다.

42

교과서 개념 완성

탐구하기 24의 약수도 되고 40의 약수도 되는 수 탐구하기

• 24의 약수도 되고 40의 약수도 되는 수는 1, 2, 4, 8 이고, 그중 가장 큰 수는 8입니다.

• '두 수의 공통인 약수'는 공약수, '공통인 약수 중 가장 큰 수'는 최대를 붙여 최대공약수라고 부르면 좋을 것 같습니다.

학부모 코칭 Tip

공배수와 최소공배수의 이름을 지을 때와 마찬가지로 지은 이름을 공약수, 최대공약수의 의미와 관련지어 이해하게 합니다.

확인하기 두 수의 공약수와 최대공약수 구하기

• 12와 18의 공약수와 최대공약수 구하기

　12의 약수: 1, 2, 3, 4, 6, 12

　18의 약수: 1, 2, 3, 6, 9, 18

　➜ 12와 18의 공약수: 1, 2, 3, 6

　　12와 18의 최대공약수: 6

• 27과 54의 공약수와 최대공약수 구하기

　27의 약수: 1, 3, 9, 27

　54의 약수: 1, 2, 3, 6, 9, 18, 27, 54

　➜ 27과 54의 공약수: 1, 3, 9, 27

　　27과 54의 최대공약수: 27

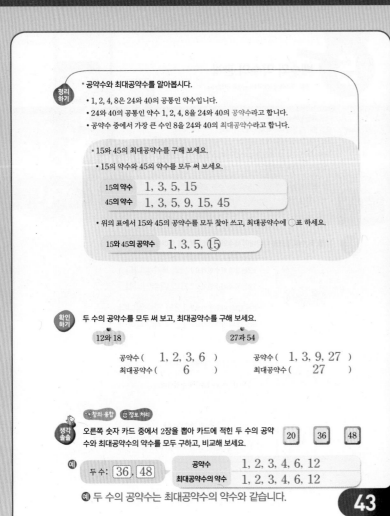

정리하기
• 공약수와 최대공약수를 알아봅시다.
• 1, 2, 4, 8은 24와 40의 공통인 약수입니다.
• 24와 40의 공통인 약수 1, 2, 4, 8을 24와 40의 공약수라고 합니다.
• 공약수 중에서 가장 큰 수인 8을 24와 40의 최대공약수라고 합니다.

• 15와 45의 최대공약수를 구해 보세요.
• 15의 약수와 45의 약수를 모두 써 보세요.

| 15의 약수 | 1, 3, 5, 15 |
| 45의 약수 | 1, 3, 5, 9, 15, 45 |

• 위의 표에서 15와 45의 공약수를 모두 찾아 쓰고, 최대공약수에 ○표 하세요.

| 15와 45의 공약수 | 1, 3, 5, ⑮ |

확인하기
두 수의 공약수를 모두 써 보고, 최대공약수를 구해 보세요.

12와 18

공약수 (1, 2, 3, 6)
최대공약수 (6)

27과 54

공약수 (1, 3, 9, 27)
최대공약수 (27)

생각 솔솔
• 창의·융합　• 정보 처리
오른쪽 숫자 카드 중에서 2장을 뽑아 카드에 적힌 두 수의 공약수와 최대공약수의 약수를 모두 구하고, 비교해 보세요.

20　36　48

예 두 수: 36 , 48

| 공약수 | 1, 2, 3, 4, 6, 12 |
| 최대공약수의 약수 | 1, 2, 3, 4, 6, 12 |

예 두 수의 공약수는 최대공약수의 약수와 같습니다.

43

이런 문제가 서술형으로 나와요

16과 24의 공약수들의 합은 얼마인지 풀이 과정을 쓰고, 답을 구해 보세요.

| 풀이 과정 |

❶ 16과 24의 공약수 구하기
16의 약수: 1, 2, 4, 8, 16
24의 약수: 1, 2, 3, 4, 6, 8, 12, 24
➡ 16과 24의 공약수: 1, 2, 4, 8

❷ 16과 24의 공약수들의 합 구하기
16과 24의 공약수들의 합은
$1+2+4+8=15$입니다.

답 15

• 수학 교과 역량　• 창의·융합　• 정보 처리
두 수의 공약수와 최대공약수의 약수 비교하기
숫자 카드를 활용하여 공약수와 최대공약수의 관계를 탐구하는 활동을 통하여 창의·융합 능력과 정보 처리 능력을 기를 수 있습니다.

개념 확인 문제
정답 및 풀이 208쪽

1 다음을 보고 물음에 답하세요.

1	2	3	4	5	6	7	8
9	10	11	12	13	14	15	16

(1) 12의 약수에는 ○표, 16의 약수에는 △표 하세요.

(2) ☐ 안에 알맞은 수를 써넣으세요.

12와 16의 공약수: 1, ☐, ☐

12와 16의 최대공약수: ☐

2 두 수의 공약수를 모두 쓰고, 최대공약수를 구해 보세요.

20과 32

공약수 (　　　　　　　　)
최대공약수 (　　　　　　　)

3 어떤 두 수의 최대공약수가 26일 때, 두 수의 공약수를 모두 구해 보세요.

(　　　　　　　　)

5 | 배수와 약수의 관계

학습 목표

곱을 이용하여 배수와 약수의 관계를 이해합니다.

그림으로 개념 잡기

나는 ▲ 와
● 의 배수

우리는 ■ 의
약수

■ = ▲ × ●

---

5 배수와 약수의 관계

| 곱을 이용하여 배수와 약수의 관계를 이해합니다.

생각 열기 다도 체험장에서 제니네 가족이 약과 12개를 접시에 남김없이 똑같이 나누어 담으려고 합니다.

· 약과를 접시에 몇 개씩 똑같이 나누어 담을 수 있을지 생각해 보세요.

· 한 접시에 놓인 약과의 수와 접시의 수를 곱하면 어떤 수가 되는지 이야기해 보세요. 12

탐구 하기 12를 두 수의 곱으로 나타내어 배수와 약수의 관계를 알아봅시다.

$12 = 2 \times 6$
· 12는 2의 배수인가요? 2의 배수입니다.
· 12는 6의 배수인가요? 6의 배수입니다.
· 2는 12의 약수인가요? 12의 약수입니다.
· 6은 12의 약수인가요? 12의 약수입니다.

$12 = 3 \times 4$
· 12는 3, 4 의 배수입니다.
· 3, 4 은/는 12의 약수입니다.

$12 = 1 \times 12$
· 12는 1, 12 의 배수입니다.
· 1, 12 은/는 12의 약수입니다.

· 활동을 통하여 알게 된 배수와 약수의 관계를 이야기해 보세요.
예 곱셈식을 보고 서로 배수와 약수가 되는 수를 찾을 수 있습니다.

44

참고 큰 수를 작은 수로 나누었을 때 나누어떨어지면 두 수는 약수와 배수의 관계입니다.

교과서 개념 완성

탐구하기 12를 두 수의 곱으로 나타내어 배수와 약수의 관계 탐구하기

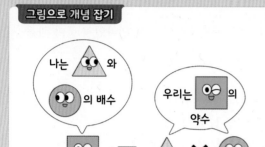

┌─ 2와 6의 배수 ─┐   ┌─ 3과 4의 배수 ─┐
$12 = 2 \times 6$ $12 = 3 \times 4$
└─ 12의 약수 ─┘   └─ 12의 약수 ─┘

┌─ 1과 12의 배수 ─┐
$12 = 1 \times 12$
└─ 12의 약수 ─┘

학부모 코칭 Tip

어떤 수를 약수의 곱으로 나타낼 수 있음을 이해하고 곱셈식에서 배수와 약수의 관계를 찾아보게 합니다.

확인하기 20을 두 수의 곱으로 나타내고 배수와 약수의 관계 찾기

$20 = ▲ \times ●$ 에서 20은 ▲ 와 ● 의 배수이고, ▲ 와 ● 는 20의 약수입니다.

생각 솔솔 곱셈식을 보고 배수와 약수의 관계 설명하기

예 $16 = 2 \times 8$

➡ 16은 2, 8의 배수입니다.

2, 8은 16의 약수입니다.

학부모 코칭 Tip

$16 = 2 \times 8$을 $16 \div 2 = 8$ 또는 $16 \div 8 = 2$로 나타낼 수 있습니다. 이를 바탕으로 16은 2, 8의 배수이며 2, 8은 16의 약수가 됨을 이해하고 설명해 보게 합니다.

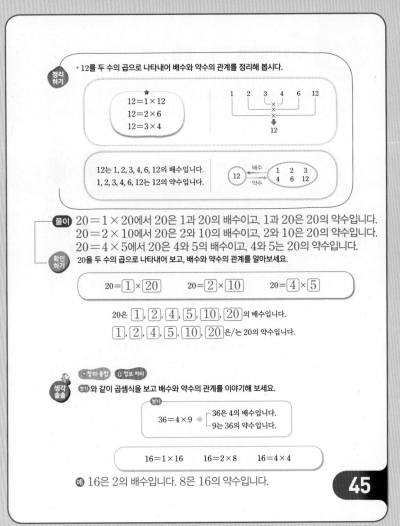

이런 문제가 서술형으로 나와요

안에 들어갈 수 있는 수는 모두 몇 개인지 구하려고 합니다. 풀이 과정을 쓰고, 답을 구해 보세요.

24 ←배수 / 약수→ ☐

| 풀이 과정 |

❶ ☐ 안에 들어갈 수 있는 수 모두 구하기

24가 ☐의 배수이므로 ☐는 24의 약수입니다.
24의 약수는 1, 2, 3, 4, 6, 8, 12, 24입니다.

❷ ☐ 안에 들어갈 수 있는 수는 모두 몇 개인지 구하기

☐ 안에 들어갈 수 있는 수는 8개입니다.

답 8개

• 수학 교과 역량 • 창의·융합 정보 처리

곱셈식을 보고 배수와 약수의 관계 설명하기

곱셈식을 보고 배수와 약수의 관계를 찾아 설명하는 활동을 통하여 창의·융합 능력과 정보 처리 능력을 기를 수 있습니다.

👩 개념 확인 문제   정답 및 풀이 208쪽 ●

1 35를 두 수의 곱으로 나타낸 것입니다. ☐ 안에 '배수'와 '약수'를 알맞게 써넣으세요.

$$35 = 1 \times 35 \qquad 35 = 5 \times 7$$

(1) 35는 1의 [☐]입니다.

(2) 7은 35의 [☐]입니다.

(3) 35는 5의 [☐]입니다.

2 두 수가 배수와 약수의 관계가 되도록 빈칸에 1 이외의 알맞은 수를 써넣으세요.

| 8 | |

3 두 수가 배수와 약수의 관계인 것을 찾아 기호를 써 보세요.

㉠ (12, 5)   ㉡ (6, 30)   ㉢ (7, 18)

(   )

학습 목표

최대공약수를 구하는 방법을 알고, 두 수의 최대공약수를 구할 수 있습니다.

그림으로 개념 잡기

우리 공약수들의 곱이 최대공약수야.

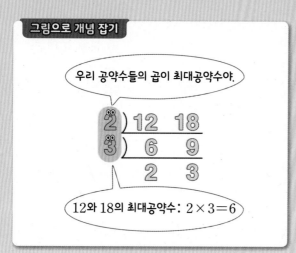

12와 18의 최대공약수: $2 \times 3 = 6$

어휘	최대	**한자어 풀이**
	最 (가장 최) 大 (큰 대)	수나 양, 정도 따위가 가장 큼.

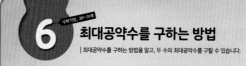

6 최대공약수를 구하는 방법

| 최대공약수를 구하는 방법을 알고, 두 수의 최대공약수를 구할 수 있습니다.

생각 열기 주호와 서우는 수 배열표를 보며 18과 24의 최대공약수를 찾고 있습니다.

①	2	3	4	5	6	7	8	9	10
11	12	13	14	15	16	17	18	19	20
21	22	23	24						

• 18의 약수에는 ○표, 24의 약수에는 △표 하고, 최대공약수를 찾아보세요.
  예 최대공약수는 6입니다.
• 18과 24를 각각 두 수의 곱으로 나타내어 최대공약수를 구할 수 있을까요?
  예 두 수의 곱으로 나타내면 약수를 구할 수 있으므로 18과 24를 각각 두 수의 곱으로 나타내어 같은 수를 찾으면 될 것 같습니다.

나눗셈의 몫을 위에 쓰지 말고 아래에 써 보세요.

탐구 하기 18과 24의 최대공약수를 간단히 구하는 방법을 알아봅시다.

• 18과 24를 두 수의 곱으로 나타내어 보고, 공약수로 한꺼번에 나누어 보세요.

• 위에서 찾은 □가 18과 24의 최대공약수인가요?
  예 최대공약수가 아닙니다.
• 18과 24를 세 수의 곱으로 나타내어 보고, 공약수로 한꺼번에 나누어 보세요.

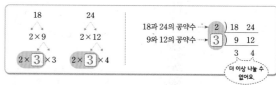

더 이상 나눌 수 없어요.

• 18과 24를 세 수의 곱으로 나타낸 식에서 $2 \times$ □가 18과 24의 최대공약수인가요?
  예 최대공약수입니다.
• 나눗셈을 이용하여 18과 24의 최대공약수를 구하는 방법을 이야기해 보세요.
  예 두 수를 공약수로 계속해서 나누고, 나눈 공약수를 모두 곱하면 최대공약수를 구할 수 있습니다.

46

 교과서 개념 완성

탐구하기 18과 24의 최대공약수를 간단히 구하는 방법 탐구하기

• 18은 $2 \times 3 \times 3$, 24는 $2 \times 3 \times 4$입니다.
  3과 4는 1이 아닌 같은 수로 더 나눌 수 없으므로 2×3이 18과 24의 최대공약수입니다.

•
$$\begin{array}{r} \text{18과 24의 공약수} \rightarrow 2\,)\underline{18\quad 24} \\ \text{9와 12의 공약수} \rightarrow 3\,)\underline{9\quad 12} \\ 3\quad 4 \end{array}$$

18과 24를 2로 나눈 뒤 3으로 나눈 몫 3과 4는 1 이외에 다른 공약수가 없으므로 2×3이 18과 24의 최대공약수입니다.

학부모 코칭 Tip

배수와 약수의 관계에 대한 이해를 바탕으로 어떤 두 수를 각각 약수의 곱으로 나타낸 수에서 같은 부분을 찾아보게 합니다. 같은 부분 중 가장 큰 곱이 최대공약수입니다.
또한, 공약수로 나누어 최대공약수를 찾는 방법도 이해하게 합니다.

생각 술술 최대공약수를 활용한 문제 해결하기

정사각형의 한 변의 길이는 75와 30의 최대공약수이어야 합니다.

$75 = 3 \times 5 \times 5$, $30 = 2 \times 3 \times 5$이므로 최대공약수는 $3 \times 5 = 15$입니다. 따라서 정사각형의 한 변의 길이는 $15\,cm$가 됩니다.

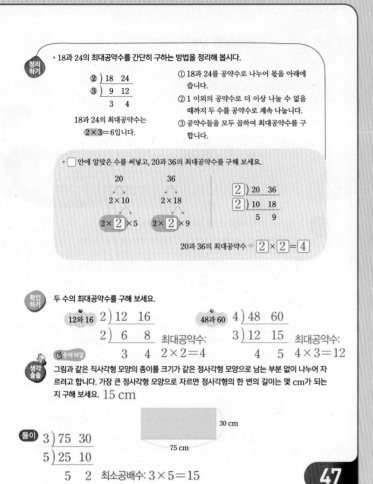

정리하기

• 18과 24의 최대공약수를 간단히 구하는 방법을 정리해 봅시다.

$$2\,)\,\underline{18\quad24}$$
$$3\,)\,\underline{\;9\quad12}$$
$$3\quad\;4$$

① 18과 24를 공약수로 나누어 몫을 아래에 씁니다.
② 1 이외의 공약수로 더 이상 나눌 수 없을 때까지 두 수를 공약수로 계속 나눕니다.
③ 공약수들을 모두 곱하여 최대공약수를 구합니다.

18과 24의 최대공약수는
$2 \times 3 = 6$입니다.

• ☐ 안에 알맞은 수를 써넣고, 20과 36의 최대공약수를 구해 보세요.

20 → 2×10 → $2 \times \boxed{2} \times 5$
36 → 2×18 → $2 \times \boxed{2} \times 9$

$$2\,)\,\underline{20\quad36}$$
$$2\,)\,\underline{10\quad18}$$
$$5\quad\;9$$

20과 36의 최대공약수 → $\boxed{2} \times \boxed{2} = \boxed{4}$

확인하기

두 수의 최대공약수를 구해 보세요.

12와 16
$$2\,)\,\underline{12\quad16}$$
$$2\,)\,\underline{\;6\quad\;8}$$
$$3\quad\;4$$
최대공약수:
$2 \times 2 = 4$

48과 60
$$4\,)\,\underline{48\quad60}$$
$$3\,)\,\underline{12\quad15}$$
$$4\quad\;5$$
최대공약수:
$4 \times 3 = 12$

생각솔솔 📖문제 해결

그림과 같은 직사각형 모양의 종이를 크기가 같은 정사각형 모양으로 남는 부분 없이 나누어 자르려고 합니다. 가장 큰 정사각형 모양으로 자르면 정사각형의 한 변의 길이는 몇 cm가 되는지 구해 보세요. 15 cm

30 cm, 75 cm

풀이
$$3\,)\,\underline{75\quad30}$$
$$5\,)\,\underline{25\quad10}$$
$$5\quad\;2$$
최소공배수: $3 \times 5 = 15$
따라서 정사각형의 한 변의 길이는 15 cm가 됩니다.

47

👩‍🏫 이런 문제가 서술형으로 나와요

길이가 56 cm, 48 cm인 색 테이프를 똑같은 길이로 남는 부분 없이 나누어 자르려고 합니다. 한 도막의 길이를 최대한 길게 자르려면 한 도막의 길이는 몇 cm로 해야 하는지 풀이 과정을 쓰고, 답을 구해 보세요.

| 풀이 과정 |

❶ 56과 48의 최대공약수 구하기
한 도막의 길이를 최대한 길게 자르려면 최대공약수를 이용합니다.

$$8\,)\,\underline{56\quad48}$$
$$7\quad\;6$$
→ 최대공약수: 8

❷ 한 도막의 길이는 최대 몇 cm로 해야 하는지 구하기
한 도막의 길이는 최대 8 cm로 해야 합니다.

답 8 cm

수학 교과 역량 📖문제 해결

최대공약수를 활용한 문제 해결하기
최대공약수를 활용한 문제를 해결하는 과정을 통하여 문제 해결 능력을 기를 수 있습니다.

👩‍🎓 **개념 확인 문제** 　정답 및 풀이 208쪽

1 12와 30의 최대공약수를 구하려고 합니다. ☐ 안에 알맞은 수를 써넣으세요.

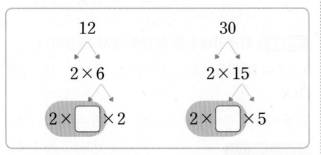

12 → 2×6 → $2 \times \boxed{} \times 2$
30 → 2×15 → $2 \times \boxed{} \times 5$

12와 30의 최대공약수 → $\boxed{} \times \boxed{} = \boxed{}$

2 두 수의 최대공약수를 구해 보세요.

42와 54

(　　　　　　)

3 두 수의 최대공약수가 더 큰 것을 찾아 기호를 써 보세요.

㉠ 16과 24 　㉡ 13과 65

(　　　　　　)

학습 목표

최소공배수를 구하는 방법을 알고, 두 수의 최소공배수를 구할 수 있습니다.

그림으로 개념 잡기

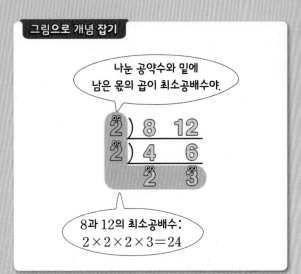

나눈 공약수와 밑에 남은 몫의 곱이 최소공배수야.

8과 12의 최소공배수:
$2 \times 2 \times 2 \times 3 = 24$

어휘	최소	한자어 풀이
	最 (가장 최) 小 (작을 소)	수나 양, 정도 따위가 가장 작음.

---

7 최소공배수를 구하는 방법

최소공배수를 구하는 방법을 알고, 두 수의 최소공배수를 구할 수 있습니다.

생각 열기 준석이와 하연이는 수 배열표를 보며 12와 30의 최소공배수를 찾고 있습니다.

• 12의 배수에는 ○표, 30의 배수에는 △표 하고, 최소공배수를 찾아보세요.
예 최소공배수는 60입니다.
• 12와 30을 각각 약수의 곱으로 나타내어 최소공배수를 구할 수 있을까요?
예 최대공약수를 두 수의 곱으로 나타내어 구한 것과 같이 최소공배수도 약수의 곱으로 나타내어 구할 수 있을 것 같습니다.

탐구 하기 12와 30의 최소공배수를 간단히 구하는 방법을 알아봅시다.

• 12와 30을 두 수의 곱으로 나타내어 보고, 공약수로 한꺼번에 나누어 보세요.

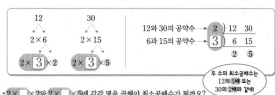

• □×6과 □×15에 각각 몇을 곱해야 12와 30의 공배수가 될까요?
예 □×6과 □×15에 각각 15와 6을 곱하면 12와 30의 공배수가 됩니다.
• 12와 30을 세 수의 곱으로 나타내어 보고, 공약수로 한꺼번에 나누어 보세요.

• 2×□×2와 2×□×5에 각각 몇을 곱해야 최소공배수가 될까요?
예 2×□×2에 5, 2×□×5에 2를 곱합니다.

두 수의 최소공배수는 12의 5배 또는 30의 2배와 같네!

• 나눗셈을 이용하여 12와 30의 최소공배수를 구하는 방법을 이야기해 보세요.
예 두 수를 공약수로 계속해서 나누고, 나눈 공약수와 남은 몫을 곱하면 최소공배수를 구할 수 있습니다.

48

교과서 개념 완성

탐구하기 12와 30의 최소공배수를 간단히 구하는 방법 탐구하기

• 12는 2×3×2, 30은 2×3×5입니다. 2×3×2에 5를 곱하고 2×3×5에 2를 곱하면 두 수가 2×3×2×5로 같아지므로 최소공배수입니다.

•
12와 30의 공약수 → 2) 12 30
6과 15의 공약수 → 3) 6 15
                         2   5

12와 30을 나눈 공약수 2, 3과 남은 몫 2, 5의 곱 2×3×2×5는 최소공배수입니다.

학부모 코칭 Tip

2×6×5는 2×6에 5를 곱한 것이므로 2×6의 배수임을 이해하게 합니다. 이를 바탕으로 최소공배수를 구하는 식에서도 각각의 수를 나타내는 곱셈식 2×3×2(=12), 2×3×5(=30)에 각각 5와 2를 곱한 수도 주어진 수의 배수임을 발견하게 합니다.

생각 쑥쑥 최소공배수를 활용한 문제 해결하기

9×2=18, 15×2=30이므로 두 수는 18과 30입니다.
두 수의 최소공배수는 2×3×3×5=90입니다.

학부모 코칭 Tip

최소공배수를 구하는 계산식의 구조를 이해하여 두 수의 공약수로 나누었는지를 알아보고 처음 두 수를 찾아보게 합니다.

정리하기

- 12와 30의 최소공배수를 간단히 구하는 방법을 정리해 봅시다.

$$2\,\big)\;12\quad30$$
$$3\,\big)\;\;6\quad15$$
$$\quad\;\;2\quad\;5$$

① 12와 30을 공약수로 나누어 몫을 아래에 씁니다.
② 1 이외의 공약수로 더 이상 나눌 수 없을 때까지 두 수를 공약수로 계속 나눕니다.
③ 공약수들과 남은 몫들을 곱하여 최소공배수를 구합니다.

12와 30의 최소공배수는
$2\times3\times2\times5=60$입니다.

- 10과 40의 최소공배수를 두 가지 방법으로 구해 보세요.

$$2\,\big)\;10\quad40$$
$$5\,\big)\;\;5\quad20$$
$$\quad\;\;1\quad\;4$$

$$10\,\big)\;10\quad40$$
$$\qquad\;\;1\quad\;4$$

10과 40의 최소공배수
 $\boxed{2}\times\boxed{5}\times1\times4=\boxed{40}$

10과 40의 최소공배수
$\boxed{10}\times1\times4=\boxed{40}$

 확인하기 두 수의 최소공배수를 구해 보세요.

27과 36 $\quad9\,\big)\;27\quad36$
$$\qquad\qquad\;\;3\quad\;4$$
최소공배수: $9\times3\times4=108$

18과 45 $\quad9\,\big)\;18\quad45$
$$\qquad\qquad\;\;2\quad\;5$$
최소공배수: $9\times2\times5=90$

 생각 솔솔 🔎 문제 해결

어떤 두 수의 최소공배수를 구하는 과정을 쓴 종이에 얼룩이 묻어 일부분이 보이지 않습니다. 두 수를 찾고, 두 수의 최소공배수를 구해 보세요.

두 수: 18, 30 / 최소공배수: 90

풀이 보이지 않는 두 수를 □, △라 하면

$$2\,\big)\;\square\quad\triangle$$
$$3\,\big)\;\;9\quad15$$
$$\quad\;\;3\quad\;5$$

$\square\div2=9$이므로 $\square=9\times2=18$
$\triangle\div2=15$이므로 $\triangle=15\times2=30$입니다.
18과 30의 최소공배수: $2\times3\times3\times5=90$

$$2\,\big)\;\;\;\;\;\;$$
$$3\,\big)\;9\quad15$$
$$\quad\;3\quad\;5$$

49

 ## 이런 문제가 서술형으로 나와요

민아는 4일마다, 서혜는 6일마다 도서관에 갑니다. 오늘 두 사람이 함께 도서관에 갔다면 다음번에 두 사람이 처음으로 함께 도서관에 가는 날은 며칠 후인지 풀이 과정을 쓰고, 답을 구해 보세요.

| 풀이 과정 |

❶ 4와 6의 최소공배수 구하기

다음번에 함께 도서관에 가는 날을 구하려면 최소공배수를 이용합니다.

$$2\,\big)\;4\quad6$$
$$\quad\;\;2\quad3$$
➜ 최소공배수: $2\times2\times3=12$

❷ 다음번에 두 사람이 처음으로 함께 도서관에 가는 날은 며칠 후인지 구하기

다음번에 두 사람이 처음으로 함께 도서관에 가는 날은 12일 후입니다.

답 12일 후

수학 교과 역량 🔎 문제 해결

최소공배수를 활용한 문제 해결하기
최소공배수를 활용한 문제를 해결하는 과정을 통하여 문제 해결 능력을 기를 수 있습니다.

개념 확인 문제

정답 및 풀이 208쪽

1 8과 20의 최소공배수를 구하려고 합니다. □ 안에 알맞은 수를 써넣으세요.

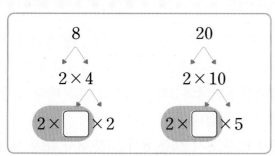

8   20
2×4 2×10
$2\times\boxed{}\times2$ $2\times\boxed{}\times5$

8과 20의 최소공배수
➜ $\boxed{}\times\boxed{}\times2\times5=\boxed{}$

2 두 수의 최소공배수를 구해 보세요.

(1) 10과 15 ➜ (   )

(2) 12와 42 ➜ (   )

3 9의 배수도 되고 15의 배수도 되는 수 중에서 가장 작은 수를 구해 보세요.

(   )

문제 해결력 | 쑥쑥

● 신호등이 동시에 바뀌는 시각을 알아보아요

· 표 만들기 전략을 이용하여 문제를 해결하고, 해결한 방법을 설명할 수 있습니다.
· 문제 해결 전략을 비교할 수 있습니다.

문제 해결 전략 표 만들기 전략

수학 교과 역량 🔲 문제 해결 🔶 추론

신호등이 동시에 바뀌는 시각을 알아보아요

· 문제의 조건을 확인하고 문제 해결에 적절한 전략을 선택하는 과정에서 문제 해결 능력을 기를 수 있습니다.
· 문제를 해결하기 위해 표를 만들어 보고 규칙을 찾아 조건에 맞는 경우를 추측하고 확인함으로써 추론 능력을 기를 수 있습니다.

문제 해결 Tip 신호등의 초록색 불이 켜지는 시간이 어떤 수의 배수임을 알고 공배수를 이용하여 문제를 해결합니다.

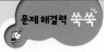

문제 해결력 쑥쑥

신호등이 동시에 바뀌는 시각을 알아보아요

학교 앞에 횡단보도가 2개 있습니다. 8시 정각에 두 신호등의 초록색 불이 동시에 켜졌습니다. 이후 1시간 동안 두 신호등이 동시에 빨간색 불에서 초록색 불로 바뀌는 시각을 모두 구해 보세요.

이 신호등은 3분 동안 빨간색 불이 켜지고, 1분 동안 초록색 불이 켜져.

이 신호등은 2분 동안 빨간색 불이 켜지고, 1분 동안 초록색 불이 켜지는구나.

㉮ 횡단보도   ㉯ 횡단보도

문제 이해하기

· 구하려고 하는 것은 무엇인가요?
  예 두 신호등이 동시에 빨간색 불에서 초록색 불로 바뀌는 시각

· 알고 있는 것은 무엇인가요?
  예 ㉮ 횡단보도의 신호등과 ㉯ 횡단보도의 신호등의 작동 시간입니다.

계획 세우기

· 어떤 방법으로 문제를 해결할 수 있을지 계획을 세워 보세요.

신호등의 초록색 불이 켜지는 시각과 빨간색 불이 켜지는 시각을 표에 나타낼 수 있어.

표에 나타내어 규칙을 찾아볼 거야.

50

교과서 개념 완성

문제 이해하기

≫ 구하려고 하는 것

8시부터 1시간 동안 두 신호등이 동시에 빨간색 불에서 초록색 불로 바뀌는 시각입니다.

≫ 알고 있는 것

㉮ 횡단보도의 신호등과 ㉯ 횡단보도의 신호등의 작동 시간입니다.

계획 세우기

표로 나타내어 보고 규칙을 찾아 두 신호등이 동시에 빨간색 불에서 초록색 불로 바뀌는 시각을 구합니다.

계획대로 풀기

분	1	2	3	4	5	6	7	8	9	10	11	12	13	14	15
㉮ 횡단보도	●	●	●	●	●	●	●	●	●	●	●	●	●	●	●
㉯ 횡단보도	●	●	●	●	●	●	●	●	●	●	●	●	●	●	●

㉮ 횡단보도의 신호등은 4의 배수, ㉯ 횡단보도의 신호등은 3의 배수에 초록색 불이 켜집니다. 두 신호등은 1시간 동안 4와 3의 공배수인 12분마다 동시에 초록색 불이 켜집니다.

➔ 8시 12분, 8시 24분, 8시 36분, 8시 48분, 9시

되돌아보기

표를 보면서 풀이 과정과 답을 점검해 봅니다.

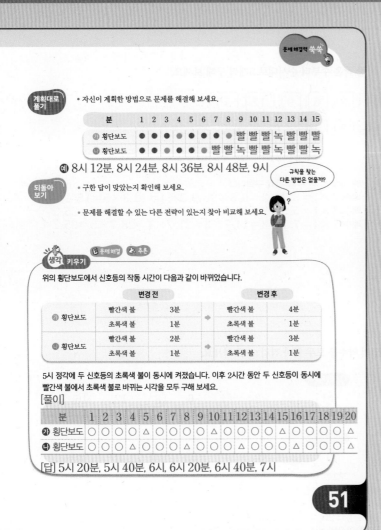

생각 키우기

📋 문제 해결 🔍 추론

문제 이해하기

≫ **구하려고 하는 것**

5시부터 2시간 동안 두 신호등이 동시에 빨간색 불에서 초록색 불로 바뀌는 시각입니다.

≫ **알고 있는 것**

㉮ 횡단보도의 신호등과 ㉯ 횡단보도의 신호등의 작동 시간입니다.

계획 세우기

표로 나타내어 보고 규칙을 찾아 두 신호등이 동시에 빨간색 불에서 초록색 불로 바뀌는 시각을 구합니다.

계획대로 풀기

표로 나타내어 보면 ㉮ 횡단보도의 신호등은 5의 배수, ㉯ 횡단보도의 신호등은 4의 배수에 초록색 불이 켜집니다. 두 신호등은 5와 4의 최소공배수인 20분마다 동시에 초록색 불이 켜집니다.

➜ 5시 20분, 5시 40분, 6시, 6시 20분, 6시 40분, 7시

되돌아보기

표를 보면서 풀이 과정과 답을 점검해 봅니다.

문제 해결력 문제

정답 및 풀이 208쪽

1 어느 버스 터미널에서 대전행 버스는 10분마다, 대구행 버스는 15분마다 출발합니다. 오전 9시에 두 버스가 동시에 출발했습니다. 물음에 답해 보세요.

(1) 두 버스는 몇 분마다 동시에 출발하나요?

( )

(2) 오전 9시 이후 1시간 동안 두 버스가 동시에 출발하는 시각을 모두 구해 보세요.

( )

2 우영이와 태호가 다음과 같이 규칙에 따라 바둑돌을 놓고 있습니다. 물음에 답해 보세요.

우영 ● ● ● ○ ● ● ● ○ ● …
태호 ● ● ● ○ ● ● ● ○ ● …

(1) 두 사람은 몇 번째마다 같은 자리에 흰 바둑돌을 놓나요?

( )

(2) 두 사람이 각각 바둑돌을 20개씩 놓을 때, 같은 자리에 흰 바둑돌이 놓이는 경우는 모두 몇 번인지 구해 보세요.

( )

추론

자연수의 배수 구하기

▶자습서 38~39쪽

어떤 수를 1배, 2배, 3배, 4배, … 한 수를 그 수의 배수라고 합니다.

1 배수를 가장 작은 수부터 순서대로 5개씩 구해 보세요.

37쪽

- 3의 배수: 3 , 6 , 9 , 12 , 15 , …
- 5의 배수: 5 , 10 , 15 , 20 , 25 , …
- 7의 배수: 7 , 14 , 21 , 28 , 35 , …

풀이 1배, 2배, 3배, … 한 수를 각각 구합니다.
- 3의 배수: $3 \times 1 = 3$, $3 \times 2 = 6$, $3 \times 3 = 9$, $3 \times 4 = 12$, $3 \times 5 = 15$, …
- 5의 배수: $5 \times 1 = 5$, $5 \times 2 = 10$, $5 \times 3 = 15$, $5 \times 4 = 20$, $5 \times 5 = 25$, …
- 7의 배수: $7 \times 1 = 7$, $7 \times 2 = 14$, $7 \times 3 = 21$, $7 \times 4 = 28$, $7 \times 5 = 35$, …

추론

자연수의 약수 구하기

▶자습서 42~43쪽

약수에서 가장 작은 수는 1이고, 가장 큰 수는 그 수와 같습니다.

2 16과 20의 약수를 모두 찾아 각각 ◯표 하세요.

41쪽

| 16의 약수 |
| ① ② 3 ④ 6 ⑧ 12 ⑯ |

| 20의 약수 |
| ① ② 3 ④ ⑤ ⑩ 16 ⑳ |

풀이
- $16 \div 1 = 16$, $16 \div 2 = 8$, $16 \div 4 = 4$, $16 \div 8 = 2$, $16 \div 16 = 1$
  ➡ 16의 약수는 1, 2, 4, 8, 16입니다.
- $20 \div 1 = 20$, $20 \div 2 = 10$, $20 \div 4 = 5$, $20 \div 5 = 4$, $20 \div 10 = 2$, $20 \div 20 = 1$
  ➡ 20의 약수는 1, 2, 4, 5, 10, 20입니다.

추론 · 창의·융합

배수와 약수의 관계 이해하기

▶자습서 46~47쪽

학부모 코칭 Tip

어떤 수를 두 수의 곱으로 나타내었을 때 각각의 수는 어떤 수의 약수가 된다는 것을 알게 합니다.

3 곱셈식을 보고 ◯ 안에 알맞은 말을 써넣으세요.

45쪽

$$15 = 1 \times 15$$
$$15 = 3 \times 5$$

➡ ┌ 1, 3, 5, 15는 15의 [약수] 입니다.
　└ 15는 1, 3, 5, 15의 [배수] 입니다.

풀이 $15 = 1 \times 15$에서 15는 1, 15의 배수이고, 1, 15는 15의 약수입니다.
　　　$15 = 3 \times 5$에서 15는 3, 5의 배수이고, 3, 5는 15의 약수입니다.

52

④ 수 배열표를 보고 물음에 답해 보세요.

39쪽

21	22	23	㉔	25	26	27	28	29	㉚
31	△32	33	34	35	㊱	37	38	39	△40
41	㊷	43	44	45	46	47	⊿48	49	50

• 6의 배수에는 ○표, 8의 배수에는 △표 하세요.

• 6과 8의 공배수를 모두 찾아 써 보세요.

(　　24, 48 　　)

풀이 6의 배수: 24, 30, 36, 42, 48
8의 배수: 24, 32, 40, 48
➡ 6과 8의 공배수: 24, 48

⑤ 두 수의 최대공약수와 최소공배수를 구해 보세요.

47, 49쪽

| 24 | 36 |

최대공약수 (　12　)
최소공배수 (　72　)

풀이
```
2 ) 24  36
2 ) 12  18    최대공약수: 2×2×3=12
3 )  6   9    최소공배수: 2×2×3×2×3=72
     2   3
```

⑥ 그림과 같이 길이가 240 m인 공원 산책로의 오른쪽에는 20 m마다 밤나무를 심었고 왼쪽에는 30 m마다 소나무를 심었습니다. 산책로가 시작하는 곳에서 밤나무와 소나무를 각각 한 줄로 심으면 산책로 전체에 밤나무와 소나무가 나란히 심어져 있는 곳은 모두 몇 곳인지 구해 보세요. 5곳

49쪽

풀이 밤나무는 20 m마다, 소나무는 30 m마다 심어져 있으므로 20과 30의 최소공배수인 60 m마다 두 나무가 나란히 심어져 있습니다.
따라서 밤나무와 소나무가 나란히 심어져 있는 곳은 시작하는 곳에서 60 m, 120 m, 180 m, 240 m 떨어진 곳이고 처음 시작하는 곳을 더하면 모두 5곳입니다.

53

추론 창의·융합

공배수의 의미를 알고 구하기
▶자습서 40~41쪽

6과 8의 공배수는 ○표와 △표가 둘 다 표시된 수입니다.

추론

두 수의 최대공약수와 최소공배수 구하기
▶자습서 48~51쪽

학부모 코칭 Tip

두 수를 약수의 곱으로 나타내거나 약수의 나눗셈으로 구할 수 있게 합니다.

문제 해결 창의·융합

최소공배수를 활용한 문제 해결하기
▶자습서 50~51쪽

학부모 코칭 Tip

최대공약수와 최소공배수 중 어느 것으로 풀어야 하는 상황인지 먼저 파악해 보게 합니다.

교과서 개념 완성

놀이 속으로 풍덩

1 준비물 확인 및 놀이 방법 살펴보기

- 1부터 9까지의 숫자 카드가 준비되었는지 확인합니다.
- 놀이 방법을 읽어 봅니다.
- 놀이 방법을 친구에게 설명해 봅니다.

2 실제 친구와 놀이하기

㉠ 수지가 3, 4, 5, 8을 뽑고, 준호가 3, 4, 6, 9를 뽑는 경우

[수지] $4+5=9$, $3\times8=24$

9의 약수: 1, 3, 9

24의 약수: 1, 2, 3, 4, 6, 8, 12, 24

➡ 9와 24의 공약수: 1, 3, 최대공약수: 3

[준호] $3+6=9$, $4\times9=36$

9의 약수: 1, 3, 9

36의 약수: 1, 2, 3, 4, 6, 9, 12, 18, 36

➡ 9와 36의 공약수: 1, 3, 9, 최대공약수: 9

따라서 공약수의 개수가 더 많은 사람은 준호로 1점을 얻고, 최대공약수가 더 큰 사람도 준호로 1점을 얻습니다.

이야기로 키우는 생각

톱니바퀴에서 배수 찾기 창의력 키우기

자전거는 사람이 타고 앉아 두 다리의 힘으로 바퀴를 돌려서 갈 수 있는 탈것으로, 남녀노소 가릴 것 없이 많은 사람들이 즐겨 탑니다.
또한 환경을 생각한 전기 자전거는 미래의 주요 이동 수단이 될 수도 있습니다.

자전거를 탈 수 있는 친구들도 있고, 아직 못 타는 친구들도 있을 텐데요.
우리 주변에서 쉽게 볼 수 있는 자전거! 자세히 한번 알아보아요.

자전거의 구조는 크게 몸통을 이루는 뼈대인 차체부, 방향을 조절하는 조향 장치, 움직이게 하는 구동 장치, 속도를 변화시키거나 억제하는 제동·변속 장치로 이루어져 있습니다.
그러면 자전거는 어떤 원리로 움직이는 걸까요?

변속 장치 / 차체부 / 조향 장치 / 제동 장치 / 구동 장치 / 사슬 톱니 / 체인 / 사슬 톱니 / 크랭크

자전거를 움직이게 하는 구동 장치에는 크랭크, 사슬 톱니, 체인이 있습니다. 자전거에 있는 페달을 밟으면 그 힘으로 체인에 연결된 두 사슬 톱니가 회전하면서 자전거는 움직이게 됩니다. 이렇게 체인에 연결된 두 톱니바퀴가 회전하는 과정에는 '배수'가 숨어 있습니다.

작은 톱니바퀴 톱니: 10개 / 큰 톱니바퀴 톱니: 20개
작은 톱니바퀴 톱니: 10개 / 큰 톱니바퀴 톱니: 30개

㉮의 경우에는 큰 톱니바퀴가 한 바퀴 돌 때 20개의 톱니가 맞물려 돌아가고, 20은 10의 2배이므로 작은 톱니바퀴는 2바퀴 돌게 됩니다. ㉯의 경우에는 30은 10의 3배이므로 큰 톱니바퀴가 한 바퀴 돌 때 작은 톱니바퀴는 3바퀴 돌게 됩니다.
그렇다면 ㉮에서 큰 톱니바퀴가 두 바퀴, 세 바퀴, … 돌 때 맞물리는 톱니는 몇 개일까요?
큰 톱니바퀴가 한 바퀴 돌 때마다 맞물리는 톱니의 수는 20, 40, 60, …이므로 이 수는 작은 톱니바퀴의 톱니의 수인 10의 배수도 되고 큰 톱니바퀴의 톱니의 수인 20의 배수도 되어 10과 20의 공배수와 같습니다.
㉯에서는 10과 30의 공배수를 생각하면 된다는 것을 알 수 있겠지요?

이 외에도 톱니바퀴는 움직이는 거의 모든 기계에 사용되는 가장 기본적인 구성 요소 중 하나입니다. 자동차의 기어와 시계의 시곗바늘이 움직이는 것도 톱니바퀴가 있기 때문입니다.
[출처] EBS, 2021.

56

57

이야기로 키우는 생각

자전거 안전사고 예방

1. 안전모와 보호 장갑, 팔꿈치와 무릎 보호대 등 안전 장비를 반드시 착용합니다. 안전모는 자전거 사고 시 부상 정도에 직접적으로 관여하는 장비로 안전모만 써도 사고 시 사망 확률이 90 % 이상 감소합니다.

2. 안전한 복장과 운동화를 착용합니다. 형광이나 야광 등 다른 사람 눈에 잘 띄는 밝은색 복장을 착용하고, 긴 치마나 긴 목도리 등은 자전거 바퀴나 체인에 걸려 넘어질 수 있으므로 착용하지 않으며, 펄럭이지 않는 좁은 통의 바지를 입는 것이 좋습니다.

3. 저녁에는 시야 확보가 어렵기 때문에 가급적 타지 않는 것이 좋습니다. 부득이할 경우에는 라이트나 반사체를 설치하고 탑니다.

4. 핸들을 한 손으로 잡거나 놓고 타지 않으며, 주행 중 이어폰이나 휴대 전화를 사용하지 않습니다. 내리막길에서는 브레이크를 사용하여 천천히 내려오도록 하며, 횡단보도에서는 자전거에서 내려 끌고 건너갑니다.

[출처] 자전거 행복나눔, 2020.

개념 ÷ 확인

교과서 개념을 익히고 확인 문제를 풀면서 단원을 마무리해 보아요.

개념

⁂ 배수

어떤 수를 1배, 2배, 3배, 4배, ... 한 수를 그 수의 배수라고 합니다.

㉤ 4의 배수

$4 \times 1 = 4$, $4 \times 2 = 8$, $4 \times 3 = 12$, $4 \times 4 = 16$, ...

→ 4의 배수: 4, 8, 12, 16, ...

⁂ 공배수와 최소공배수

• 두 수의 공통인 배수를 공배수라고 합니다.

• 두 수의 공배수 중에서 가장 작은 수를 최소공배수라고 합니다.

㉤ 3과 5의 공배수와 최소공배수

3의 배수: 3, 6, 9, 12, 15, 18, 21, 24, 27, 30, ...

5의 배수: 5, 10, 15, 20, 25, 30, 35, 40, ...

→ 3과 5의 공배수: 15, 30, ...

3과 5의 최소공배수: 15

⁂ 약수

어떤 수를 나누어떨어지게 하는 수를 그 수의 약수라고 합니다.

㉤ 9의 약수

$9 \div 1 = 9$, $9 \div 3 = 3$, $9 \div 9 = 1$

→ 9의 약수: 1, 3, 9

⁂ 공약수와 최대공약수

• 두 수의 공통인 약수를 공약수라고 합니다.

• 두 수의 공약수 중에서 가장 큰 수를 최대공약수라고 합니다.

㉤ 16과 24의 공약수와 최대공약수

16의 약수: 1, 2, 4, 8, 16

24의 약수: 1, 2, 3, 4, 6, 8, 12, 24

→ 16과 24의 공약수: 1, 2, 4, 8

16과 24의 최대공약수: 8

확인 문제

1 6의 배수를 가장 작은 수부터 순서대로 5개 써 보세요.

◻ , ◻ , ◻ , ◻ , ◻

2 9와 6의 배수를 표의 빈칸에 순서대로 써넣고, 9와 6의 최소공배수를 구해 보세요.

9의 배수	9	18			
6의 배수	6				

( )

3 ◻ 안에 알맞은 수를 써넣고, 35의 약수를 모두 구해 보세요.

$35 \div \boxed{} = 35$ $35 \div \boxed{} = 7$

$35 \div \boxed{} = 5$ $35 \div \boxed{} = 1$

→ 35의 약수:

4 두 수의 공약수를 모두 쓰고, 최대공약수를 구해 보세요.

32와 44

공약수 ( )

최대공약수 ( )

→ 정답 및 풀이 209쪽

개념

배수와 약수의 관계

$$14=1\times14 \qquad 14=2\times7$$

- 14는 1, 2, 7, 14의 배수입니다.
- 1, 2, 7, 14는 14의 약수입니다.

최대공약수를 구하는 방법

예) 20과 28의 최대공약수 구하기

```
2) 20   28
2) 10   14     최대공약수: 2×2=4
    5    7
```

① 20과 28을 공약수로 나누어 몫을 아래에 씁니다.

② 1 이외의 공약수로 더 이상 나눌 수 없을 때까지 두 수를 공약수로 계속 나눕니다.

③ 공약수들을 모두 곱하여 최대공약수를 구합니다.

최소공배수를 구하는 방법

예) 56과 42의 최소공배수 구하기

```
2) 56   42      최소공배수:
7) 28   21      2×7×4×3=168
    4    3
```

① 56과 42를 공약수로 나누어 몫을 아래에 씁니다.

② 1 이외의 공약수로 더 이상 나눌 수 없을 때까지 두 수를 공약수로 계속 나눕니다.

③ 공약수들과 남은 몫들을 곱하여 최소공배수를 구합니다.

확인 문제

5 두 수가 배수와 약수의 관계인 것에 ○표, 아닌 것에 ×표 하세요.

5	75

(   )

6	34

(   )

6 두 수의 최대공약수를 찾아 선으로 이어 보세요.

| 16과 28 | ·   · | 4 |

| 18과 48 | ·   · | 6 |

7 다음을 보고 45와 60의 최소공배수를 구해 보세요.

```
3) 45   60
5) 15   20
    3    4
```

(   )

8 두 수의 최소공배수가 더 작은 것을 찾아 기호를 써 보세요.

ㄱ 54와 45   ㄴ 24와 78

(   )

서술형 문제 해결하기

1-1 사탕 35개와 초콜릿 49개를 최대한 많은 접시에 남김없이 똑같이 나누어 담으려고 합니다. 최대 몇 개의 접시에 나누어 담을 수 있는지 풀이 과정을 쓰고, 답을 구해 보세요. [8점]

풀이

❶ 최대한 많은 접시에 남김없이 똑같이 나누어 담으려면 (최대공약수 , 최소공배수)를 이용합니다.

35와 49의 [   ]는

[   ]입니다.

❷ 따라서 최대 [   ]개의 접시에 나누어 담을 수 있습니다.

답 _____

1-2 쌍둥이 연필 18자루와 지우개 27개를 최대한 많은 친구들에게 남김없이 똑같이 나누어 주려고 합니다. 최대 몇 명에게 나누어 줄 수 있는지 풀이 과정을 쓰고, 답을 구해 보세요. [12점]

풀이

답 _____

1-3 유사 귤 36개와 키위 16개를 최대한 많은 봉지에 남김없이 똑같이 나누어 담으려고 합니다. 한 봉지에 귤과 키위를 각각 몇 개씩 담아야 하는지 풀이 과정을 쓰고, 답을 구해 보세요. [15점]

풀이

답 귤: _____ , 키위: _____

1-4 실전 공책 48권과 수첩 42권을 최대한 많은 상자에 남김없이 똑같이 나누어 담으려고 합니다. 한 상자에 공책과 수첩을 각각 몇 권씩 담아야 하는지 풀이 과정을 쓰고, 답을 구해 보세요. [15점]

풀이

답 공책: _____ , 수첩: _____

→ 정답 및 풀이 210쪽

2-1 다음 조건 을 모두 만족하는 수를 구하려고 합니다. 풀이 과정을 쓰고, 답을 구해 보세요. [8점]

조건
- 50보다 크고 70보다 작습니다.
- 4와 14의 공배수입니다.

풀이

❶ 4와 14의 공배수는 4와 14의 최소공배수인 [　] 의 배수와 같습니다.

❷ 50보다 크고 70보다 작은 수 중에서 [　] 의 배수를 찾으면 [　] 이므로 조건을 모두 만족하는 수는 [　] 입니다.

답

2-2 다음 조건 을 모두 만족하는 수를 구하려고 합니다. 풀이 과정을 쓰고, 답을 구해 보세요. [12점]

쌍둥이

조건
- 40보다 크고 70보다 작습니다.
- 10과 15의 공배수입니다.

풀이

답

2-3 다음 조건 을 모두 만족하는 수를 구하려고 합니다. 풀이 과정을 쓰고, 답을 구해 보세요. [15점]

유사

조건
- 20보다 크고 30보다 작습니다.
- 50의 약수입니다.

풀이

답

2-4 다음 조건 을 모두 만족하는 수를 구하려고 합니다. 풀이 과정을 쓰고, 답을 구해 보세요. [15점]

실전

조건
- 50보다 크고 70보다 작습니다.
- 9의 배수입니다.
- 7은 이 수의 약수입니다.

풀이

답

단원 평가

| 배수 |

01 3의 배수를 구하려고 합니다. ◯ 안에 알맞
은 수를 써넣으세요.

3을 1배 한 수	$3 \times 1 = 3$
3을 2배 한 수	$3 \times 2 = \boxed{}$
3을 3배 한 수	$3 \times 3 = \boxed{}$
3을 4배 한 수	$3 \times 4 = \boxed{}$

➔ 3의 배수: 3, $\boxed{}$, $\boxed{}$, $\boxed{}$

| 약수 |

02 나눗셈식을 보고 ◯ 안에 알맞은 수를 써넣
으세요.

$$6 \div 1 = 6 \qquad 6 \div 2 = 3$$
$$6 \div 3 = 2 \qquad 6 \div 4 = 1 \cdots 2$$
$$6 \div 5 = 1 \cdots 1 \qquad 6 \div 6 = 1$$

➔ 6의 약수: 1, $\boxed{}$, $\boxed{}$, $\boxed{}$

| 최대공약수를 구하는 방법 |

03 ◯ 안에 알맞은 수를 써넣고, 28과 52의 최
대공약수를 구해 보세요.

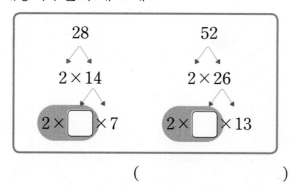

( )

| 최소공배수를 구하는 방법 |

04 ◯ 안에 알맞은 수를 써넣고, 54와 42의 최
소공배수를 구해 보세요.

$$\boxed{}) \overline{54 \quad 42}$$
$$\boxed{}) \overline{27 \quad 21}$$
$$\qquad \boxed{} \quad \boxed{}$$

( )

| 공약수와 최대공약수 |

05 두 수의 공약수를 모두 쓰고, 최대공약수를
구해 보세요.

32와 40

공약수 ( )

최대공약수 ( )

| 배수와 약수의 관계 |

06 두 수가 배수와 약수의 관계인 것을 찾아 기호
를 써 보세요.

㉠ (15, 45) ㉡ (17, 35)

( )

| 공배수와 최소공배수 |

07 4와 6의 공배수를 모두 찾아 ◯표 하세요.

8 12 20 24

| 최대공약수를 구하는 방법, 최소공배수를 구하는 방법 |

08 두 수의 최대공약수와 최소공배수를 구해
중 보세요.

30과 45

최대공약수 (   )
최소공배수 (   )

| 공배수와 최소공배수 |

09 어떤 두 수의 최소공배수가 16일 때, 두 수
중 의 공배수를 가장 작은 수부터 순서대로 3개
써 보세요.

(   )

| 배수와 약수의 관계 |

10 보기 에서 배수와 약수의 관계인 수를 모두
중 찾아 써 보세요.

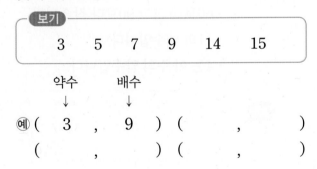

보기
3   5   7   9   14   15

약수   배수
↓   ↓
㉘ (3   ,   9   ) (,   )
(,   ) (,   )

| 공약수와 최대공약수 |

11 선생님께서 색종이 49장을 학생들에게 남김
중 없이 똑같이 나누어 주려고 합니다. 나누어
줄 수 있는 학생 수를 찾아 색칠해 보세요.

3명   7명   8명

| 공배수와 최소공배수 |

12 설명이 잘못된 것을 찾아 기호를 써 보세요.
중

㉠ 6과 8의 공배수 중에서 가장 작은 수는
48입니다.
㉡ 21, 42, 63, …은 3과 7의 공배수입니다.

(   )

| 약수 |

13 다음은 어떤 수의 약수를 모두 나타낸 것입
중 니다. 어떤 수를 구해 보세요.

2   10   5   1   50   25

(   )

| 배수 |

14 어느 터미널에서 버스가 25분 간격으로 출
중 발합니다. 첫차가 오전 7시에 출발한다면
오전 8시까지 버스가 출발하는 시각을 모두
구해 보세요.

7시, 7시 [   ]분, 7시 [   ]분

| 약수 |

15 약수의 개수가 가장 많은 수를 찾아 기호를
중 써 보세요.

㉠ 15   ㉡ 19   ㉢ 20

(   )

| 최대공약수를 구하는 방법 |

16 ㉠과 ㉡의 최대공약수가 6일 때, ㉠과 ㉡에
중 알맞은 수를 각각 구해 보세요.

$$
\begin{array}{r}
\boxed{})\;\;\underline{㉠\quad ㉡} \\
\boxed{})\;\;\underline{21\quad 9} \\
7\quad 3
\end{array}
$$

㉠ (   ), ㉡ (   )

| 배수 |　　　　　　　　　　　　　　　　서술형

17 6의 배수 중에서 50에 가장 가까운 수를 구
중 하려고 합니다. 풀이 과정을 쓰고, 답을 구해
보세요.

풀이

답 _____

| 공약수와 최대공약수 |

18 64와 52를 어떤 수로 나누면 두 수 모두 나
상 누어떨어집니다. 어떤 수가 될 수 있는 자연
수 중 1보다 큰 수를 모두 구해 보세요.

(   )

| 최소공배수를 구하는 방법 |　　　　　서술형

19 소연이는 2일마다, 은지는 3일마다 수영장
상 에 갑니다. 3월 2일에 두 사람이 함께 수영
장에 갔다면 3월 한 달 동안 두 사람이 함께
수영장에 가는 날은 몇 번인지 풀이 과정을
쓰고, 답을 구해 보세요.

풀이

답 _____

| 배수와 약수의 관계 |　　　　　　　서술형

20 다음 조건 을 모두 만족하는 수를 구하려고
상 합니다. 풀이 과정을 쓰고, 답을 구해 보세요.

조건

· 60보다 크고 90보다 작습니다.
· 11의 배수입니다.
· 4는 이 수의 약수입니다.

풀이

답 _____

최소공배수로 알아보는
십간십이지

할아버지는 1945년 을유년에 태어났단다.

을유년이 뭐예요? 할아버지?

을유년은 할아버지가 태어난 연도의 이름이야. 우리 조상들은 십간과 십이지를 이용하여 그 해의 이름을 붙이고, 태어난 사람의 띠도 알 수 있었어.

십간십이지요?

십간(十干)은 10일을 뜻하고, 십이지(十二支)는 12종류의 동물을 뜻해. 할아버지가 태어난 1945년은 을유년이고 닭띠란다.

십간	갑	을	병	정	무	기	경	신	임	계

십이지	자	축	인	묘	진	사	오	미	신	유	술	해

십간과 십이지를 순서대로 하나씩 짝지어 연도의 이름을 만들어. 을유년 다음에는 병술년, 정해년, ……이란다.

> 1945년 - 을유년
> 1946년 - 병술년
> 1947년 - 정해년
> 1948년 - 무자년
> 1949년 - 기축년
> 1950년 - 경인년
> ⋮

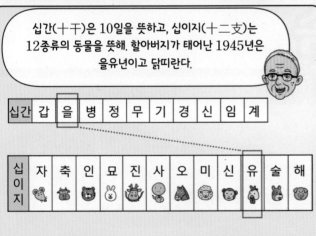

십간은 10년마다 반복되고 십이지는 12년마다 반복돼서 연도의 이름은 10과 12의 최소공배수만큼 만들 수 있어.

10과 12의 최소공배수가 60이므로 같은 해의 이름이 다시 돌아오는 데는 60년이 더 걸린단다.

$$2\,\underline{)\ 10\quad 12}$$
$$\quad\ \ 5\quad\ \ 6$$

최소공배수: 2×5×6=60

 우리가 태어난 연도의 이름도 알아봐야겠어요!

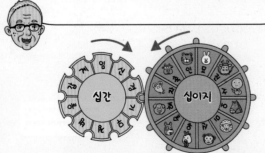

3

규칙과 대응

• 섬에서 다양한 친환경 체험을 하고 있습니다.
• 풍력 발전기의 수와 날개의 수, 조개껍데기의 수와 목걸이의 수 사이의 대응 관계를 식으로 어떻게 나타낼지 궁금해하고 있습니다.

그림 속 상황

자/기/주/도/학/습

1 차시

학습 목표

'무엇을 알고 있나요'와 '함께 생각해 볼까요'를 통하여 단원을 준비할 수 있습니다.

◈ 수 배열표에서 규칙 찾기

• 가로(→)로 40씩 커집니다.
• 세로(↓)로 200씩 커집니다.
• ㉮에 알맞은 수는 780보다 40만큼 커야 하므로 820입니다.
 / ㉮에 알맞은 수는 420보다 400만큼 커야 하므로 820입니다.

◈ 도형의 배열에서 규칙 찾기

• 위쪽으로 2개씩 늘어납니다.
• 다섯째에 알맞은 조각의 수는
 2＋2＋2＋2＋2＝10(개)입니다.
 / 다섯째에 알맞은 조각의 수는 2×5＝10(개)입니다.
• 다섯째에 알맞은 도형은 넷째보다 위쪽으로 2개 늘어나게 그립니다.

준비 팡팡

무엇을 알고 있나요

1 수 배열표를 보고 물음에 답해 보세요.

100	140	180	220
300		380	420
500	540		
700	740	780	㉮

• 수 배열표의 가로(→)에서 규칙을 찾아보세요.
 예 가로로 40씩 커집니다.
• 수 배열표의 세로(↓)에서 규칙을 찾아보세요.
 예 세로로 200씩 커집니다.
• ㉮에 알맞은 수를 구해 보세요. 820

2 도형의 배열을 보고 물음에 답해 보세요.

첫째　둘째　셋째　넷째　　다섯째

• 도형의 배열에서 규칙을 찾아보세요.
 예 위쪽으로 2개씩 늘어납니다.
• 다섯째에 알맞은 조각의 수를 식으로 나타내어 보세요.
 예 2＋2＋2＋2＋2＝10(개) / 2×5＝10(개)
• 다섯째에 알맞은 도형을 ▢안에 그리고, 확인해 보세요.
 예 10개가 맞습니다.

60

교과서 개념 완성 | 배운 것을 다시 생각하기

◈ 수의 배열에서 규칙 찾기

301	302	303	304	305
401	402	403	404	405
501	502	503	504	505
601	602	603	604	605

• 가로(→)는 301부터 시작하여 오른쪽으로 1씩 커집니다.
• 세로(↓)는 301부터 시작하여 아래쪽으로 100씩 커집니다.
• ↘ 방향으로 301부터 시작하여 101씩 커집니다.

◈ 도형의 배열에서 규칙 찾기

첫째　　둘째　　셋째　　넷째

• 모형이 1개에서 시작하여 왼쪽과 아래쪽으로 각각 1개씩 늘어납니다.
• 다섯째에 알맞은 모양은 넷째 모양에서 2개 더 늘어난 1＋2＋2＋2＋2＝9(개)입니다.

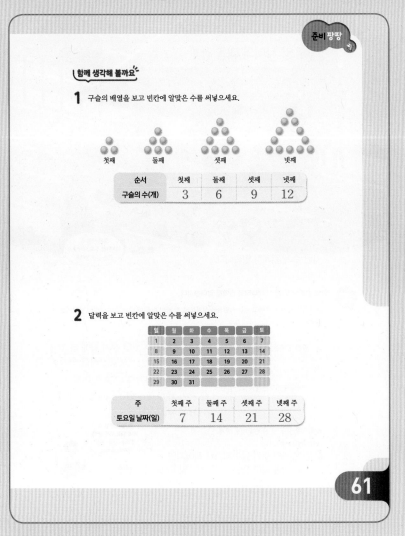

구슬의 배열을 보고 빈칸에 알맞은 수 써넣기

구슬이 3개, 6개, 9개, 12개로 3개에서 시작하여 3개씩 늘어납니다.

달력을 보고 빈칸에 알맞은 수 써넣기

첫째 주 토요일은 7일, 둘째 주 토요일은 14일, 셋째 주 토요일은 21일, 넷째 주 토요일은 28일입니다.

학부모 코칭 Tip

달력의 수는 → 방향으로 1씩 커지고 ↓ 방향으로 7씩 커집니다.

개념 확인 문제
정답 및 풀이 212쪽

| 4-1 | 6. 규칙 찾기 |

1 수 배열표를 보고 ☐ 안에 알맞은 수를 써넣으세요.

311	322	333	344
411	422	433	444
511	522	533	544
611	622	633	644

(1) 가로(→)에서 ☐ 씩 커집니다.

(2) 세로(↓)에서 ☐ 씩 커집니다.

| 4-1 | 6. 규칙 찾기 |

2 도형의 배열을 보고 다섯째에 알맞은 모양을 그려 보세요.

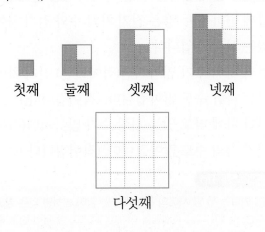

첫째   둘째   셋째   넷째

다섯째

1 | 두 양 사이의 대응 관계

학습 목표

한 양이 변할 때 다른 양이 그에 따라 변하는 대응 관계를 찾아 설명할 수 있습니다.

그림으로 개념 잡기

> 헬리콥터의 수가 많아지면 프로펠러의 수도 많아져.

어휘

대응

correspondence

對 (대할 대) 應 (응할 응)

---

1 두 양 사이의 대응 관계

한 양이 변할 때 다른 양이 그에 따라 변하는 대응 관계를 찾아 설명할 수 있습니다.

생각 열기

섬을 찾은 여행자들이 2인용 전기 차를 이용하여 이동하려고 합니다.

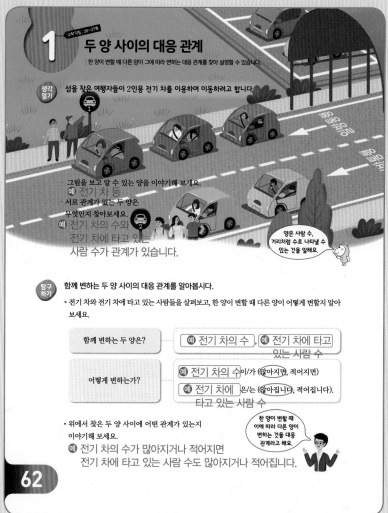

그림을 보고 알 수 있는 양을 이야기해 보세요.
예 전기 차 등
서로 관계가 있는 두 양은 무엇인지 찾아보세요.
예 전기 차의 수와 전기 차에 타고 있는 사람 수가 관계가 있습니다.

> 양은 사람 수, 거리처럼 수로 나타낼 수 있는 것을 말해요.

탐구하기

함께 변하는 두 양 사이의 대응 관계를 알아봅시다.

• 전기 차와 전기 차에 타고 있는 사람들을 살펴보고, 한 양이 변할 때 다른 양이 어떻게 변할지 알아보세요.

함께 변하는 두 양은?	예 전기 차의 수 , 예 전기 차에 타고 있는 사람 수
어떻게 변하는가?	예 전기 차의 수 이/가 (많아지면, 적어지면) 예 전기 차에 은/는 (많아집니다, 적어집니다). 타고 있는 사람 수

• 위에서 찾은 두 양 사이에 어떤 관계가 있는지 이야기해 보세요.
예 전기 차의 수가 많아지거나 적어지면 전기 차에 타고 있는 사람 수도 많아지거나 적어집니다.

> 한 양이 변할 때 이에 따라 다른 양이 변하는 것을 대응 관계라고 해요.

62

교과서 개념 완성

탐구하기 함께 변하는 두 양 사이의 대응 관계 알아보기

• 함께 변하는 두 양은 전기 차의 수와 전기 차에 타고 있는 사람 수입니다.

• 전기 차의 수가 많아지면(적어지면) 전기 차에 타고 있는 사람 수도 많아집니다. (적어집니다.)

• 전기 차에 타고 있는 사람 수가 많아지면(적어지면) 전기 차의 수도 많아집니다. (적어집니다.)

학부모 코칭 Tip

함께 변하는 두 양 사이의 관계에서 한 양이 변하면 다른 양도 따라 변하는 관계가 대응 관계임을 이해하게 하고, 한 양이 변할 때 다른 양이 어떻게 변하는지 확인하게 합니다.

확인하기 그림에서 대응 관계 찾기

• 함께 변하는 두 양은 세 발 자전거의 수와 바퀴의 수입니다.

• 세 발 자전거의 수가 많아지면 바퀴의 수가 많아집니다.
세 발 자전거의 수가 적어지면 바퀴의 수가 적어집니다.

학부모 코칭 Tip

그림에서 서로 대응 관계인 두 양을 다양하게 찾아보고 한 양이 변함에 따라 다른 양이 어떻게 변하는지 설명해 보게 합니다.

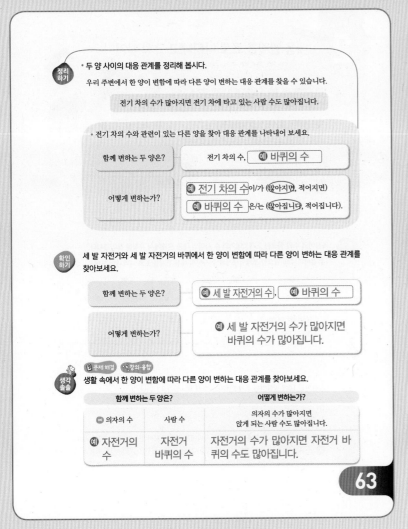

정리하기 · 두 양 사이의 대응 관계를 정리해 봅시다.

우리 주변에서 한 양이 변함에 따라 다른 양이 변하는 대응 관계를 찾을 수 있습니다.

전기 차의 수가 많아지면 전기 차에 타고 있는 사람 수도 많아집니다.

· 전기 차의 수와 관련이 있는 다른 양을 찾아 대응 관계를 나타내어 보세요.

함께 변하는 두 양은? 전기 차의 수, 예 바퀴의 수

어떻게 변하는가? 예 전기 차의 수이/가 (많아지면 , 적어지면)
예 바퀴의 수은/는 (많아집니다 , 적어집니다).

확인하기 세 발 자전거와 세 발 자전거의 바퀴에서 한 양이 변함에 따라 다른 양이 변하는 대응 관계를 찾아보세요.

함께 변하는 두 양은? 예 세 발 자전거의 수 , 예 바퀴의 수

어떻게 변하는가? 예 세 발 자전거의 수가 많아지면 바퀴의 수가 많아집니다.

생각쑥쑥 문제 해결 창의·융합
생활 속에서 한 양이 변함에 따라 다른 양이 변하는 대응 관계를 찾아보세요.

함께 변하는 두 양은?		어떻게 변하는가?
예 의자의 수	사람 수	의자의 수가 많아지면 앉게 되는 사람 수도 많아집니다.
예 자전거의 수	자전거 바퀴의 수	자전거의 수가 많아지면 자전거 바퀴의 수도 많아집니다.

63

이런 문제가 서술형으로 나와요

함께 변하는 두 양을 찾아 기호를 쓰고, 어떤 대응 관계가 있는지 설명해 보세요.

㉠ 개미의 수와 나비의 수
㉡ 꿀벌의 수와 꿀벌 날개의 수

| 풀이 과정 |

❶ 함께 변하는 두 양 찾기

함께 변하는 두 양을 찾으면 ㉡입니다.

❷ 어떤 대응 관계가 있는지 설명하기

꿀벌의 수가 많아지면 꿀벌 날개의 수도 많아집니다.

수학 교과 역량 문제 해결 창의·융합

생활 속에서 대응 관계 찾기
생활 속에서 대응 관계를 찾는 활동을 통하여 문제 해결 능력과 창의·융합 능력을 기를 수 있습니다.

 개념 확인 문제 정답 및 풀이 212쪽

[1~2] 두 양 사이의 대응 관계를 알아보려고 합니다. 물음에 답해 보세요.

1 함께 변하는 두 양을 찾아보세요.

함께 변하는 두 양은?

의자의 수

2 1에서 찾은 두 양 사이에 어떤 관계가 있는지 □ 안에 알맞은 말을 써넣고 알맞은 말에 ○표 하세요.

(1)
의자의 수가 많아지면
[　　　　　]은/는
(많아집니다 , 적어집니다).

(2)
의자의 수가 적어지면
[　　　　　]은/는
(많아집니다 , 적어집니다).

3 차시 | 2 | 대응 관계를 표로 나타내고 규칙 찾기

학습 목표

두 양 사이의 대응 관계를 표로 나타내고 규칙을 찾을 수 있습니다.

그림으로 개념 잡기

피자의 수와 피자 조각의 수 사이의 대응 관계는?

표로 나타내어 규칙을 찾아봐.

---

2 대응 관계를 표로 나타내고 규칙 찾기

두 양 사이의 대응 관계를 표로 나타내고 규칙을 찾을 수 있습니다.

생각 열기 진아가 어머니와 함께 목걸이 1개에 조개껍데기를 5개씩 꿰어 목걸이를 만들고 있습니다.

• 대응 관계에 있는 두 양을 찾아보세요.
예 목걸이의 수와 조개껍데기의 수
• 두 양 사이의 대응 관계를 어떻게 나타낼 수 있을까요?
예 목걸이의 수와 조개껍데기의 수를 표로 나타낼 수 있습니다.

탐구 하기 목걸이의 수와 필요한 조개껍데기의 수 사이의 대응 관계에서 규칙을 찾아봅시다.

• 목걸이의 수와 필요한 조개껍데기의 수 사이의 대응 관계를 표로 나타내어 보세요.

 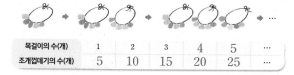

목걸이의 수(개)	1	2	3	4	5	…
조개껍데기의 수(개)	5	10	15	20	25	…

• 목걸이를 10개 만들려면 조개껍데기는 몇 개 필요한가요? 50개

• 목걸이의 수와 필요한 조개껍데기의 수 사이에는 어떤 규칙이 있는지 이야기해 보세요.
예 조개껍데기의 수는 목걸이의 수에 5를 곱한 것과 같습니다.
목걸이의 수는 조개껍데기의 수를 5로 나눈 것과 같습니다.

64

교과서 개념 완성

탐구하기 두 양 사이의 대응 관계를 표로 나타내고 규칙을 찾는 방법 탐구하기

목걸이 1개를 만드는 데 조개껍데기가 5개 필요하므로 목걸이 10개를 만들려면 조개껍데기가 50개 필요합니다.

학부모 코칭 Tip

대응 관계를 나타낸 표에서 규칙을 찾을 때 '목걸이의 수가 1개 늘어날 때마다 조개껍데기의 수가 5개씩 늘어납니다.'가 아닌 '5배'의 규칙을 찾을 수 있게 합니다. 이를 바탕으로 찾은 규칙을 적용하여 목걸이를 10개 만들 때 필요한 조개껍데기의 수가 50개임을 발견하게 합니다.

확인하기 대응 관계를 표로 나타내고 규칙 찾기

• 노란색 모양 조각의 수는 연두색 모양 조각의 수보다 1개 더 많습니다.
• 연두색 모양 조각의 수는 노란색 모양 조각의 수보다 1개 더 적습니다.
• 노란색 모양 조각의 수는 연두색 모양 조각의 수보다 1개 더 많으므로 연두색 모양 조각의 수가 5개이면 노란색 모양 조각의 수는 6개입니다.

학부모 코칭 Tip

대응 관계에서 규칙을 찾아 설명할 때 설명하는 대상에 따라 규칙이 달라짐을 이해하게 합니다.

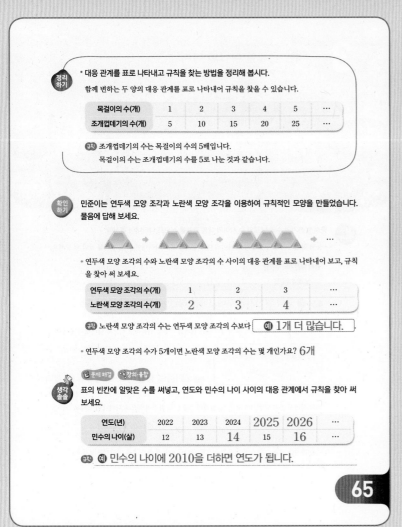

정리
하기

* 대응 관계를 표로 나타내고 규칙을 찾는 방법을 정리해 봅시다.

함께 변하는 두 양의 대응 관계를 표로 나타내어 규칙을 찾을 수 있습니다.

목걸이의 수(개)	1	2	3	4	5	⋯
조개껍데기의 수(개)	5	10	15	20	25	⋯

규칙 조개껍데기의 수는 목걸이의 수의 5배입니다.
목걸이의 수는 조개껍데기의 수를 5로 나눈 것과 같습니다.

확인
하기

민준이는 연두색 모양 조각과 노란색 모양 조각을 이용하여 규칙적인 모양을 만들었습니다. 물음에 답해 보세요.

• 연두색 모양 조각의 수와 노란색 모양 조각의 수 사이의 대응 관계를 표로 나타내어 보고, 규칙을 찾아 써 보세요.

연두색 모양 조각의 수(개)	1	2	3	⋯
노란색 모양 조각의 수(개)	2	3	4	⋯

규칙 노란색 모양 조각의 수는 연두색 모양 조각의 수보다 예 1개 더 많습니다.

• 연두색 모양 조각의 수가 5개이면 노란색 모양 조각의 수는 몇 개인가요? 6개

생각
솔솔 문제 해결 창의·융합

표의 빈칸에 알맞은 수를 써넣고, 연도와 민수의 나이 사이의 대응 관계에서 규칙을 찾아 써 보세요.

연도(년)	2022	2023	2024	2025	2026	⋯
민수의 나이(살)	12	13	14	15	16	⋯

규칙 예 민수의 나이에 2010을 더하면 연도가 됩니다.

65

이런 문제가 서술형으로 나와요

선풍기의 수와 선풍기 날개의 수 사이의 대응 관계에서 규칙을 찾아 써 보세요.

| 풀이 과정 |

❶ 두 양 사이의 대응 관계를 표로 나타내기

선풍기의 수(대)	1	2	3	⋯
선풍기 날개의 수(개)	4	8	12	⋯

❷ 대응 관계에서 규칙 찾아 쓰기

선풍기 날개의 수는 선풍기의 수의 4배입니다.

◀ 수학 교과 역량 ▶ 문제 해결 창의·융합

생활 속에서 대응 관계를 표를 이용하여 알아보기
연도와 나이의 관계를 실생활의 사례와 관련지어 생각하고 해결하는 과정을 통하여 문제 해결 능력과 창의·융합 능력을 기를 수 있습니다.

👩 **개념 확인 문제**   정답 및 풀이 212쪽 ●

[1~3] 모양 조각을 이용하여 규칙적인 배열을 만들고 있습니다. 물음에 답해 보세요.

1 초록색 모양 조각의 수와 주황색 모양 조각의 수 사이의 대응 관계를 표로 나타내어 보세요.

초록색 모양 조각의 수(개)	1	2	3	4	⋯
주황색 모양 조각의 수(개)					⋯

2 초록색 모양 조각의 수와 주황색 모양 조각의 수 사이의 대응 관계에서 규칙을 찾아 써 보세요.

규칙 주황색 모양 조각의 수는 초록색 모양 조각의 수보다 ☐ 개 더 많습니다.

3 초록색 모양 조각의 수가 5개이면 주황색 모양 조각의 수는 몇 개인가요?

(   )

3 | 대응 관계를 식으로 나타내기

학습 목표

두 양 사이의 대응 관계를 찾아 □, △ 등을 사용하여 식으로 나타낼 수 있습니다.

그림으로 개념 잡기

책꽂이 한 칸에 책을 9권씩 꽂으면 책꽂이에 꽂을 수 있는 책의 수는 책꽂이의 수의 9배이니까 어쩌고저쩌고...

기호를 사용해서 식으로 나타내면 간단한데...

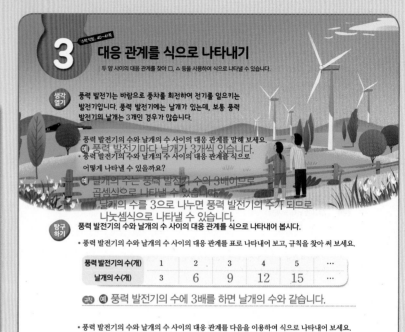

3 대응 관계를 식으로 나타내기

두 양 사이의 대응 관계를 찾아 □, △ 등을 사용하여 식으로 나타낼 수 있습니다.

생각 열기 풍력 발전기는 바람으로 풍차를 회전하여 전기를 일으키는 발전기입니다. 풍력 발전기에는 날개가 있는데, 보통 풍력 발전기의 날개는 3개인 경우가 많습니다.

• 풍력 발전기의 수와 날개의 수 사이의 대응 관계를 말해 보세요.
  예 풍력 발전기마다 날개가 3개씩 있습니다.
• 풍력 발전기의 수와 날개의 수 사이의 대응 관계를 식으로 어떻게 나타낼 수 있을까요?
  예 날개의 수는 풍력 발전기 수의 3배이므로 곱셈식으로 나타낼 수 있습니다.
  날개의 수를 3으로 나누면 풍력 발전기의 수가 되므로 나눗셈식으로 나타낼 수 있습니다.

탐구 하기 풍력 발전기의 수와 날개의 수 사이의 대응 관계를 식으로 나타내어 봅시다.

• 풍력 발전기의 수와 날개의 수 사이의 대응 관계를 표로 나타내어 보고, 규칙을 찾아 써 보세요.

풍력 발전기의 수(개)	1	2	3	4	5	···
날개의 수(개)	3	6	9	12	15	···

규칙 예 풍력 발전기의 수에 3배를 하면 날개의 수와 같습니다.

• 풍력 발전기의 수와 날개의 수 사이의 대응 관계를 다음을 이용하여 식으로 나타내어 보세요.

풍력 발전기의 수	날개의 수
×	÷	=	3

식 예 (풍력 발전기의 수)×3=(날개의 수)

• 위의 식에서 풍력 발전기의 수를 △, 날개의 수를 ○로 바꾸어 식으로 나타내어 보세요.

식 예 △×3=○

• 대응 관계를 기호 △와 ○를 사용한 식으로 나타내었을 때 좋은 점을 이야기해 보세요.
  예 말로 설명할 때보다 간단하게 나타낼 수 있습니다.
• 대응 관계를 식으로 간단하게 나타내는 방법을 이야기해 보세요.
  예 대응 관계에 있는 두 양을 기호로 바꾸어 식으로 나타내었습니다.

66

교과서 개념 완성

탐구하기 대응 관계에서 규칙을 찾아 식으로 나타내는 방법 탐구하기

• 풍력 발전기의 수에 3배를 하면 날개의 수

(풍력 발전기의 수) × 3 = (날개의 수)

△ × 3 = ○

• 날개의 수를 3으로 나누면 풍력 발전기의 수

(날개의 수) ÷ 3 = (풍력 발전기의 수)

○ ÷ 3 = △

확인하기 대응 관계를 식으로 나타내기

• 오빠의 나이는 소희의 나이보다 3살 더 많으므로
  △−3=○(○=△−3) 또는
  ○+3=△(△=○+3)로 나타낼 수 있습니다.
• 의자의 수는 탁자의 수의 4배이므로
  △×4=○(○=△×4) 또는
  ○÷4=△(△=○÷4)로 나타낼 수 있습니다.

학부모 코칭 **Tip**

규칙을 식으로 나타낼 때 어느 것을 기준으로 두고 쓰느냐에 따라 다른 식으로 나타낼 수 있습니다. 다른 식으로 나타낸 경우 식에서 나타내는 규칙을 살펴보고 같은 상황을 나타낸 것임을 이해하게 합니다.

정리
하기

• 대응 관계를 식으로 나타내는 방법을 정리해 봅시다.

두 양 사이의 대응 관계를 △, ○, □ 등과 같은 기호를 사용한 식으로 간단하게 나타낼 수 있습니다.

(풍력 발전기의 수)×3=(날개의 수) ➡ △×3=○

(날개의 수)÷3=(풍력 발전기의 수) ➡ ○÷3=△

 확인
하기

1. 소희가 12살일 때, 소희 오빠는 15살이었습니다. 소희의 나이와 소희 오빠의 나이 사이의 대응 관계를 식으로 나타내려고 합니다. 물음에 답해 보세요.

• 소희의 나이와 소희 오빠의 나이 사이의 대응 관계를 표로 나타내어 보세요.

소희의 나이(살)	12	13	14	15	16	…
오빠의 나이(살)	15	16	17	18	19	…

• 소희의 나이를 ○, 소희 오빠의 나이를 △라고 할 때, 두 양 사이의 대응 관계를 기호를 사용하여 식으로 나타내어 보세요.

식　　예 ○+3=△

2. 탁자 한 개에 의자가 4개씩 놓여 있습니다. 탁자의 수를 △, 의자의 수를 ○라고 할 때, 두 양 사이의 대응 관계를 기호를 사용하여 식으로 나타내어 보세요.

식　　예 △×4=○

 생각
솔솔

문제 해결 창의·융합

끈 1개를 같은 길이로 잘라 리본 8개를 만들었습니다. 오른쪽은 리본 1개의 길이와 끈 1개의 길이 사이의 대응 관계를 기호를 사용하여 나타낸 식입니다. □와 △는 각각 무엇을 나타내는지 써 보세요.

□×8=△

□: 예 리본 1개의 길이 , △: 예 끈 1개의 길이

풀이 끈 1개의 길이는 리본 1개의 길이의 8배이므로 □는 리본 1개의 길이, △는 끈 1개의 길이를 각각 나타냅니다.

67

이런 문제가 서술형으로 나와요

햄버거 한 개에 양상추가 2장씩 들어갑니다. 햄버거의 수를 □, 양상추의 수를 △라고 할 때, 두 양 사이의 대응 관계를 기호를 사용하여 식으로 나타내려고 합니다. 풀이 과정을 쓰고, 답을 구해 보세요.

| 풀이 과정 |

❶ 두 양 사이의 대응 관계 알기

양상추의 수는 햄버거의 수의 2배입니다.

❷ 두 양 사이의 대응 관계를 기호를 사용하여 식으로 나타내기

□와 △ 사이의 대응 관계를 식으로 나타내면 □×2=△입니다.

답 예 □×2=△

◆ 수학 교과 역량 문제 해결 창의·융합

대응 관계를 나타낸 식을 보고 설명하기

실생활의 대응 관계를 나타낸 식에서 기호와 생활 속의 항목의 관계를 찾는 활동을 통하여 문제 해결 능력과 창의·융합 능력을 기를 수 있습니다.

 개념 확인 문제

정답 및 풀이 213쪽

[1~3] 철봉 대의 수와 철봉 기둥의 수 사이의 대응 관계를 알아보려고 합니다. 물음에 답해 보세요.

철봉 기둥 ―　철봉 대
…

1 철봉 대의 수와 철봉 기둥의 수 사이의 대응 관계를 표로 나타내어 보세요.

철봉 대의 수(개)	1	2	3	4	…
철봉 기둥의 수(개)					…

2 철봉 대의 수와 철봉 기둥의 수 사이의 대응 관계를 식으로 바르게 나타낸 것에 색칠해 보세요.

(철봉 대의 수)×2=(철봉 기둥의 수)

(철봉 대의 수)+1=(철봉 기둥의 수)

3 철봉 대의 수를 ○, 철봉 기둥의 수를 △라고 할 때, 두 양 사이의 대응 관계를 기호를 사용하여 식으로 나타내어 보세요.

식

학습 목표

주변에서 대응 관계를 찾아보고 식으로 나타낼 수 있습니다.

그림으로 개념 잡기

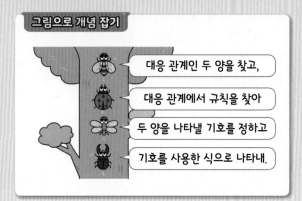

대응 관계인 두 양을 찾고,

대응 관계에서 규칙을 찾아

두 양을 나타낼 기호를 정하고

기호를 사용한 식으로 나타내.

---

4 생활 속에서 대응 관계를 찾아 식으로 나타내기

| 주변에서 대응 관계를 찾아보고 식으로 나타낼 수 있습니다.

생각 열기 진아는 섬을 여행하며 볼 수 있는 것들의 두 양 사이의 대응 관계를 찾아 보려고 합니다.

• 그림에서 서로 대응하는 두 양을 찾아 대응 관계를 이야기해 보세요.
예) 전기 차의 수와 바퀴의 수, 전기 차의 수와 전기차에 타고 있는 사람 수

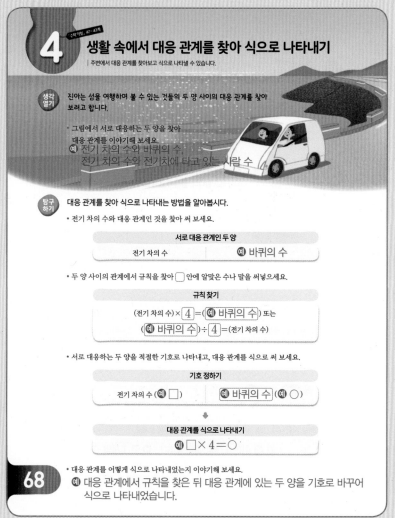

탐구 하기 대응 관계를 찾아 식으로 나타내는 방법을 알아봅시다.

• 전기 차의 수와 대응 관계인 것을 찾아 써 보세요.

서로 대응 관계인 두 양	
전기 차의 수	예 바퀴의 수

• 두 양 사이의 관계에서 규칙을 찾아 ☐ 안에 알맞은 수나 말을 써넣으세요.

규칙 찾기

(전기 차의 수) × 4 = (예 바퀴의 수) 또는
(예 바퀴의 수) ÷ 4 = (전기 차의 수)

• 서로 대응하는 두 양을 적절한 기호로 나타내고, 대응 관계를 식으로 써 보세요.

기호 정하기

| 전기 차의 수 (예 ☐) | 예 바퀴의 수 (예 ○) |

↓

대응 관계를 식으로 나타내기
예 ☐ × 4 = ○

• 대응 관계를 어떻게 식으로 나타내었는지 이야기해 보세요.
예) 대응 관계에서 규칙을 찾은 뒤 대응 관계에 있는 두 양을 기호로 바꾸어 식으로 나타내었습니다.

68

교과서 개념 완성

탐구하기 대응 관계를 찾아 식으로 나타내는 방법 탐구하기

• 전기 차의 수와 바퀴의 수는 대응 관계입니다.
• (전기 차의 수) × 4 = (바퀴의 수)
  ➔ 전기 차의 수를 ☐, 바퀴의 수를 ○라고 하면
     ☐ × 4 = ○입니다.
• (바퀴의 수) ÷ 4 = (전기 차의 수)
  ➔ 전기 차의 수를 △, 바퀴의 수를 ◇라고 하면
     ◇ ÷ 4 = △입니다.

확인하기 대응 관계를 찾아 식으로 나타내기

• 팔걸이의 수와 의자의 수는 대응 관계입니다.
  팔걸이의 수는 의자의 수보다 1개 더 많습니다.
  팔걸이의 수를 ☆, 의자의 수를 ○라고 하면
  ☆ = ○ + 1입니다.
• 전등의 수와 가로등의 수는 대응 관계입니다.
  전등의 수는 가로등의 수의 3배입니다.
  전등의 수를 ○, 가로등의 수를 ◇라고 하면
  ○ = ◇ × 3입니다.

학부모 코칭 Tip

대응 관계를 다른 양을 기준으로 바꾸어 보면, 다양하게 나타낼 수 있음을 알게 합니다. 예) ☆ = ○ + 1, ○ = ☆ - 1 등

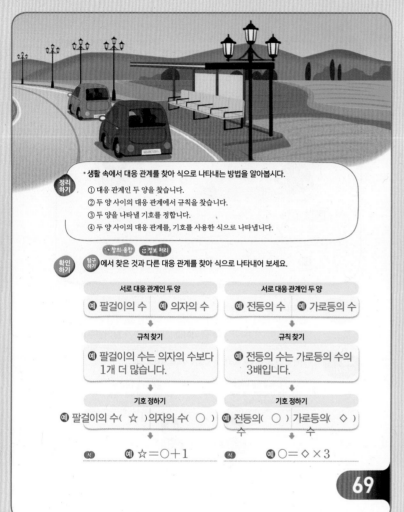

• 생활 속에서 대응 관계를 찾아 식으로 나타내는 방법을 알아봅시다.

정리
하기

① 대응 관계인 두 양을 찾습니다.
② 두 양 사이의 대응 관계에서 규칙을 찾습니다.
③ 두 양을 나타낼 기호를 정합니다.
④ 두 양 사이의 대응 관계를, 기호를 사용한 식으로 나타냅니다.

확인
하기 탐구
하기 ·창의·융합 ·정보 처리

탐구하기에서 찾은 것과 다른 대응 관계를 찾아 식으로 나타내어 보세요.

서로 대응 관계인 두 양		서로 대응 관계인 두 양	
예 팔걸이의 수	예 의자의 수	예 전등의 수	예 가로등의 수

규칙 찾기	규칙 찾기
예 팔걸이의 수는 의자의 수보다 1개 더 많습니다.	예 전등의 수는 가로등의 수의 3배입니다.

기호 정하기	기호 정하기
예 팔걸이의 수(☆) 의자의 수(○)	예 전등의(○) 가로등의(◇) 수 수

식	식
예 ☆＝○＋1	예 ○＝◇×3

69

이런 문제가 서술형으로 나와요

그림을 보고 대응 관계가 있는 두 양을 찾아 기호를 정하여 대응 관계를 식으로 나타내려고 합니다. 풀이 과정을 쓰고, 답을 구해 보세요.

| 풀이 과정 |

❶ 서로 대응 관계인 두 양 찾기

닭의 수와 닭의 다리 수 사이의 대응 관계를 찾을 수 있습니다.

❷ 기호를 정하여 대응 관계를 식으로 나타내기

닭의 수를 ☆, 닭의 다리 수를 △라고 하면 ☆×2＝△입니다.

답 예 ☆×2＝△

• 수학 교과 역량 ·창의·융합 ·정보 처리

대응 관계를 찾아 식으로 나타내기

다양한 상황에서 대응 관계를 찾아 식으로 나타내는 활동을 통하여 창의 · 융합 능력과 정보 처리 능력을 기를 수 있습니다.

👩 **개념 확인 문제**   정답 및 풀이 213쪽 ●

[1~2] 그림을 보고 물음에 답해 보세요.

책상—

1 대응 관계인 두 양을 찾아 써 보세요.

서로 대응 관계인 두 양

2 두 양 사이의 대응 관계에서 규칙을 찾아 써 보세요.

규칙 _____

3 두 양을 나타낼 기호를 정하고, 대응 관계를 식으로 써 보세요.

기호 정하기
(   )   (   )

식

6차시

문제 해결력 | 쑥쑥

• 종이띠는 몇 도막이 될까요

학습 목표

• 규칙 찾기 전략을 이용하여 문제를 해결하고 해결한 방법을 설명할 수 있습니다.
• 문제 해결 과정이 타당한지 스스로 검토해 볼 수 있습니다.

문제 해결 전략 규칙 찾기 전략

수학 교과 역량 문제 해결 / 추론

종이띠는 몇 도막이 될까요

• 문제의 조건을 확인하고 문제 해결에 적절한 전략을 선택하는 과정에서 문제 해결 능력을 기를 수 있습니다.
• 문제를 해결하기 위해 표나 식을 이용하여 규칙을 추측하고 확인함으로써 추론 능력을 기를 수 있습니다.

문제 해결 Tip 종이띠를 접은 횟수와 자른 뒤 나오는 도막의 수 사이의 대응 관계를 찾아 식으로 나타내 봅니다.

교과서 개념 완성

문제 이해하기

》 구하려고 하는 것

종이띠를 10회 접어서 잘랐을 때 나오는 도막의 수입니다.

》 알고 있는 것

종이띠를 접은 횟수가 늘어날수록 자른 뒤 나오는 도막의 수는 늘어납니다.

계획 세우기

• 종이띠를 접은 횟수와 자른 뒤 나오는 도막의 수 사이의 대응 관계를 표로 나타내어 살펴봅니다.

• 대응 관계에서 규칙을 찾아 종이띠를 10회 접어서 잘랐을 때 도막의 수를 구할 수 있습니다.

계획대로 풀기

종이띠를 접은 횟수(회)	1	2	3	4	5	…
자른 뒤 도막의 수(개)	3	4	5	6	7	…

(종이띠를 접은 횟수)＋2＝(자른 뒤 도막의 수)이므로 종이띠를 10회 접어서 잘랐을 때 나오는 도막의 수는 10＋2＝12(개)입니다.

되돌아보기

표를 보면서 풀이 과정과 답을 점검해 봅니다.

계획대로 풀기

• 표를 완성해 보세요.

종이띠를 접은 횟수(회)	1	2	3	4	5	…
자른 뒤 도막의 수(개)	3	4	5	6	7	…

• 표를 보고 두 양 사이의 대응 관계를 식으로 나타내어 보세요.
　예 (종이띠를 접은 횟수)＋2＝(자른 뒤 도막의 수)
• 종이띠를 10회 접어서 자르면 몇 도막이 되나요?　12개

• 구한 답이 맞았는지 확인해 보세요.

• 친구들과 문제 해결 과정을 비교해 보고, 어떻게 구하였는지 이야기해 보세요.

생각 키우기　　🄵 문제 해결　🄰 추론

그림과 같은 방법으로 종이띠를 감아서 잘랐습니다. 종이띠를 잘라 100도막이 되게 하려면 몇 바퀴 감아서 잘라야 할지 구해 보세요.

0바퀴　　　　1바퀴　　　　2바퀴

【풀이】(종이띠를 감은 횟수)＋2＝(자른 뒤 도막의 수)이므로 종이띠를 잘라서 100도막이 될 때 종이띠를 감은 횟수는 100－2＝98(바퀴)입니다.

【답】98바퀴

71

생각 키우기

🄵 문제해결　🄰 추론

문제 이해하기

≫ **구하려고 하는 것**

종이띠가 100도막이 되려면 몇 바퀴 감아서 잘라야 하는지를 구하고자 합니다.

≫ **알고 있는 것**

종이띠를 감은 횟수가 늘어날수록 자른 뒤 나오는 도막의 수는 늘어납니다.

계획 세우기

종이띠를 감은 횟수와 자른 뒤 나오는 도막의 수 사이의 대응 관계를 표로 나타내어 살펴봅니다.

계획대로 풀기

종이띠를 감은 횟수(바퀴)	1	2	3	4	5	…
자른 뒤 도막의 수(개)	3	4	5	6	7	…

(종이띠를 감은 횟수)＋2＝(자른 뒤 도막의 수)이므로 종이띠를 잘라 100도막이 될 때 종이띠를 감은 횟수는 100－2＝98(바퀴)입니다.

되돌아보기

표를 보면서 풀이 과정과 답을 점검해 봅니다.

문제 해결력 문제　　정답 및 풀이 213쪽

1 그림과 같은 방법으로 끈을 잘라 자른 도막이 30개가 되게 하려면 몇 회 잘라야 할지 구해 보세요.

1회

2회

3회
⋮

(　　　　　　)

2 그림과 같은 방법으로 철사를 잘라 자른 도막이 32개가 되게 하려면 몇 회 잘라야 할지 구해 보세요.

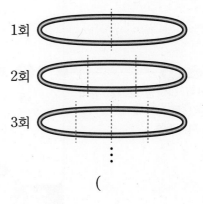
1회
2회
3회
⋮

(　　　　　　)

후론 **정보 처리**

대응 관계 찾기

▶자습서 70~71쪽

대응 관계는 한 양이 변할 때 다른 양이 그에 따라 변하는 관계입니다.

학부모 코칭 Tip

> 안경의 수가 변함에 따라 일정하게 따라 변하는 양을 찾아보게 합니다.

1 그림을 보고 ☐ 안에 알맞은 수나 말을 써넣으세요.

(63쪽)

함께 변하는 두 양은?	어떻게 변하는가?
안경의 수 예 안경 다리의 수	안경의 수가 1개 늘어날 때마다 예 안경 다리의 수 은/는 ☐2☐ 개씩 늘어납니다.

풀이 함께 변하는 두 양은 안경의 수와 안경 다리의 수입니다.
안경의 수가 늘어나면 안경 다리(안경 알)의 수도 늘어납니다.

[**2**~**4**] 그림과 같이 구슬을 꿰어 팔찌를 여러 개 만들려고 합니다. 물음에 답해 보세요.

후론 **정보 처리**

대응 관계를 표로 나타내기

▶자습서 72~73쪽

2 팔찌의 수와 필요한 구슬의 수 사이에는 어떤 대응 관계가 있는지 표로 나타내어 보세요.

(65쪽)

팔찌의 수(개)	1	2	3	4	5	…
구슬의 수(개)	11	22	33	44	55	…

풀이 팔찌의 수가 1개, 2개, 3개, 4개, 5개, …일 때 구슬의 수는 11개, 22개, 33개, 44개, 55개, …입니다.

문제 해결 **후론**

대응 관계를 나타낸 표에서 규칙 찾기

▶자습서 72~73쪽

3 팔찌를 9개 만들려면 필요한 구슬이 몇 개인지 구해 보세요.

(65쪽)

(99개   )

풀이 구슬의 수는 팔찌의 수의 11배이므로 팔찌를 9개 만들려면 구슬이 99개 필요합니다.

창의·융합 **의사소통**

대응 관계를 나타낸 표에서 규칙을 찾아 식으로 나타내기

▶자습서 74~75쪽

4 팔찌의 수와 구슬의 수 사이의 대응 관계를, 다음을 이용하여 식으로 나타내어 보세요.

(67쪽)

팔찌의 수	구슬의 수
× ÷ = 11	

식   예 (팔찌의 수)×11＝(구슬의 수)

풀이 구슬의 수는 팔찌의 수의 11배이므로 (팔찌의 수)×11＝(구슬의 수)입니다.

72

▶자습서 72~73쪽

[5~6] 올해 시영이는 11살, 시영이 누나는 15살입니다. 물음에 답해 보세요.

5
65쪽

시영이의 나이와 시영이 누나의 나이 사이의 대응 관계를 표로 나타내어 보세요.

시영이의 나이(살)	11	12	13	14	15	…
시영이 누나의 나이(살)	15	16	17	18	19	…

풀이 시영이의 나이가 11살, 12살, 13살, 14살, 15살, …일 때 시영이 누나의 나이는 15살, 16살, 17살, 18살, 19살, …입니다.

추론 **정보 처리**
대응 관계를 표로 나타내기

6
67쪽

시영이의 나이와 시영이 누나의 나이 사이의 대응 관계를, 기호 ○, △를 사용하여 식으로 나타내어 보세요.

예
시영이의 나이를 ○, 시영이 누나의 나이를 △(이)라고 할 때 두 양 사이의 대응 관계를 기호를 사용하여 식으로 나타내면 ○+4=△ 입니다.

풀이 시영이 누나의 나이는 시영이의 나이보다 4살 더 많으므로 두 양 사이의 대응 관계를 기호를 사용하여 식으로 나타내면 ○+4=△입니다.

추론 **창의·융합**
대응 관계에서 규칙을 찾아 식으로 나타내기
▶자습서 74~75쪽

학부모 코칭 **Tip**
대응 관계에서 규칙을 찾아 기호를 사용하여 식으로 나타내게 합니다.

생각 넓히기 **의사소통** **정보 처리**

7
69쪽

그림을 보고 대응 관계가 있는 두 양을 찾아 각각 기호로 나타내고, 대응 관계를 식으로 나타내어 보세요.

서로 대응 관계인 두 양		대응 관계를 나타낸 식
예 책상의 수 (☆)	의자의 수 (□)	☆×2=□
예 학생 수 (◇)	가위의 수 (☆)	☆×2=◇

풀이 학생 수와 가위의 수는 대응 관계입니다.
학생 수는 가위의 수의 2배입니다.
학생 수를 ◇, 가위의 수를 ☆이라고 하면 ☆×2=◇입니다.

의사소통 **정보 처리**
생활 속 대응 관계에서 규칙을 찾아 식으로 나타내기
▶자습서 76~77쪽

학부모 코칭 **Tip**
두 양을 기호로 나타낼 때 다른 기호로 나타내어도 대응 관계를 나타낸 식이 같은 부분이 있음을 발견하게 합니다.

73

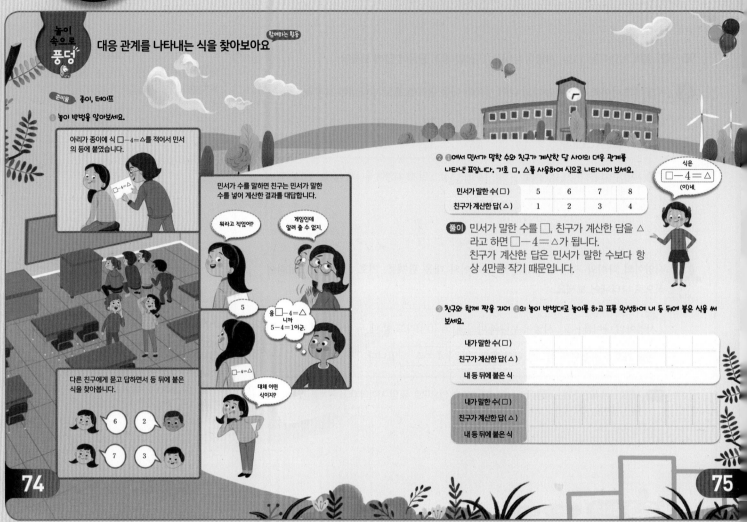

교과서 개념 완성

 놀이 속으로 풍덩

1 준비물 확인 및 놀이 방법 살펴보기

- 종이와 테이프가 준비되었는지 확인합니다.
- 놀이 방법을 읽어 봅니다.
- 놀이 방법을 친구에게 설명해 봅니다.

학부모 코칭 Tip

민서의 예를 통하여 민서가 말한 수가 변함에 따라 친구가 계산한 답이 함께 변함을 확인하게 하여 두 양 사이의 대응 관계에 주목하게 합니다.

2 실제 친구와 놀이하기

놀이를 하는 중에 언제든지 질문하면서 합니다.

예

수미가 말한 수(□)	3	4	5	6	7	8	9
친구가 계산한 답(△)	8	9	10	11	12	13	14

수미가 말한 수를 □, 친구가 계산한 답을 △라 하면 $\square + 5 = \triangle$가 됩니다.

친구가 계산한 답은 수미가 말한 수보다 항상 5만큼 크기 때문입니다.

➡ 수미의 등 뒤에 붙은 식: $\square + 5 = \triangle$

이야기로 키우는 생각

시차가 생기는 이유

'시차'란 한 지역과 다른 지역 사이에 생기는 시간 차이를 뜻합니다. 미국 로스앤젤레스가 아침 6시일 때 모로코 카사블랑카는 오후 2시, 태국 방콕은 오후 9시, 우리나라는 오후 10시인 것도 모두 지역마다 표준 시간이 달라 생기는 시차 때문입니다. 그렇다면 이처럼 각 나라나 도시에서 쓰는 표준 시간은 언제, 어떻게 정해졌을까요?

시차 때문에 불편함을 느낀 학자들이 1894년에 영국에서 모여 크게 회의를 열었습니다. 여러 나라의 대표들은 표준 시간을 정하여 그에 맞춰 다른 나라에서도 시계를 작동시키자고 논의하였습니다. 그러다 북극과 남극을 점으로 놓고 그것을 일직선으로 연결한 가상의 선을 기준으로 삼자고 정하였습니다. 그리고 그 선을 통과하는 곳에 있는 영국의 그리니치 천문대를 '그리니치 자오선'이라 이름을 붙이고 표준 시간의 기준으로 삼았습니다. 그리니치 천문대를 기준으로 서쪽으로 15도씩 멀어지면 한 시간을 빼고, 반대로 동쪽으로 15도씩 멀어지면 한 시간을 더하는 방식으로 다른 나라의 시간을 계산하는 방식입니다. 지구는 하루에 360도, 한 시간에 15도씩 돌기 때문에 세계의 모든 표준시를 15도를 기준으로 나눈 것입니다.

[출처] 『어린이조선일보』, 2012.10.2.

개념 + 확인

교과서 개념을 익히고 확인 문제를 풀면서 단원을 마무리해 보아요.

➕ 두 양 사이의 대응 관계

우리 주변에서 한 양이 변함에 따라 다른 양이 변하는 대응 관계를 찾을 수 있습니다.

함께 변하는 두 양은?	오토바이의 수, 바퀴의 수
어떻게 변하는가?	오토바이의 수가 많아지면(적어지면) 바퀴의 수도 많아집니다.(적어집니다.)

➕ 대응 관계를 표로 나타내고 규칙 찾기

함께 변하는 두 양의 대응 관계를 표로 나타내어 규칙을 찾을 수 있습니다.

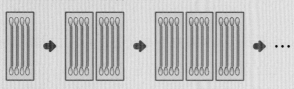

상자의 수(개)	1	2	3	4	5	…
면봉의 수(개)	4	8	12	16	20	…

규칙 면봉의 수는 상자의 수의 4배입니다.
상자의 수는 면봉의 수를 4로 나눈 것과 같습니다.

확인 문제

[1~2] 승현이가 바람개비를 만들고 있습니다. 물음에 답해 보세요.

1 함께 변하는 두 양을 찾아 써 보세요.

	,	

2 어떻게 변하는지 ☐ 안에 알맞은 말을 써넣고, 알맞은 말에 ○표 하세요.

☐ 이/가
(많아지면 , 적어지면)

☐ 은/는
(많아집니다 , 적어집니다).

3 봉지의 수와 쿠키의 수 사이의 대응 관계를 표로 나타내고 규칙을 찾아 써 보세요.

봉지의 수(개)	1	2	3	4	…
쿠키의 수(개)					…

규칙 쿠키의 수는 봉지의 수의 ☐배입니다.

➜ 정답 및 풀이 214쪽

개념

🔹 대응 관계를 식으로 나타내기

두 양 사이의 대응 관계를 △, ○, □ 등과 같은 기호를 사용한 식으로 간단하게 나타낼 수 있습니다.

(1) 두 양 사이의 대응 관계를 표로 나타내기

의자의 수(개)	1	2	3	4	…
팔걸이의 수(개)	2	3	4	5	…

(2) 의자의 수를 △, 팔걸이의 수를 ○로 바꾸어 식으로 나타내기

(의자의 수)＋1＝(팔걸이의 수)

➡ △＋1＝○

(팔걸이의 수)－1＝(의자의 수)

➡ ○－1＝△

🔹 생활 속에서 대응 관계를 찾아 식으로 나타내기

① 대응 관계인 두 양을 찾습니다.

② 두 양 사이의 대응 관계에서 규칙을 찾습니다.

③ 두 양을 나타낼 기호를 정합니다.

④ 두 양 사이의 대응 관계를 기호를 사용한 식으로 나타냅니다.

(예)

서로 대응 관계인 두 양: 우산꽂이의 수,
　　　　　　　　　　　　　　　우산의 수

➡ 우산의 수는 우산꽂이의 수의 5배입니다.

➡ 우산꽂이의 수(○), 우산의 수(☆)

➡ (식) ○×5＝☆

확인 문제

[4~5] 민재가 12살일 때 동생은 10살이었습니다. 물음에 답해 보세요.

4 민재의 나이와 동생의 나이 사이의 대응 관계를 표로 나타내어 보세요.

민재의 나이(살)	12	13	14	15	…
동생의 나이(살)					…

5 민재의 나이를 □, 동생의 나이를 △라고 할 때, 두 양 사이의 대응 관계를 식으로 바르게 나타낸 것을 찾아 기호를 써 보세요.

┌─────────────────────────────┐
│ ㉠ □＋2＝△　　　㉡ □－2＝△ │
└─────────────────────────────┘

(　　　　　　　　)

6 그림을 보고 대응 관계가 있는 두 양을 찾아 각각 기호로 나타내고, 대응 관계를 식으로 나타내어 보세요.

서로 대응	상의 수 ( )
관계인 두 양	( )
대응 관계를 나타낸 식	

1-1 모양 조각을 이용하여 규칙적인 모양을 만들고 있습니다. 노란색 모양 조각과 초록색 모양 조각의 수 사이의 대응 관계를 표로 나타내고, 규칙을 찾아 설명해 보세요. [8점]

풀이

❶

노란색 모양 조각의 수(개)	1	2	3	4	⋯
초록색 모양 조각의 수(개)					⋯

❷ 초록색 모양 조각의 수는 노란색 모양 조각의 수보다 ☐ 개 더 (많습니다 , 적습니다).

1-2 쌍둥이 모양 조각을 이용하여 규칙적인 모양을 만들고 있습니다. 연두색 모양 조각과 분홍색 모양 조각의 수 사이의 대응 관계를 표로 나타내고, 규칙을 찾아 설명해 보세요. [12점]

풀이

1-3 유사 모양 조각을 이용하여 규칙적인 모양을 만들고 있습니다. 빨간색 모양 조각과 노란색 모양 조각의 수 사이의 대응 관계를 표로 나타내고, 규칙을 찾아 설명해 보세요. [15점]

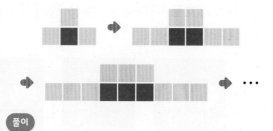

풀이

1-4 실전 모양 조각을 이용하여 규칙적인 모양을 만들고 있습니다. 수 카드의 수가 배열 순서를 나타낼 때 배열 순서와 사각형 모양 조각의 수 사이의 대응 관계를 표로 나타내고, 규칙을 찾아 설명해 보세요. [15점]

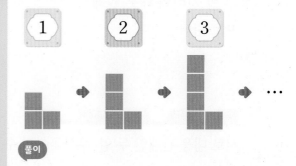

풀이

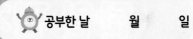
→ 정답 및 풀이 214쪽

2-1 그림과 같이 종이에 누름 못을 꽂아 게시판에 붙이고 있습니다. 종이를 10장 붙이려면 누름 못이 몇 개 필요한지 풀이 과정을 쓰고, 답을 구해 보세요. [8점]

···

풀이

❶ 종이의 수를 □, 누름 못의 수를 ○라고 할 때, 두 양 사이의 대응 관계를 식으로 나타내면 [   ] 입니다.

❷ 따라서 누름 못의 수는 종이의 수보다 [   ] 크므로 종이를 10장 붙이려면 누름 못이 [   ] 개 필요합니다.

답

2-2 쌍둥이

그림과 같이 꽃다발을 만들고 있습니다. 꽃다발을 7개 만들려면 꽃은 몇 송이 필요한지 풀이 과정을 쓰고, 답을 구해 보세요. [12점]

···

풀이

답

2-3 유사

어떤 자동차가 휘발유 1 L로 13 km를 간다고 합니다. 휘발유 25 L로 갈 수 있는 거리는 몇 km인지 풀이 과정을 쓰고, 답을 구해 보세요. [15점]

답

2-4 실전

토스트 1개를 만드는 데 버터가 6 g 필요합니다. 버터 30 g으로는 토스트를 몇 개 만들 수 있는지 풀이 과정을 쓰고, 답을 구해 보세요. [15점]

답

[01~04] 그림과 같이 사탕을 봉지에 담아 포장하고 있습니다. 물음에 답해 보세요.

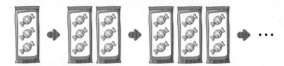

| 두 양 사이의 대응 관계 |

01 봉지가 1개일 때 사탕은 몇 개인가요?
하

(   )

| 두 양 사이의 대응 관계 |

02 봉지가 2개일 때 사탕은 몇 개인가요?
하

(   )

| 두 양 사이의 대응 관계 |

03 봉지의 수에 따라 변하는 양이 무엇인지 찾아
하 써 보세요.

봉지의 수, [   ]

| 두 양 사이의 대응 관계 |

04 03에서 찾은 두 양은 어떻게 변하는지 써 보
중 세요.

봉지의 수가 많아지면 _____

_____

[05~07] 모양 조각을 이용하여 규칙적인 모양을 만들고 있습니다. 물음에 답해 보세요.

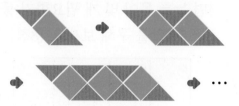

| 대응 관계를 표로 나타내고 규칙 찾기 |

05 초록색 모양 조각의 수와 분홍색 모양 조각의
하 수 사이의 대응 관계를 표로 나타내어 보세요.

초록색 모양 조각의 수(개)	1	2	3	4	...
분홍색 모양 조각의 수(개)					...

| 대응 관계를 표로 나타내고 규칙 찾기 |

06 초록색 모양 조각의 수와 분홍색 모양 조각
중 의 수 사이의 대응 관계에서 규칙을 찾아 써
보세요.

규칙 분홍색 모양 조각의 수는 초록색 모양
조각의 수의 [   ]배입니다.

| 대응 관계를 표로 나타내고 규칙 찾기 |

07 초록색 모양 조각의 수가 6개이면 분홍색
중 모양 조각의 수는 몇 개인가요?

(   )

| 두 양 사이의 대응 관계 |

08 그림에서 함께 변하는 두 양을 찾아 써 보세요.
중

△ △ △ △

[   ] , [   ]

[09~11] 그림과 같이 두 가지 색의 끈을 번갈아 가며 매듭을 묶어 연결하고 있습니다. 물음에 답해 보세요.

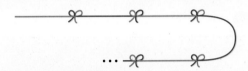

| 대응 관계를 식으로 나타내기 |

09 매듭의 수와 끈의 수 사이의 대응 관계를 표로 나타내어 보세요.

매듭의 수(개)	1	2	3	4	⋯
끈의 수(개)					⋯

| 대응 관계를 식으로 나타내기 |

10 매듭의 수와 끈의 수 사이의 대응 관계를 다음을 이용하여 식으로 나타내어 보세요.

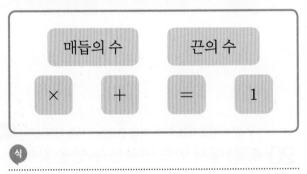

식

| 대응 관계를 식으로 나타내기 |

11 매듭의 수를 ○, 끈의 수를 △라고 할 때, 두 양 사이의 대응 관계를 기호를 사용하여 식으로 나타내어 보세요.

식

[12~14] 예준이와 예준이 형의 대화를 읽고 물음에 답해 보세요.

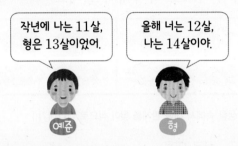

작년에 나는 11살, 형은 13살이었어.

올해 너는 12살, 나는 14살이야.

| 대응 관계를 식으로 나타내기 |

12 예준이의 나이와 형의 나이 사이의 대응 관계를 표로 나타내어 보세요.

예준이의 나이(살)	11	12	13	14	⋯
형의 나이(살)					⋯

| 대응 관계를 식으로 나타내기 |

13 예준이의 나이와 형의 나이 사이의 대응 관계를 기호를 사용하여 식으로 나타내어 보세요.

예준이의 나이 ➡ ☐ , 형의 나이 ➡ ☐

식

| 대응 관계를 식으로 나타내기 | **서술형**

14 예준이의 나이가 17살일 때 형의 나이는 몇 살인지 바르게 구한 것을 찾아 기호를 쓰려고 합니다. 풀이 과정을 쓰고, 답을 구해 보세요.

㉠ 19살　　㉡ 20살

풀이

답

[15~16] 그림을 보고 대응 관계가 있는 두 양을 찾아 각각 기호로 나타내고, 대응 관계를 기호를 사용하여 식으로 나타내어 보세요.

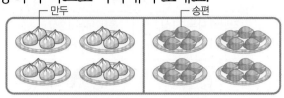

| 생활 속에서 대응 관계를 찾아 식으로 나타내기 |

15
중

서로 대응 관계인 두 양	( )
	( )
대응 관계를 나타낸 식	

| 생활 속에서 대응 관계를 찾아 식으로 나타내기 |

16
중

서로 대응 관계인 두 양	( )
	( )
대응 관계를 나타낸 식	

| 대응 관계를 표로 나타내고 규칙 찾기 | (서술형)

17 윤재가 수를 말할 때 하랑이가 규칙에 맞게
중 답하고 있습니다. 윤재가 10을 말할 때 하랑이가 답하는 수는 얼마인지 풀이 과정을 쓰고, 답을 구해 보세요.

윤재가 말한 수	3	4	5	6	…
하랑이가 답한 수	18	24	30	36	…

(풀이)

(답)

| 생활 속에서 대응 관계를 찾아 식으로 나타내기 |

18 하루의 시간 중에서 낮의 길이를 □(시간),
상 밤의 길이를 △(시간)이라고 할 때 낮의 길이와 밤의 길이 사이의 대응 관계를 기호를 사용하여 식으로 나타내어 보세요.

(식)

| 대응 관계를 표로 나타내고 규칙 찾기 |

19 모양 조각을 이용하여 규칙적인 모양을 만
상 들고 있습니다. 수 카드의 수가 배열 순서를 나타낼 때 7째에 필요한 사각형은 몇 개인지 구해 보세요.

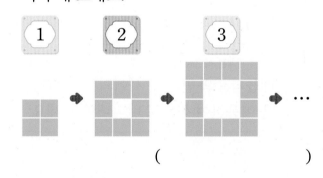

( )

| 두 양 사이의 대응 관계, 대응 관계를 식으로 나타내기 | (서술형)

20 (보기)에서 함께 변하는 두 양을 찾아
상 □×2 = ☆에 알맞은 상황을 2가지 만들어 보세요.

(보기)
까치, 날개, 다리

(상황)

환율에서 찾은 대응 관계

필리핀 돈을 우리나라 돈으로 바꿔야 하는데……

어? 삼촌~ 필리핀 돈을 우리나라에서는 못 쓰는 거예요?

나라마다 사용하는 돈의 모양과 단위가 다르기 때문에 은행에서 우리나라 돈으로 바꿔야 해. 그날의 환율에 맞게 바꿀 수 있는데 환율은 매일 조금씩 다르단다.

환율: 한 나라의 화폐와 외국 화폐의 교환 비율

오늘 환율을 살펴보자. 오늘은 필리핀 돈 1페소가 우리나라 돈 24원이구나. 모두 500페소니까 우리나라 돈으로 바꾸면……

삼촌~ 저 이번에 규칙과 대응을 배웠어요. 제가 계산해 볼게요.

필리핀 돈과 대한민국 돈 사이의 대응 관계를 표로 나타내서 규칙을 찾으면 대한민국 돈은 필리핀 돈의 24배예요!

필리핀 돈(페소)	1	2	3	4	…
대한민국 돈(원)	24	48	72	96	…

필리핀 돈을 □, 대한민국 돈을 △라고 할 때 대응 관계를 식으로 나타내면 □ × 24 ＝ △이니까 500페소는 모두 500 × 24 ＝ 12000(원)이네요!

필리핀 돈: □, 대한민국 돈: △

➡ □ × 24 = △

이야~ 연호가 그동안 공부를 열심히 했는걸~ 삼촌이 이 필리핀 돈은 바꿔서 우리 연호에게 용돈으로 줘야겠다~

하 하 하

감사합니다~ 아자~!

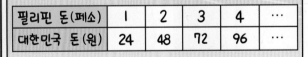

4 약분과 통분

- 붙임딱지를 이용하여 물 로켓 대회에서 사용할 물 로켓을 꾸미고 있습니다.
- 물통에 물을 받고, 물 로켓에 담을 물을 받아 오며 물의 양이 같은지 궁금해하고 있습니다.

그림 속 상황

공부할 준비가 되었나요?

자/기/주/도/학/습

1 차시

준비 팡팡

'무엇을 알고 있나요'와 '함께 생각해 볼까요'를 통하여 단원을 준비할 수 있습니다.

◆ 분수만큼 색칠하기

분모의 수만큼 전체가 등분할 되었는지 파악한 후, 분자의 수만큼 칸에 색칠합니다.

◆ 수의 크기 비교하기

· 분모가 같으므로 분자를 비교합니다.

$$3 < 5 \rightarrow \frac{3}{6} < \frac{5}{6}$$

· 단위분수는 분모가 작을수록 큽니다.

$$2 < 3 \rightarrow \frac{1}{2} > \frac{1}{3}$$

· 소수점 왼쪽의 수가 클수록 큽니다.

$$0 < 1 \rightarrow 0.7 < 1.4$$

· 소수점 왼쪽의 수가 같으면 소수점 오른쪽 수를 비교합니다.

$$1.21 < 1.6$$
$$\underbrace{2 < 6}$$

◆ 최대공약수, 최소공배수 구하기

· $\begin{array}{r} 2\overline{)12\ 18} \\ 3\overline{)\ 6\ \ 9} \\ \overline{\ \ 2\ \ 3} \end{array}$ → 최대공약수: $2 \times 3 = 6$
최소공배수: $2 \times 3 \times 2 \times 3 = 36$

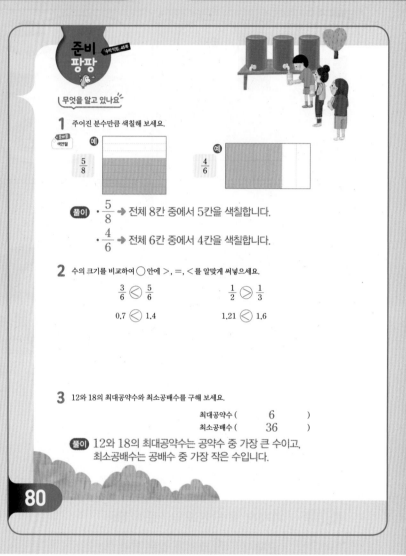

준비
팡팡 《수학익힘》 45쪽

무엇을 알고 있나요

1 주어진 분수만큼 색칠해 보세요.

《수학익힘》
색연필

예 $\frac{5}{8}$

예 $\frac{4}{6}$

풀이 · $\frac{5}{8}$ → 전체 8칸 중에서 5칸을 색칠합니다.

· $\frac{4}{6}$ → 전체 6칸 중에서 4칸을 색칠합니다.

2 수의 크기를 비교하여 ◯ 안에 >, =, <를 알맞게 써넣으세요.

$\frac{3}{6} \bigcirc < \frac{5}{6}$ $\frac{1}{2} \bigcirc > \frac{1}{3}$

$0.7 \bigcirc < 1.4$ $1.21 \bigcirc < 1.6$

3 12와 18의 최대공약수와 최소공배수를 구해 보세요.

최대공약수 (　　6　　)
최소공배수 (　　36　　)

풀이 12와 18의 최대공약수는 공약수 중 가장 큰 수이고, 최소공배수는 공배수 중 가장 작은 수입니다.

80

교과서 개념 완성 | 배운 것을 다시 생각하기

⇨ 분수의 크기를 비교하는 방법 알아보기

· 분모가 같은 분수는 분자가 클수록 더 큽니다.

· 단위분수는 분모가 클수록 더 작습니다.

⇨ 분모가 같은 여러 가지 분수의 크기를 비교하는 방법 알아보기

· 분모가 같은 가분수의 크기 비교
  분자가 클수록 더 큽니다.

· 대분수의 크기 비교
  자연수 부분이 클수록 더 크고, 자연수 부분이 같으면 분자가 클수록 더 큽니다.

· 분모가 같은 가분수와 대분수의 크기 비교
  가분수를 대분수로 나타내거나 대분수를 가분수로 나타내어 분수의 크기를 비교합니다.

⇨ 소수의 크기 비교 방법 알아보기

· 0.6과 0.60의 크기는 같습니다.

· 소수의 크기는 큰 자리 수부터 비교합니다.

자연수 부분끼리 비교하기	$2.4 < 4.2$

↓

소수 첫째 자리 수끼리 비교하기	$5.7 > 5.3$

↓

소수 둘째 자리 수끼리 비교하기	$1.58 > 1.52$

각 부분을 똑같이 나누어 보고, 전체와 색칠한 부분 알아보기

3으로 나누면 전체는 6부분, 색칠된 부분은 3부분이 됩니다.

똑같이 묶어 보고, 전체와 색칠한 부분 알아보기

· 2부분씩 묶으면 전체는 6묶음, 색칠된 부분은 3묶음이 됩니다.
· 3부분씩 묶으면 전체는 4묶음, 색칠된 부분은 2묶음이 됩니다.
· 6부분씩 묶으면 전체는 2묶음, 색칠된 부분은 1묶음이 됩니다.

주어진 소수를 분모가 100인 분수로 나타내기

· $0.2 = \dfrac{2}{10} = \dfrac{20}{100}$

· $1.7 = \dfrac{17}{10} = \dfrac{170}{100}$

· $2.45 = \dfrac{245}{100}$

준비 팡팡

함께 생각해 볼까요?

1 보기와 같이 각 부분을 똑같이 나누어 보고, ☐ 안에 알맞은 수를 써넣으세요.

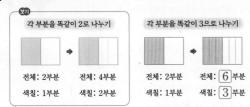

보기
각 부분을 똑같이 2로 나누기
전체: 2부분   전체: 4부분
색칠: 1부분   색칠: 2부분

각 부분을 똑같이 3으로 나누기
전체: 2부분   전체: [6]부분
색칠: 1부분   색칠: [3]부분

2 보기와 같이 똑같이 묶어 보고, ☐ 안에 알맞은 수를 써넣으세요.

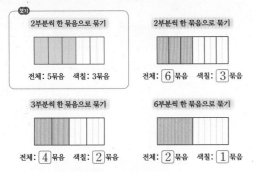

보기
2부분씩 한 묶음으로 묶기
전체: 5묶음   색칠: 3묶음

2부분씩 한 묶음으로 묶기
전체: [6]묶음   색칠: [3]묶음

3부분씩 한 묶음으로 묶기
전체: [4]묶음   색칠: [2]묶음

6부분씩 한 묶음으로 묶기
전체: [2]묶음   색칠: [1]묶음

3 주어진 소수를 분모가 100인 분수로 나타내어 보세요.

$0.2 = \dfrac{[20]}{100}$ $1.7 = \dfrac{[170]}{100}$ $2.45 = \dfrac{[245]}{100}$

81

4 약분과 통분

개념 확인 문제   정답 및 풀이 217쪽

| 3-1 6. 분수와 소수 |

1 분수의 크기를 비교하여 ◯ 안에 >, =, <를 알맞게 써넣으세요.

(1) $\dfrac{7}{11}$ ◯ $\dfrac{5}{11}$ (2) $\dfrac{1}{6}$ ◯ $\dfrac{1}{3}$

| 3-2 5. 분수 |

2 작은 분수부터 차례로 1, 2, 3을 써 보세요.

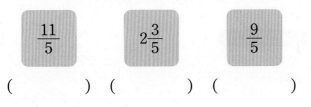

$\dfrac{11}{5}$ $2\dfrac{3}{5}$ $\dfrac{9}{5}$

(   ) (   ) (   )

| 4-2 3. 소수의 덧셈과 뺄셈 |

3 길이가 더 긴 색 테이프의 기호를 써 보세요.

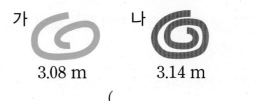

가   나

3.08 m   3.14 m

(   )

| 5-1 2. 배수와 약수 |

4 귤 48개와 감 36개를 남김없이 봉지에 똑같이 나누어 담으려고 합니다. 최대한 많은 봉지에 담을 때 필요한 봉지는 몇 장인지 구해 보세요.

(   )

2 차시

1 | 크기가 같은 분수 (1)

학습 목표

크기가 같은 분수를 이해하고 찾을 수 있습니다.

그림으로 개념 잡기

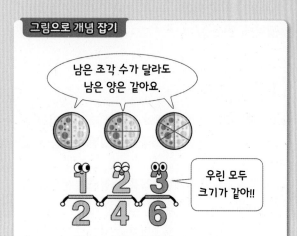

남은 조각 수가 달라도
남은 양은 같아요.

우린 모두
크기가 같아!!

$\dfrac{1}{2}$ $\dfrac{2}{4}$ $\dfrac{3}{6}$

어휘	분수 fraction 分 (나눌 분) 數 (셈 수)	$\dfrac{1}{2}$, $\dfrac{2}{3}$, $\dfrac{2}{5}$와 같은 수를 말합니다.

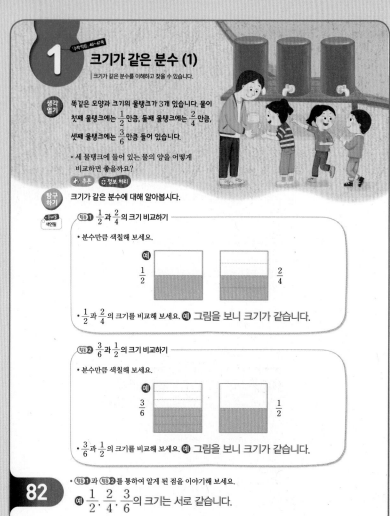

1 크기가 같은 분수 (1)

크기가 같은 분수를 이해하고 찾을 수 있습니다.

생각 열기 똑같은 모양과 크기의 물탱크가 3개 있습니다. 물이 첫째 물탱크에는 $\dfrac{1}{2}$만큼, 둘째 물탱크에는 $\dfrac{2}{4}$만큼, 셋째 물탱크에는 $\dfrac{3}{6}$만큼 들어 있습니다.

• 세 물탱크에 들어 있는 물의 양을 어떻게 비교하면 좋을까요?

탐구하기 크기가 같은 분수에 대해 알아봅시다.

활동1 $\dfrac{1}{2}$과 $\dfrac{2}{4}$의 크기 비교하기

• 분수만큼 색칠해 보세요.

예 $\dfrac{1}{2}$ / $\dfrac{2}{4}$

• $\dfrac{1}{2}$과 $\dfrac{2}{4}$의 크기를 비교해 보세요. 예 그림을 보니 크기가 같습니다.

활동2 $\dfrac{3}{6}$과 $\dfrac{1}{2}$의 크기 비교하기

• 분수만큼 색칠해 보세요.

예 $\dfrac{3}{6}$ / $\dfrac{1}{2}$

• $\dfrac{3}{6}$과 $\dfrac{1}{2}$의 크기를 비교해 보세요. 예 그림을 보니 크기가 같습니다.

• 활동1과 활동2를 통하여 알게 된 점을 이야기해 보세요.

예 $\dfrac{1}{2}$, $\dfrac{2}{4}$, $\dfrac{3}{6}$의 크기는 서로 같습니다.

82

교과서 개념 완성

생각 열기 세 물탱크에 들어 있는 물의 양을 비교하는 방법 생각하기

• 물이 물탱크의 $\dfrac{1}{2}$, $\dfrac{2}{4}$, $\dfrac{3}{6}$만큼 들어 있습니다.

• 그림이나 수직선에 나타내어 비교합니다.

학부모 코칭 Tip

분모가 다른 분수의 크기를 비교할 수 있는 여러 가지 방법을 생각해 보게 합니다.

탐구하기 크기가 같은 분수 탐구하기

활동1 $\dfrac{1}{2}$과 $\dfrac{2}{4}$의 크기가 같습니다.

분수만큼 색칠해 보면 색칠한 부분의 크기가 같습니다.

활동2 $\dfrac{3}{6}$과 $\dfrac{1}{2}$의 크기가 같습니다.

분수만큼 색칠해 보면 색칠한 부분의 크기가 같습니다.

정리하기 크기가 같은 분수 알아보기

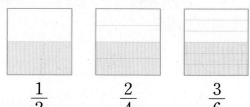

$\dfrac{1}{2}$ $\dfrac{2}{4}$ $\dfrac{3}{6}$

➡ $\dfrac{1}{2}$, $\dfrac{2}{4}$, $\dfrac{3}{6}$은 크기가 같은 분수입니다.

학부모 코칭 Tip

분수의 분모와 분자가 달라도 크기가 같은 경우가 있음을 알게 합니다.

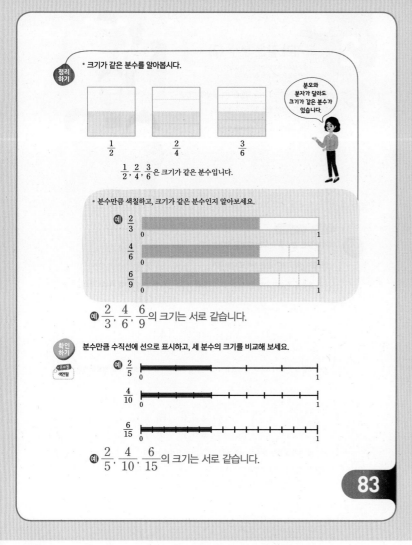

83

이런 문제가 서술형으로 나와요

리본을 민서는 $\dfrac{3}{4}$ m, 유나는 $\dfrac{9}{12}$ m, 은호는 $\dfrac{5}{8}$ m 가지고 있습니다. 가지고 있는 리본의 길이가 다른 사람은 누구인지 풀이 과정을 쓰고, 답을 구해 보세요.

| 풀이 과정 |

❶ 길이만큼 그림으로 나타내기

민서
유나
은호

❷ 가지고 있는 리본의 길이가 다른 사람은 누구인지 구하기
색칠한 부분을 비교하면 은호의 길이가 다릅니다. 가지고 있는 리본의 길이가 다른 사람은 은호입니다.

답 은호

◆ 수학 교과 역량   추론   정보 처리

크기가 같은 분수 알아보기
분수만큼 색칠하고 그림에서 필요한 정보를 파악하는 과정에서 추론 능력과 정보 처리 능력을 기를 수 있습니다.

개념 확인 문제   정답 및 풀이 217쪽

1 분수만큼 색칠해 보고, 크기가 같은 분수를 찾아 □ 안에 알맞은 수를 써넣으세요.

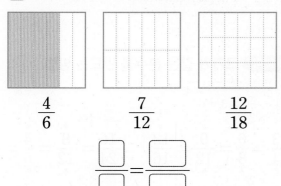

$$\dfrac{4}{6} \qquad \dfrac{7}{12} \qquad \dfrac{12}{18}$$

$$\dfrac{\square}{\square} = \dfrac{\square}{\square}$$

[2~3] 그림을 보고 물음에 답해 보세요.

2 분수만큼 수직선에 선으로 표시해 보세요.

3 $\dfrac{5}{7}$, $\dfrac{8}{14}$, $\dfrac{12}{21}$ 중에서 크기가 다른 분수를 찾아 써 보세요.

(   )

학습 목표

분모와 분자에 0이 아닌 같은 수를 곱하거나 나누어 크기가 같은 분수를 만들 수 있습니다.

그림으로 개념 잡기

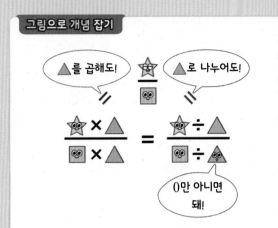

△를 곱해도! ☆ 로 나누어도!

$$\frac{☆ \times △}{■ \times △} = \frac{☆ \div △}{■ \div △}$$

0만 아니면 돼!

학부모 코칭 Tip

크기가 같은 분수를 그림을 이용하여 알아보고 어떻게 만들 수 있는지 생각해 보게 합니다.

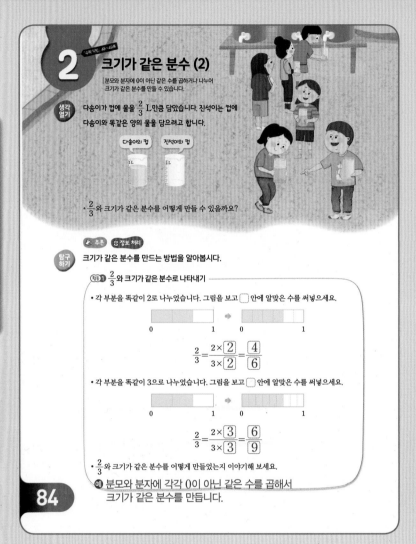

2 크기가 같은 분수 (2)

분모와 분자에 0이 아닌 같은 수를 곱하거나 나누어 크기가 같은 분수를 만들 수 있습니다.

생각 열기
다솔이가 컵에 물을 $\frac{2}{3}$ L만큼 담았습니다. 진석이는 컵에 다솔이와 똑같은 양의 물을 담으려고 합니다.

다솔이의 컵   진석이의 컵

• $\frac{2}{3}$와 크기가 같은 분수를 어떻게 만들 수 있을까요?

추론 정보 처리

탐구 하기
크기가 같은 분수를 만드는 방법을 알아봅시다.

활동1 $\frac{2}{3}$와 크기가 같은 분수로 나타내기

• 각 부분을 똑같이 2로 나누었습니다. 그림을 보고 □ 안에 알맞은 수를 써넣으세요.

$$\frac{2}{3} = \frac{2 \times \boxed{2}}{3 \times \boxed{2}} = \frac{\boxed{4}}{\boxed{6}}$$

• 각 부분을 똑같이 3으로 나누었습니다. 그림을 보고 □ 안에 알맞은 수를 써넣으세요.

$$\frac{2}{3} = \frac{2 \times \boxed{3}}{3 \times \boxed{3}} = \frac{\boxed{6}}{\boxed{9}}$$

• $\frac{2}{3}$와 크기가 같은 분수를 어떻게 만들었는지 이야기해 보세요.

예 분모와 분자에 각각 0이 아닌 같은 수를 곱해서 크기가 같은 분수를 만듭니다.

84

교과서 개념 완성

생각 열기 크기가 같은 분수를 만드는 방법 생각하기

• 그림을 그려서 각 부분을 똑같이 몇 부분으로 나눈 다음, 분수로 나타내면 됩니다.
• 몇 부분을 한 묶음으로 묶어 분수로 나타내면 됩니다.

탐구하기 크기가 같은 분수를 만드는 방법 탐구하기

활동1 $\frac{2}{3}$와 크기가 같은 분수로 나타내기

분모와 분자에 각각 0이 아닌 같은 수를 곱해서 크기가 같은 분수를 만듭니다.

활동2 $\frac{4}{8}$와 크기가 같은 분수로 나타내기

분모와 분자를 각각 0이 아닌 같은 수로 나누어서 크기가 같은 분수를 만듭니다.

정리하기 크기가 같은 분수를 만드는 방법

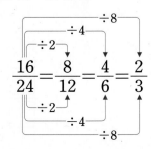

$$\frac{3}{4} = \frac{6}{8} = \frac{9}{12} = \frac{12}{16}$$

$$\frac{16}{24} = \frac{8}{12} = \frac{4}{6} = \frac{2}{3}$$

$\frac{4}{8}$와 크기가 같은 분수로 나타내기

• 2부분씩 한 묶음으로 묶었습니다. 그림을 보고 ☐ 안에 알맞은 수를 써넣으세요.

$$\frac{4}{8}=\frac{4÷\boxed{2}}{8÷\boxed{2}}=\frac{\boxed{2}}{\boxed{4}}$$

• 4부분씩 한 묶음으로 묶었습니다. 그림을 보고 ☐ 안에 알맞은 수를 써넣으세요.

$$\frac{4}{8}=\frac{4÷\boxed{4}}{8÷\boxed{4}}=\frac{\boxed{1}}{\boxed{2}}$$

• $\frac{4}{8}$와 크기가 같은 분수를 어떻게 만들었는지 이야기해 보세요.

예 분모와 분자를 각각 0이 아닌 같은 수로 나누어서 크기가 같은 분수를 만듭니다.

정리하기
• 크기가 같은 분수를 만드는 방법을 정리해 봅시다.

분모와 분자에 각각 0이 아닌 같은 수를 곱해서 크기가 같은 분수를 만듭니다.

$$\frac{2}{3}=\frac{4}{6}=\frac{6}{9}=\frac{8}{12}$$

분모와 분자를 각각 0이 아닌 같은 수로 나누어서 크기가 같은 분수를 만듭니다.

$$\frac{8}{16}=\frac{4}{8}=\frac{2}{4}=\frac{1}{2}$$

확인하기
☐ 안에 알맞은 수를 써넣어 크기가 같은 분수를 만들어 보세요.

예 $\frac{3}{4}=\frac{3×\boxed{3}}{4×\boxed{3}}=\frac{\boxed{9}}{\boxed{12}}$ 예 $\frac{8}{24}=\frac{8÷\boxed{2}}{24÷\boxed{2}}=\frac{\boxed{4}}{\boxed{12}}$

풀이 분모와 분자에 각각 0이 아닌 같은 수를 곱하거나 분모와 분자를 각각 0이 아닌 같은 수로 나누어 크기가 같은 분수를 만듭니다.

85

이런 문제가 서술형으로 나와요

크기가 같은 분수를 나타낸 것입니다. ☐ 안에 알맞은 수는 얼마인지 풀이 과정을 쓰고, 답을 구해 보세요.

$$\frac{2}{5}=\frac{\boxed{}}{20}$$

| 풀이 과정 |

❶ 분모에 곱한 수 구하기

$5×4=20$이므로 $\frac{2}{5}$의 분모에 4를 곱하였습니다.

❷ ☐ 안에 알맞은 수 구하기

크기가 같은 분수를 만들기 위해 분자에도 4를 곱하면 $2×4=\boxed{}$, $\boxed{}=8$입니다.

답 8

• **수학 교과 역량** (추론) (정보 처리)

크기가 같은 분수 알아보기

크기가 같은 분수를 만드는 방법의 원리를 이해하고 그림에서 필요한 정보를 파악하는 과정에서 추론 능력과 정보 처리 능력을 기를 수 있습니다.

개념 확인 문제
정답 및 풀이 217쪽

[1~2] 크기가 같은 분수가 되도록 ☐ 안에 알맞은 수를 써넣으세요.

1 $\frac{2}{5}=\frac{2×2}{5×\boxed{}}=\frac{2×\boxed{}}{5×3}=\frac{2×4}{5×\boxed{}}$

→ $\frac{2}{5}=\frac{\boxed{}}{\boxed{}}=\frac{\boxed{}}{\boxed{}}=\frac{\boxed{}}{\boxed{}}$

2 $\frac{18}{42}=\frac{18÷2}{42÷\boxed{}}=\frac{18÷\boxed{}}{42÷3}=\frac{18÷\boxed{}}{42÷\boxed{}}$

→ $\frac{18}{42}=\frac{\boxed{}}{\boxed{}}=\frac{\boxed{}}{\boxed{}}=\frac{\boxed{}}{\boxed{}}$

3 크기가 같은 분수끼리 같은 색으로 칠해 보세요.

$\frac{10}{18}$	$\frac{2}{3}$	$\frac{20}{24}$
$\frac{8}{12}$	$\frac{5}{6}$	$\frac{5}{9}$

3 | 분수를 간단하게 나타내기

4 차시

학습 목표

약분의 뜻을 알고, 주어진 분수를 약분할 수 있습니다.

그림으로 개념 잡기

우린 8과 12의 공약수야.

$$\frac{8}{12} = \frac{8 \div ⭐}{12 \div ⭐}$$

우리는 서로 달라서 $\frac{8}{12}$과 같지 않아!

$$\frac{8}{12} \neq \frac{8 \div 😎}{12 \div 🔺}$$

참고 분모와 분자를 1로 나누면 자기 자신이 되므로 약분할 때 1로 나누는 경우는 생각하지 않습니다.

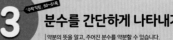

3 분수를 간단하게 나타내기

약분의 뜻을 알고, 주어진 분수를 약분할 수 있습니다.

생각 열기 울 로켓을 꾸미는 데 붙임딱지를 전체의 $\frac{8}{12}$ 만큼 사용하였습니다.

• $\frac{8}{12}$ 을 간단한 분수로 어떻게 나타낼 수 있을까요?

탐구 하기 ① $\frac{8}{12}$ 을 간단하게 나타내는 방법을 알아봅시다.

• $\frac{8}{12}$ 과 크기가 같고 더 간단한 분수를 어떻게 만들 수 있을까요?
예 분모와 분자를 공약수로 나누어 만들 수 있습니다.

• $\frac{8}{12}$ 과 크기가 같고 더 간단한 분수를 모두 써 보세요. $\dfrac{4}{6}$, $\dfrac{2}{3}$

• 주어진 분수와 크기가 같고 더 간단한 분수로 만드는 방법을 이야기해 보세요.
예 분모와 분자를 공약수로 나누어 만듭니다.

분모와 분자를 똑같은 수로 나누어야 하는데……

정리 하기 ① • 약분을 알아봅시다.

분모와 분자를 공약수로 나누어 간단한 분수로 만드는 것을 약분한다고 합니다.

$$\frac{8}{12} = \frac{8 \div 2}{12 \div 2} = \frac{4}{6} \quad \Rightarrow \quad \frac{\overset{4}{\cancel{8}}}{\underset{6}{\cancel{12}}} {}^{\div 2}_{\div 2} = \frac{4}{6}$$

• $\frac{6}{18}$ 을 약분해 보세요.

$$\frac{6}{18} = \frac{6 \div \boxed{3}}{18 \div \boxed{3}} = \boxed{\frac{2}{6}} \quad \Rightarrow \quad \frac{\overset{2}{\cancel{6}}}{\underset{6}{\cancel{18}}} {}^{\div 3}_{\div 3} = \boxed{\frac{2}{6}}$$

풀이 6과 18의 공약수: 1, 2, 3, 6
➡ 2, 3, 6으로 약분할 수 있습니다.

86

교과서 개념 완성

생각 열기 **간단한 분수로 나타내는 방법 생각하기**

분모, 분자를 각각 0이 아닌 같은 수로 나누어서 나타낼 수 있습니다.

탐구하기 ① **정리하기 ①** **약분 알아보기**

• $\frac{8}{12}$ 의 분모와 분자를 공약수로 나눕니다.

• 분모와 분자를 공약수로 나누어 간단한 분수로 만드는 것을 약분한다고 합니다.

$$\frac{8}{12} = \frac{8 \div 2}{12 \div 2} = \frac{4}{6} \rightarrow \frac{\overset{4}{\cancel{8}}}{\underset{6}{\cancel{12}}} {}^{\div 2}_{\div 2} = \frac{4}{6}$$

탐구하기 ② **약분하여 기약분수를 만드는 방법 탐구하기**

• 분모와 분자의 공약수가 1뿐인 분수가 될 때까지 계속 약분합니다.

• 분모와 분자를 최대공약수로 나눕니다.

정리하기 ② **기약분수 알아보기**

• 분모와 분자의 공약수가 1뿐인 분수를 기약분수라고 합니다.

• 분모와 분자를 최대공약수로 나누면 기약분수가 됩니다.

$$\frac{4}{20} = \frac{4 \div 4}{20 \div 4} = \frac{1}{5} \rightarrow \frac{\overset{1}{\cancel{4}}}{\underset{5}{\cancel{20}}} {}^{\div 4}_{\div 4} = \frac{1}{5}$$

4와 20의 최대공약수

탐구하기2 $\frac{12}{18}$를 계속 약분하여 간단하게 만들어 봅시다.

· $\frac{12}{18}$를 약분할 수 없을 때까지 약분하여 가장 간단한 분수로 만들어 보세요.

$$\frac{12}{18} \rightarrow \frac{6}{9}, \frac{4}{6}, \frac{2}{3}$$

· 가장 간단한 분수의 분모와 분자의 공약수는 무엇인가요? **1입니다.**

· 분모와 분자의 공약수 중 어떤 수로 나누면 가장 간단한 분수로 만들 수 있나요?

예 분모와 분자를 최대공약수로 나누면 만들 수 있습니다.

· 분수를 더 이상 약분이 되지 않는 가장 간단한 분수로 만드는 방법을 이야기해 보세요.

예 분모와 분자의 공약수가 1뿐인 분수가 될 때까지 계속 약분합니다.
분모와 분자를 최대공약수로 나눕니다.

정리하기2 **기약분수를 알아봅시다.**

· 분모와 분자의 공약수가 1뿐인 분수를 기약분수라고 합니다.

· $\frac{2}{3}$는 기약분수이고 $\frac{4}{6}$, $\frac{6}{9}$은 기약분수가 아닙니다.

· 분모와 분자를 최대공약수로 나누면 기약분수가 됩니다.

$$\frac{12}{18} = \frac{12 \div 6}{18 \div 6} = \frac{2}{3} \rightarrow \frac{\overset{2}{\cancel{12}}}{\underset{3}{\cancel{18}}}{\scriptstyle \div 6} = \frac{2}{3}$$

└ 18과 12의 최대공약수

· $\frac{12}{44}$를 최대공약수를 이용하여 기약분수로 나타내어 보세요.

$$\frac{12}{44} = \frac{12 \div \boxed{4}}{44 \div \boxed{4}} = \frac{\boxed{3}}{\boxed{11}} \rightarrow \frac{\overset{\boxed{3}}{\cancel{12}}}{\underset{\boxed{11}}{\cancel{44}}}{\scriptstyle \div \boxed{4}} = \frac{\boxed{3}}{\boxed{11}}$$

87 풀이 12와 44의 최대공약수: 4

풀이 **분모와 분자를 공약수로 나눕니다.**

확인하기 1. 주어진 분수를 약분하여 크기가 같은 분수로 나타내어 보세요.

$\frac{5}{10}$	$\rightarrow$	$\frac{1}{2}$
$\frac{8}{56}$	$\rightarrow$	$\frac{4}{28}, \frac{2}{14}, \frac{1}{7}$
$\frac{9}{30}$	$\rightarrow$	$\frac{3}{10}$
$\frac{12}{45}$	$\rightarrow$	$\frac{4}{15}$

2. 기약분수로 나타내어 보세요.

$$\frac{40}{50} = \frac{\boxed{4}}{\boxed{5}} \qquad \frac{42}{12} = \frac{\boxed{7}}{\boxed{2}} \qquad 1\frac{2}{4} = 1\frac{\boxed{1}}{\boxed{2}}$$

3. 기약분수를 모두 찾아 ○표 하세요.

$$\boxed{\frac{14}{3}} \qquad \frac{11}{22} \qquad \boxed{\frac{4}{27}} \qquad \boxed{\frac{3}{16}}$$

풀이 분모와 분자의 공약수가 1뿐인 분수는 $\frac{14}{3}$, $\frac{4}{27}$, $\frac{3}{16}$입니다.

생각쑥쑥 $3\frac{6}{8}$을 새롬이와 바름이는 다음과 같이 약분하려고 합니다. 두 사람이 생각한 방법대로 약분해 보고, 알게 된 점을 이야기해 보세요.

 대분수를 가분수로 나타내어 약분할 거야.

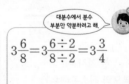 대분수에서 분수 부분만 약분하려고 해.

$$3\frac{6}{8} = \frac{30}{8} = \frac{30 \div 2}{8 \div 2}$$
$$= \frac{15}{4} = 3\frac{3}{4}$$

$$3\frac{6}{8} = 3\frac{6 \div 2}{8 \div 2} = 3\frac{3}{4}$$

예 방법을 다르게 약분해도 결과는 같습니다.

88

 개념 확인 문제   정답 및 풀이 217쪽

1 분수를 약분하는 과정입니다. ☐ 안에 알맞은 수를 써넣으세요.

$$\frac{12}{32} = \frac{12 \div 2}{32 \div \boxed{}} = \frac{\boxed{}}{\boxed{}} \rightarrow \frac{12}{\underset{16}{32}} = \frac{\boxed{}}{\boxed{}}$$

2 $\frac{30}{45}$을 약분하여 나타낼 수 있는 분수를 모두 구해 보세요.

(   )

3 기약분수로 나타내어 보세요.

(1)  $\boxed{\frac{8}{20}}$ ➡ ☐

(2)  $\boxed{\frac{18}{42}}$ ➡ ☐

4 분모가 8인 진분수 중에서 기약분수를 모두 구해 보세요.

(   )

4 | 분모가 같은 분수로 나타내기

5
차시

학습 목표

통분의 뜻을 알고, 분모가 다른 두 분수를 통분할 수 있습니다.

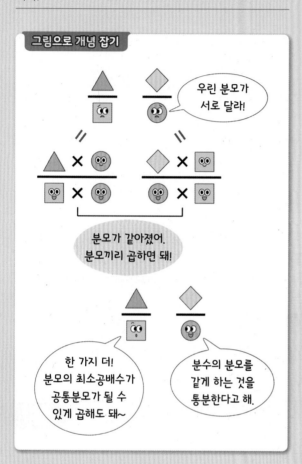

그림으로 개념 잡기

우린 분모가 서로 달라!

분모가 같아졌어. 분모끼리 곱하면 돼!

한 가지 더! 분모의 최소공배수가 공통분모가 될 수 있게 곱해도 돼~

분수의 분모를 같게 하는 것을 통분한다고 해.

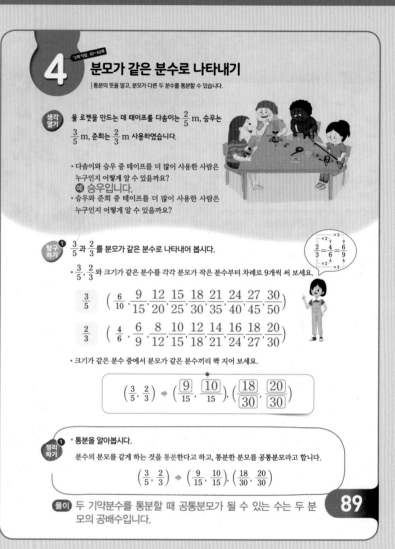

4 분모가 같은 분수로 나타내기

통분의 뜻을 알고, 분모가 다른 두 분수를 통분할 수 있습니다.

생각열기 물 로켓을 만드는 데 테이프를 다솜이는 $\frac{2}{5}$ m, 승우는 $\frac{3}{5}$ m, 준희는 $\frac{2}{3}$ m 사용하였습니다.

• 다솜이와 승우 중 테이프를 더 많이 사용한 사람은 누구인지 어떻게 알 수 있을까요?
예 승우입니다.
• 승우와 준희 중 테이프를 더 많이 사용한 사람은 누구인지 어떻게 알 수 있을까요?

탐구하기 ❶ $\frac{3}{5}$ 과 $\frac{2}{3}$ 를 분모가 같은 분수로 나타내어 봅시다.

$$\frac{2}{3} = \frac{4}{6} = \frac{6}{9}$$

• $\frac{3}{5}$, $\frac{2}{3}$ 와 크기가 같은 분수를 각각 분모가 작은 분수부터 차례로 9개씩 써 보세요.

$$\frac{3}{5} \quad \left(\frac{6}{10}, \frac{9}{15}, \frac{12}{20}, \frac{15}{25}, \frac{18}{30}, \frac{21}{35}, \frac{24}{40}, \frac{27}{45}, \frac{30}{50}\right)$$

$$\frac{2}{3} \quad \left(\frac{4}{6}, \frac{6}{9}, \frac{8}{12}, \frac{10}{15}, \frac{12}{18}, \frac{14}{21}, \frac{16}{24}, \frac{18}{27}, \frac{20}{30}\right)$$

• 크기가 같은 분수 중에서 분모가 같은 분수끼리 짝 지어 보세요.

$$\left(\frac{3}{5}, \frac{2}{3}\right) \Rightarrow \left(\frac{9}{15}, \frac{10}{15}\right), \left(\frac{18}{30}, \frac{20}{30}\right)$$

정리하기 ❶ • 통분을 알아봅시다.

분수의 분모를 같게 하는 것을 통분한다고 하고, 통분한 분모를 공통분모라고 합니다.

$$\left(\frac{3}{5}, \frac{2}{3}\right) \Rightarrow \left(\frac{9}{15}, \frac{10}{15}\right), \left(\frac{18}{30}, \frac{20}{30}\right)$$

풀이 두 기약분수를 통분할 때 공통분모가 될 수 있는 수는 두 분모의 공배수입니다.

89

교과서 개념 완성

생각열기 $\frac{3}{5}$, $\frac{2}{3}$ 의 크기를 비교하는 방법 생각하기

분모가 같은 분수를 만들어 비교합니다.

학부모 코칭 Tip

분모가 같은 분수를 비교해 보게 한 다음, 분모가 다른 분수를 비교하는 방법을 생각해 보게 합니다.

탐구하기 ❶ 분모가 같은 분수를 만드는 방법 탐구하기

분모와 분자에 각각 0이 아닌 같은 수를 곱하여 크기가 같은 분수를 만들고, 분모가 같은 분수를 찾습니다.

$$\left(\frac{3}{5}, \frac{2}{3}\right) \Rightarrow \left(\frac{9}{15}, \frac{10}{15}\right), \left(\frac{18}{30}, \frac{20}{30}\right)$$

정리하기 ❶ 통분 알아보기

분수의 분모를 같게 하는 것을 통분한다고 하고, 통분한 분모를 공통분모라고 합니다.

탐구하기 ❷ **정리하기 ❷** 통분하는 방법 알아보기

방법1 두 분모의 곱을 공통분모로 하여 통분합니다.

$$\left(\frac{1}{6}, \frac{5}{8}\right) \Rightarrow \left(\frac{1 \times 8}{6 \times 8}, \frac{5 \times 6}{8 \times 6}\right) \Rightarrow \left(\frac{8}{48}, \frac{30}{48}\right)$$

방법2 두 분모의 최소공배수를 공통분모로 하여 통분합니다.

$$\left(\frac{1}{6}, \frac{5}{8}\right) \Rightarrow \left(\frac{1 \times 4}{6 \times 4}, \frac{5 \times 3}{8 \times 3}\right) \Rightarrow \left(\frac{4}{24}, \frac{15}{24}\right)$$

탐구 ② $\frac{1}{6}$과 $\frac{5}{8}$를 통분하는 방법을 알아봅시다.

• 공통분모를 6이나 8로 하여 통분할 수 있을까요?

예 통분할 수 없습니다.

• 새롬이가 생각한 방법대로 $\frac{1}{6}$과 $\frac{5}{8}$를 통분해 보세요.

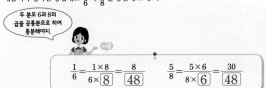

두 분모 6과 8의 곱을 공통분모로 하여 통분해야지.

$$\frac{1}{6}=\frac{1\times8}{6\times8}=\frac{8}{48} \qquad \frac{5}{8}=\frac{5\times6}{8\times6}=\frac{30}{48}$$

풀이 6과 8의 곱은 48이므로 공통분모를 48로 하여 크기가 같은 분수를 각각 구합니다.

• 바름이가 생각한 방법대로 $\frac{1}{6}$과 $\frac{5}{8}$를 통분해 보세요.

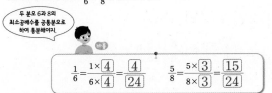

두 분모 6과 8의 최소공배수를 공통분모로 하여 통분해야지.

$$\frac{1}{6}=\frac{1\times4}{6\times4}=\frac{4}{24} \qquad \frac{5}{8}=\frac{5\times3}{8\times3}=\frac{15}{24}$$

풀이 6과 8의 최소공배수는 24이므로 공통분모를 24로 하여 크기가 같은 분수를 각각 구합니다.

• 새롬이가 생각한 방법과 바름이가 생각한 방법을 비교해 보고 알게 된 점을 이야기해 보세요.

예 두 분모의 곱을 공통분모로 하여 통분할 수 있습니다.
두 분모의 최소공배수를 공통분모로 하여 통분할 수 있습니다.

90

정리하기 ② 통분하는 방법을 정리해 봅시다.

방법1 두 분모의 곱을 공통분모로 하여 통분합니다.

$$\left(\frac{1}{6},\frac{5}{8}\right) \Rightarrow \left(\frac{1\times8}{6\times8},\frac{5\times6}{8\times6}\right) \Rightarrow \left(\frac{8}{48},\frac{30}{48}\right)$$

방법2 두 분모의 최소공배수를 공통분모로 하여 통분합니다.

$$\left(\frac{1}{6},\frac{5}{8}\right) \Rightarrow \left(\frac{1\times4}{6\times4},\frac{5\times3}{8\times3}\right) \Rightarrow \left(\frac{4}{24},\frac{15}{24}\right)$$

• $\frac{5}{6}$와 $\frac{4}{9}$를 두 가지 방법으로 통분해 보세요.

방법1 $\left(\frac{5}{6},\frac{4}{9}\right) \Rightarrow \left(\frac{5\times9}{6\times9},\frac{4\times6}{9\times6}\right) \Rightarrow \left(\frac{45}{54},\frac{24}{54}\right)$

방법2 $\left(\frac{5}{6},\frac{4}{9}\right) \Rightarrow \left(\frac{5\times3}{6\times3},\frac{4\times2}{9\times2}\right) \Rightarrow \left(\frac{15}{18},\frac{8}{18}\right)$

확인하기 두 분수를 통분해 보세요. 예 $\left(\frac{1}{3},\frac{5}{6}\right)\left(\frac{2}{6},\frac{5}{6}\right)$ 예 $\left(\frac{7}{10},\frac{3}{4}\right)\left(\frac{14}{20},\frac{15}{20}\right)$ 예 $\left(\frac{5}{8},\frac{3}{7}\right)\left(\frac{35}{56},\frac{24}{56}\right)$

생각 쑥쑥 $2\frac{5}{8}$와 $1\frac{1}{4}$을 새롬이와 바름이가 생각한 방법대로 각각 통분해 보고, 알게 된 점을 이야기해 보세요.

두 분모의 곱을 공통분모로 하여 통분해야지.

$$\left(2\frac{5}{8},1\frac{1}{4}\right) \rightarrow \left(2\frac{20}{32},1\frac{8}{32}\right)$$

두 분모의 최소공배수를 공통분모로 하여 통분할 거야.

$$\left(2\frac{5}{8},1\frac{1}{4}\right) \rightarrow \left(2\frac{5}{8},1\frac{2}{8}\right)$$

91

개념 확인 문제

정답 및 풀이 218쪽

1 두 분모의 최소공배수를 공통분모로 하여 통분해 보세요.

$$\left(\frac{4}{6},\frac{4}{9}\right) \Rightarrow \left(\frac{\square}{\square},\frac{\square}{\square}\right)$$

2 $\frac{3}{4}$과 $\frac{1}{6}$을 통분하려고 합니다. 공통분모가 될 수 없는 것은 어느 것인가요? ······( )

① 12 　② 28 　③ 36
④ 60 　⑤ 84

3 두 분수를 통분한 것입니다. □ 안에 알맞은 수를 써넣으세요.

$$\left(\frac{\square}{42},\frac{7}{\square}\right) \Rightarrow \left(\frac{55}{210},\frac{49}{210}\right)$$

4 $\frac{5}{9}$와 $\frac{7}{12}$을 통분할 때, 공통분모가 될 수 있는 수 중에서 100보다 작은 수를 모두 써 보세요.

( )

학습 목표

분모가 다른 분수의 크기를 비교할 수 있습니다.

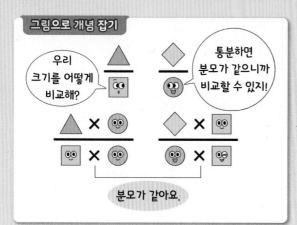

그림으로 개념 잡기

우리 크기를 어떻게 비교해?

통분하면 분모가 같으니까 비교할 수 있지!

분모가 같아요.

학부모 코칭 Tip

분모가 다르면 분수의 크기 비교가 어렵다는 것을 깨닫게 하고, 분모를 같게 해야 한다는 것을 생각할 수 있게 합니다.

통분

어휘

reduction to a common denominator

분수의 분모를 같게 만드는 것을 말합니다.

通 (통할 통) 分 (나눌 분)

---

5 분모가 다른 분수의 크기 비교

분모가 다른 분수의 크기를 비교할 수 있습니다.

생각 열기 진석이의 물 로켓은 과녁까지 거리의 $\frac{3}{4}$ 만큼, 경하의 물 로켓은 과녁까지 거리의 $\frac{5}{8}$ 만큼 날아갔습니다.

누구의 물 로켓이 더 멀리 날아갔는지 어떻게 비교할 수 있을까요?

탐구하기 분모가 다른 두 분수의 크기를 비교해 봅시다.

• $\frac{3}{4}$ 과 $\frac{5}{8}$ 의 분모를 같게 하려면 어떻게 해야 하나요?

예 분모 4와 8의 공통분모를 찾아 통분합니다.

• $\frac{3}{4}$ 과 $\frac{5}{8}$ 를 통분하여 크기를 비교해 보세요.

$$\left(\frac{3}{4}, \frac{5}{8}\right) \rightarrow \left(\boxed{\frac{6}{8}}, \boxed{\frac{5}{8}}\right) \rightarrow \frac{3}{4} \bigcirc \frac{5}{8}$$

• $\frac{3}{4}$ 과 $\frac{5}{8}$ 의 크기를 어떻게 비교하였는지 이야기해 보세요.

예 분모 4와 8의 공통분모를 찾아 통분한 후 크기를 비교하였습니다.

• 분모가 다른 두 분수의 크기를 비교하는 방법을 이야기해 보세요.

예 분모가 다른 두 분수의 크기는 통분하여 비교할 수 있습니다.

92

🧑 교과서 개념 완성

생각 열기 분모가 다른 분수의 크기를 비교하는 방법 생각하기

통분을 하여 분모를 같게 한 후 분수의 크기를 비교합니다.

탐구하기 **정리하기** 분모가 다른 분수의 크기를 비교하는 방법 알아보기

분모가 다른 두 분수의 크기는 통분을 이용하여 비교할 수 있습니다.

$$\left(\frac{3}{4}, \frac{5}{8}\right) \rightarrow \left(\frac{6}{8}, \frac{5}{8}\right) \rightarrow \frac{3}{4} > \frac{5}{8}$$

생각 솔솔 세 분수의 크기 비교하기

• 두 분수끼리 통분하여 차례로 크기를 비교합니다.

$$\left(\frac{2}{5}, \frac{5}{9}\right) \rightarrow \left(\frac{18}{45}, \frac{25}{45}\right) \rightarrow \frac{2}{5} < \frac{5}{9}$$
$$\left(\frac{5}{9}, \frac{5}{8}\right) \rightarrow \left(\frac{40}{72}, \frac{45}{72}\right) \rightarrow \frac{5}{9} < \frac{5}{8}$$

$\frac{2}{5} < \frac{5}{9} < \frac{5}{8}$

그림을 그려 보면 비교하기 쉽습니다.

• $\frac{2}{5}$ 는 $\frac{1}{2}$ 보다 작고, $\frac{5}{9}$ 와 $\frac{5}{8}$ 는 $\frac{1}{2}$ 보다 큽니다.

$\frac{5}{9}$ 와 $\frac{5}{8}$ 를 통분하면

$$\left(\frac{5}{9}, \frac{5}{8}\right) \rightarrow \left(\frac{40}{72}, \frac{45}{72}\right)$$ 입니다.

$$\rightarrow \frac{2}{5} < \frac{5}{9} < \frac{5}{8}$$

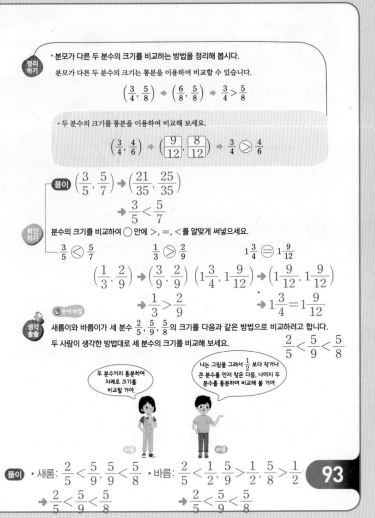

*분모가 다른 두 분수의 크기를 비교하는 방법을 정리해 봅시다.

분모가 다른 두 분수의 크기는 통분을 이용하여 비교할 수 있습니다.

$$\left(\frac{3}{4}, \frac{5}{8}\right) \rightarrow \left(\frac{6}{8}, \frac{5}{8}\right) \rightarrow \frac{3}{4} > \frac{5}{8}$$

*두 분수의 크기를 통분을 이용하여 비교해 보세요.

$$\left(\frac{3}{4}, \frac{4}{6}\right) \rightarrow \left(\frac{9}{12}, \frac{8}{12}\right) \rightarrow \frac{3}{4} \bigcirc \frac{4}{6}$$

풀이 $\left(\frac{3}{5}, \frac{5}{7}\right) \rightarrow \left(\frac{21}{35}, \frac{25}{35}\right)$

$\rightarrow \frac{3}{5} < \frac{5}{7}$

분수의 크기를 비교하여 ○ 안에 >, =, <를 알맞게 써넣으세요.

$\frac{3}{5} \bigcirc \frac{5}{7}$ $\frac{1}{3} \bigcirc \frac{2}{9}$ $1\frac{3}{4} \bigcirc 1\frac{9}{12}$

$\left(\frac{1}{3}, \frac{2}{9}\right) \rightarrow \left(\frac{3}{9}, \frac{2}{9}\right)$ $\left(1\frac{3}{4}, 1\frac{9}{12}\right) \rightarrow \left(1\frac{9}{12}, 1\frac{9}{12}\right)$

$\rightarrow \frac{1}{3} > \frac{2}{9}$ $\rightarrow 1\frac{3}{4} = 1\frac{9}{12}$

새롬이와 바름이가 세 분수 $\frac{2}{5}, \frac{5}{9}, \frac{5}{8}$의 크기를 다음과 같은 방법으로 비교하려고 합니다. 두 사람이 생각한 방법대로 세 분수의 크기를 비교해 보세요.

$\frac{2}{5} < \frac{5}{9} < \frac{5}{8}$

두 분수끼리 통분하여 차례로 크기를 비교할 거야.

나는 그림을 그려서 $\frac{1}{2}$보다 작거나 큰 수를 먼저 찾은 다음, 나머지 두 분수를 통분하여 비교해 볼 거야.

풀이 •새롬: $\frac{2}{5} < \frac{5}{9}, \frac{5}{9} < \frac{5}{8}$ •바름: $\frac{2}{5} < \frac{1}{2}, \frac{5}{9} > \frac{1}{2}, \frac{5}{8} > \frac{1}{2}$

$\rightarrow \frac{2}{5} < \frac{5}{9} < \frac{5}{8}$ $\rightarrow \frac{2}{5} < \frac{5}{9} < \frac{5}{8}$

93

이런 문제가 서술형으로 나와요

$\frac{1}{3}$보다 크고 $\frac{3}{5}$보다 작은 분수 중에서 분모가 15인 분수는 모두 몇 개인지 풀이 과정을 쓰고, 답을 구해 보세요.

| 풀이 과정 |

❶ 공통분모를 15로 하여 통분하기

$\frac{1}{3}$과 $\frac{3}{5}$을 통분하면 $\frac{5}{15}, \frac{9}{15}$입니다.

❷ 두 수 사이의 분모가 15인 분수의 개수 구하기

분모가 15인 분수를 $\frac{\square}{15}$라고 하면

$\frac{5}{15} < \frac{\square}{15} < \frac{9}{15}$이므로 5 < □ < 9입니다.

따라서 $\frac{6}{15}, \frac{7}{15}, \frac{8}{15}$로 모두 3개입니다.

답 3개

수학 교과 역량 문제 해결

세 분수의 크기를 비교하기 위해 제시된 두 가지 방법으로 문제를 해결해 보면서 문제 해결 능력을 기를 수 있습니다.

개념 확인 문제   정답 및 풀이 218쪽

1 분수의 크기를 비교하여 ○ 안에 >, =, <를 알맞게 써넣으세요.

(1) $\frac{5}{8} \bigcirc \frac{7}{12}$ (2) $\frac{13}{20} \bigcirc \frac{17}{24}$

2 가장 작은 분수를 찾아 ○표 하세요.

$\frac{2}{3}$ $1\frac{1}{2}$ $\frac{3}{5}$

3 다음 분수들을 수직선에 나타낼 때, 가장 오른쪽에 있는 분수를 찾아 써 보세요.

$\frac{7}{10}$ $\frac{11}{15}$ $\frac{4}{9}$

(   )

4 숫자 카드 중에서 2장을 사용하여 진분수를 만들려고 합니다. 만들 수 있는 진분수 중 $\frac{1}{2}$보다 큰 분수를 써 보세요.

3   6   8

(   )

학습 목표

분수와 소수의 관계를 이용하여 분수와 소수의 크기를 비교할 수 있습니다.

그림으로 개념 잡기

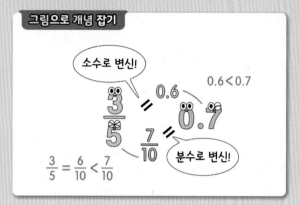

소수로 변신!

$0.6 < 0.7$

$$\frac{3}{5} = 0.6$$

$$\frac{7}{10} = 0.7$$

분수로 변신!

$$\frac{3}{5} = \frac{6}{10} < \frac{7}{10}$$

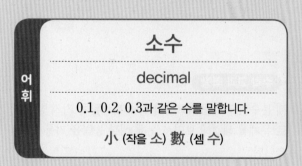

어휘

소수

decimal

0.1, 0.2, 0.3과 같은 수를 말합니다.

小 (작을 소) 數 (셈 수)

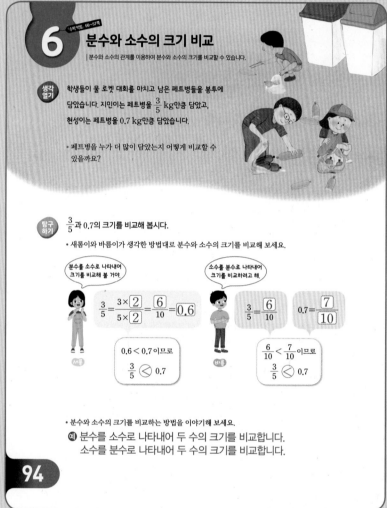

6 [수학익힘 56~57쪽] **분수와 소수의 크기 비교**

| 분수와 소수의 관계를 이용하여 분수와 소수의 크기를 비교할 수 있습니다.

생각 열기 학생들이 물 로켓 대회를 마치고 남은 페트병들을 봉투에 담았습니다. 지민이는 페트병을 $\frac{3}{5}$ kg만큼 담았고, 현성이는 페트병을 0.7 kg만큼 담았습니다.

• 페트병을 누가 더 많이 담았는지 어떻게 비교할 수 있을까요?

탐구하기 $\frac{3}{5}$ 과 0.7의 크기를 비교해 봅시다.

• 새롬이와 바름이가 생각한 방법대로 분수와 소수의 크기를 비교해 보세요.

분수를 소수로 나타내어 크기를 비교해 볼 거야

$$\frac{3}{5} = \frac{3 \times \boxed{2}}{5 \times \boxed{2}} = \boxed{\frac{6}{10}} = \boxed{0.6}$$

0.6 < 0.7 이므로

$$\frac{3}{5} \bigcirc 0.7$$

소수를 분수로 나타내어 크기를 비교하려 해

$$\frac{3}{5} = \boxed{\frac{6}{10}} \qquad 0.7 = \boxed{\frac{7}{10}}$$

$$\frac{6}{10} < \frac{7}{10}$$ 이므로

$$\frac{3}{5} \bigcirc 0.7$$

• 분수와 소수의 크기를 비교하는 방법을 이야기해 보세요.

예 분수를 소수로 나타내어 두 수의 크기를 비교합니다.
소수를 분수로 나타내어 두 수의 크기를 비교합니다.

94

교과서 개념 완성

생각 열기 분수와 소수의 크기를 비교하는 방법 생각하기

• 분수를 소수로 나타내어 두 수의 크기를 비교할 수 있습니다.
• 소수를 분수로 나타내어 두 수의 크기를 비교할 수 있습니다.

탐구하기 **정리하기** 분수와 소수의 크기를 비교하는 방법 알아보기

분수를 소수로 나타내거나, 소수를 분수로 나타내어 두 수의 크기를 비교합니다.

• $$\frac{3}{5} = \frac{3 \times 2}{5 \times 2} = \frac{6}{10} = 0.6$$ $\frac{3}{5} < 0.7$

분수를 소수로 나타내기

• $$\frac{3}{5} = \frac{6}{10}$$ $\frac{3}{5} < 0.7$ $0.7 = \frac{7}{10}$

소수를 분수로 나타내기

생각 솔솔 다양한 형태의 분수와 소수의 크기 비교하기

소수를 분수로 나타내어 비교합니다.

$$0.58 = \frac{58}{100}, \quad \frac{9}{20} = \frac{45}{100}, \quad 0.6 = \frac{60}{100}$$

➡ $\frac{9}{20} < 0.58 < 0.6$ 이므로

가장 무거운 것은 감자가 담긴 바구니입니다.

정리하기

· 분수와 소수의 크기를 비교하는 방법을 정리해 봅시다.

분수를 소수로 나타내거나, 소수를 분수로 나타내어 두 수의 크기를 비교합니다.

$$\frac{3}{5}=0.6 \qquad \frac{3}{5}<0.7$$

└ 분수를 소수로 나타내기

$$\frac{3}{5}=\frac{6}{10} \qquad \frac{3}{5}<0.7 \qquad 0.7=\frac{7}{10}$$

└ 소수를 분수로 나타내기

풀이 $1\frac{12}{25}=1\frac{48}{100}$, $1.5=1\frac{5}{10}=1\frac{50}{100}$ ➡ $1\frac{12}{25}<1.5$

확인하기

분수와 소수의 크기를 비교하여 ○ 안에 >, =, <를 알맞게 써넣으세요.

$0.8 \bigcirc< \frac{9}{10}$ $\frac{9}{10}=\boxed{0.9}$ $1.25 \bigcirc< 1\frac{1}{2}$ $1\frac{1}{2}=\boxed{1.5}$

$1\frac{12}{25} \bigcirc< 1.5$ $1.5=1\boxed{\frac{5}{10}}$ $\frac{3}{4} \bigcirc= 0.75$ $0.75=\boxed{\frac{75}{100}}$

$\frac{3}{4}=\frac{75}{100}$ ➡ $\frac{3}{4}=0.75$

생각 술술 [문제 해결] [의사소통]

고구마, 밤, 감자를 각각 무게가 같은 바구니에 담아 무게를 재었습니다. 가장 무거운 것은 어떤 것이 담긴 바구니인지 이야기해 보세요. **예** 가장 무거운 것은 감자가 담긴 바구니입니다.

0.58 kg 고구마

$\frac{9}{20}$ kg 밤

0.6 kg 감자

풀이 분수를 소수로 나타내어 비교합니다.

$$\frac{9}{20}=\frac{45}{100}=0.45 \Rightarrow 0.45<0.58<0.6$$

95

이런 문제가 서술형으로 나와요

□ 안에 들어갈 수 있는 수 중에서 가장 작은 소수 두 자리 수는 얼마인지 풀이 과정을 쓰고, 답을 구해 보세요.

$$1\frac{13}{25}<\boxed{}$$

| 풀이 과정 |

❶ 분수를 소수로 나타내기

$\frac{13}{25}=\frac{52}{100}=0.52$이므로 $1\frac{13}{25}=1.52$입니다.

❷ □ 안에 들어갈 수 있는 가장 작은 소수 두 자리 수 구하기

$1.52<$□이므로 □ 안에 들어갈 수 있는 가장 작은 소수 두 자리 수는 1.53입니다.

답 1.53

수학 교과 역량 [문제 해결] [의사소통]

문제 상황 속에서 분수와 소수의 크기를 비교하고 해결 과정을 이야기해 보면서 문제 해결 능력과 의사소통 능력을 기를 수 있습니다.

개념 확인 문제

정답 및 풀이 218쪽

1 0.55와 $\frac{3}{5}$의 크기를 비교하려고 합니다. □ 안에 알맞은 수를 써넣으세요.

$$\frac{3}{5}=\boxed{} \Rightarrow 0.55 \bigcirc \frac{3}{5}$$

2 크기를 비교하여 ○ 안에 >, =, <를 알맞게 써넣으세요.

(1) $\frac{7}{20} \bigcirc 0.4$ (2) $0.65 \bigcirc \frac{16}{25}$

3 크기를 비교하여 더 큰 수의 기호를 써 보세요.

| ㉠ 0.01이 72개인 수   ㉡ $\frac{3}{4}$ |

( )

4 승우의 키는 1.56 m, 수호의 키는 $1\frac{23}{40}$ m입니다. 키가 더 큰 사람은 누구인지 구해 보세요.

( )

학습 목표

논리적 추론 전략을 이용하여 문제를 해결하고 해결한 방법을 설명할 수 있습니다.

✎ 문제 해결 전략 논리적 추론 전략

• 수학 교과 역량 📗 문제 해결 ⚙ 정보 처리

누구의 분수 카드인지 찾기

• 네 사람이 가지고 있는 분수 카드가 무엇인지 찾기 위해 주어진 설명을 확인하고, 이 문제의 해결에 적절한 전략을 선택하고 되돌아보는 과정을 통하여 문제 해결 능력을 기를 수 있습니다.

• 분수 카드를 찾는 과정을 논리적으로 해결하기 위해 표로 나타내고 해결하는 과정을 통하여 정보 처리 능력을 기를 수 있습니다.

✎ 문제 해결 Tip 논리적으로 추론한 것을 표로 나타내어 정리하면 쉽게 알 수 있습니다.

96

 교과서 개념 완성

문제 이해하기

>> **구하려고 하는 것**

영수, 진주, 중현, 희연이가 가지고 있는 분수 카드를 찾는 것입니다.

>> **알고 있는 것**

• 분수가 적혀 있는 카드가 4장입니다.

• 영수가 가진 카드에 적힌 분수는 $\frac{1}{2}$보다 작습니다.

• 진주가 가진 카드에 적힌 분수는 기약분수입니다.

• 중현이가 가진 카드에 적힌 분수는 기약분수로 나타내면 분모가 5입니다.

계획 세우기

표를 만든 후 네 사람이 각각 가질 수 없는 카드에는 ✕ 표를 해 보면서 구해 봅니다.

계획대로 풀기

분수 이름	$\frac{1}{4}$	$\frac{6}{15}$	$\frac{16}{3}$	$5\frac{2}{6}$
영수	○	○	✕	✕
진주	○	✕	○	✕
중현	✕	○	✕	✕
희연				○

➡ 영수: $\frac{1}{4}$, 진주: $\frac{16}{3}$, 중현: $\frac{6}{15}$, 희연: $5\frac{2}{6}$

왼쪽 카드 문제 (상단 박스)

중현: $\frac{6}{15}$을 기약분수로 나타내면 분모가 5입니다.

계획대로 풀기

• 영수, 진주, 중현이의 카드가 될 수 없는 것에 모두 ×표 한 후, 네 사람이 가지고 있는 카드를 각각 찾아 ○표 하세요.

분수카드 / 이름	$\frac{1}{4}$	$\frac{6}{15}$	$\frac{16}{3}$	$5\frac{2}{6}$
영수	○	○	×	×
진주	○	×	○	×
중현	×	○	×	×
희연				○

• 네 사람이 가지고 있는 카드를 각각 찾아보세요.

영수: $\frac{1}{4}$, 진주: $\frac{16}{3}$, 중현: $\frac{6}{15}$, 희연: $5\frac{2}{6}$

되돌아 보기

• 구한 답이 맞았는지 확인해 보세요.

영수: $\frac{1}{4}$은 $\frac{1}{2}$보다 작습니다. 진주: $\frac{16}{3}$은 기약분수입니다.

• 친구들과 문제 해결 과정을 비교해 보고, 어떻게 구했는지 이야기해 보세요.

생각 키우기 🔲 문제 해결 ⚙ 정보 처리

위의 카드 4장의 뒷면 색깔은 각각 빨간색, 분홍색, 흰색, 파란색입니다. 설명을 읽고 카드 뒷면의 색깔별로 어떤 분수가 적혀 있는지 알아보세요.

• 뒷면이 빨간색과 흰색인 카드에 적힌 분수는 $5\frac{1}{3}$과 크기가 같습니다.

• 뒷면이 흰색인 카드에 적힌 분수는 기약분수입니다.

• 뒷면이 분홍색인 카드에 적힌 분수는 기약분수로 나타내었을 때 분모와 분자를 더하면 7이 됩니다.

빨간색: $5\frac{2}{6}$, 분홍색: $\frac{6}{15}$, 흰색: $\frac{16}{3}$, 파란색: $\frac{1}{4}$

97

오른쪽 설명 박스

생각 키우기 🔲 문제 해결 ⚙ 정보 처리

문제 이해하기

》 **구하려고 하는 것**

카드 뒷면의 색깔별로 어떤 분수가 적혀 있는지 알아보는 것입니다.

계획 세우기

표를 만든 후 카드의 설명에 해당하지 않은 카드에는 ×표를 해 보면서 구해 봅니다.

계획대로 풀기

분수 / 색깔	$\frac{1}{4}$	$\frac{6}{15}$	$\frac{16}{3}$	$5\frac{2}{6}$
빨간색	×	×	○	○
분홍색	×	○	×	×
흰색	×	×	○	×
파란색	○			

빨간색: $5\frac{2}{6}$, 분홍색: $\frac{6}{15}$, 흰색: $\frac{16}{3}$, 파란색: $\frac{1}{4}$

되돌아보기

구한 분수가 알고 있는 것과 같은지 확인합니다.

문제 해결력 문제

정답 및 풀이 219쪽

[1~2] 각 카드의 뒷면에 가, 나, 다, 라가 쓰여 있습니다. 설명을 읽고 각 카드에 어떤 분수가 적혀 있는지 구하려고 합니다. 물음에 답해 보세요.

$\frac{21}{24}$ $\frac{3}{7}$ $1\frac{3}{11}$ $\frac{4}{16}$

• 가 카드는 기약분수입니다.

• 나 카드는 $\frac{2}{3}$보다 큽니다.

• 다 카드는 기약분수로 나타내었을 때 분모가 8입니다.

1 각 카드가 될 수 있는 것에 모두 ○표, 될 수 없는 것에 모두 ×표 하세요.

기호 / 분수 카드	$\frac{21}{24}$	$\frac{3}{7}$	$1\frac{3}{11}$	$\frac{4}{16}$
가				
나				
다				
라				

2 각 카드를 찾아보세요.

가	나	다	라

크기가 같은 분수 찾기

▶ 자습서 96~99쪽

학부모 코칭 Tip

분모와 분자에 0이 아닌 같은 수를 곱하거나 분모와 분자를 0이 아닌 같은 수로 나누어 크기가 같은 분수를 만들 수 있음을 알게 합니다.

약분하여 기약분수로 나타내기

▶ 자습서 100~101쪽

학부모 코칭 Tip

분수를 약분하여 분모와 분자의 공약수가 1뿐인 기약분수로 나타내도록 합니다.

두 분수를 통분하기

▶ 자습서 102~103쪽

학부모 코칭 Tip

두 분수를 통분할 수 있게 한 다음, 구하게 합니다.

분모가 다른 분수의 크기 비교하기

▶ 자습서 104~105쪽

학부모 코칭 Tip

분모가 다른 두 분수를 통분하여 분자의 크기를 비교하도록 합니다.

---

1 그림에서 색칠된 부분을 분수로 나타낸 것과 크기가 같은 분수를 모두 찾아 ○표 하세요.

83, 85쪽

$$\frac{2}{3} \quad ⒊\frac{3}{4} \quad \frac{3}{5} \quad ⒍\frac{6}{8} \quad ⓬\frac{12}{16} \quad ㉔\frac{24}{32}$$

풀이 색칠된 부분을 분수로 나타낸 것과 크기가 같은 분수는 $\frac{3}{4}$, $\frac{6}{8}$, $\frac{12}{16}$, $\frac{24}{32}$입니다.

2 기약분수로 나타내어 보세요.

87쪽

$$\frac{16}{24} = \frac{2}{3} \qquad \frac{50}{60} = \frac{5}{6} \qquad \frac{45}{81} = \frac{5}{9}$$

풀이 $\frac{16}{24}\genfrac{}{}{0pt}{}{\div 8}{\div 8} = \frac{2}{3}$ $\frac{50}{60}\genfrac{}{}{0pt}{}{\div 10}{\div 10} = \frac{5}{6}$ $\frac{45}{81}\genfrac{}{}{0pt}{}{\div 9}{\div 9} = \frac{5}{9}$

3 두 분수를 통분해 보세요.

91쪽

$$\left(\frac{5}{8}, \frac{3}{16}\right) \Rightarrow \left(\frac{10}{16}, \frac{3}{16}\right) \qquad \left(\frac{4}{9}, \frac{7}{11}\right) \Rightarrow \left(\frac{44}{99}, \frac{63}{99}\right)$$

풀이 · $\left(\frac{5}{8}, \frac{3}{16}\right) \Rightarrow \left(\frac{5\times2}{8\times2}, \frac{3}{16}\right) \Rightarrow \left(\frac{10}{16}, \frac{3}{16}\right)$

· $\left(\frac{4}{9}, \frac{7}{11}\right) \Rightarrow \left(\frac{4\times11}{9\times11}, \frac{7\times9}{11\times9}\right) \Rightarrow \left(\frac{44}{99}, \frac{63}{99}\right)$

4 분수의 크기를 비교하여 ○ 안에 >, =, <를 알맞게 써넣으세요.

93쪽

$$\frac{2}{3} \;<\; \frac{3}{4} \qquad \frac{7}{12} \;<\; \frac{5}{8} \qquad 2\frac{7}{10} \;>\; 2\frac{3}{5}$$

풀이 · $\frac{2}{3}$, $\frac{3}{4}$을 통분하면 $\frac{8}{12}$, $\frac{9}{12}$이므로 $\frac{2}{3} < \frac{3}{4}$입니다.

· $\frac{7}{12}$, $\frac{5}{8}$를 통분하면 $\frac{14}{24}$, $\frac{15}{24}$이므로 $\frac{7}{12} < \frac{5}{8}$입니다.

· $2\frac{7}{10}$, $2\frac{3}{5}$을 통분하면 $2\frac{7}{10}$, $2\frac{6}{10}$이므로 $2\frac{7}{10} > 2\frac{3}{5}$입니다.

98

5 두 수의 크기를 비교하여 더 큰 수를 위의 빈칸에 써넣으세요.

95쪽

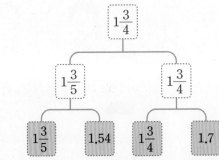

풀이 · $1\frac{3}{5}=1\frac{60}{100}$, $1.54=1\frac{54}{100}$이므로 $1\frac{3}{5}>1.54$입니다.

· $1\frac{3}{4}=1.75$이므로 $1\frac{3}{4}>1.7$입니다.

· $1\frac{3}{5}=1\frac{12}{20}$, $1\frac{3}{4}=1\frac{15}{20}$이므로 $1\frac{3}{5}<1\frac{3}{4}$입니다.

분수와 소수의 크기 비교하기
▶자습서 106~107쪽

학부모 코칭 **Tip**

분수와 소수의 크기를 비교하는 방법
· 소수를 분수로 나타내어 비교하기

$1\frac{3}{5}=1\frac{60}{100}$, $1.54=1\frac{54}{100}$

➔ $1\frac{3}{5}>1.54$

· 분수를 소수로 나타내어 비교하기

$1\frac{3}{4}=1.75$ ➔ $1\frac{3}{4}>1.7$

---

6 $\frac{9}{16}$보다 크고 $\frac{5}{8}$보다 작은 분수 중에서 분모가 48인 분수를 모두 구해 보세요.

91, 93쪽

($\frac{28}{48}$, $\frac{29}{48}$)

풀이 $\frac{9}{16}\left(=\frac{27}{48}\right)$보다 크고 $\frac{5}{8}\left(=\frac{30}{48}\right)$보다 작은 분수 중에서 분모가 48인 분수는 $\frac{28}{48}$, $\frac{29}{48}$ 입니다.

조건에 맞는 분수 구하기
▶자습서 104~105쪽

학부모 코칭 **Tip**

두 분수를 통분하여 분모가 48인 분수로 만든 다음, 조건에 맞는 분수를 찾도록 합니다.

생각 넓히기 문제 해결 추론

7 상자에 모양과 크기가 같은 구슬이 들어 있습니다. 구슬을 진영이는 전체의 $\frac{3}{8}$, 현주는 전체의 $\frac{2}{7}$, 수연이는 전체의 $\frac{3}{14}$을 가진다면 구슬을 가장 많이 가지는 사람은 누구인가요?

91, 93쪽

(진영)

풀이 $\left(\frac{3}{8}, \frac{2}{7}\right)$ ➔ $\left(\frac{21}{56}, \frac{16}{56}\right)$이고 $\left(\frac{2}{7}, \frac{3}{14}\right)$ ➔ $\left(\frac{16}{56}, \frac{12}{56}\right)$

이므로 $\frac{3}{14}<\frac{2}{7}<\frac{3}{8}$에서 구슬을 가장 많이 가진 사람은 진영입니다.

세 분수의 크기 비교하기
▶자습서 102~105쪽

학부모 코칭 **Tip**

분모가 다른 세 분수의 크기를 비교할 때에는 두 분수끼리 통분하여 차례로 크기를 비교하도록 합니다.

99

4. 약분과 통분 • **111**

• 놀이 속으로 | 풍덩   • 이야기로 키우는 | 생각

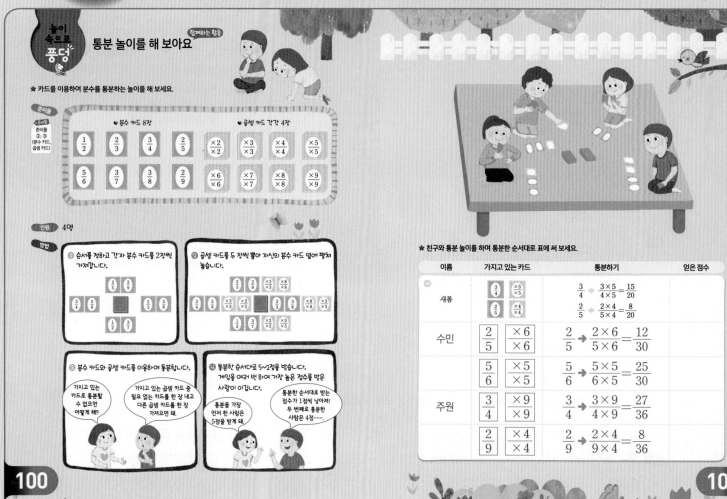

교과서 개념 완성

놀이 속으로 | 풍덩

1 카드를 이용하여 분수를 통분하는 놀이를 해 보기

• 분수 카드와 곱셈 카드가 준비되었는지 확인합니다.
• 놀이 방법을 읽어 봅니다.
• 놀이 방법을 단계별로 따라가면서 해 봅니다.
• 친구들과 놀이를 합니다.
• 계산이 맞는지 서로 확인해 봅니다.

학부모 코칭 Tip

놀이 방법을 이해하지 못할 때에는 구체적인 예를 들어서 놀이 방법을 설명해 줍니다.

2 분수 카드와 곱셈 카드를 뽑고 통분해 보기

예 ㉮, ㉯, ㉰가 다음과 같이 분수 카드와 곱셈 카드를 뽑았습니다.

	분수 카드	곱셈 카드	통분
㉮	$\dfrac{2}{5}, \dfrac{5}{6}$	$\times 6, \times 5$ $\overline{\times 6}, \overline{\times 5}$	$\dfrac{12}{30}, \dfrac{25}{30}$
㉯	$\dfrac{3}{4}, \dfrac{2}{9}$	$\times 9, \times 4$ $\overline{\times 9}, \overline{\times 4}$	$\dfrac{27}{36}, \dfrac{8}{36}$
㉰	$\dfrac{1}{2}, \dfrac{2}{3}$	$\times 3, \times 2$ $\overline{\times 3}, \overline{\times 2}$	$\dfrac{3}{6}, \dfrac{4}{6}$

➡ 빠르게 통분한 순서대로 5점, 4점, 3점의 점수를 줍니다.

4. 약분과 통분

이야기로 키우는 생각

생활 속의 약분과 통분

분수는 $\frac{12}{16}=\frac{6}{8}$, $\frac{12}{16}=\frac{3}{4}$ 과 같이 약분하여 크기가 같은 분수를 만들 수 있습니다. 크기가 같다면 왜 분수를 약분하여 나타내는 걸까요?

야구장의 응원석을 예로 들어 살펴볼까요?

어느 야구장의 총 응원석은 6250석입니다. 오늘 야구장을 보니 응원석이 5000석 차 있고, 1250석은 비어 있습니다. 빈자리는 전체 응원석의 얼마쯤 되는 걸까요?

분모가 다른 분수들은 통분하여 분모를 같게 만들 수 있습니다. 예를 들어, $\left(\frac{1}{3}, \frac{3}{4}\right)$을 통분하면 $\left(\frac{4}{12}, \frac{9}{12}\right)$가 됩니다. 분수의 크기가 달라지는 것이 아닌데, 통분을 하는 이유는 무엇일까요?

빈자리가 전체 응원석의 얼마쯤 되는지 알아보기 위해 분수로 나타내면, $\frac{(빈자리 수)}{(전체 응원석 수)}=\frac{1250}{6250}$ 입니다. 하지만 분모와 분자의 수가 커서 경기장의 빈자리가 전체 응원석의 얼마쯤 되는지 파악하기가 쉽지 않습니다. 그럼 이 분수를 약분하여 기약분수로 나타내어 볼까요?

$\frac{1250}{6250}$을 분모와 분자의 최대공약수로 약분하면 $\frac{1}{5}$이 됩니다. 전체의 $\frac{1}{5}$이라고 하니 전체의 얼마쯤이 빈자리인지 좀 더 쉽게 이해할 수 있습니다. 이처럼 분수의 크기가 같더라도 약분을 하면 분모와 분자의 수가 작아져 분수의 크기를 쉽게 알 수 있습니다.

두 야구 선수의 실력 비교를 통하여 살펴봅시다. 가 선수는 150번의 타석 중에서 안타를 40번 쳤고, 나 선수는 120번의 타석 중에서 안타를 30번 쳤을 때, 이를 분수로 나타내면 $\frac{40}{150}$과 $\frac{30}{120}$이 됩니다. 하지만 전체 타석의 수가 달라서 어떤 선수가 안타를 더 잘 쳤는지 비교하기가 쉽지 않습니다.

이때 $\left(\frac{40}{150}, \frac{30}{120}\right)$을 통분하여 나타내면 $\left(\frac{160}{600}, \frac{150}{600}\right)$이고 $\frac{160}{600}>\frac{150}{600}$이므로 가 선수가 나 선수보다 안타를 더 잘 쳤다는 것을 알 수 있습니다.

이처럼 통분을 하는 이유는 두 분수를 통분하면 약분과는 반대로 분모와 분자의 수는 커지지만, 분모가 같아져 두 분수의 크기를 쉽게 비교할 수 있기 때문입니다.

02

103

이야기로 키우는 생각

6개의 숫자 5를 이용하여 1부터 10까지 나타내기

$$5\quad 5\quad 5\quad 5\quad 5\quad 5$$

$$1=\frac{555}{555}$$

$$2=\frac{5}{5}+\frac{55}{55}$$

$$3=\frac{5}{5}+\frac{5}{5}+\frac{5}{5}$$

$$4=5+5+5-\frac{55}{5}$$

$$5=5\times5-(5+5+5+5)$$

$$6=\frac{55}{5}+5-5-5$$

$$7=\frac{55}{5}+\frac{5}{5}-5$$

$$8=\frac{5}{5}+5+\frac{5+5}{5}$$

$$9=\frac{5+5+5+5}{5}+5$$

$$10=\frac{5\times5}{5}+\frac{5\times5}{5}$$

1부터 10까지 어떻게 나타낸 것일까요?

분모와 분자를 공약수로 나누는 약분의 원리를 이용한 것입니다.

모습은 다르지만 $\frac{5}{5}$, $\frac{55}{55}$, $\frac{555}{555}$는 모두 1과 크기가 같은 분수입니다.

개념

크기가 같은 분수 (1)

$\frac{1}{3}$, $\frac{2}{6}$, $\frac{3}{9}$은 크기가 같은 분수입니다.

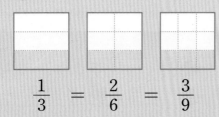

$$\frac{1}{3} = \frac{2}{6} = \frac{3}{9}$$

크기가 같은 분수 (2)

크기가 같은 분수를 만드는 방법

① 분모와 분자에 각각 0이 아닌 같은 수를 곱해서 크기가 같은 분수를 만듭니다.

② 분모와 분자를 각각 0이 아닌 같은 수로 나누어서 크기가 같은 분수를 만듭니다.

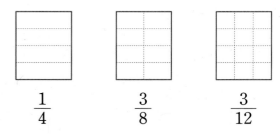

분수를 간단하게 나타내기

• 분모와 분자를 공약수로 나누어 간단한 분수로 만드는 것을 약분한다고 합니다.

$$\frac{12}{18} = \frac{12 \div 3}{18 \div 3} = \frac{4}{6} \rightarrow \frac{\overset{4}{\cancel{12}}}{\underset{6}{\cancel{18}}} {\scriptstyle \div 3} = \frac{4}{6}$$

• 분모와 분자의 공약수가 1뿐인 분수를 기약분수라고 합니다.

• 분모와 분자를 최대공약수로 나누면 기약분수가 됩니다.

$$\frac{8}{20} = \frac{8 \div 4}{20 \div 4} = \frac{2}{5} \rightarrow \frac{\overset{2}{\cancel{8}}}{\underset{5}{\cancel{20}}} {\scriptstyle \div 4} = \frac{2}{5}$$

8과 20의 최대공약수

확인 문제

1 분수만큼 색칠하고, 크기가 같은 두 분수에 ○표 하세요.

$\frac{1}{4}$ 　　 $\frac{3}{8}$ 　　 $\frac{3}{12}$

2 ☐ 안에 알맞은 수를 써넣어 크기가 같은 분수를 만들어 보세요.

(1) $\frac{3}{7} = \frac{\square}{14} = \frac{9}{\square} = \frac{\square}{28}$

(2) $\frac{45}{60} = \frac{\square}{20} = \frac{9}{\square} = \frac{\square}{4}$

3 분수를 약분하여 크기가 같은 분수를 2개 만들어 보세요.

$\frac{28}{42}$ → (　　　　　　　　)

4 기약분수를 모두 찾아 써 보세요.

$\frac{4}{11}$ 　 $\frac{8}{14}$ 　 $\frac{7}{23}$ 　 $\frac{9}{33}$ 　 $\frac{10}{17}$

(　　　　　　　　)

→ 정답 및 풀이 219쪽

공부한 날   월   일

개념

분모가 같은 분수로 나타내기

· 분수의 분모를 같게 하는 것을 통분한다고 하고, 통분한 분모를 공통분모라고 합니다.

· 통분하는 방법

방법1 두 분모의 곱을 공통분모로 하여 통분합니다.

$$\left(\frac{1}{4}, \frac{5}{6}\right) \rightarrow \left(\frac{1\times6}{4\times6}, \frac{5\times4}{6\times4}\right) \rightarrow \left(\frac{6}{24}, \frac{20}{24}\right)$$

방법2 두 분모의 최소공배수를 공통분모로 하여 통분합니다.

$$\left(\frac{1}{4}, \frac{5}{6}\right) \rightarrow \left(\frac{1\times3}{4\times3}, \frac{5\times2}{6\times2}\right) \rightarrow \left(\frac{3}{12}, \frac{10}{12}\right)$$

$\underline{\quad 2)\ 4\quad 6\quad}$ 최소공배수: $2\times2\times3=12$
$\qquad\quad 2\quad 3$

분모가 다른 분수의 크기 비교

분모가 다른 두 분수의 크기는 통분을 이용하여 비교할 수 있습니다.

$$\left(\frac{7}{10}, \frac{11}{15}\right) \rightarrow \left(\frac{21}{30}, \frac{22}{30}\right) \rightarrow \frac{7}{10} < \frac{11}{15}$$

분수와 소수의 크기 비교

분수를 소수로 나타내거나, 소수를 분수로 나타내어 두 수의 크기를 비교합니다.

$\frac{2}{5} = \frac{4}{10} = 0.4 \qquad \frac{2}{5} < 0.5$

분수를 소수로 나타내기

$\frac{2}{5} = \frac{4}{10} \qquad \frac{2}{5} < 0.5 \qquad 0.5 = \frac{5}{10}$

소수를 분수로 나타내기

확인 문제

5 두 분모의 곱을 공통분모로 하여 통분해 보세요.

$$\left(\frac{3}{8}, \frac{7}{10}\right) \rightarrow \left(\boxed{}, \boxed{}\right)$$

6 분수의 크기를 비교하여 더 큰 수에 ○표 하세요.

$2\frac{3}{4}$ $2\frac{17}{22}$

(   )   (   )

7 3장의 숫자 카드 중에서 2장을 한 번씩 사용하여 만들 수 있는 진분수 중에서 가장 큰 수를 구해 보세요.

5   7   9

(   )

8 진호의 가방 무게는 0.84 kg, 유미의 가방 무게는 $\frac{17}{20}$ kg입니다. 더 무거운 가방을 가지고 있는 사람은 누구인지 구해 보세요.

(   )

1-1 분모와 분자의 합이 50이고, 기약분수로 나타내면 $\frac{3}{7}$이 되는 분수는 얼마인지 풀이 과정을 쓰고, 답을 구해 보세요. [8점]

풀이

❶ 처음 분수를 ▲로 약분하여 $\frac{3}{7}$이 되었다고 하면 처음 분수의 분모와 분자의 합은 $\frac{3}{7}$의 분모와 분자의 합의 □배입니다.

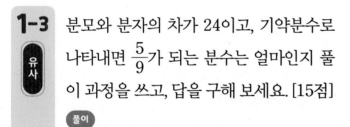

❷ $\frac{3}{7}$의 분모와 분자의 합은 □이므로

□ × ▲ = 50, ▲ = □입니다.

처음 분수는 $\dfrac{3 \times \boxed{}}{7 \times \boxed{}} = \dfrac{\boxed{}}{\boxed{}}$입니다.

답 _____

1-2 쌍둥이 분모와 분자의 합이 64이고, 기약분수로 나타내면 $\frac{5}{11}$가 되는 분수는 얼마인지 풀이 과정을 쓰고, 답을 구해 보세요. [12점]

풀이

답 _____

1-3 유사 분모와 분자의 차가 24이고, 기약분수로 나타내면 $\frac{5}{9}$가 되는 분수는 얼마인지 풀이 과정을 쓰고, 답을 구해 보세요. [15점]

풀이

답 _____

1-4 실전 분모와 분자의 차가 25이고, 기약분수로 나타내면 $\frac{7}{12}$이 되는 분수는 얼마인지 풀이 과정을 쓰고, 답을 구해 보세요. [15점]

풀이

답 _____

과정 중심 평가 내용 ▢ 안에 들어갈 수 있는 수를 구할 수 있는가?

공부한 날 월 일

➔ 정답 및 풀이 220쪽

2-1 ▢ 안에 들어갈 수 있는 자연수 중에서 가장 큰 수는 얼마인지 풀이 과정을 쓰고, 답을 구해 보세요. [8점]

$$\frac{3}{8} > \frac{\square}{12}$$

풀이

❶ 두 분수를 통분합니다.

$$\left(\frac{3}{8}, \frac{■}{12}\right) \rightarrow \left(\frac{\square}{24}, \frac{■\times\square}{24}\right)$$

❷ 분자를 비교하면 $9 > ■\times\square$ 이므로 ■ 안에 들어갈 수 있는 자연수는 1, 2, ▢, ▢ 이고, 이 중에서 가장 큰 수는 ▢ 입니다.

답

2-2 쌍둥이 ▢ 안에 들어갈 수 있는 자연수 중에서 가장 큰 수는 얼마인지 풀이 과정을 쓰고, 답을 구해 보세요. [12점]

$$\frac{7}{10} > \frac{\square}{15}$$

풀이

답

2-3 유사 ▢ 안에 들어갈 수 있는 자연수 중에서 가장 작은 수는 얼마인지 풀이 과정을 쓰고, 답을 구해 보세요. [15점]

$$\frac{8}{14} < \frac{\square}{21}$$

풀이

답

2-4 실전 ▢ 안에 들어갈 수 있는 자연수는 모두 몇 개인지 풀이 과정을 쓰고, 답을 구해 보세요. [15점]

$$\frac{7}{16} < \frac{\square}{24} < \frac{17}{32}$$

풀이

답

| 크기가 같은 분수 (1) |

01 색칠한 만큼 분수로 나타내고, 크기가 같은
㉵ 두 분수에 ○표 하세요.

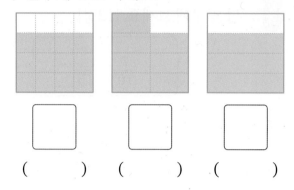

☐   ☐   ☐

(   ) (   ) (   )

| 크기가 같은 분수 (2) |

02 크기가 같은 분수를 만들려고 합니다. ☐ 안
㉵ 에 알맞은 수를 써넣으세요.

(1) $\dfrac{5}{7} = \dfrac{10}{\boxed{}} = \dfrac{\boxed{}}{21} = \dfrac{20}{\boxed{}}$

(2) $\dfrac{54}{72} = \dfrac{27}{\boxed{}} = \dfrac{\boxed{}}{24} = \dfrac{9}{\boxed{}}$

| 분모가 같은 분수로 나타내기 |

03 주어진 것을 공통분모로 하여 두 분수를 통
㉵ 분해 보세요.

(1)
두 분모의 곱

$\left(\dfrac{1}{4}, \dfrac{4}{7} \right) \rightarrow \left(\dfrac{\boxed{}}{\boxed{}}, \dfrac{\boxed{}}{\boxed{}} \right)$

(2)
두 분모의 최소공배수

$\left(\dfrac{9}{16}, \dfrac{5}{12} \right) \rightarrow \left(\dfrac{\boxed{}}{\boxed{}}, \dfrac{\boxed{}}{\boxed{}} \right)$

| 분수를 간단하게 나타내기 |

04 분수를 약분하여 크기가 같은 분수를 3개
㉵ 만들어 보세요.

(   )

| 크기가 같은 분수 (2) |

05 크기가 같은 분수를 찾아 선으로 이어 보세요.
㉿

$\dfrac{7}{12}$ ·   · $\dfrac{3}{8}$

$\dfrac{18}{48}$ ·   · $\dfrac{24}{45}$

$\dfrac{8}{15}$ ·   · $\dfrac{42}{72}$

| 분수를 간단하게 나타내기 |

06 분수를 약분하여 기약분수로 나타내어 보세요.
㉿

(1) $\dfrac{30}{42}$ ➡ ☐

(2) $\dfrac{45}{81}$ ➡ ☐

| 분모가 다른 분수의 크기 비교 |

07 분수의 크기를 비교하여 ○ 안에 >, =, <
㉿ 를 알맞게 써넣으세요.

(1) $\dfrac{4}{5}$ ○ $\dfrac{7}{9}$ (2) $\dfrac{11}{15}$ ○ $\dfrac{19}{25}$

| 분수와 소수의 크기 비교 |

08 분수와 소수의 크기를 비교하여 더 큰 쪽에
중 ○표 해 보세요.

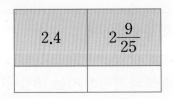

| 분모가 같은 분수로 나타내기 |

09 두 진분수를 통분한 것입니다. ㉠에 알맞은
중 수를 구해 보세요.

$$\left(\frac{7}{8}, \frac{11}{\text{㉠}}\right) \rightarrow \left(\frac{35}{40}, \frac{22}{\text{㉡}}\right)$$

(　　　　　　　　　)

| 분수와 소수의 크기 비교 |

10 세 수의 크기를 비교하여 작은 수부터 차례
중 대로 써 보세요.

$$\frac{17}{20} \qquad 0.8 \qquad \frac{3}{4}$$

(　　　　　　　　　)

| 분모가 다른 분수의 크기 비교 |

11 두 수씩 크기를 비교하여 더 큰 수를 바로
중 아래의 빈 곳에 써넣으세요.

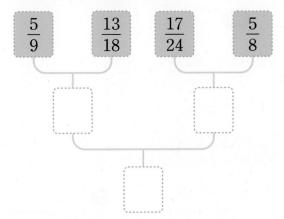

| 분모가 같은 분수로 나타내기 |

12 어떤 두 기약분수를 통분하였더니
중 $\left(\frac{75}{120}, \frac{100}{120}\right)$이 되었습니다. 통분하기 전의
두 기약분수를 구해 보세요.

(　　　　　　　　　)

| 분모가 다른 분수의 크기 비교 |　　　　**서술형**

13 지호네 집에서 놀이공원까지 가는 길을 나
중 타낸 것입니다. 우체국과 병원 중에서 어느
곳을 지나서 가는 길이 더 가까운지 풀이 과
정을 쓰고, 답을 구해 보세요.

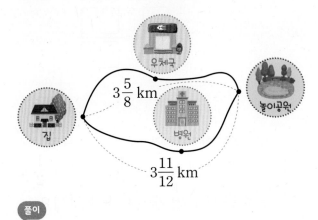

풀이

답 ＿＿＿＿＿＿＿＿＿＿

| 분모가 다른 분수의 크기 비교 |

14 $\frac{1}{6}$보다 크고 $\frac{4}{9}$보다 작은 분수 중에서 분모
중 가 18인 분수는 모두 몇 개인지 구해 보세요.

(　　　　　　　　　)

| 분모가 같은 분수로 나타내기 |

15 $\frac{9}{14}$와 $\frac{11}{21}$을 통분할 때, 공통분모가 될 수 있는 수 중에서 100보다 크고 200보다 작은 수를 모두 구해 보세요.

(중)

(   )

| 크기가 같은 분수 ⑵ |

16 4개의 공에 적힌 수를 모두 한 번씩 사용하여 크기가 같은 진분수를 2개 만들려고 합니다. ☐ 안에 알맞은 수를 써넣으세요.

(중)

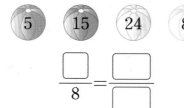

$$\frac{\boxed{}}{8}=\frac{\boxed{}}{\boxed{}}$$

| 분수를 간단하게 나타내기, 분모가 다른 분수의 크기 비교 |

17 다음 조건에 알맞은 분수 중에서 $\frac{1}{2}$보다 큰 분수는 모두 몇 개인지 구해 보세요.

(중)

> · 진분수입니다.
> · 분모가 20인 기약분수입니다.

(   )

| 분수와 소수의 크기 비교 |

18 숫자 카드 중에서 2장을 한 번씩 사용하여 만들 수 있는 분수 중에서 0.5보다 작은 수를 모두 구해 보세요.

(상)

(   )

| 분모가 다른 분수의 크기 비교 | **서술형**

19 세 조건에 알맞은 분수를 기약분수로 나타내면 얼마인지 풀이 과정을 쓰고, 답을 구해 보세요.

(상)

> · 진분수입니다.
> · 분모와 분자의 합은 72입니다.
> · 분모와 분자의 차는 18입니다.

풀이

답

| 분수와 소수의 크기 비교 | **서술형**

20 1부터 9까지의 자연수 중에서 ☐ 안에 들어갈 수 있는 수는 모두 몇 개인지 풀이 과정을 쓰고, 답을 구해 보세요.

(상)

$$\frac{9}{25}<0.\boxed{}8<\frac{3}{4}$$

풀이

답

분모가 다른 분수는 어떻게 비교할까요?

5

분수의 덧셈과 뺄셈

- 소에게 건초 주기, 송아지에게 우유 주기, 우유 짜기 체험을 하고 있습니다.
- 소에게 준 건초의 무게, 송아지에게 준 우유의 양, 두 사람이 짠 우유의 양을 어떻게 구하는지 궁금해하고 있습니다.

그림 속 상황

공부할 준비가 되었나요?

자/기/주/도/학/습

준비 팡팡

학습 목표

'무엇을 알고 있나요'와 '함께 생각해 볼까요'를 통하여 단원을 준비할 수 있습니다.

🔷 **계산해 보기**

$\cdot\ 1\dfrac{5}{7}+2\dfrac{4}{7}=3\dfrac{9}{7}=3+1\dfrac{2}{7}=4\dfrac{2}{7}$

$\cdot\ 4\dfrac{1}{6}-2\dfrac{2}{6}=3\dfrac{7}{6}-2\dfrac{2}{6}=1\dfrac{5}{6}$

🔷 **분모의 곱을 공통분모로 하여 통분하기**

$\cdot\ \left(\dfrac{2}{5},\dfrac{3}{7}\right)\Rightarrow\left(\dfrac{2\times7}{5\times7},\dfrac{3\times5}{7\times5}\right)\Rightarrow\left(\dfrac{14}{35},\dfrac{15}{35}\right)$

$\cdot\ \left(\dfrac{3}{8},\dfrac{2}{9}\right)\Rightarrow\left(\dfrac{3\times9}{8\times9},\dfrac{2\times8}{9\times8}\right)\Rightarrow\left(\dfrac{27}{72},\dfrac{16}{72}\right)$

🔷 **분모의 최소공배수를 공통분모로 하여 통분하기**

$\cdot\ \left(\dfrac{1}{3},\dfrac{1}{6}\right)\Rightarrow\left(\dfrac{1\times2}{3\times2},\dfrac{1}{6}\right)\Rightarrow\left(\dfrac{2}{6},\dfrac{1}{6}\right)$

$\cdot\ \left(\dfrac{3}{4},\dfrac{5}{6}\right)\Rightarrow\left(\dfrac{3\times3}{4\times3},\dfrac{5\times2}{6\times2}\right)\Rightarrow\left(\dfrac{9}{12},\dfrac{10}{12}\right)$

준비 팡팡 〔수학 익힘〕 59쪽

😊 무엇을 알고 있나요

1 계산해 보세요.

$\dfrac{1}{5}+\dfrac{2}{5}=\dfrac{\boxed{1}+\boxed{2}}{5}=\dfrac{\boxed{3}}{5}$

$\dfrac{9}{11}-\dfrac{5}{11}=\dfrac{\boxed{9}-\boxed{5}}{11}=\dfrac{\boxed{4}}{11}$

$1\dfrac{3}{8}+1\dfrac{2}{8}=2\dfrac{5}{8}$

$1\dfrac{5}{7}+2\dfrac{4}{7}=4\dfrac{2}{7}$

$5\dfrac{6}{9}-3\dfrac{4}{9}=2\dfrac{2}{9}$

$4\dfrac{1}{6}-2\dfrac{2}{6}=1\dfrac{5}{6}$

2 두 분모의 곱을 공통분모로 하여 통분해 보세요.

$\left(\dfrac{2}{5},\dfrac{3}{7}\right)\Rightarrow\left(\dfrac{\boxed{14}}{35},\dfrac{\boxed{15}}{35}\right)$

$\left(\dfrac{3}{8},\dfrac{2}{9}\right)\Rightarrow\left(\dfrac{\boxed{27}}{72},\dfrac{\boxed{16}}{72}\right)$

3 두 분모의 최소공배수를 공통분모로 하여 통분해 보세요.

$\left(\dfrac{1}{3},\dfrac{1}{6}\right)\Rightarrow\left(\dfrac{\boxed{2}}{6},\dfrac{\boxed{1}}{6}\right)$

$\left(\dfrac{3}{4},\dfrac{5}{6}\right)\Rightarrow\left(\dfrac{\boxed{9}}{12},\dfrac{\boxed{10}}{12}\right)$

106

교과서 개념 완성 | 배운 것을 다시 생각하기

📌 **분모가 같은 분수의 덧셈과 뺄셈**

- (진분수)＋(진분수)는 분모는 그대로 쓰고 분자끼리 더합니다.
- (진분수)－(진분수)는 분모는 그대로 쓰고 분자끼리 뺍니다.
- (대분수)＋(대분수)는 자연수는 자연수끼리, 분수는 분수끼리 더합니다.
  이때 분수끼리의 합이 가분수가 되면 대분수로 바꿉니다.
- (대분수)－(대분수)는 자연수는 자연수끼리, 분수는 분수끼리 뺍니다.

이때 분수끼리 뺄 수 없을 때에는 앞 대분수의 자연수 부분에서 1만큼을 받아내림하여 계산합니다.

📌 **분수가 같은 분수로 나타내기**

예) $\dfrac{3}{4}$과 $\dfrac{1}{6}$ 통분하기

- 분모의 곱을 공통분모로 하여 통분하기
  4와 6의 곱: 24

$\left(\dfrac{3}{4},\dfrac{1}{6}\right)\Rightarrow\left(\dfrac{3\times6}{4\times6},\dfrac{1\times4}{6\times4}\right)\Rightarrow\left(\dfrac{18}{24},\dfrac{4}{24}\right)$

- 분모의 최소공배수를 공통분모로 하여 통분하기
  4와 6의 최소공배수: 12

$\left(\dfrac{3}{4},\dfrac{1}{6}\right)\Rightarrow\left(\dfrac{3\times3}{4\times3},\dfrac{1\times2}{6\times2}\right)\Rightarrow\left(\dfrac{9}{12},\dfrac{2}{12}\right)$

준비 팡팡

함께 생각해 볼까요

1 분수의 크기를 비교하여 ◯ 안에 >, =, <를 알맞게 써넣으세요.

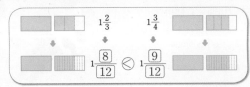

$1\frac{2}{3}$ $1\frac{3}{4}$

$1\frac{8}{12}$ ⓐ $1\frac{9}{12}$

$3\frac{2}{7}$ $3\frac{5}{14}$ $2\frac{3}{4}$ $2\frac{7}{10}$

$3\frac{4}{14}$ ⓐ $3\frac{5}{14}$ $2\frac{15}{20}$ ⓑ $2\frac{14}{20}$

2 그림을 보고 두 분수의 덧셈과 뺄셈을 계산해 보세요.

$2\frac{3}{4}$ $1\frac{2}{4}$

$2\frac{3}{4}+1\frac{2}{4}=(\boxed{2}+\boxed{1})+\left(\frac{3}{4}+\frac{2}{4}\right)=3\frac{5}{4}=\boxed{4\frac{1}{4}}$

$2\frac{3}{4}-1\frac{2}{4}=(\boxed{2}-\boxed{1})+\left(\frac{3}{4}-\frac{2}{4}\right)=\boxed{1\frac{1}{4}}$

풀이 대분수의 덧셈과 뺄셈에서 자연수는 자연수끼리, 분수는 분수끼리 계산하는 것을 이해합니다.

107

분수의 크기를 비교하기

자연수 부분이 같은 대분수의 크기를 비교할 때에는 분수 부분만 통분하여 크기를 비교할 수 있습니다.

· $1\frac{2}{3}=1\frac{8}{12}$, $1\frac{3}{4}=1\frac{9}{12}$이므로

  $1\frac{2}{3}<1\frac{3}{4}$입니다.

· $3\frac{2}{7}=3\frac{4}{14}$이므로 $3\frac{2}{7}<3\frac{5}{14}$입니다.

· $2\frac{3}{4}=2\frac{15}{20}$, $2\frac{7}{10}=2\frac{14}{20}$이므로

  $2\frac{3}{4}>2\frac{7}{10}$입니다.

그림을 보고 두 분수의 덧셈과 뺄셈을 계산하기

· $2\frac{3}{4}+1\frac{2}{4}=(2+1)+\left(\frac{3}{4}+\frac{2}{4}\right)=3\frac{5}{4}=4\frac{1}{4}$

· $2\frac{3}{4}-1\frac{2}{4}=(2-1)+\left(\frac{3}{4}-\frac{2}{4}\right)=1\frac{1}{4}$

학부모 코칭 Tip

자연수는 자연수끼리, 분수는 분수끼리 (   )를 사용하여 계산한다는 것에 주목합니다.

 개념 확인 문제   정답 및 풀이 223쪽

| 4-2 1. 분수의 덧셈과 뺄셈 |

1 계산해 보세요.

(1) $\frac{3}{5}+\frac{4}{5}$ (2) $2\frac{1}{4}-1\frac{3}{4}$

| 4-2 1. 분수의 덧셈과 뺄셈 |

2 빈칸에 알맞은 수를 써넣으세요.

$1\frac{5}{7}$ → $+2\frac{1}{7}$ → ☐

| 5-1 4. 약분과 통분 |

3 두 분모의 최소공배수를 공통분모로 하여 통분해 보세요.

$\left(\frac{4}{9}, \frac{5}{12}\right)$ → $\left(\frac{\Box}{\Box}, \frac{\Box}{\Box}\right)$

| 5-1 4. 약분과 통분 |

4 물 $1\frac{5}{8}$ L에 포도 원액 $1\frac{3}{4}$ L를 넣어 포도주스를 만들었습니다. 물과 포도 원액 중 더 많이 넣은 것은 어느 것인지 구해 보세요.

(   )

1 | 분모가 다른 진분수의 덧셈 (1)

받아올림이 없는 분모가 다른 진분수의 덧셈 원리를 이해하고 계산할 수 있습니다.

그림으로 개념 잡기

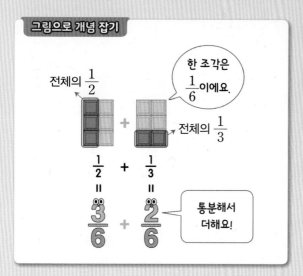

진분수

proper fraction

眞 (참 진)
分 (나눌 분) 數 (셈 수)

어휘

분자의 값이 분모보다 작은 분수를 말합니다.

---

1 분모가 다른 진분수의 덧셈 (1)

| 받아올림이 없는 분모가 다른 진분수의 덧셈 원리를 이해하고 계산할 수 있습니다.

생각 열기

송아지에게 우유를 은수는 $\frac{1}{2}$ L, 은수의 아버지는 $\frac{1}{3}$ L 주었습니다.

- 은수와 은수의 아버지가 송아지에게 준 우유의 양을 구하는 식을 써 보세요. $\frac{1}{2}+\frac{1}{3}$
- 어떻게 계산할 수 있을지 생각해 보세요.

탐구하기 $\frac{1}{2}+\frac{1}{3}$ 을 어떻게 계산하는지 알아봅시다.

- $\frac{1}{2}$ 과 $\frac{1}{3}$ 을 더하려면 분모를 어떻게 해야 할까요?

- $\frac{1}{2}$ 과 $\frac{1}{3}$ 을 각각 색칠하고, $\frac{1}{2}+\frac{1}{3}$ 을 계산해 보세요.

나눈 한 칸의 크기가 서로 다른데 어떻게 더할 수 있을까요?

$$\frac{1}{2}+\frac{1}{3}=\frac{1\times 3}{2\times 3}+\frac{1\times 2}{3\times 2}=\frac{3}{6}+\frac{2}{6}=\frac{5}{6}$$

- $\frac{1}{2}+\frac{1}{3}$ 을 어떻게 계산하였는지 이야기해 보세요. **예** 통분하여 계산하였습니다.

108

교과서 개념 완성 | 배운 것을 다시 생각하기

생각 열기 문제 상황을 식으로 나타내고 계산 방법 생각하기

- 은수와 은수의 아버지가 송아지에게 준 우유는 모두 몇 L인지 구하는 덧셈식을 쓰면 $\frac{1}{2}+\frac{1}{3}$ 입니다.
- 두 진분수를 통분하여 더하면 될 것 같습니다.

탐구하기 그림으로 $\frac{1}{2}+\frac{1}{3}$ 의 계산 방법 탐구하기

- 분모가 다른 진분수의 덧셈은 통분하여 계산합니다.
- $\frac{1}{2}$ 과 $\frac{1}{3}$ 을 분모가 6인 분수로 통분하여 계산합니다.

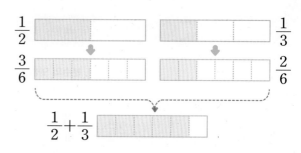

- $\frac{1}{2}$ 과 $\frac{1}{3}$ 만큼 색칠해 보면 합하여 $\frac{5}{6}$ 입니다.
- $\frac{1}{2}+\frac{1}{3}=\frac{1\times 3}{2\times 3}+\frac{1\times 2}{3\times 2}=\frac{3}{6}+\frac{2}{6}=\frac{5}{6}$

학부모 코칭 Tip

두 분수를 통분하여 분모가 같은 분수로 나타내어 더합니다.

정리 하기

$\cdot \dfrac{1}{2}+\dfrac{1}{3}$ 을 계산하는 방법을 정리해 봅시다.

분모가 다른 진분수의 덧셈은 통분하여 계산합니다.

$$\dfrac{1}{2}+\dfrac{1}{3}=\dfrac{1\times3}{2\times3}+\dfrac{1\times2}{3\times2}=\dfrac{3}{6}+\dfrac{2}{6}=\dfrac{5}{6}$$

$\cdot \dfrac{1}{3}+\dfrac{1}{5}$ 을 계산해 보세요.

$$\dfrac{1}{3}+\dfrac{1}{5}=\dfrac{1\times\boxed{5}}{3\times\boxed{5}}+\dfrac{1\times\boxed{3}}{5\times\boxed{3}}=\dfrac{\boxed{5}}{15}+\dfrac{\boxed{3}}{15}=\dfrac{\boxed{8}}{15}$$

 확인 하기

1. $\dfrac{1}{2}+\dfrac{1}{4}$ 을 두 가지 방법으로 계산해 보세요.

두 가지 방법을 비교하여 각각 어떤 점이 좋은지 이야기해 보세요.

$$\dfrac{1}{2}+\dfrac{1}{4}=\dfrac{1\times\boxed{4}}{2\times4}+\dfrac{1\times\boxed{2}}{4\times2}=\dfrac{\boxed{4}}{8}+\dfrac{\boxed{2}}{8}=\dfrac{\boxed{6}}{8}=\dfrac{\boxed{3}}{4}$$

$$\dfrac{1}{2}+\dfrac{1}{4}=\dfrac{1\times\boxed{2}}{2\times2}+\dfrac{1}{4}=\dfrac{\boxed{2}}{4}+\dfrac{\boxed{1}}{4}=\dfrac{\boxed{3}}{4}$$

2. 계산해 보세요.

$$\dfrac{3}{4}+\dfrac{1}{8}=\dfrac{7}{8}\qquad\qquad \dfrac{2}{3}+\dfrac{1}{7}=\dfrac{17}{21}$$

 생각 열쇠 문제 해결

색종이를 반으로 계속 접으면 그림과 같이 한 장의 $\dfrac{1}{2}$, $\dfrac{1}{4}$, $\dfrac{1}{8}$, $\dfrac{1}{16}$ 만큼 만들 수 있습니다.

만든 분수 중 더하여 $\dfrac{9}{16}$ 가 되는 두 분수를 찾아보세요. $\dfrac{1}{2}$, $\dfrac{1}{16}$

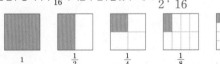

1 $\quad$ $\dfrac{1}{2}$ $\quad$ $\dfrac{1}{4}$ $\quad$ $\dfrac{1}{8}$ $\quad$ $\dfrac{1}{16}$

풀이 16을 공통분모로 하면 $\dfrac{1}{2}=\dfrac{8}{16}$, $\dfrac{1}{4}=\dfrac{4}{16}$, $\dfrac{1}{8}=\dfrac{2}{16}$이므로

$\dfrac{1}{2}$과 $\dfrac{1}{16}$ 을 더하면 $\dfrac{1}{2}+\dfrac{1}{16}=\dfrac{8}{16}+\dfrac{1}{16}=\dfrac{9}{16}$입니다.

109

이런 문제가 서술형으로 나와요

선우는 물을 $\dfrac{1}{4}$ L 마시고, 지호는 선우보다 $\dfrac{1}{8}$ L 더 많이 마셨습니다. 선우와 지호가 마신 물의 양은 모두 몇 L인지 풀이 과정을 쓰고, 답을 구해 보세요.

| 풀이 과정 |

❶ 지호가 마신 물의 양 구하기

(지호가 마신 물의 양)

$$=\dfrac{1}{4}+\dfrac{1}{8}=\dfrac{2}{8}+\dfrac{1}{8}=\dfrac{3}{8}\,(\text{L})$$

❷ 선우와 지호가 마신 물의 양 구하기

(선우가 마신 물의 양)+(지호가 마신 물의 양)

$$=\dfrac{1}{4}+\dfrac{3}{8}=\dfrac{2}{8}+\dfrac{3}{8}=\dfrac{5}{8}\,(\text{L})$$

답 $\dfrac{5}{8}$ L

• 수학 교과 역량 • 문제 해결

더하여 $\dfrac{9}{16}$ 가 되는 두 분수 찾기

분수 중 더하여 $\dfrac{9}{16}$ 가 되는 분모가 다른 두 진분수를 구하는 과정에서 문제 해결 능력을 기를 수 있습니다.

 개념 확인 문제

정답 및 풀이 223쪽

1 보기 와 같은 방법으로 계산해 보세요.

보기
$$\dfrac{1}{4}+\dfrac{1}{6}=\dfrac{1\times3}{4\times3}+\dfrac{1\times2}{6\times2}=\dfrac{3}{12}+\dfrac{2}{12}=\dfrac{5}{12}$$

$$\dfrac{3}{8}+\dfrac{1}{10}=$$

2 계산해 보세요.

(1) $\dfrac{2}{5}+\dfrac{1}{3}$ $\qquad$ (2) $\dfrac{1}{4}+\dfrac{5}{12}$

3 빈 곳에 두 분수의 합을 써넣으세요.

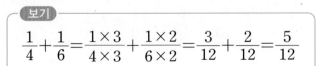

$\dfrac{1}{3}$	$\dfrac{4}{15}$

4 $\dfrac{2}{9}$ kg인 바구니에 $\dfrac{1}{6}$ kg인 사과를 담았습니다. 사과를 담은 바구니의 무게는 몇 kg인지 구해 보세요.

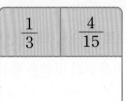

(　　　　　　　　)

학습 목표

받아올림이 있는 분모가 다른 진분수의 덧셈 원리를 이해하고 계산할 수 있습니다.

그림으로 개념 잡기

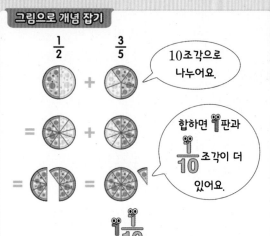

$\frac{1}{2}$ + $\frac{3}{5}$

10조각으로 나누어요.

합하면 1판과 $\frac{1}{10}$ 조각이 더 있어요.

$1\frac{1}{10}$

학부모 코칭 Tip

전체의 양을 구하는 문제 상황은 덧셈식으로 나타내어 해결합니다.

2 분모가 다른 진분수의 덧셈 (2)

받아올림이 있는 분모가 다른 진분수의 덧셈 원리를 이해하고 계산할 수 있습니다.

생각 열기 소에게 건초를 지수는 $\frac{1}{2}$ kg, 지수의 어머니는 $\frac{3}{5}$ kg 주었습니다.

• 지수와 지수의 어머니가 소에게 준 건초의 무게를 구하는 식을 쓰고, 계산 결과가 1보다 클지, 작을지 이야기해 보세요. $\frac{1}{2} + \frac{3}{5}$

• 어떻게 계산할 수 있을지 생각해 보세요.

탐구하기 $\frac{1}{2} + \frac{3}{5}$ 을 어떻게 계산하는지 알아봅시다.

• $\frac{1}{2}$ 과 $\frac{3}{5}$ 을 더하려면 분모를 어떻게 해야 할까요? 예 분모를 같게 해 줍니다.

• $\frac{1}{2}$ 과 $\frac{3}{5}$ 을 각각 색칠하고, $\frac{1}{2} + \frac{3}{5}$ 을 계산해 보세요.

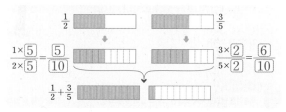

$\frac{1}{2}$ $\frac{3}{5}$

$\frac{1 \times \boxed{5}}{2 \times \boxed{5}} = \frac{\boxed{5}}{\boxed{10}}$ $\frac{3 \times \boxed{2}}{5 \times \boxed{2}} = \frac{\boxed{6}}{\boxed{10}}$

$\frac{1}{2} + \frac{3}{5}$

$\frac{1}{2} + \frac{3}{5} = \frac{1 \times \boxed{5}}{2 \times \boxed{5}} + \frac{3 \times \boxed{2}}{5 \times \boxed{2}} = \frac{5}{10} + \frac{6}{10} = \frac{\boxed{11}}{10} = 1\frac{\boxed{1}}{10}$

의사소통

에서 어림한 값과 계산 결과를 비교해 볼까요?

• $\frac{1}{2} + \frac{3}{5}$ 을 어떻게 계산하였는지 이야기해 보세요.

예 통분하여 계산하였습니다.

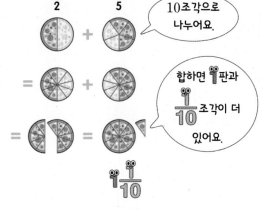

교과서 개념 완성 | 배운 것을 다시 생각하기

탐구하기 그림으로 $\frac{1}{2} + \frac{3}{5}$ 의 계산 방법 탐구하기

• 분모가 다른 진분수의 덧셈은 통분하여 계산합니다.

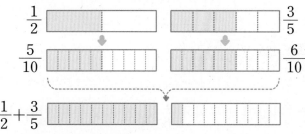

$\frac{1}{2}$ $\frac{3}{5}$

$\frac{5}{10}$ $\frac{6}{10}$

$\frac{1}{2} + \frac{3}{5}$

→ $\frac{1}{2}$ 과 $\frac{3}{5}$ 을 분모가 10인 분수로 만들고 각각 색칠해 보면 $1\frac{1}{10}$ 입니다.

• $\frac{1}{2} + \frac{3}{5}$ 을 통분하여 계산합니다.

$\frac{1}{2} + \frac{3}{5} = \frac{1 \times 5}{2 \times 5} + \frac{3 \times 2}{5 \times 2}$

$= \frac{5}{10} + \frac{6}{10} = \frac{11}{10} = 1\frac{1}{10}$

학부모 코칭 Tip

가분수를 대분수로 나타내기 어려워해요.

$\frac{11}{10} = \frac{10+1}{10} = \frac{10}{10} + \frac{1}{10} = 1 + \frac{1}{10} = 1\frac{1}{10}$

분모가 같은 가분수와 진분수의 합으로 나타낸 후 대분수로 바꾸도록 합니다.

5. 분수의 덧셈과 뺄셈

정리하기 · $\frac{1}{2}+\frac{3}{5}$ 을 계산하는 방법을 정리해 봅시다.

분모가 다른 진분수의 덧셈은 통분하여 계산합니다.

$$\frac{1}{2}+\frac{3}{5}=\frac{1\times5}{2\times5}+\frac{3\times2}{5\times2}=\frac{5}{10}+\frac{6}{10}=\frac{11}{10}=1\frac{1}{10}$$

· $\frac{4}{5}+\frac{3}{4}$ 을 계산해 보세요.

$$\frac{4}{5}+\frac{3}{4}=\frac{4\times\boxed{4}}{5\times4}+\frac{3\times\boxed{5}}{4\times5}=\frac{\boxed{16}}{20}+\frac{\boxed{15}}{20}=\frac{\boxed{31}}{20}=\boxed{1}\frac{\boxed{11}}{20}$$

확인하기 1. $\frac{4}{9}+\frac{5}{6}$ 를 두 가지 방법으로 계산해 보세요.

$$\frac{4}{9}+\frac{5}{6}=\frac{4\times\boxed{6}}{9\times6}+\frac{5\times\boxed{9}}{6\times9}=\frac{\boxed{24}}{54}+\frac{\boxed{45}}{54}=\frac{\boxed{69}}{54}=\frac{\boxed{23}}{18}=1\frac{5}{18}$$

$$\frac{4}{9}+\frac{5}{6}=\frac{4\times\boxed{2}}{9\times2}+\frac{5\times\boxed{3}}{6\times3}=\frac{\boxed{8}}{18}+\frac{\boxed{15}}{18}=\frac{\boxed{23}}{18}=1\frac{5}{18}$$

2. 계산해 보세요.

$$\frac{7}{10}+\frac{9}{12}=1\frac{9}{20}\qquad\qquad \frac{5}{8}+\frac{8}{9}=1\frac{37}{72}$$

풀이 $\frac{7}{10}+\frac{9}{12}=\frac{42}{60}+\frac{45}{60}=\frac{87}{60}=\frac{29}{20}=1\frac{9}{20}$

 3. 사과잼 만드는 데 설탕 $\frac{3}{7}$컵, 크기가 같은 컵으로 딸기잼을 만드는 데 설탕 $\frac{3}{5}$컵을 사용하였습니다. 두 잼을 만드는 데 사용한 설탕은 모두 몇 컵인지 구해 보세요. $1\frac{1}{35}$컵

풀이 $\frac{3}{7}+\frac{3}{5}=\frac{3\times5}{7\times5}+\frac{3\times7}{5\times7}=\frac{15}{35}+\frac{21}{35}=\frac{36}{35}=1\frac{1}{35}$(컵)

111

이런 문제가 서술형으로 나와요

☐ 안에 들어갈 수 있는 가장 작은 자연수는 얼마인지 풀이 과정을 쓰고, 답을 구해 보세요.

$$\frac{5}{8}+\frac{7}{12}<\boxed{}$$

| 풀이 과정 |

❶ 덧셈식 계산하기

$$\frac{5}{8}+\frac{7}{12}=\frac{15}{24}+\frac{14}{24}=\frac{29}{24}=1\frac{5}{24}$$

❷ ☐ 안에 알맞은 수 구하기

$1\frac{5}{24}<\boxed{}$이므로 ☐ 안에 들어갈 수 있는 가장 작은 자연수는 2입니다.

답 2

● **수학 교과 역량** ● 🗣 의사소통

받아올림이 있는 진분수의 덧셈 원리

$\frac{1}{2}+\frac{3}{5}$ 을 어떻게 계산하는지 이야기해 보는 활동을 통해 의사소통 능력을 기를 수 있습니다.

개념 확인 문제　정답 및 풀이 223쪽

1 계산해 보세요.

(1) $\frac{4}{5}+\frac{1}{3}$　　(2) $\frac{7}{10}+\frac{8}{15}$

2 빈 곳에 알맞은 수를 써넣으세요.

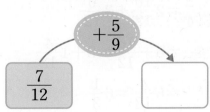

3 계산 결과의 크기를 비교하여 ◯ 안에 >, =, <를 알맞게 써넣으세요.

$$\frac{5}{7}+\frac{2}{3}\qquad\bigcirc\qquad 1\frac{5}{21}$$

4 주스가 $\frac{5}{8}$ L 들어 있는 주스병에 $\frac{3}{5}$ L인 주스를 더 부었습니다. 주스병에 들어 있는 주스는 모두 몇 L인지 구해 보세요.

(　　　　　　　　)

3 | 분모가 다른 대분수의 덧셈

학습 목표

분모가 다른 대분수의 덧셈 원리를 이해하고 계산할 수 있습니다.

그림으로 개념 잡기

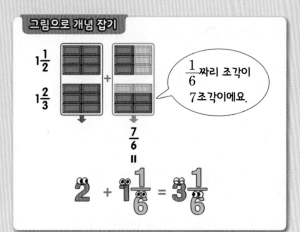

$1\frac{1}{2}$

$1\frac{2}{3}$

$\frac{1}{6}$짜리 조각이 7조각이에요.

$\frac{7}{6}$

||

$2 + 1\frac{1}{6} = 3\frac{1}{6}$

대분수

어휘

mixed fraction

帶 (띠 대)
分 (나눌 분) 數 (셈 수)

자연수와 진분수의 합으로 이루어진 분수를 말합니다.

---

3 분모가 다른 대분수의 덧셈

분모가 다른 대분수의 덧셈 원리를 이해하고 계산할 수 있습니다.

생각 열기 우유를 은수는 $1\frac{1}{2}$ L, 태호는 $1\frac{2}{3}$ L 짰습니다.

• 은수와 태호가 짠 우유의 양을 구하는 식을 쓰고, 계산 결과가 3보다 클지, 작을지 이야기해 보세요.

• 어떻게 계산할 수 있을지 생각해 보세요.

$1\frac{1}{2}+1\frac{2}{3}$

탐구하기 $1\frac{1}{2}+1\frac{2}{3}$ 를 어떻게 계산하는지 알아봅시다.

색연필 • $1\frac{1}{2}$ 과 $1\frac{2}{3}$ 를 각각 색칠하고, $1\frac{1}{2}+1\frac{2}{3}$ 를 어떻게 구할 수 있을지 생각해 보세요.

$1\frac{1}{2}$

$1\frac{2}{3}$

• 새롬이와 바름이가 생각한 방법대로 $1\frac{1}{2}+1\frac{2}{3}$ 를 계산해 보세요.

자연수는 자연수끼리, 분수는 분수끼리 계산할 거야.

$1\frac{1}{2}+1\frac{2}{3}=1\boxed{\frac{3}{6}}+1\boxed{\frac{4}{6}}=(1+\boxed{1})+\left(\boxed{\frac{3}{6}}+\boxed{\frac{4}{6}}\right)$

$=\boxed{2}+\boxed{\frac{7}{6}}=\boxed{2}+1\boxed{\frac{1}{6}}=\boxed{3}\boxed{\frac{1}{6}}$

대분수를 가분수로 나타내어 계산할 거야.

$1\frac{1}{2}+1\frac{2}{3}=\boxed{\frac{3}{2}}+\boxed{\frac{5}{3}}=\boxed{\frac{9}{6}}+\boxed{\frac{10}{6}}=\boxed{\frac{19}{6}}=\boxed{3}\boxed{\frac{1}{6}}$

• $1\frac{1}{2}+1\frac{2}{3}$ 를 어떻게 계산하였는지 이야기해 보세요.

예 통분하여 자연수는 자연수끼리, 분수는 분수끼리 더하였습니다.
대분수를 가분수로 나타낸 후 통분하여 더하였습니다.

112

교과서 개념 완성 | 배운 것을 다시 생각하기

생각 열기 문제 상황을 식으로 나타내고 계산 방법 생각하기

은수와 태호가 짠 우유의 양을 구하는 식을 쓰면 $1\frac{1}{2}+1\frac{2}{3}$ 입니다.

탐구하기 **정리하기** $1\frac{1}{2}+1\frac{2}{3}$ 를 계산하는 방법

• $1\frac{1}{2}+1\frac{2}{3}=1\frac{3}{6}+1\frac{4}{6}=(1+1)+\left(\frac{3}{6}+\frac{4}{6}\right)$

$=2+\frac{7}{6}=2+1\frac{1}{6}=3\frac{1}{6}$

• $1\frac{1}{2}+1\frac{2}{3}=\frac{3}{2}+\frac{5}{3}=\frac{9}{6}+\frac{10}{6}=\frac{19}{6}=3\frac{1}{6}$

확인하기 분모가 다른 대분수의 덧셈 계산하기

• $1\frac{1}{2}+1\frac{1}{8}=1\frac{4}{8}+1\frac{1}{8}=2\frac{5}{8}$

• $2\frac{3}{10}+1\frac{1}{5}=2\frac{3}{10}+1\frac{2}{10}=3\frac{5}{10}=3\frac{1}{2}$

• $3\frac{3}{4}+3\frac{2}{5}=3\frac{15}{20}+3\frac{8}{20}=6+\frac{23}{20}$

$=6+1\frac{3}{20}=7\frac{3}{20}$

• $2\frac{5}{6}+3\frac{2}{4}=2\frac{10}{12}+3\frac{6}{12}$

$=5+\frac{16}{12}=5+1\frac{4}{12}$

$=6\frac{4}{12}=6\frac{1}{3}$

정리하기

• $1\frac{1}{2}+1\frac{2}{3}$ 를 계산하는 방법을 정리해 봅시다.

방법1 통분하여 자연수는 자연수끼리, 분수는 분수끼리 더합니다.

$$1\frac{1}{2}+1\frac{2}{3}=1\frac{3}{6}+1\frac{4}{6}=(1+1)+\left(\frac{3}{6}+\frac{4}{6}\right)=2+\frac{7}{6}=2+1\frac{1}{6}=3\frac{1}{6}$$

방법2 대분수를 가분수로 나타낸 후 통분하여 더합니다.

$$1\frac{1}{2}+1\frac{2}{3}=\frac{3}{2}+\frac{5}{3}=\frac{9}{6}+\frac{10}{6}=\frac{19}{6}=3\frac{1}{6}$$

• $3\frac{1}{2}+2\frac{3}{4}$ 을 두 가지 방법으로 계산해 보세요.

방법1 $3\frac{1}{2}+2\frac{3}{4}=3\frac{2}{4}+2\frac{3}{4}=(3+2)+\left(\frac{2}{4}+\frac{3}{4}\right)$

$=5+\frac{5}{4}=5+1\frac{1}{4}=6\frac{1}{4}$

방법2 $3\frac{1}{2}+2\frac{3}{4}=\frac{7}{2}+\frac{11}{4}=\frac{14}{4}+\frac{11}{4}=\frac{25}{4}=6\frac{1}{4}$

 확인하기 계산해 보세요.

$1\frac{1}{2}+1\frac{1}{8}=2\frac{5}{8}$　　　　　　$2\frac{3}{10}+1\frac{1}{5}=3\frac{1}{2}$

$3\frac{3}{4}+3\frac{2}{5}=7\frac{3}{20}$　　　　　　$2\frac{5}{6}+3\frac{2}{4}=6\frac{1}{3}$

 생각 솔솔 문제 해결

숫자 카드 4장을 한 번씩만 사용하여 대분수의 덧셈을 완성하려고 합니다. 계산 결과가 가장 크게 되도록 ☐ 안에 서로 다른 숫자 카드에 적혀 있는 수를 넣고, 계산해 보세요.

예 $6\frac{3}{4}+5\frac{2}{3}=12\frac{5}{12}$

풀이 계산 결과가 가장 크게 되도록 하려면 자연수 부분에 가장 큰 수를 넣습니다.

→ $6\frac{3}{4}+5\frac{2}{3}=12\frac{5}{12}$, $5\frac{3}{4}+6\frac{2}{3}=12\frac{5}{12}$

113

이런 문제가 서술형으로 나와요

민호가 할머니 댁에 가는 데 $1\frac{4}{5}$시간 동안 버스를 타고, $2\frac{5}{6}$시간 동안 기차를 탔습니다. 민호가 버스와 기차를 탄 시간은 모두 몇 시간 몇 분인지 풀이 과정을 쓰고, 답을 구해 보세요.

| 풀이 과정 |

❶ 버스와 기차를 탄 시간의 합 구하기

$1\frac{4}{5}+2\frac{5}{6}=1\frac{24}{30}+2\frac{25}{30}=3+\frac{49}{30}$

$=3+1\frac{19}{30}=4\frac{19}{30}$(시간)

❷ 몇 시간 몇 분인지 구하기

$4\frac{19}{30}$시간$=4\frac{38}{60}$시간이므로 4시간 38분입니다.

답 4시간 38분

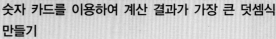 • **수학 교과 역량** 문제 해결

숫자 카드를 이용하여 계산 결과가 가장 큰 덧셈식 만들기

덧셈식의 계산 결과를 가장 크게 만드는 숫자 카드를 고르는 활동을 통하여 문제 해결 능력을 기를 수 있습니다.

 개념 확인 문제　　정답 및 풀이 223쪽

1 계산해 보세요.

(1) $2\frac{1}{5}+1\frac{3}{8}$　　　　(2) $2\frac{5}{12}+1\frac{2}{3}$

2 두 분수의 합을 구해 보세요.

$3\frac{8}{9}$　　$1\frac{5}{6}$　　→　☐

3 빈 곳에 알맞은 수를 써넣으세요.

$1\frac{11}{15}$ → $+2\frac{13}{20}$ → ☐

4 나 리본의 길이는 몇 m인지 구해 보세요.

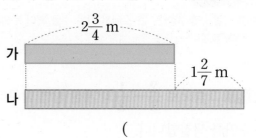

가　$2\frac{3}{4}$ m

나　$1\frac{2}{7}$ m

(　　　　　　　　　)

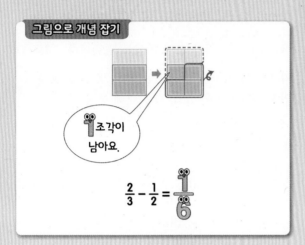

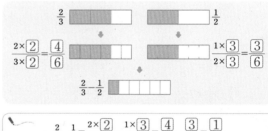

학습 목표

분모가 다른 진분수의 뺄셈 원리를 이해하고 계산할 수 있습니다.

그림으로 개념 잡기

$$\frac{2}{3} - \frac{1}{2} = \frac{1}{6}$$

1조각이 남아요.

어휘

뺄셈

subtraction

교과서 개념 완성 | 배운 것을 다시 생각하기

생각 열기 문제 상황을 식으로 나타내고 계산 방법 생각하기

치즈를 누가 얼마나 더 많이 만들었는지 구하는 식을 쓰면 $\frac{2}{3} - \frac{1}{2}$ 입니다.

학부모 코칭 Tip

분수의 차를 구할 때에는 큰 수에서 작은 수를 빼어 구하는 것임을 이해하게 합니다.

탐구하기 그림으로 $\frac{2}{3} - \frac{1}{2}$의 계산 방법 탐구하기

• 분수만큼 색칠합니다.

• 분모가 6인 분수로 나타내어 계산합니다.

$$\frac{2}{3} - \frac{1}{2} = \frac{2 \times 2}{3 \times 2} - \frac{1 \times 3}{2 \times 3} = \frac{4}{6} - \frac{3}{6} = \frac{1}{6}$$

확인하기 분모가 다른 진분수의 뺄셈

• $\dfrac{2}{4} - \dfrac{3}{8} = \dfrac{4}{8} - \dfrac{3}{8} = \dfrac{1}{8}$

• $\dfrac{4}{6} - \dfrac{1}{4} = \dfrac{8}{12} - \dfrac{3}{12} = \dfrac{5}{12}$

• $\dfrac{7}{8} - \dfrac{3}{5} = \dfrac{35}{40} - \dfrac{24}{40} = \dfrac{11}{40}$

정리
하기

· $\frac{2}{3} - \frac{1}{2}$ 을 계산하는 방법을 정리해 봅시다.

분모가 다른 진분수의 뺄셈은 통분하여 계산합니다.

$$\frac{2}{3} - \frac{1}{2} = \frac{2 \times 2}{3 \times 2} - \frac{1 \times 3}{2 \times 3} = \frac{4}{6} - \frac{3}{6} = \frac{1}{6}$$

· $\frac{3}{7} - \frac{2}{5}$ 를 계산해 보세요.

$$\frac{3}{7} - \frac{2}{5} = \frac{3 \times \boxed{5}}{7 \times 5} - \frac{2 \times \boxed{7}}{5 \times 7} = \frac{\boxed{15}}{35} - \frac{\boxed{14}}{35} = \frac{\boxed{1}}{35}$$

확인
하기

1. $\frac{5}{6} - \frac{1}{4}$ 을 두 가지 방법으로 계산해 보세요.

$$\frac{5}{6} - \frac{1}{4} = \frac{5 \times \boxed{4}}{6 \times 4} - \frac{1 \times \boxed{6}}{4 \times 6} = \frac{\boxed{20}}{24} - \frac{\boxed{6}}{24} = \frac{\boxed{14}}{24} = \frac{7}{12}$$

$$\frac{5}{6} - \frac{1}{4} = \frac{5 \times \boxed{2}}{6 \times 2} - \frac{1 \times \boxed{3}}{4 \times 3} = \frac{\boxed{10}}{12} - \frac{\boxed{3}}{12} = \frac{7}{12}$$

2. 계산해 보세요.

$$\frac{2}{4} - \frac{3}{8} = \frac{1}{8} \qquad \frac{4}{6} - \frac{1}{4} = \frac{5}{12} \qquad \frac{7}{8} - \frac{3}{5} = \frac{11}{40}$$

생각
솔솔

📋 문제 해결　다음은 잘못 계산한 것입니다. 잘못 계산한 이유를 설명하고, 바르게 계산해 보세요.

$$\frac{6}{7} - \frac{3}{5} = \frac{6}{35} - \frac{3}{35} = \frac{3}{35}$$

예 통분할 때 분모에 곱한 수를 분자에 곱하지 않았습니다.

바르게 계산하면 $\frac{6}{7} - \frac{3}{5} = \frac{30}{35} - \frac{21}{35} = \frac{9}{35}$ 입니다.

115

👩 이런 문제가 서술형으로 나와요

㉠과 ㉡의 차는 얼마인지 풀이 과정을 쓰고, 답을 구해 보세요.

| ㉠ $\frac{1}{8}$ 이 7개인 수 | ㉡ $\frac{1}{4}$ 이 3개인 수 |

| 풀이 과정 |

❶ ㉠과 ㉡에 알맞은 수 구하기

㉠ $\frac{1}{8}$ 이 7개인 수는 $\frac{7}{8}$ 입니다.

㉡ $\frac{1}{4}$ 이 3개인 수는 $\frac{3}{4}$ 입니다.

❷ ㉠과 ㉡의 차 구하기

$$㉠ - ㉡ = \frac{7}{8} - \frac{3}{4} = \frac{7}{8} - \frac{6}{8} = \frac{1}{8}$$

답 $\frac{1}{8}$

· 수학 교과 역량 · 📋 문제 해결

잘못 계산한 분모가 다른 진분수의 뺄셈을 바르게 계산하기

분모가 다른 진분수의 뺄셈에서 잘못 계산한 곳을 찾아 바르게 계산하는 과정에서 문제 해결 능력을 기를 수 있습니다.

 개념 확인 문제　정답 및 풀이 224쪽

1 계산해 보세요.

(1) $\frac{5}{6} - \frac{1}{2}$

(2) $\frac{7}{8} - \frac{5}{12}$

3 계산 결과를 찾아 선으로 이어 보세요.

| $\frac{4}{5} - \frac{1}{3}$ | · | · | $\frac{4}{9}$ |

| $\frac{7}{9} - \frac{1}{3}$ | · | · | $\frac{7}{15}$ |

2 두 분수의 차를 구해 보세요.

| $\frac{4}{9}$ | $\frac{11}{15}$ |

(　　　　　)

4 다음이 나타내는 수를 구해 보세요.

| $\frac{17}{20}$ 보다 $\frac{3}{8}$ 만큼 더 작은 수 |

(　　　　　)

5 | 분모가 다른 대분수의 뺄셈 (1)

학습 목표

받아내림이 없는 분모가 다른 대분수의 뺄셈 원리를 이해하고 계산할 수 있습니다.

그림으로 개념 잡기

1컵과 $\frac{1}{3}$컵을 더 마셨어요.

1컵과 $\frac{1}{6}$컵이 남아요.

참고 통분한 후 분모가 같은 두 대분수의 뺄셈과 같은 방법으로 계산합니다.

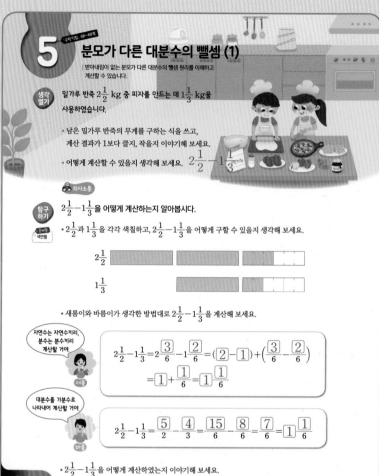

5 분모가 다른 대분수의 뺄셈 (1)

받아내림이 없는 분모가 다른 대분수의 뺄셈 원리를 이해하고 계산할 수 있습니다.

생각 열기 밀가루 반죽 $2\frac{1}{2}$ kg 중 피자를 만드는 데 $1\frac{1}{3}$ kg을 사용하였습니다.

• 남은 밀가루 반죽의 무게를 구하는 식을 쓰고, 계산 결과가 1보다 클지, 작을지 이야기해 보세요.

• 어떻게 계산할 수 있을지 생각해 보세요. $2\frac{1}{2}-1\frac{1}{3}$

의사소통

탐구하기 $2\frac{1}{2}-1\frac{1}{3}$을 어떻게 계산하는지 알아봅시다.

• $2\frac{1}{2}$과 $1\frac{1}{3}$을 각각 색칠하고, $2\frac{1}{2}-1\frac{1}{3}$을 어떻게 구할 수 있을지 생각해 보세요.

$2\frac{1}{2}$

$1\frac{1}{3}$

• 새롬이와 바름이가 생각한 방법대로 $2\frac{1}{2}-1\frac{1}{3}$을 계산해 보세요.

자연수는 자연수끼리, 분수는 분수끼리 계산할 거야.

$$2\frac{1}{2}-1\frac{1}{3}=2\frac{\boxed{3}}{6}-1\frac{\boxed{2}}{6}=(\boxed{2}-\boxed{1})+\left(\frac{\boxed{3}}{6}-\frac{\boxed{2}}{6}\right)$$
$$=\boxed{1}+\frac{\boxed{1}}{6}=\boxed{1}\frac{\boxed{1}}{6}$$

대분수를 가분수로 나타내어 계산할 거야.

$$2\frac{1}{2}-1\frac{1}{3}=\frac{\boxed{5}}{2}-\frac{\boxed{4}}{3}=\frac{\boxed{15}}{6}-\frac{\boxed{8}}{6}=\frac{\boxed{7}}{6}=\boxed{1}\frac{\boxed{1}}{6}$$

• $2\frac{1}{2}-1\frac{1}{3}$을 어떻게 계산하였는지 이야기해 보세요.

예 통분하여 자연수는 자연수끼리, 분수는 분수끼리 계산하였습니다. 대분수를 가분수로 나타낸 후 통분하여 계산하였습니다.

116

교과서 개념 완성 | 배운 것을 다시 생각하기

생각 열기 문제 상황을 식으로 나타내고 계산 방법 생각하기

남은 밀가루 반죽의 무게를 구하는 식: $2\frac{1}{2}-1\frac{1}{3}$

탐구하기 $2\frac{1}{2}-1\frac{1}{3}$을 계산하는 두 가지 방법 탐구하기

• $2\frac{1}{2}-1\frac{1}{3}=2\frac{3}{6}-1\frac{2}{6}=(2-1)+\left(\frac{3}{6}-\frac{2}{6}\right)$
$\qquad\qquad =1+\frac{1}{6}=1\frac{1}{6}$

• $2\frac{1}{2}-1\frac{1}{3}=\frac{5}{2}-\frac{4}{3}=\frac{15}{6}-\frac{8}{6}=\frac{7}{6}=1\frac{1}{6}$

확인하기 받아내림이 없는 분모가 다른 대분수의 뺄셈

계산하기 통분하여 자연수는 자연수끼리, 분수는 분수끼리 빼는 방법은 분수 부분의 계산이 쉽습니다.

• $6\frac{2}{3}-3\frac{3}{5}=6\frac{10}{15}-3\frac{9}{15}=(6-3)+\left(\frac{10}{15}-\frac{9}{15}\right)$
$\qquad\qquad =3+\frac{1}{15}=3\frac{1}{15}$

• $9\frac{5}{8}-5\frac{7}{12}=9\frac{15}{24}-5\frac{14}{24}=(9-5)+\left(\frac{15}{24}-\frac{14}{24}\right)$
$\qquad\qquad =4+\frac{1}{24}=4\frac{1}{24}$

정리하기

• $2\frac{1}{2}-1\frac{1}{3}$ 을 계산하는 방법을 정리해 봅시다.

방법1 통분하여 자연수는 자연수끼리, 분수는 분수끼리 뺍니다.

$$2\frac{1}{2}-1\frac{1}{3}=2\frac{3}{6}-1\frac{2}{6}=(2-1)+\left(\frac{3}{6}-\frac{2}{6}\right)=1+\frac{1}{6}=1\frac{1}{6}$$

방법2 대분수를 가분수로 나타낸 후 통분하여 뺍니다.

$$2\frac{1}{2}-1\frac{1}{3}=\frac{5}{2}-\frac{4}{3}=\frac{15}{6}-\frac{8}{6}=\frac{7}{6}=1\frac{1}{6}$$

• $3\frac{4}{5}-2\frac{3}{4}$ 을 두 가지 방법으로 계산해 보세요.

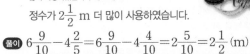

방법1 $3\frac{4}{5}-2\frac{3}{4}=3\frac{\boxed{16}}{20}-2\frac{\boxed{15}}{20}=(\boxed{3}-\boxed{2})+\left(\frac{\boxed{16}}{20}-\frac{\boxed{15}}{20}\right)$
$=\boxed{1}+\frac{\boxed{1}}{20}=\boxed{1}\frac{\boxed{1}}{20}$

방법2 $3\frac{4}{5}-2\frac{3}{4}=\frac{\boxed{19}}{5}-\frac{\boxed{11}}{4}=\frac{\boxed{76}}{20}-\frac{\boxed{55}}{20}=\frac{\boxed{21}}{20}=\boxed{1}\frac{\boxed{1}}{20}$

확인하기

1. 계산해 보세요.

$6\frac{2}{3}-3\frac{3}{5}=3\frac{1}{15}$ $9\frac{5}{8}-5\frac{7}{12}=4\frac{1}{24}$

2. 리본을 만드는 데 끈을 서현이는 $4\frac{2}{5}$ m, 정수는 $6\frac{9}{10}$ m 사용하였습니다. 서현이와 정수 중 누가 얼마나 끈을 더 많이 사용하였는지 구해 보세요.

정수가 $2\frac{1}{2}$ m 더 많이 사용하였습니다.

117

풀이 $6\frac{9}{10}-4\frac{2}{5}=6\frac{9}{10}-4\frac{4}{10}=2\frac{5}{10}=2\frac{1}{2}$ (m)

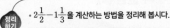 이런 문제가 **서술형**으로 나와요

어떤 수보다 $1\frac{3}{7}$ 만큼 더 큰 수는 $3\frac{8}{9}$ 입니다. 어떤 수는 얼마인지 풀이 과정을 쓰고, 답을 구해 보세요.

| 풀이 과정 |

❶ 식 세우기

(어떤 수)$+1\frac{3}{7}=3\frac{8}{9}$

❷ 어떤 수 구하기

(어떤 수)$=3\frac{8}{9}-1\frac{3}{7}=3\frac{56}{63}-1\frac{27}{63}=2\frac{29}{63}$

답 $2\frac{29}{63}$

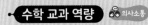 수학 교과 역량   의사소통

$2\frac{1}{2}-1\frac{1}{3}$ 을 계산하는 두 가지 방법 탐구하기

$2\frac{1}{2}-1\frac{1}{3}$ 을 어떻게 계산하였는지 이야기해 보는 활동을 통하여 의사소통 능력을 기를 수 있습니다.

 개념 확인 문제   정답 및 풀이 224쪽

1 계산해 보세요.

(1) $3\frac{4}{5}-1\frac{2}{7}$ (2) $4\frac{5}{9}-2\frac{1}{3}$

2 빈 곳에 알맞은 수를 써넣으세요.

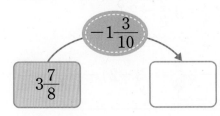

3 가장 큰 수와 가장 작은 수의 차를 구해 보세요.

$$2\frac{13}{20} \qquad 4\frac{11}{15} \qquad 2\frac{2}{9}$$

(   )

4 직사각형의 가로와 세로의 차는 몇 cm인지 구해 보세요.

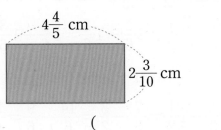

(   )

6 | 분모가 다른 대분수의 뺄셈 (2)

받아내림이 있는 분모가 다른 대분수의 뺄셈 원리를 이해하고 계산할 수 있습니다.

그림으로 개념 잡기

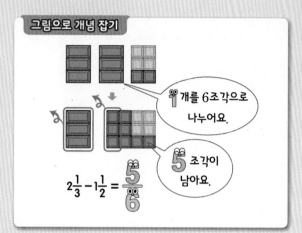

1개를 6조각으로 나누어요.

5조각이 남아요.

$2\frac{1}{3}-1\frac{1}{2}=\frac{5}{6}$

학부모 코칭 Tip

대분수에서 1만큼을 분수로 나타내기

$2\frac{1}{3}=1+\boxed{1}+\frac{1}{3}$

$=1+\boxed{\frac{3}{3}}+\frac{1}{3}=1+\frac{4}{3}=1\frac{4}{3}$

1을 분수 부분의 분모와 같은 분모로 하는 분수로 나타내도록 합니다.

6 분모가 다른 대분수의 뺄셈 (2)

| 받아내림이 있는 분모가 다른 대분수의 뺄셈 원리를 이해하고 계산할 수 있습니다.

생각 열기

토끼 목장까지의 거리는 $2\frac{1}{3}$ km입니다. 태호네 가족은 토끼 목장까지 가는 데 $1\frac{1}{2}$ km는 트랙터를 타고 갔고, 나머지는 걸어서 갔습니다.

· 토끼 목장까지 가는 데 걸어서 간 거리를 구하는 식을 쓰고, 계산 결과가 1보다 클지, 작을지 이야기해 보세요.　$2\frac{1}{3}-1\frac{1}{2}$

· 어떻게 계산할 수 있을지 생각해 보세요.

탐구 하기 ·　$2\frac{1}{3}-1\frac{1}{2}$ 을 계산하는 방법을 알아봅시다.

· $2\frac{1}{3}$ 과 $1\frac{1}{2}$ 을 각각 색칠하고, $2\frac{1}{3}-1\frac{1}{2}$ 을 어떻게 구할 수 있을지 생각해 보세요.

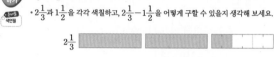

· 새롬이와 바름이가 생각한 방법대로 $2\frac{1}{3}-1\frac{1}{2}$ 을 계산해 보세요.

자연수는 자연수끼리, 분수는 분수끼리 계산할 거야. (새롬)

$2\frac{1}{3}-1\frac{1}{2}=2\frac{2}{6}-1\frac{\boxed{3}}{6}=1\frac{\boxed{8}}{6}-1\frac{\boxed{3}}{6}$

$=(1-1)+\left(\frac{\boxed{8}}{6}-\frac{\boxed{3}}{6}\right)=\frac{\boxed{5}}{6}$

대분수를 가분수로 나타내어 계산할 거야. (바름)

$2\frac{1}{3}-1\frac{1}{2}=\frac{\boxed{7}}{3}-\frac{\boxed{3}}{2}=\frac{\boxed{14}}{6}-\frac{\boxed{9}}{6}=\frac{\boxed{5}}{6}$

· $2\frac{1}{3}-1\frac{1}{2}$ 을 어떻게 계산하였는지 이야기해 보세요.

118

예 통분을 한 후 분수 부분끼리 뺄 수 없을 때에는 자연수 부분의 1만큼을 분수로 나타내어 계산하였습니다.
대분수를 가분수로 나타낸 후 통분하여 계산하였습니다.

교과서 개념 완성 | 배운 것을 다시 생각하기

생각 열기 문제 상황을 식으로 나타내고 계산 방법 생각하기

분수 부분에서 $\frac{1}{3}$ 이 $\frac{1}{2}$ 보다 작으므로 $2\frac{1}{3}-1\frac{1}{2}$ 은 1보다 작을 것입니다.

탐구하기 $2\frac{1}{3}-1\frac{1}{2}$ 을 계산하는 두 가지 방법 탐구하기

· $2\frac{1}{3}-1\frac{1}{2}=2\frac{2}{6}-1\frac{3}{6}=1\frac{8}{6}-1\frac{3}{6}$

$=(1-1)+\left(\frac{8}{6}-\frac{3}{6}\right)=\frac{5}{6}$

· $2\frac{1}{3}-1\frac{1}{2}=\frac{7}{3}-\frac{3}{2}=\frac{14}{6}-\frac{9}{6}=\frac{5}{6}$

확인하기 받아내림이 있는 분모가 다른 대분수의 뺄셈 계산하기

$3\frac{1}{2}-1\frac{2}{3}=3\frac{\boxed{3}}{6}-1\frac{4}{6}$

$=2\frac{9}{6}-1\frac{4}{6}=(2-1)+\left(\frac{9}{6}-\frac{4}{6}\right)=1\frac{5}{6}$

$4\frac{1}{4}-2\frac{5}{8}=4\frac{\boxed{2}}{8}-2\frac{5}{8}$

$=3\frac{10}{8}-2\frac{5}{8}=(3-2)+\left(\frac{10}{8}-\frac{5}{8}\right)=1\frac{5}{8}$

•$2\frac{1}{3}-1\frac{1}{2}$을 계산하는 방법을 정리해 봅시다.

방법① 통분하여 분수 부분끼리 뺄 수 없을 때에는 자연수 부분의 1만큼을 분수로 나타내어 뺍니다.

$$2\frac{1}{3}-1\frac{1}{2}=2\frac{2}{6}-1\frac{3}{6}=1\frac{8}{6}-1\frac{3}{6}=(1-1)+\left(\frac{8}{6}-\frac{3}{6}\right)=\frac{5}{6}$$

방법② 대분수를 가분수로 나타낸 후 통분하여 뺍니다.

$$2\frac{1}{3}-1\frac{1}{2}=\frac{7}{3}-\frac{3}{2}=\frac{14}{6}-\frac{9}{6}=\frac{5}{6}$$

•$5\frac{1}{8}-3\frac{1}{2}$을 두 가지 방법으로 계산해 보세요.

방법① $5\frac{1}{8}-3\frac{1}{2}=5\frac{1}{8}-3\frac{4}{8}=4\frac{9}{8}-3\frac{4}{8}$

$$=(4-3)+\left(\frac{9}{8}-\frac{4}{8}\right)=1+\frac{5}{8}=1\frac{5}{8}$$

방법② $5\frac{1}{8}-3\frac{1}{2}=\frac{41}{8}-\frac{7}{2}=\frac{41}{8}-\frac{28}{8}=\frac{13}{8}=1\frac{5}{8}$

확인하기 계산해 보세요.

$3\frac{1}{2}-1\frac{2}{3}=1\frac{5}{6}$ $4\frac{1}{4}-2\frac{5}{8}=1\frac{5}{8}$

생각열기 문제해결 숫자 카드 4장을 한 번씩만 사용하여 대분수의 뺄셈을 완성하려고 합니다. 계산 결과가 가장 작게 되도록 □ 안에 서로 다른 숫자 카드에 적혀 있는 수를 넣고, 계산해 보세요.

1 2 3 4 $5\frac{1}{6}-4\frac{3}{4}=\frac{5}{12}$

풀이 $5\frac{1}{6}-4\frac{3}{4}=5\frac{2}{12}-4\frac{9}{12}=4\frac{14}{12}-4\frac{9}{12}=\frac{5}{12}$

119

이런 문제가 서술형으로 나와요

숫자 카드를 모두 한 번씩 사용하여 만들 수 있는 가장 작은 대분수에서 $1\frac{2}{3}$를 뺀 값은 얼마인지 풀이 과정을 쓰고, 답을 구해 보세요.

3 5 9

| 풀이 과정 |

❶ 숫자 카드로 가장 작은 대분수 만들기

$3<5<9$이므로 가장 작은 대분수는 $3\frac{5}{9}$입니다.

❷ 가장 작은 대분수에서 $1\frac{2}{3}$를 뺀 값 구하기

$$3\frac{5}{9}-1\frac{2}{3}=3\frac{5}{9}-1\frac{6}{9}=2\frac{14}{9}-1\frac{6}{9}=1\frac{8}{9}$$

답 $1\frac{8}{9}$

  수학 교과 역량 문제해결

계산 결과가 가장 작은 뺄셈식 만들기

뺄셈식의 계산 결과를 가장 작게 만드는 숫자 카드를 고르는 활동을 통하여 문제 해결 능력을 기를 수 있습니다.

 개념 확인 문제   정답 및 풀이 224쪽

1 보기 와 같은 방법으로 계산해 보세요.

보기
$$3\frac{1}{4}-1\frac{2}{5}=3\frac{5}{20}-1\frac{8}{20}=2\frac{25}{20}-1\frac{8}{20}=1\frac{17}{20}$$

$$4\frac{2}{9}-1\frac{5}{6}=$$

2 계산해 보세요.

(1) $3\frac{1}{4}-1\frac{7}{16}$ (2) $5\frac{3}{7}-2\frac{4}{5}$

3 □ 안에 알맞은 수를 써넣으세요.

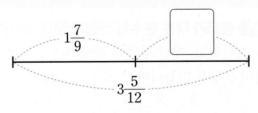

$1\frac{7}{9}$ □

$3\frac{5}{12}$

4 건물의 높이는 $5\frac{1}{8}$ m이고, 나무의 높이는 $3\frac{7}{10}$ m입니다. 건물의 높이는 나무의 높이보다 몇 m 더 높은지 구해 보세요.

(   )

7 | 분수의 덧셈과 뺄셈의 활용

분수의 덧셈과 뺄셈을 활용하여 여러 가지 문제를 해결할 수 있습니다.

그림으로 개념 잡기

분수의 덧셈식을 만들어요.

모두 몇?
합은 몇?
등

분수의 뺄셈식을 만들어요.

남은 것은 몇?
얼마나 더?
등

학부모 코칭 Tip

분수의 덧셈과 뺄셈을 연습하게 하고, 문제 상황에 맞게 덧셈식 또는 뺄셈식을 만들어서 해결합니다.

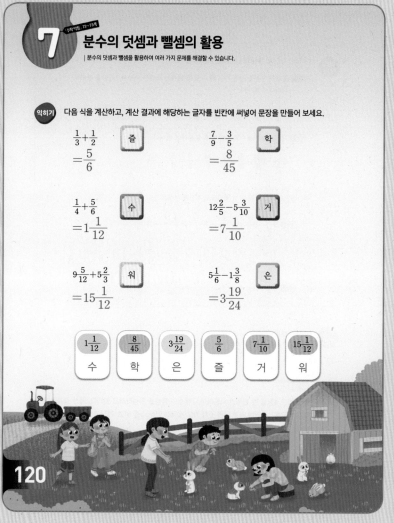

7 분수의 덧셈과 뺄셈의 활용

분수의 덧셈과 뺄셈을 활용하여 여러 가지 문제를 해결할 수 있습니다.

익히기 다음 식을 계산하고, 계산 결과에 해당하는 글자를 빈칸에 써넣어 문장을 만들어 보세요.

$\frac{1}{3}+\frac{1}{2}$ 즐 $=\frac{5}{6}$

$\frac{7}{9}-\frac{3}{5}$ 학 $=\frac{8}{45}$

$\frac{1}{4}+\frac{5}{6}$ 수 $=1\frac{1}{12}$

$12\frac{2}{5}-5\frac{3}{10}$ 거 $=7\frac{1}{10}$

$9\frac{5}{12}+5\frac{2}{3}$ 워 $=15\frac{1}{12}$

$5\frac{1}{6}-1\frac{3}{8}$ 은 $=3\frac{19}{24}$

$1\frac{1}{12}$	$\frac{8}{45}$	$3\frac{19}{24}$	$\frac{5}{6}$	$7\frac{1}{10}$	$15\frac{1}{12}$
수	학	은	즐	거	워

120

교과서 개념 완성 | 배운 것을 다시 생각하기

익히기 **분모가 다른 분수의 덧셈과 뺄셈 계산하기**

식을 계산하고, 계산 결과에 해당하는 글자를 빈칸에 써넣어 문장을 만듭니다.

• $\frac{1}{3}+\frac{1}{2}=\frac{2}{6}+\frac{3}{6}=\frac{5}{6}$ (즐)

• $\frac{7}{9}-\frac{3}{5}=\frac{35}{45}-\frac{27}{45}=\frac{8}{45}$ (학)

• $\frac{1}{4}+\frac{5}{6}=\frac{3}{12}+\frac{10}{12}=\frac{13}{12}=1\frac{1}{12}$ (수)

• $12\frac{2}{5}-5\frac{3}{10}=12\frac{4}{10}-5\frac{3}{10}$
$\qquad=7+\frac{1}{10}=7\frac{1}{10}$ (거)

• $9\frac{5}{12}+5\frac{2}{3}=9\frac{5}{12}+5\frac{8}{12}=14+\frac{13}{12}$
$\qquad=14+1\frac{1}{12}=15\frac{1}{12}$ (워)

• $5\frac{1}{6}-1\frac{3}{8}=5\frac{4}{24}-1\frac{9}{24}=4\frac{28}{24}-1\frac{9}{24}$
$\qquad=3+\frac{19}{24}=3\frac{19}{24}$ (은)

➜ 문장을 만들어 보면 '수학은 즐거워'입니다.

도전 **실생활 속 문제 해결하기**

학교에서 호수까지의 거리는 $4\frac{1}{2}$ km입니다.

└ 도서관에서 소방서까지의 거리만큼이 중복되었다는 것에 주의합니다.

문제 해결   창의·융합

적용   **1.** 밀가루가 $4\frac{1}{4}$컵 있었습니다. 지후가 과자를 만드는 데 밀가루 $2\frac{5}{8}$컵을 사용하였습니다. 사용하고 남은 밀가루는 몇 컵인가요?

식 $4\frac{1}{4}-2\frac{5}{8}=1\frac{5}{8}$

답 $1\frac{5}{8}$컵

풀이 $4\frac{1}{4}-2\frac{5}{8}=4\frac{2}{8}-2\frac{5}{8}=3\frac{10}{8}-2\frac{5}{8}=1\frac{5}{8}$

2. 5 L들이 물통에 물이 $3\frac{5}{12}$ L 들어 있었습니다. 그중 윤서가 $1\frac{3}{8}$ L를 마셨습니다. 물음에

풀이 $3\frac{5}{12}-1\frac{3}{8}$ 답해 보세요.

$=3\frac{10}{24}-1\frac{9}{24}$ • 윤서가 마시고 남은 물의 양은 몇 L인가요? $2\frac{1}{24}$ L

$=2\frac{1}{24}$ (L) • 이 물통에 물을 가득 채우려면 물을 몇 L 더 담아야 하나요? $2\frac{23}{24}$ L

풀이 $5-2\frac{1}{24}=4\frac{24}{24}-2\frac{1}{24}=2\frac{23}{24}$ (L)

3. 다음은 어느 마을 4개 목장의 우유 생산량이 전체의 얼마만큼 차지하고 있는지를 나타내는 표입니다. 물음에 답해 보세요.

가 목장	나 목장	다 목장	라 목장	전체
$\frac{1}{4}$	$\frac{1}{6}$	$\frac{3}{8}$		1

• 가 목장과 나 목장의 우유 생산량은 전체의 얼마만큼 차지하고 있나요? $\frac{5}{12}$

풀이 $\frac{1}{4}+\frac{1}{6}=\frac{3}{12}+\frac{2}{12}=\frac{5}{12}$

• 라 목장의 우유 생산량은 전체의 얼마만큼 차지하고 있나요? $\frac{5}{24}$

풀이 $1-\frac{5}{12}-\frac{3}{8}=\frac{7}{12}-\frac{3}{8}=\frac{14}{24}-\frac{9}{24}=\frac{5}{24}$

도전   일직선 도로를 따라 학교, 도서관, 소방서, 호수가 있습니다. 학교에서 호수까지의 거리는 몇 km인지 구해 보세요. $4\frac{1}{2}$ km

$3\frac{1}{4}$ km $2\frac{2}{3}$ km

$1\frac{5}{12}$ km

학교 도서관 소방서 호수

풀이 $3\frac{1}{4}+2\frac{2}{3}=3\frac{3}{12}+2\frac{8}{12}=5\frac{11}{12}$ (km)

$5\frac{11}{12}-1\frac{5}{12}=4\frac{6}{12}=4\frac{1}{2}$ (km)

121

이런 문제가 서술형으로 나와요

쌀 $4\frac{1}{5}$ kg 중에서 $2\frac{3}{8}$ kg을 먹고 $3\frac{7}{10}$ kg을 더 사 왔습니다. 지금 있는 쌀은 모두 몇 kg인지 풀이 과정을 쓰고, 답을 구해 보세요.

| 풀이 과정 |

❶ 먹고 남은 쌀의 양 구하기

$4\frac{1}{5}-2\frac{3}{8}=4\frac{8}{40}-2\frac{15}{40}=3\frac{48}{40}-2\frac{15}{40}$

$=1\frac{33}{40}$ (kg)

❷ 지금 있는 쌀의 양 구하기

$1\frac{33}{40}+3\frac{7}{10}=1\frac{33}{40}+3\frac{28}{40}$

$=4+\frac{61}{40}=5\frac{21}{40}$ (kg)

답 $5\frac{21}{40}$ kg

● 수학 교과 역량 문제 해결   창의·융합

계산 방법을 적용하여 문장제 해결하기

분모가 다른 분수의 덧셈과 뺄셈을 활용하여 다양한 문제를 해결하면서 문제 해결 능력과 창의·융합 능력을 기를 수 있습니다.

개념 확인 문제

정답 및 풀이 224쪽

1 우유가 $2\frac{1}{3}$ L 있었습니다. 그중 $1\frac{3}{4}$ L를 마셨다면 남은 우유는 몇 L인지 구해 보세요.

(   )

2 밭에서 고구마 $1\frac{5}{9}$ kg과 감자 $2\frac{4}{5}$ kg을 수확하였습니다. 수확한 고구마와 감자는 모두 몇 kg인지 구해 보세요.

(   )

3 4 L 들이 물통에 물이 $1\frac{3}{7}$ L 들어 있습니다. 물을 가득 채우려면 몇 L 더 담아야 하는지 구해 보세요.

(   )

4 가에서 라까지의 거리는 $4\frac{6}{7}$ m입니다. 나에서 다까지의 거리는 몇 m인지 구해 보세요.

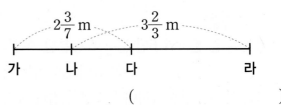

$2\frac{3}{7}$ m $3\frac{2}{3}$ m

가   나   다   라

(   )

9 차시

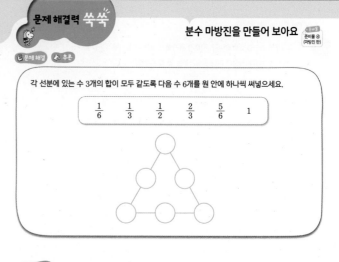

문제 해결력 | 쑥쑥

● 분수 마방진을 만들어 보아요

학습 목표

단순화하기 전략을 이용하여 문제를 해결하고 해결한 방법을 설명해 봅니다.

문제 해결 전략 단순화하기 전략

수학 교과 역량 문제해결 추론

분수 마방진을 만들어 보아요

• 주어진 조건을 확인하고 문제 해결에 적절한 전략을 선택하여 해결하는 과정을 통하여 문제 해결 능력을 기를 수 있습니다.

• 단순화하기 전략을 이용하여 문제 해결 방법을 추측하는 과정을 통하여 추론 능력을 기를 수 있습니다.

문제 해결 Tip 주어진 분수를 통분하여 분모가 모두 같은 분수로 만들면 분모가 같은 분수의 덧셈은 분모는 그대로 두고 분자끼리의 합과 같음을 이용하여 문제를 해결합니다.

문제 해결 **추론**

각 선분에 있는 수 3개의 합이 모두 같도록 다음 수 6개를 원 안에 하나씩 써넣으세요.

$$\frac{1}{6} \quad \frac{1}{3} \quad \frac{1}{2} \quad \frac{2}{3} \quad \frac{5}{6} \quad 1$$

문제 이해하기
• 구하려고 하는 것은 무엇인가요?
예 각 선분에 있는 세 수들의 합이 모두 같아지는 수를 구하려고 합니다.

• 알고 있는 것은 무엇인가요?
예 원 안에 들어갈 수 있는 수는 $\frac{1}{6}, \frac{1}{3}, \frac{1}{2}, \frac{2}{3}, \frac{5}{6}$, 1입니다.

계획 세우기
• 어떤 방법으로 문제를 해결할 수 있을지 계획을 세워 보세요.

주어진 수들을 모두 통분해 보면 어떨까?

분모가 같아지면 분자끼리의 합만 구해도 될 것 같아.

122

교과서 개념 완성

문제 이해하기

>> **구하려고 하는 것**

각 선분에 있는 세 수들의 합이 모두 같아지는 수를 구하는 것입니다.

>> **알고 있는 것**

원 안에 들어갈 수 있는 수: $\frac{1}{6}, \frac{1}{3}, \frac{1}{2}, \frac{2}{3}, \frac{5}{6}$, 1

계획 세우기

주어진 수를 분모가 6인 분수로 통분한 후 분자만 더하여 각 선분에 있는 세 수의 합이 같아지는 자연수를 구하는 문제로 단순화하여 문제를 해결해 봅니다.

계획대로 풀기

• $\frac{1}{6}, \frac{1}{3}, \frac{1}{2}, \frac{2}{3}, \frac{5}{6}$, 1을 분모가 6인 분수로 통분하기

➡ $\frac{1}{6}, \frac{2}{6}, \frac{3}{6}, \frac{4}{6}, \frac{5}{6}, \frac{6}{6}$

• 통분한 분수의 분자만 더하여 각 선분에 있는 세 수의 합이 같아지도록 자연수 1, 2, 3, 4, 5, 6을 넣기

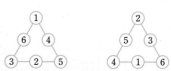

• 주어진 수를 써넣습니다.

되돌아보기

구한 답이 맞는지 확인합니다.

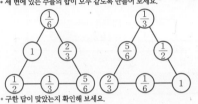
계획대로 풀기
• $\frac{1}{6}$, $\frac{1}{3}$, $\frac{1}{2}$, $\frac{2}{3}$, $\frac{5}{6}$, 1을 모두 통분해 보세요.
예 분모가 6인 분수로 통분해 보면 $\frac{1}{6}$, $\frac{2}{6}$, $\frac{3}{6}$, $\frac{4}{6}$, $\frac{5}{6}$, $\frac{6}{6}$입니다.
• 세 변에 있는 수들의 합이 모두 같도록 만들어 보세요.

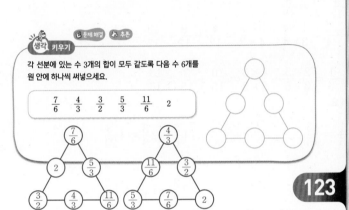

되돌아 보기
• 구한 답이 맞았는지 확인해 보세요.

• 답이 하나가 되도록 하려면 문제를 어떻게 바꾸어야 할지 이야기해 보세요.
예 • 각 선분에 있는 세 수들의 합이 $\frac{10}{6}$입니다.
• 한 꼭짓점에 있는 수는 $\frac{1}{2}$입니다.

생각 키우기 [문제 해결] [추론]
각 선분에 있는 수 3개의 합이 모두 같도록 다음 수 6개를 원 안에 하나씩 써넣으세요.

$\frac{7}{6}$　$\frac{4}{3}$　$\frac{3}{2}$　$\frac{5}{3}$　$\frac{11}{6}$　2

123

생각 키우기 [문제 해결] [추론]

문제 이해하기
》 **구하려고 하는 것**
각 선분에 있는 세 수들의 합이 모두 같아지는 수를 구하는 것입니다.
》 **알고 있는 것**
원 안에 들어갈 수 있는 수: $\frac{7}{6}$, $\frac{4}{3}$, $\frac{3}{2}$, $\frac{5}{3}$, $\frac{11}{6}$, 2

계획 세우기
주어진 수를 분모가 6인 분수로 통분한 후 분자만 더하여 각 선분에 있는 세 수의 합이 같아지는 자연수를 구하는 문제로 단순화하여 문제를 해결해 봅니다.

계획대로 풀기
• $\frac{7}{6}$, $\frac{4}{3}$, $\frac{3}{2}$, $\frac{5}{3}$, $\frac{11}{6}$, 2
→ $\frac{7}{6}$, $\frac{8}{6}$, $\frac{9}{6}$, $\frac{10}{6}$, $\frac{11}{6}$, $\frac{12}{6}$

• 주어진 수를 써넣습니다.

되돌아보기
구한 답이 맞는지 확인합니다.

문제 해결력 문제　정답 및 풀이 225쪽

[1~2] 각 선분에 있는 수 3개의 합이 모두 같도록 다음 수 6개를 원 안에 하나씩 써넣으려고 합니다. 물음에 답해 보세요.

$\frac{13}{6}$　$\frac{7}{3}$　$\frac{5}{2}$　$\frac{8}{3}$　$\frac{17}{6}$　3

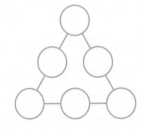

1 수들을 분모가 6인 분수로 통분해 보세요.

$\frac{13}{6}$, $\frac{7}{3} = \frac{\boxed{}}{6}$, $\frac{5}{2} = \frac{\boxed{}}{6}$,

$\frac{8}{3} = \frac{\boxed{}}{6}$, $\frac{17}{6}$, $3 = \frac{\boxed{}}{6}$

2 주어진 수를 넣어 완성해 보세요.

추론 · 정보 처리

분모가 다른 진분수의 덧셈 원리 이해하기

▶자습서 128~129쪽

분모가 다른 진분수의 덧셈은 통분하여 계산합니다.

학부모 코칭 **Tip**

분모가 12인 크기가 같은 분수로 나타내고 계산하는 과정을 이해하게 합니다.

문제 해결 · 추론

분모가 다른 분수의 덧셈과 뺄셈 계산하기

▶자습서 126~137쪽

학부모 코칭 **Tip**

분모가 다른 분수의 덧셈과 뺄셈을 바르게 통분하여 계산할 수 있는지 확인합니다.

문제 해결 · 추론

분모가 다른 대분수의 덧셈 계산하기

▶자습서 130~131쪽

계산 결과는 대분수로 나타냅니다.

학부모 코칭 **Tip**

알맞은 덧셈식을 만들고 분모가 다른 대분수의 덧셈을 할 수 있는지 확인합니다.

---

1 $\frac{1}{3} + \frac{3}{4}$ 에 알맞게 색칠해 보고, □ 안에 알맞은 수를 써넣으세요.

111쪽

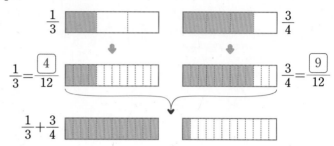

$\frac{1}{3}$

$\frac{3}{4}$

$\frac{1}{3} = \frac{4}{12}$

$\frac{3}{4} = \frac{9}{12}$

$\frac{1}{3} + \frac{3}{4}$

$$\frac{1}{3} + \frac{3}{4} = \frac{1 \times 4}{3 \times 4} + \frac{3 \times 3}{4 \times 3} = \frac{4}{12} + \frac{9}{12} = \frac{13}{12} = 1\frac{1}{12}$$

풀이 $\frac{1}{3} = \frac{4}{12}$, $\frac{3}{4} = \frac{9}{12}$

→ $\frac{1}{3} + \frac{3}{4} = \frac{1 \times 4}{3 \times 4} + \frac{3 \times 3}{4 \times 3} = \frac{4}{12} + \frac{9}{12} = \frac{13}{12} = 1\frac{1}{12}$

풀이 · $\frac{2}{3} + \frac{1}{5} = \frac{2 \times 5}{3 \times 5} + \frac{1 \times 3}{5 \times 3} = \frac{10}{15} + \frac{3}{15} = \frac{13}{15}$

2 계산해 보세요.

109, 113, 115, 119쪽

$\frac{2}{3} + \frac{1}{5} = \frac{13}{15}$

$1\frac{5}{6} + 2\frac{3}{8} = 4\frac{5}{24}$

$\frac{3}{7} - \frac{5}{21} = \frac{4}{21}$

$3\frac{2}{9} - 1\frac{7}{12} = 1\frac{23}{36}$

· $1\frac{5}{6} + 2\frac{3}{8} = 1\frac{20}{24} + 2\frac{9}{24} = 3 + \frac{29}{24} = 3 + 1\frac{5}{24} = 4\frac{5}{24}$

· $\frac{3}{7} - \frac{5}{21} = \frac{9}{21} - \frac{5}{21} = \frac{4}{21}$

· $3\frac{2}{9} - 1\frac{7}{12} = 3\frac{8}{36} - 1\frac{21}{36} = 2\frac{44}{36} - 1\frac{21}{36} = 1\frac{23}{36}$

3 집에서 경찰서를 거쳐 학교까지 가는 거리는 몇 km인지 구해 보세요.

113쪽

경찰서

$2\frac{7}{10}$ km

$1\frac{5}{8}$ km

집

학교

($4\frac{13}{40}$ km)

풀이 $2\frac{7}{10} + 1\frac{5}{8} = 2\frac{28}{40} + 1\frac{25}{40} = 3\frac{53}{40} = 4\frac{13}{40}$ (km)

124

4 지윤이는 찰흙 $2\frac{5}{7}$ kg 중에서 $1\frac{3}{14}$ kg을 사용하였습니다. 사용하고 남은 찰흙은 몇
117쪽 kg인지 구해 보세요.

식 $2\frac{5}{7}-1\frac{3}{14}=1\frac{1}{2}$ 답 $1\frac{1}{2}$ kg

풀이 $2\frac{5}{7}-1\frac{3}{14}=2\frac{10}{14}-1\frac{3}{14}=1\frac{7}{14}=1\frac{1}{2}$ (kg)

추론 · 태도및실천

분모가 다른 대분수의 뺄셈 계산하기
▶자습서 134~135쪽

학부모 코칭 Tip

알맞은 뺄셈식을 만들고 분모가 다른 대분수의 뺄셈을 계산할 수 있는지 확인합니다.

---

5 1부터 9까지의 자연수 중에서 ◯ 안에 들어갈 수 있는 수를 모두 써 보세요.
119쪽

$$9\frac{2}{12}-5\frac{5}{18}>\square$$

(1, 2, 3   )

풀이 $9\frac{2}{12}-5\frac{5}{18}=9\frac{6}{36}-5\frac{10}{36}=8\frac{42}{36}-5\frac{10}{36}=3\frac{32}{36}=3\frac{8}{9}$ 이므로 $3\frac{8}{9}>\square$ 입니다.

➡ $3\frac{8}{9}$ 보다 작은 자연수는 1, 2, 3입니다.

문제 해결 · 추론

분수의 뺄셈으로 조건에 맞는 자연수 추론하기
▶자습서 136~137쪽

대분수의 뺄셈을 하고, 계산 결과와 ◯를 비교하여 ◯ 안에 들어갈 수 있는 수를 구합니다.

학부모 코칭 Tip

자연수 부분의 1만큼을 분수로 나타내어 계산하고 크기를 비교하도록 합니다.

생각 넓히기   문제 해결   정보 처리

6 4장의 숫자 카드 중 3장을 골라 한 번씩만 사용하여 대분수를 만들려고 합니다. 만들 수
113쪽 있는 가장 큰 대분수와 가장 작은 대분수의 합은 얼마인지 풀이 과정을 쓰고, 답을 구해 보세요.

| 3 | 4 | 6 | 8 |

풀이

가장 큰 대분수는 $8\frac{3}{4}$ 이고, 가장 작은 대분수는 $3\frac{4}{8}$ 이므로

$8\frac{3}{4}+3\frac{4}{8}=8\frac{6}{8}+3\frac{4}{8}=11\frac{10}{8}=12\frac{2}{8}=12\frac{1}{4}$ 입니다.

답 $12\frac{1}{4}$

풀이 가장 큰 대분수를 만들 때에는 자연수 부분에 가장 큰 수를 놓고, 가장 작은 대분수를 만들 때에는 자연수 부분에 가장 작은 수를 놓습니다.

만들 수 있는 가장 큰 대분수는 $8\frac{3}{4}$ 이고, 가장 작은 대분수는 $3\frac{4}{8}$ 이므로

$8\frac{3}{4}+3\frac{4}{8}=8\frac{6}{8}+3\frac{4}{8}=11\frac{10}{8}=12\frac{2}{8}=12\frac{1}{4}$ 입니다.

문제 해결 · 정보 처리

조건에 맞는 두 대분수를 만들고, 대분수의 합 구하기
▶자습서 130~131쪽

학부모 코칭 Tip

가장 큰 대분수와 가장 작은 대분수를 만드는 방법을 생각해 보게 하고, 대분수의 합을 구하도록 합니다.

125

• 놀이 속으로 | 풍덩 • 이야기로 키우는 | 생각

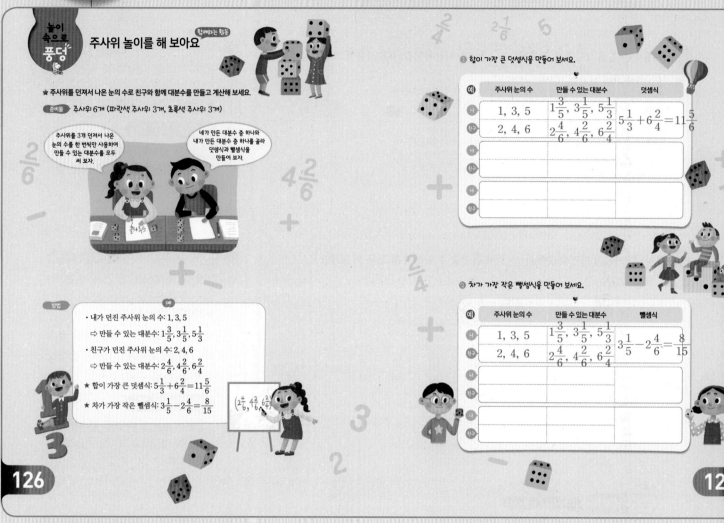

놀이 속으로 풍덩

주사위 놀이를 해 보아요

★ 주사위를 던져서 나온 눈의 수로 친구와 함께 대분수를 만들고 계산해 보세요.

준비물: 주사위 6개 (파란색 주사위 3개, 초록색 주사위 3개)

126

12

교과서 개념 완성

놀이 속으로 풍덩

1 준비물 확인하기 및 놀이 방법 살펴보기

• 준비물이 준비되었는지 확인합니다.
• 놀이 방법을 읽어 보고 이해합니다.
• 놀이 방법을 단계별로 해 봅니다.

학부모 코칭 Tip

주사위를 던져서 나온 수로 여러 가지 대분수를 만들고, 만든 대분수를 이용하여 합이 가장 큰 덧셈식과 차가 가장 작은 뺄셈식을 만들어 보도록 합니다.

2 실제로 친구와 놀이하기

예 • 각자 나온 주사위 눈의 수는 얼마인가요?
　나는 (1, 3, 5), 친구는 (2, 4, 6)이 나왔습니다.

• 그 수 3개로 대분수를 만들어 보세요.

　나: $1\dfrac{3}{5}$, $3\dfrac{1}{5}$, $5\dfrac{1}{3}$　친구: $2\dfrac{4}{6}$, $4\dfrac{2}{6}$, $6\dfrac{2}{4}$

• 내가 만든 대분수와 친구가 만든 대분수를 하나씩 선택하여 합이 가장 큰 덧셈식과 차가 가장 작은 뺄셈식을 만들어 보세요.

➡ 덧셈식: $5\dfrac{1}{3} + 6\dfrac{2}{4} = 11\dfrac{5}{6}$

　뺄셈식: $3\dfrac{1}{5} - 2\dfrac{4}{6} = \dfrac{8}{15}$

이야기로 키우는 생각

호루스의 눈과 분수 이야기

호루스(Horus)는 고대 이집트 신화에 나오는 신입니다. 주로 고분 벽화에서 매의 머리를 한 남성으로 표현되는데, 특히 호루스의 눈은 고대 이집트의 신격화된 파라오의 왕권을 상징합니다. 그의 오른쪽 눈은 태양신 '라'의 눈으로 '태양'을, 왼쪽 눈은 지식과 달의 신 '토트'의 눈으로 '달'을 각각 상징합니다.

호루스의 눈은 파라오의 왕권을 지켜 주는 상징 외에 이집트의 장례 의식에서 미라가 착용하는 귀금속으로 사용되었으며, 뱃머리에 그려 넣는 용도로도 사용되었습니다.

이집트인들은 이러한 호루스의 눈을 측량 제도에 활용하였습니다. 호루스의 눈 전체를 1로 하여 오른쪽과 같이 각 부분에 $\frac{1}{2}$, $\frac{1}{4}$, $\frac{1}{8}$, $\frac{1}{16}$, $\frac{1}{32}$, $\frac{1}{64}$의 분수를 배치한 것입니다. 이는 신체의 6가지 감각 기관을 의미하기도 하였습니다.

$\frac{1}{2}$ 후각 $\frac{1}{4}$ 시각

$\frac{1}{8}$ 생각 $\frac{1}{16}$ **청각**

$\frac{1}{32}$ 미각 $\frac{1}{64}$ 촉각

호루스의 눈의 각 부분에 쓰인 분수를 모두 더하면 $\frac{1}{2}+\frac{1}{4}+\frac{1}{8}+\frac{1}{16}+\frac{1}{32}+\frac{1}{64}=\frac{63}{64}$입니다. 신기하게도 호루스의 눈 전체를 모두 더하였지만 1이 되지 않습니다.

1이 되기 위해서는 $1-\frac{63}{64}=\frac{1}{64}$이 채워져야 합니다. 그렇다면 부족한 $\frac{1}{64}$은 어떻게 채울까요?

이집트인들은 부족한 $\frac{1}{64}$을 지식과 달의 신 '토트'가 채워 준다고 생각하였습니다.

[출처] 위키백과, 2021.

28   129

이야기로 키우는 생각

파라오

문명이 발생하던 초기 이집트는 하류 쪽의 하(下) 이집트 왕국과 상류 쪽의 상(上) 이집트 왕국으로 나누어져 있었습니다.

기원전 3100년경 상 이집트의 메네스왕이 상 이집트와 하 이집트를 하나의 나라로 통합하고 멤피스를 수도로 삼았습니다.

고대 이집트 사람들은 왕을 '파라오'라고 부르며 살아 있는 신으로 여겼습니다.

파라오가 태양의 신인 라(Ra)의 아들이라고 생각하며 신과 같은 자격으로 지상에서 가장 소중한 보물인 이집트 지역을 보호하는 것이 그의 임무라고 생각하였습니다.

파라오는 고대 이집트의 정치적·종교적 최고 통치자로서 '두 땅의 주인'이라는 칭호와 '모든 사원의 수장'이라는 칭호를 겸하였습니다.

파라오는 대관식을 통하여 왕위에 올랐습니다. 대관식에서는 하 이집트를 상징하는 붉은색 관과 상 이집트를 상징하는 흰색 관을 받았습니다.

이는 고대 이집트의 주신인 '호루스'와 '세트'가 파라오에게 왕관을 씌워 주면서 생명을 전수한다는 것을 의미합니다.

[출처] 위키백과, 2021.

개념

분모가 다른 진분수의 덧셈

분모가 다른 진분수의 덧셈은 통분하여 계산합니다.

(예) $\dfrac{1}{2}+\dfrac{2}{3}$의 계산

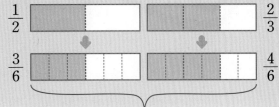

$$\dfrac{1}{2}+\dfrac{2}{3}=\dfrac{1\times 3}{2\times 3}+\dfrac{2\times 2}{3\times 2}$$

$$=\dfrac{3}{6}+\dfrac{4}{6}=\dfrac{7}{6}=1\dfrac{1}{6}$$

분모가 다른 대분수의 덧셈

(예) $1\dfrac{4}{5}+1\dfrac{1}{2}$의 계산

(방법1) 통분하여 자연수는 자연수끼리, 분수는 분수끼리 더합니다.

$$1\dfrac{4}{5}+1\dfrac{1}{2}=1\dfrac{8}{10}+1\dfrac{5}{10}$$

$$=(1+1)+\left(\dfrac{8}{10}+\dfrac{5}{10}\right)$$

$$=2+\dfrac{13}{10}=2+1\dfrac{3}{10}=3\dfrac{3}{10}$$

(방법2) 대분수를 가분수로 나타낸 후 통분하여 더합니다.

$$1\dfrac{4}{5}+1\dfrac{1}{2}=\dfrac{9}{5}+\dfrac{3}{2}=\dfrac{18}{10}+\dfrac{15}{10}$$

$$=\dfrac{33}{10}=3\dfrac{3}{10}$$

확인 문제

1 계산해 보세요.

(1) $\dfrac{2}{7}+\dfrac{1}{6}$

(2) $1\dfrac{3}{5}+1\dfrac{7}{8}$

2 (보기) 와 같은 방법으로 계산해 보세요.

(보기)
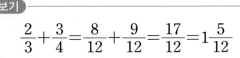
$$\dfrac{2}{3}+\dfrac{3}{4}=\dfrac{8}{12}+\dfrac{9}{12}=\dfrac{17}{12}=1\dfrac{5}{12}$$

$$\dfrac{7}{12}+\dfrac{11}{15}=$$ ....

3 빈 곳에 알맞은 수를 써넣으세요.

$$4\dfrac{5}{8} \rightarrow +2\dfrac{7}{20} \rightarrow \boxed{}$$

4 멜론의 무게는 $3\dfrac{5}{7}$ kg이고, 망고의 무게는 $1\dfrac{4}{5}$ kg입니다. 멜론과 망고의 무게의 합은 몇 kg인지 구해 보세요.

(   )

→ 정답 및 풀이 225쪽

개념

분모가 다른 진분수의 뺄셈

분모가 다른 진분수의 뺄셈은 통분하여 계산합니다.

예 $\dfrac{4}{5} - \dfrac{1}{3}$ 의 계산

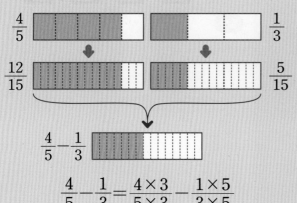

$$\dfrac{4}{5} - \dfrac{1}{3} = \dfrac{4 \times 3}{5 \times 3} - \dfrac{1 \times 5}{3 \times 5}$$

$$= \dfrac{12}{15} - \dfrac{5}{15} = \dfrac{7}{15}$$

분모가 다른 대분수의 뺄셈

예 $3\dfrac{1}{4} - 1\dfrac{1}{3}$ 의 계산

방법1 통분하여 자연수는 자연수끼리, 분수는 분수끼리 뺍니다.

$$3\dfrac{1}{4} - 1\dfrac{1}{3} = 3\dfrac{3}{12} - 1\dfrac{4}{12}$$

$$= 2\dfrac{15}{12} - 1\dfrac{4}{12}$$

$$= (2-1) + \left(\dfrac{15}{12} - \dfrac{4}{12} \right)$$

$$= 1\dfrac{11}{12}$$

방법2 대분수를 가분수로 나타낸 후 통분하여 뺍니다.

$$3\dfrac{1}{4} - 1\dfrac{1}{3} = \dfrac{13}{4} - \dfrac{4}{3} = \dfrac{39}{12} - \dfrac{16}{12}$$

$$= \dfrac{23}{12} = 1\dfrac{11}{12}$$

확인 문제

5 계산해 보세요.

(1) $\dfrac{4}{5} - \dfrac{1}{2}$

(2) $3\dfrac{1}{4} - 1\dfrac{2}{7}$

6 빈 곳에 두 분수의 차를 써넣으세요.

$\dfrac{7}{9}$	$\dfrac{5}{12}$

7 ☐ 안에 알맞은 수를 써넣으세요.

$$\boxed{} + 1\dfrac{2}{9} = 3\dfrac{2}{3}$$

8 유진이는 길이가 5 m인 리본에서 $2\dfrac{3}{4}$ m를 동생에게 주고, $1\dfrac{5}{6}$ m를 더 샀습니다. 유진이에게 있는 리본의 길이는 몇 m인지 구해 보세요.

(　　　　　　)

서술형 문제 해결하기

숫자 카드로 분수를 만들고 합 또는 차를 구할 수 있는가?

1-1 숫자 카드 중 2장을 한 번씩 사용하여 만들 수 있는 가장 큰 진분수와 가장 작은 진분수의 합은 얼마인지 풀이 과정을 쓰고, 답을 구해 보세요. [8점]

[1] [4] [5] [7]

풀이

❶ 숫자 카드로 만들 수 있는 가장 큰 진분수

는 $\dfrac{\square}{\square}$ 이고, 가장 작은 진분수는 $\dfrac{\square}{\square}$

입니다.

❷ 가장 큰 진분수와 가장 작은 진분수의 합

은 $\dfrac{\square}{\square} + \dfrac{\square}{\square} = \dfrac{\square}{\square}$ 입니다.

답 ....

1-2 쌍둥이 숫자 카드 중 2장을 한 번씩 사용하여 만들 수 있는 가장 큰 진분수와 가장 작은 진분수의 차는 얼마인지 풀이 과정을 쓰고, 답을 구해 보세요. [12점]

[2] [5] [6] [9]

풀이

답 ....

1-3 유사 숫자 카드 중 3장을 한 번씩 사용하여 만들 수 있는 가장 큰 대분수와 가장 작은 대분수의 합은 얼마인지 풀이 과정을 쓰고, 답을 구해 보세요. [15점]

[1] [3] [4] [6]

풀이

답 ....

1-4 실전 숫자 카드 중 3장을 한 번씩 사용하여 만들 수 있는 가장 큰 대분수와 가장 작은 대분수의 차는 얼마인지 풀이 과정을 쓰고, 답을 구해 보세요. [15점]

[2] [4] [7] [8]

풀이

답 ....

→ 정답 및 풀이 226쪽

2-1 어떤 수에 $\frac{3}{7}$을 더해야 할 것을 잘못하여 뺐더니 $\frac{2}{5}$가 되었습니다. 바르게 계산하면 얼마인지 풀이 과정을 쓰고, 답을 구해 보세요. [8점]

풀이

 어떤 수를 ■라고 하면 잘못 계산한 식은

$$■ - \frac{3}{7} = \frac{2}{5}$$ 이므로

$$■ = \frac{\boxed{}}{\boxed{}} + \frac{3}{7} = \frac{\boxed{}}{\boxed{}}$$ 입니다.

 바르게 계산하면

$$\frac{\boxed{}}{\boxed{}} + \frac{3}{7} = \boxed{}\,\frac{\boxed{}}{\boxed{}}$$ 입니다.

답 _____

2-2 쌍둥이 어떤 수에서 $\frac{2}{15}$를 빼야 할 것을 잘못하여 더했더니 $\frac{7}{10}$이 되었습니다. 바르게 계산하면 얼마인지 풀이 과정을 쓰고, 답을 구해 보세요. [12점]

풀이

답 _____

2-3 유사 어떤 수에 $1\frac{7}{9}$을 더해야 할 것을 잘못하여 뺐더니 $1\frac{3}{4}$이 되었습니다. 바르게 계산하면 얼마인지 풀이 과정을 쓰고, 답을 구해 보세요. [15점]

풀이

답 _____

2-4 실전 어떤 수에서 $1\frac{7}{12}$을 빼야 할 것을 잘못하여 더했더니 $4\frac{3}{8}$이 되었습니다. 바르게 계산하면 얼마인지 풀이 과정을 쓰고, 답을 구해 보세요. [15점]

풀이

답 _____

| 분모가 다른 진분수의 덧셈 |

01 분수만큼 색칠하고, ☐ 안에 알맞은 수를 써 넣으세요.
하

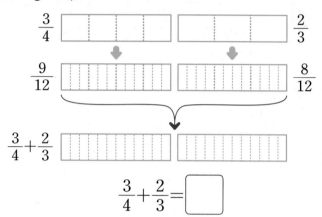

$\dfrac{3}{4}$ 　　　　　$\dfrac{2}{3}$

$\dfrac{9}{12}$ 　　　　　$\dfrac{8}{12}$

$\dfrac{3}{4}+\dfrac{2}{3}$

$\dfrac{3}{4}+\dfrac{2}{3}=$ ☐

| 분모가 다른 진분수의 덧셈 |

02 ☐ 안에 알맞은 수를 써넣으세요.
하

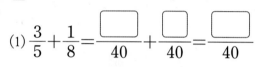

(1) $\dfrac{3}{5}+\dfrac{1}{8}=\dfrac{\boxed{}}{40}+\dfrac{\boxed{}}{40}=\dfrac{\boxed{}}{40}$

(2) $\dfrac{7}{9}+\dfrac{5}{6}=\dfrac{\boxed{}}{18}+\dfrac{\boxed{}}{18}=\dfrac{\boxed{}}{18}$

$=\boxed{}$

| 분모가 다른 진분수의 뺄셈, 분모가 다른 대분수의 뺄셈 |

03 계산해 보세요.
하

(1) $\dfrac{9}{16}-\dfrac{1}{4}$

(2) $5\dfrac{9}{14}-2\dfrac{2}{7}$

| 분모가 다른 대분수의 뺄셈 |

04 빈 곳에 알맞은 수를 써넣으세요.
하

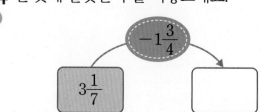

$-1\dfrac{3}{4}$

$3\dfrac{1}{7}$

| 분모가 다른 대분수의 덧셈 |

05 보기 와 같은 방법으로 계산해 보세요.
중

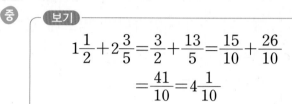

보기

$$1\dfrac{1}{2}+2\dfrac{3}{5}=\dfrac{3}{2}+\dfrac{13}{5}=\dfrac{15}{10}+\dfrac{26}{10}$$
$$=\dfrac{41}{10}=4\dfrac{1}{10}$$

$2\dfrac{3}{8}+1\dfrac{7}{12}=$

| 분모가 다른 대분수의 덧셈, 분모가 다른 대분수의 뺄셈 |

06 계산 결과를 찾아 선으로 이어 보세요.
중

$1\dfrac{2}{9}+1\dfrac{2}{3}$ ·　　　　· $2\dfrac{11}{30}$

$4\dfrac{1}{5}-1\dfrac{5}{6}$ ·　　　　· $2\dfrac{19}{20}$

$1\dfrac{5}{12}+1\dfrac{8}{15}$ ·　　　　· $2\dfrac{8}{9}$

| 분모가 다른 대분수의 덧셈, 분모가 다른 대분수의 뺄셈 |

07 계산 결과의 크기를 비교하여 ◯ 안에 >, =, <를 알맞게 써넣으세요.
중

$6\dfrac{5}{9}-1\dfrac{4}{5}$ ◯ $2\dfrac{3}{10}+1\dfrac{1}{3}$

| 분모가 다른 대분수의 뺄셈 |

08 계산 과정에서 틀린 부분을 찾아 바르게 계산해 보세요.

$$3\frac{1}{5}-1\frac{3}{4}=3\frac{4}{20}-1\frac{15}{20}$$
$$=3\frac{24}{20}-1\frac{15}{20}=2\frac{9}{20}$$

$$3\frac{1}{5}-1\frac{3}{4}=$$

| 분모가 다른 대분수의 덧셈 |

09 ☐ 안에 알맞은 수를 써넣으세요.

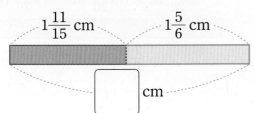

☐ cm

| 분모가 다른 대분수의 뺄셈 |

10 다음이 나타내는 수를 구해 보세요.

$6\frac{5}{12}$보다 $1\frac{7}{8}$만큼 더 작은 수

(   )

| 분모가 다른 진분수의 덧셈 |

11 길이가 $\frac{9}{16}$ m인 철사와 $\frac{5}{6}$ m인 철사를 겹치지 않게 이었습니다. 이은 철사의 길이는 몇 m인가요?

(   )

| 분모가 다른 대분수의 덧셈 |

12 어떤 수에서 $\frac{4}{9}$를 뺐더니 $1\frac{8}{15}$이 되었습니다. 어떤 수를 구해 보세요.

(   )

| 분모가 다른 진분수의 덧셈, 분모가 다른 대분수의 덧셈 |

13 두 분수의 합을 아래의 빈 곳에 써넣으세요.

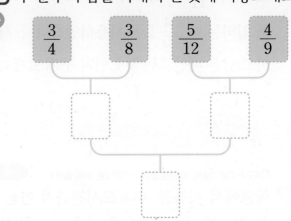

| 분모가 다른 진분수의 덧셈 | 서술형

14 분수의 합이 1보다 큰 것을 찾아 기호를 써 보려고 합니다. 풀이 과정을 쓰고, 답을 구해 보세요.

㉠ $\frac{3}{10}+\frac{1}{5}$ ㉡ $\frac{7}{15}+\frac{2}{5}$ ㉢ $\frac{2}{9}+\frac{5}{6}$

풀이

답

| 분모가 다른 대분수의 뺄셈 |

15 빈칸에 알맞은 수를 써넣으세요.
중

$-$	$\dfrac{4}{15}$	$1\dfrac{3}{5}$	$2\dfrac{9}{20}$
$3\dfrac{3}{10}$			

| 분모가 다른 대분수의 뺄셈 |

16 페인트 $5\dfrac{2}{11}$ L 중에서 학교 정문에 페인트
중 를 칠하는 데 $3\dfrac{4}{5}$ L를 사용하였습니다. 사용하고 남은 페인트는 몇 L인지 구해 보세요.

( )

| 분모가 다른 대분수의 덧셈, 분모가 다른 대분수의 뺄셈 | 〔서술형〕

17 학교에서 서점을 지나 도서관까지 가는 길
중 은 학교에서 도서관으로 바로 가는 길보다 몇 km 더 먼지 풀이 과정을 쓰고, 답을 구해 보세요.

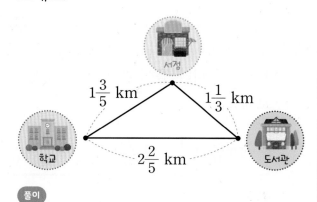

풀이

답 ....

| 분모가 다른 대분수의 뺄셈 |

18 숫자 카드 중에서 3장을 한 번씩 사용하여
상 만들 수 있는 가장 큰 대분수와 가장 작은 대분수의 차를 구해 보세요.

3 5 7 8

( )

| 분모가 다른 대분수의 뺄셈 |

19 그림과 같이 색 테이프 3장을 $\dfrac{7}{8}$ m씩 겹치
상 게 이어 붙였습니다. 이어 붙인 전체 길이는 몇 m인지 구해 보세요.

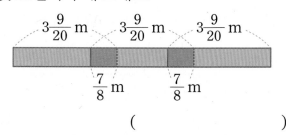

( )

| 분모가 다른 진분수의 덧셈 | 〔서술형〕

20 1부터 9까지의 자연수 중에서 ☐ 안에 들어
상 갈 수 있는 가장 작은 수는 얼마인지 풀이 과정을 쓰고, 답을 구해 보세요.

$$\dfrac{4}{9}+\dfrac{\square}{12}>1$$

풀이

답 ....

분모가 다른 분수의 **뺄셈**은 어떻게 할까요?

6

다각형의
둘레와 넓이

• 미술관에서 여러 가지 작품을 감상하거나 만들기 체험을 하고 있습니다.
• 두 직사각형 모양의 종이를 겹쳐 보며 넓이를 간단하고 정확하게 비교하는 방법에 대해 궁금해 하고 있습니다.

그림 속 상황

공부할 준비가 되었나요?

자/기/주/도/학/습

준비 팡팡

학습 목표

'무엇을 알고 있나요'와 '함께 생각해 볼까요'를 통하여 단원을 준비할 수 있습니다.

도형의 이름 알아보기

• 사다리꼴: 평행한 변이 한 쌍이라도 있는 사각형
➡ 가, 나, 다, 라

• 평행사변형: 두 쌍의 변이 평행한 사각형
➡ 가, 나, 다

• 마름모: 네 변의 길이가 같은 사각형 ➡ 나, 다

사각형의 변의 길이 알아보기

• 직사각형: 마주 보는 변의 길이가 같습니다.

• 평행사변형: 마주 보는 변의 길이가 같습니다.

• 마름모: 네 변의 길이가 모두 같습니다.

도형에서 수직과 평행 알아보기

• 서로 평행인 변 ➡ 변 ㄱㄹ과 변 ㄴㄷ

• 평행선의 한 직선에서 다른 직선에 수선을 긋습니다. 이때 수선의 길이를 평행선 사이의 거리라고 합니다.

준비 팡팡 (수학 익힘 75쪽)

무엇을 알고 있나요

1 도형을 보고 물음에 답해 보세요.

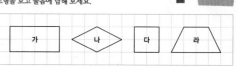

가	나	다	라

• 사다리꼴을 모두 찾아보세요. (가, 나, 다, 라)

• 평행사변형을 모두 찾아보세요. (가, 나, 다)

• 마름모를 모두 찾아보세요. (나, 다)

2 사각형을 보고 ☐ 안에 알맞은 수를 써넣으세요.

직사각형 / 평행사변형 / 마름모

3 도형을 보고 물음에 답해 보세요.

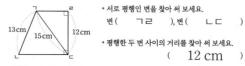

• 서로 평행인 변을 찾아 써 보세요.
변 (ㄱㄹ), 변 (ㄴㄷ)

• 평행한 두 변 사이의 거리를 찾아 써 보세요.
(12 cm)

132

풀이 평행한 두 변 사이의 거리는 변 ㄱㄹ과 변 ㄴㄷ에 수직인 변 ㄹㄷ의 길이입니다.

 교과서 개념 완성 | 배운 것을 다시 생각하기

➡ 사다리꼴

평행한 변이 한 쌍이라도 있는 사각형

평행

➡ 평행사변형

두 쌍의 마주 보는 변이 서로 평행한 사각형

평행

• 마주 보는 두 변의 길이가 같습니다.

• 마주 보는 두 각의 크기가 같습니다.

• 이웃한 두 각의 크기의 합은 180°입니다.

➡ 마름모

네 변의 길이가 모두 같은 사각형

• 마주 보는 두 각의 크기가 같습니다.

• 이웃한 두 각의 크기의 합은 180° 입니다.

• 마주 보는 꼭짓점끼리 이은 두 선분은 서로 수직이고, 서로를 똑같이 둘로 나눕니다.

➡ 직사각형, 정사각형

• 직사각형: 마주 보는 꼭짓점끼리 이은 두 선분의 길이는 같습니다.

• 정사각형: 마주 보는 꼭짓점끼리 이은 두 선분은 수직으로 만납니다.

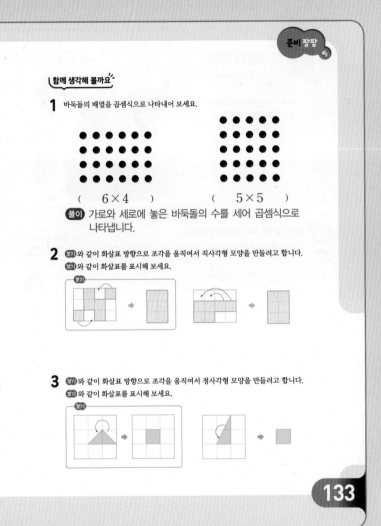

바둑돌의 배열을 곱셈식으로 나타내기
• 가로로 6개, 세로로 4줄이므로 6×4입니다.
• 가로로 5개, 세로로 5줄이므로 5×5입니다.

보기와 같이 화살표 방향으로 조각을 움직여서 직사각형 모양을 만들기
조각을 움직여서 마주 보는 두 변의 길이가 같은 직사각형 모양을 만듭니다.

학부모 코칭 Tip
도형이나 조각을 움직여 직사각형 모양으로 만드는 활동은 여러 가지 사각형의 넓이를 구하는 방법을 알아볼 때 주어진 도형을 직사각형으로 변형하는 방법을 생각하는 데 도움을 줍니다.

보기와 같이 화살표 방향으로 조각을 움직여서 정사각형 모양을 만들기
조각을 움직여서 네 변의 길이가 모두 같고, 네 각의 크기가 모두 같은 정사각형 모양을 만듭니다.

개념 확인 문제　　　정답 및 풀이 229쪽

| 4-2 4. 사각형 |

[1~2] 그림을 보고 물음에 답해 보세요.

1 직사각형 모양의 종이띠를 선을 따라 잘랐을 때 잘라 낸 도형들 중 사다리꼴은 모두 몇 개인지 구해 보세요.

(　　　　　)

| 4-2 4. 사각형 |

2 직사각형 모양의 종이띠를 선을 따라 잘랐을 때 잘라 낸 도형들 중 평행사변형을 모두 찾아 기호를 써 보세요.

(　　　　　)

| 4-2 4. 사각형 |

3 다음 도형은 마름모입니다. ☐ 안에 알맞은 수를 써넣으세요.

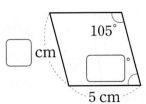

② 1 | 다각형의 둘레

학습 목표

다각형의 둘레를 구하는 방법을 이해하고, 둘레를 구할 수 있습니다.

그림으로 개념 잡기

> 둘레는 가장자리를 한 번 둘러싼 길이야.

| 어휘 | 다각형 --- polygon --- 多 (많을 다) 角 (뿔 각) 形 (모양 형) | 셋 이상의 직선으로 둘러싸인 평면 도형을 말합니다. |

1 다각형의 둘레

다각형의 둘레를 구하는 방법을 이해하고, 둘레를 구할 수 있습니다.

생각 열기 다정이와 민수는 색 철사로 오각형과 육각형 모양의 장식을 만들었습니다.

• 사용한 색 철사의 길이를 어떻게 구할 수 있을까요?
예 자를 사용하여 모든 변의 길이를 각각 재어 더합니다.

탐구하기 ① 도형의 둘레를 구하는 방법을 알아봅시다.

준비물 ⑤ (자)

• 자를 사용하여 점선을 따라 변을 그리고, 각 변의 길이를 재어 보세요.

> 둘레는 물건이나 도형의 테두리와 그 길이를 모두 뜻해요

가: 2 cm, 3 cm, 2 cm, 2 cm, 2 cm

나: 3 cm, 1 cm, 2 cm, 2 cm, 2 cm, 2 cm

• 가와 나의 둘레를 구해 보세요.

	가	나
둘레(cm)	11	12

• 다각형의 둘레를 구하는 방법을 이야기해 보세요.
예 다각형의 모든 변의 길이를 각각 재어서 더합니다.

풀이 (가의 둘레)＝2＋2＋2＋2＋3＝11 (cm)
(나의 둘레)＝1＋2＋2＋2＋2＋3＝12 (cm)

134

교과서 개념 완성

탐구하기 ① 도형의 둘레를 구하는 방법 알아보기

다각형의 모든 변의 길이의 합을 구합니다.

정리하기 ① 다각형의 둘레를 구하는 방법 정리하기

다각형의 둘레는 변의 길이를 모두 더하여 구할 수 있습니다.

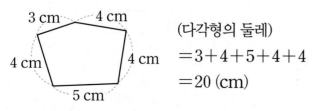

(다각형의 둘레)
＝3＋4＋5＋4＋4
＝20 (cm)

탐구하기 ② 여러 가지 도형의 둘레 구하는 방법 알아보기

활동 ① 직사각형과 평행사변형의 둘레 구하기

• (직사각형의 둘레)＝8＋5＋8＋5
＝8×2＋5×2＝26 (cm)

• (평행사변형의 둘레)＝7＋6＋7＋6
＝7×2＋6×2＝26 (cm)

➡ 직사각형과 평행사변형의 둘레는 네 변의 길이를 모두 더하거나 길이가 같은 변이 두 개씩 있는 것을 이용하여 구할 수 있습니다.

학부모 코칭 Tip

도형의 둘레를 구할 때 도형의 성질을 이용할 수 있다는 것을 탐구하게 합니다.

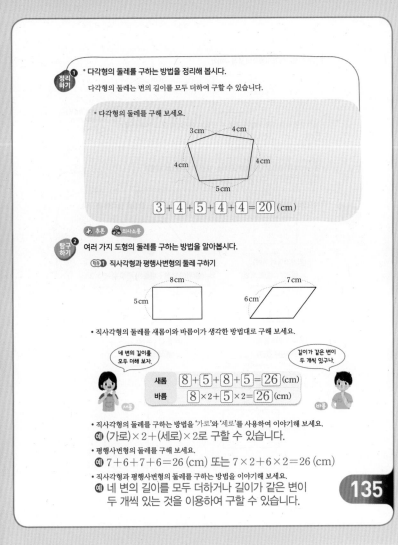

정리① 다각형의 둘레를 구하는 방법을 정리해 봅시다.

다각형의 둘레는 변의 길이를 모두 더하여 구할 수 있습니다.

• 다각형의 둘레를 구해 보세요.

$3+4+5+4+4=20$ (cm)

추론 의사소통

탐구② 여러 가지 도형의 둘레를 구하는 방법을 알아봅시다.

활동① 직사각형과 평행사변형의 둘레 구하기

• 직사각형의 둘레를 새롬이와 바름이가 생각한 방법대로 구해 보세요.

네 변의 길이를 모두 더해 보자.

길이가 같은 변이 두 개씩 있구나.

새롬 $8+5+8+5=26$ (cm)
바름 $8×2+5×2=26$ (cm)

• 직사각형의 둘레를 구하는 방법을 '가로'와 '세로'를 사용하여 이야기해 보세요.
예 (가로)×2+(세로)×2로 구할 수 있습니다.

• 평행사변형의 둘레를 구해 보세요.
예 $7+6+7+6=26$ (cm) 또는 $7×2+6×2=26$ (cm)

• 직사각형과 평행사변형의 둘레를 구하는 방법을 이야기해 보세요.
예 네 변의 길이를 모두 더하거나 길이가 같은 변이 두 개씩 있는 것을 이용하여 구할 수 있습니다.

135

이런 문제가 서술형으로 나와요

길이가 20 cm인 철사를 겹치는 부분이 없이 사용하여 오른쪽과 같은 직사각형을 만들었습니다. 남은 철사는 몇 cm인지 풀이 과정을 쓰고, 답을 구해 보세요.

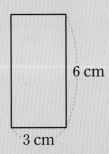

6 cm

3 cm

| 풀이 과정 |

❶ 직사각형의 둘레 구하기

$3+6+3+6=18$ (cm)

❷ 남은 철사의 길이 구하기

길이가 20 cm인 철사로 둘레가 18 cm인 직사각형을 만들었으므로 남은 철사는

$20-18=2$ (cm)입니다.

답 2 cm

수학 교과 역량 추론 의사소통

여러 가지 도형의 둘레를 구하는 방법 알아보기

주어진 도형의 성질을 분석하고 이를 활용하여 둘레를 구하는 과정과 설명하는 활동을 통해 추론 능력과 의사소통 능력을 기를 수 있습니다.

개념 확인 문제   정답 및 풀이 229쪽

1 직사각형의 둘레를 구하려고 합니다. ☐ 안에 알맞은 수를 써넣으세요.

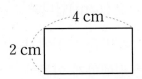

4 cm

2 cm

(직사각형의 둘레)=(가로)×2+(세로)×2

$=4×2+2×$ ☐

$=$ ☐$+$☐$=$☐ (cm)

2 평행사변형의 둘레를 구하는 식으로 잘못된 것의 기호를 써 보세요.

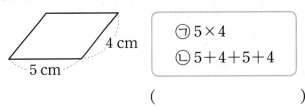

4 cm

5 cm

㉠ $5×4$
㉡ $5+4+5+4$

(   )

3 직사각형의 둘레를 구해 보세요.

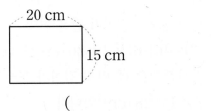

20 cm

15 cm

(   )

직사각형과 평행사변형의 둘레 구하기

우린 마주 보는 변의 길이가 같아.

➡ 마주 보는 변의 길이가 각각 같으므로 한 변의 길이를 2배 하고 다른 변의 길이를 2배 하여 더합니다.

마름모와 정사각형의 둘레 구하기

우리는 네 변의 길이가 같지!

➡ 마름모와 정사각형은 각각 네 변의 길이가 모두 같으므로 한 변의 길이를 4배 합니다.

학부모 코칭 Tip

도형의 둘레를 구하는 방법을 탐구할 때 형식화에 중점을 두기보다 학생들의 다양한 방법을 수용하도록 합니다.

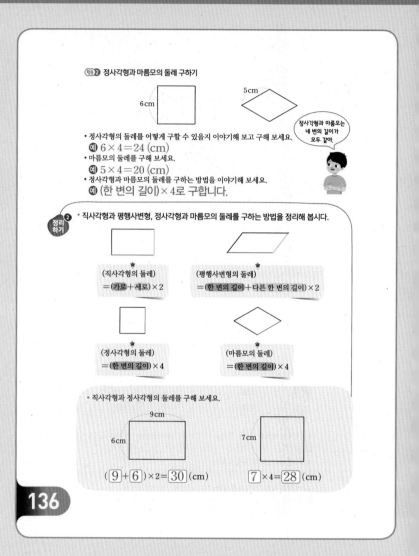

활동2 정사각형과 마름모의 둘레 구하기

• 정사각형의 둘레를 어떻게 구할 수 있을지 이야기해 보고 구해 보세요.
예 $6 \times 4 = 24$ (cm)
• 마름모의 둘레를 구해 보세요.
예 $5 \times 4 = 20$ (cm)
• 정사각형과 마름모의 둘레를 구하는 방법을 이야기해 보세요.
예 (한 변의 길이) $\times 4$로 구합니다.

정사각형과 마름모는 네 변의 길이가 모두 같아.

정리하기2 직사각형과 평행사변형, 정사각형과 마름모의 둘레를 구하는 방법을 정리해 봅시다.

(직사각형의 둘레)
= (가로＋세로) $\times 2$

(평행사변형의 둘레)
= (한 변의 길이＋다른 한 변의 길이) $\times 2$

(정사각형의 둘레)
= (한 변의 길이) $\times 4$

(마름모의 둘레)
= (한 변의 길이) $\times 4$

• 직사각형과 정사각형의 둘레를 구해 보세요.

$(\boxed{9}+\boxed{6}) \times 2 = \boxed{30}$ (cm)　　$\boxed{7} \times 4 = \boxed{28}$ (cm)

136

👦 **교과서 개념 완성**

활동2 정사각형과 마름모의 둘레 구하기
정사각형과 마름모는 네 변의 길이가 모두 같기 때문에 둘레는 (한 변의 길이) $\times 4$로 구할 수 있습니다.

정리하기2 **여러 가지 도형의 둘레를 구하는 방법 정리하기**

• 직사각형은 길이가 같은 변이 두 개씩 있으므로 둘레는 $(9+6) \times 2 = 30$ (cm)입니다.
• 정사각형은 네 변의 길이가 모두 같으므로 둘레는 $7 \times 4 = 28$ (cm)입니다.

생각 솔솔 **직각으로 된 도형의 둘레 구하기**
처음 직사각형 모양의 둘레와 ㄴ자 모양으로 만든 도형의 둘레를 비교해 봅니다.

• 처음 직사각형 모양의 둘레는
$(6+5) \times 2 = 22$ (cm)입니다.

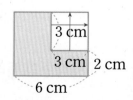

• ㄴ자 모양으로 만든 도형에서 변의 일부를 평행하게 이동하여 직사각형 모양으로 바꾸어 둘레를 구하면
$3+3+3+2+6+5 = 22$ (cm)입니다.

➡ 처음 직사각형 모양의 둘레와 ㄴ자 모양으로 만든 도형의 둘레가 같습니다.

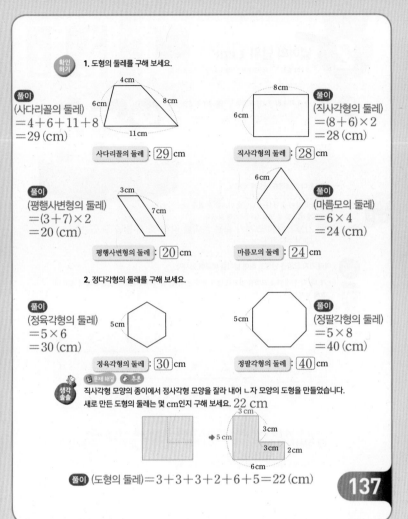

확인하기

1. 도형의 둘레를 구해 보세요.

풀이
(사다리꼴의 둘레)
$=4+6+11+8$
$=29$ (cm)

사다리꼴의 둘레 : 29 cm

풀이
(직사각형의 둘레)
$=(8+6)\times2$
$=28$ (cm)

직사각형의 둘레 : 28 cm

풀이
(평행사변형의 둘레)
$=(3+7)\times2$
$=20$ (cm)

평행사변형의 둘레 : 20 cm

풀이
(마름모의 둘레)
$=6\times4$
$=24$ (cm)

마름모의 둘레 : 24 cm

2. 정다각형의 둘레를 구해 보세요.

풀이
(정육각형의 둘레)
$=5\times6$
$=30$ (cm)

정육각형의 둘레 : 30 cm

풀이
(정팔각형의 둘레)
$=5\times8$
$=40$ (cm)

정팔각형의 둘레 : 40 cm

생각쑥쑥 문제 해결 추론

직사각형 모양의 종이에서 정사각형 모양을 잘라 내어 ㄴ자 모양의 도형을 만들었습니다. 새로 만든 도형의 둘레는 몇 cm인지 구해 보세요. 22 cm

풀이 (도형의 둘레)$=3+3+3+2+6+5=22$ (cm)

137

이런 문제가 서술형으로 나와요

평행사변형과 마름모의 둘레가 같습니다. 마름모의 한 변의 길이는 몇 cm인지 풀이 과정을 쓰고, 답을 구해 보세요.

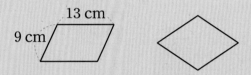

| 풀이 과정 |

❶ 평행사변형의 둘레 구하기

$13+9+13+9=44$ (cm)

❷ 마름모의 한 변의 길이 구하기

마름모의 둘레도 44 cm이므로 한 변의 길이는
$44\div4=11$ (cm)입니다.

답 11 cm

수학 교과 역량 문제 해결 추론

직각으로 된 도형의 둘레 구하기

주어진 도형의 성질을 분석하고 이를 활용하여 둘레를 구하는 과정에서 문제 해결 능력과 추론 능력을 기를 수 있습니다.

개념 확인 문제 정답 및 풀이 229쪽

1 마름모의 둘레는 몇 cm인지 구해 보세요.

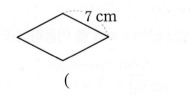

(　　　　　　　)

2 정오각형의 둘레는 몇 cm인지 구해 보세요.

(　　　　　　　)

3 cm

3 직각으로 이루어진 왼쪽 도형의 변을 평행하게 이동시켰습니다. 왼쪽 도형의 둘레는 몇 cm인지 구해 보세요.

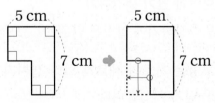

(도형의 둘레)

$=$ (가로가 5 cm, 세로가 ☐ cm인 직사각형의 둘레)

$=5\times2+$ ☐ $\times2=$ ☐ (cm)

학습 목표

1 cm²를 알고, 이를 단위로 하여 도형의 넓이를 구할 수 있습니다.

그림으로 개념 잡기

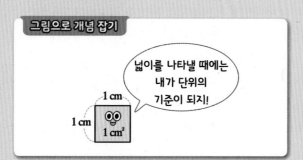

넓이를 나타낼 때에는 내가 단위의 기준이 되지!

1 cm
1 cm
1 cm²

참고

- 길이를 구한 결과를 쓸 때에는 길이를 측정할 때 사용한 단위의 수와 그 단위를 함께 씁니다. 예 2 cm
- 넓이를 구한 결과를 쓸 때에도 넓이를 측정할 때 사용한 단위의 수와 그 단위를 함께 씁니다. 예 2 cm²

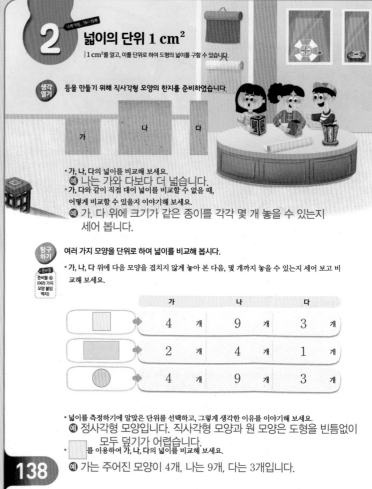

2 넓이의 단위 1 cm²

| 1 cm²를 알고, 이를 단위로 하여 도형의 넓이를 구할 수 있습니다.

생각 열기 등을 만들기 위해 직사각형 모양의 한지를 준비하였습니다.

가   나   다

- 가, 나, 다의 넓이를 비교해 보세요.
예 나는 가와 다보다 더 넓습니다.
- 가, 다와 같이 직접 대어 넓이를 비교할 수 없을 때, 어떻게 비교할 수 있을지 이야기해 보세요.
예 가, 다 위에 크기가 같은 종이를 각각 몇 개 놓을 수 있는지 세어 봅니다.

탐구 하기 여러 가지 모양을 단위로 하여 넓이를 비교해 봅시다.

- 가, 나, 다 위에 다음 모양을 겹치지 않게 놓아 본 다음, 몇 개까지 놓을 수 있는지 세어 보고 비교해 보세요.

	가	나	다
▢	4 개	9 개	3 개
▭	2 개	4 개	1 개
●	4 개	9 개	3 개

- 넓이를 측정하기에 알맞은 단위를 선택하고, 그렇게 생각한 이유를 이야기해 보세요.
예 정사각형 모양입니다. 직사각형 모양과 원 모양은 도형을 빈틈없이 모두 덮기가 어렵습니다.
- ▢를 이용하여 가, 나, 다의 넓이를 비교해 보세요.
예 가는 주어진 모양이 4개, 나는 9개, 다는 3개입니다.

138

교과서 개념 완성

탐구하기 임의 단위로 넓이를 구하고, 넓이의 단위로 알맞은 모양과 크기 생각하기

- 넓이를 측정하기에 알맞은 단위는 ▢ 모양입니다.

- ▭ 모양은 가로와 세로가 달라 겹치지 않게 도형을 모두 덮기 어렵습니다.

- ● 모양은 빈틈이 생겨 몇 개를 덮을 수 있는지 알기 어렵습니다.

→ 사람마다 서로 다른 단위를 사용하면 의사소통에 문제가 생기므로 누구나 알 수 있는 단위를 만들면 좋습니다.

확인하기 단위 1 cm²를 이용하여 도형의 넓이 구하기

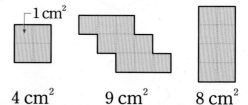

1 cm²

4 cm²   9 cm²   8 cm²

학부모 코칭 Tip

여러 가지 도형을 안내하여 넓이의 개념을 단위 1 cm²의 수를 세는 활동에 중점을 둡니다.

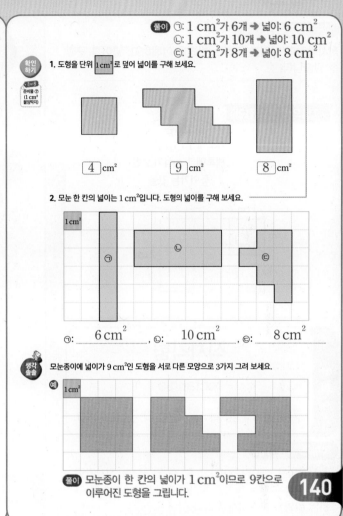

139

140

개념 확인 문제

정답 및 풀이 229쪽

1 1cm²를 사용하여 도형의 넓이를 구하려고 합니다. ☐ 안에 알맞은 수를 써넣으세요.

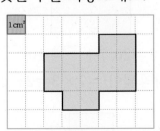

도형의 넓이는 1cm²가 ☐ 개이므로

☐ cm²입니다.

[2~3] 그림을 보고 물음에 답해 보세요.

2 넓이가 9 cm²인 도형의 기호를 써 보세요.

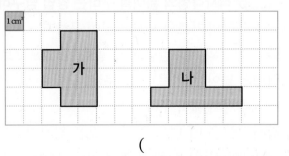

(   )

3 도형 가는 도형 나보다 몇 cm² 더 넓은지 구해 보세요.

(   )

4 차시

3 | 직사각형의 넓이

직사각형의 넓이를 구하는 방법을 이해하고, 넓이를 구할 수 있습니다.

그림으로 개념 잡기

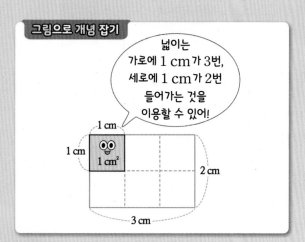

넓이는 가로에 1 cm가 3번, 세로에 1 cm가 2번 들어가는 것을 이용할 수 있어!

1 cm
1 cm
1 cm²
2 cm
3 cm

직사각형

어휘

rectangle

直(곧을 직) 四(넉 사) 角(뿔 각) 形(모양 형)

학부모 코칭 Tip

정사각형은 직사각형이라고 할 수 있으므로 직사각형의 넓이를 구하는 방법을 통하여 정사각형의 넓이를 구하는 방법을 유추하게 합니다.

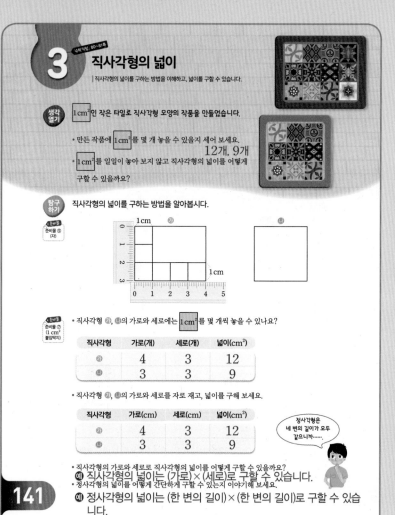

3 직사각형의 넓이

[수학익힘: 80~81쪽]

직사각형의 넓이를 구하는 방법을 이해하고, 넓이를 구할 수 있습니다.

생각 열기
1 cm²인 작은 타일로 직사각형 모양의 작품을 만들었습니다.

• 만든 작품에 1 cm²를 몇 개 놓을 수 있을지 세어 보세요.
12개, 9개
• 1 cm²를 일일이 놓아 보지 않고 직사각형의 넓이를 어떻게 구할 수 있을까요?

탐구 하기
직사각형의 넓이를 구하는 방법을 알아봅시다.

준비물 ① (자)

1cm ㉮
1cm ㉯

• 직사각형 ㉮, ㉯의 가로와 세로에는 1cm²를 몇 개씩 놓을 수 있나요?

직사각형	가로(개)	세로(개)	넓이(cm²)
㉮	4	3	12
㉯	3	3	9

• 직사각형 ㉮, ㉯의 가로와 세로를 자로 재고, 넓이를 구해 보세요.

직사각형	가로(cm)	세로(cm)	넓이(cm²)
㉮	4	3	12
㉯	3	3	9

정사각형은 네 변의 길이가 모두 같으니까......

• 직사각형의 가로와 세로로 직사각형의 넓이를 어떻게 구할 수 있을까요?
예 직사각형의 넓이는 (가로)×(세로)로 구할 수 있습니다.
• 정사각형의 넓이를 어떻게 간단하게 구할 수 있는지 이야기해 보세요.
예 정사각형의 넓이는 (한 변의 길이)×(한 변의 길이)로 구할 수 있습니다.

141

교과서 개념 완성

탐구하기 직사각형의 넓이를 구하는 방법 탐구하기

• 직사각형의 가로와 세로로 넓이 구하기
1cm²를 가로와 세로만큼 각각 놓을 수 있으므로 직사각형의 넓이는 (가로)×(세로)로 구할 수 있습니다.

• 정사각형의 넓이 구하기
정사각형은 네 변의 길이가 같은 직사각형이므로 (한 변의 길이)×(한 변의 길이)로 넓이를 구할 수 있습니다.

(직사각형의 넓이)=(가로)×(세로)

확인하기 직사각형과 정사각형의 넓이 구하기

둘레를 이용하여 다른 한 변의 길이를 구하여 넓이를 구합니다.

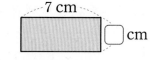

7 cm
□cm

$(7+□)×2=20, 7+□=10, □=3$
➔ (직사각형의 넓이)$=7×3=21 (cm²)$

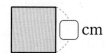

□cm

$□×4=16, □=4$
➔ (정사각형의 넓이)$=4×4=16 (cm²)$

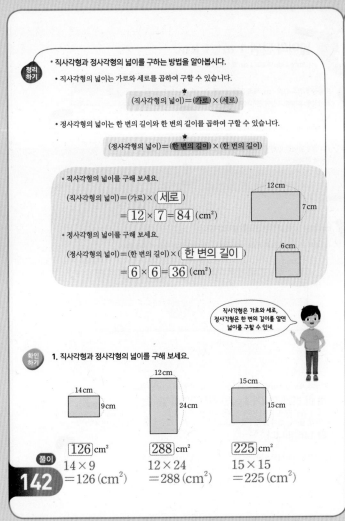

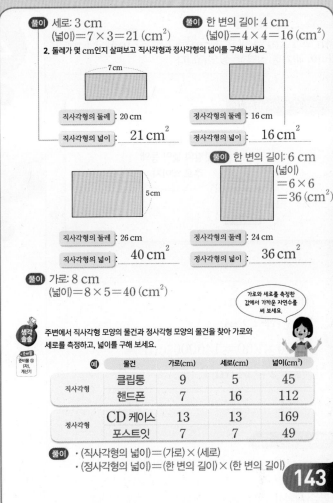

개념 확인 문제

정답 및 풀이 229쪽

1 직사각형의 넓이는 몇 cm^2인지 구해 보세요.

15 cm
5 cm

(   )

2 정사각형의 넓이는 몇 cm^2인 지 구해 보세요.

(   )

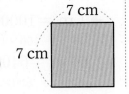

7 cm
7 cm

3 진우가 산 엽서의 가로는 10 cm이고, 세로는 8 cm인 직사각형 모양입니다. 이 엽서의 넓이는 몇 cm^2인지 구해 보세요.

(   )

4 오른쪽 정사각형의 둘레가 36 cm일 때, 정사각형의 넓이는 몇 cm^2인지 구해 보세요.

(   )

4 | 넓이의 단위 1 m², 1 km²

학습 목표

1 m²와 1 km²를 알고, 1 cm²와 1 m², 1 m²와 1 km² 사이의 관계를 설명할 수 있습니다.

그림으로 개념 잡기

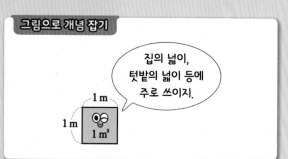

집의 넓이, 텃밭의 넓이 등에 주로 쓰이지.

1 m
1 m
1 m²

참고

700 cm = 7 m

200 cm = 2 m

→ 700 × 200 = 140000 (cm²)

7 × 2 = 14 (m²)

학부모 코칭 Tip

1 cm²보다 더 큰 단위의 필요성을 일방적으로 제시하지 않고 학생들이 직접 1 cm² 단위를 사용하여 불편함을 체험하게 함으로써 그 필요성을 느끼게 합니다.

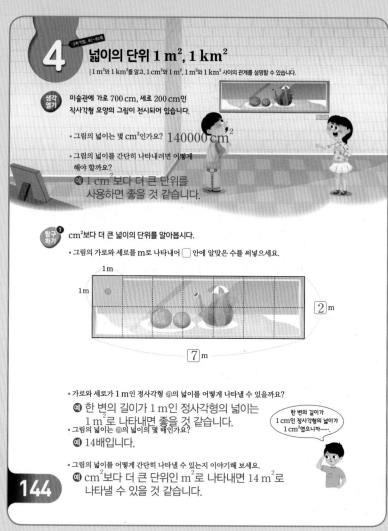

4 넓이의 단위 1 m², 1 km²

1 m²와 1 km²를 알고, 1 cm²와 1 m², 1 m²와 1 km² 사이의 관계를 설명할 수 있습니다.

생각 열기

미술관에 가로 700 cm, 세로 200 cm인 직사각형 모양의 그림이 전시되어 있습니다.

• 그림의 넓이는 몇 cm²인가요? 140000 cm²

• 그림의 넓이를 간단히 나타내려면 어떻게 해야 할까요?

예 1 cm² 보다 더 큰 단위를 사용하면 좋을 것 같습니다.

탐구하기 1 cm²보다 더 큰 넓이의 단위를 알아봅시다.

• 그림의 가로와 세로를 m로 나타내어 □ 안에 알맞은 수를 써넣으세요.

1 m
1 m
⑦
2 m
7 m

• 가로와 세로가 1 m인 정사각형 ⑦의 넓이를 어떻게 나타낼 수 있을까요?

예 한 변의 길이가 1 m인 정사각형의 넓이는 1 m²로 나타내면 좋을 것 같습니다.

• 그림의 넓이는 ⑦의 넓이의 몇 배인가요?

예 14배입니다.

한 변의 길이가 1 cm인 정사각형의 넓이가 1 cm²였으니까......

• 그림의 넓이를 어떻게 간단히 나타낼 수 있는지 이야기해 보세요.

예 cm²보다 더 큰 단위인 m²로 나타내면 14 m²로 나타낼 수 있을 것 같습니다.

144

교과서 개념 완성

탐구하기 1 **정리하기 1** 1 m²를 이해하고 1 cm²와 1 m² 사이의 관계 알아보기

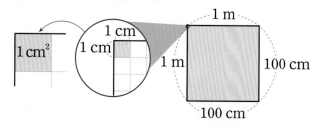

1 cm²
1 cm
1 cm
1 m
1 m
100 cm
100 cm

→ 1 m²에는 1 cm²가 한 줄에 100개씩 100줄 들어 갑니다.

$$1 \text{ m}^2 = 10000 \text{ cm}^2$$

확인하기 1 직사각형의 넓이를 m²와 cm²로 나타내기

1. 직사각형의 넓이 구하기

가로가 9 m, 세로가 4 m이므로 직사각형의 넓이는 9 × 4 = 36 (m²)입니다.

2. 교실 바닥의 넓이 구하기

넓이가 1 m²인 정사각형 모양의 종이를 한 줄에 8개씩 8줄 덮을 수 있으므로 교실 바닥의 넓이는 8 × 8 = 64 (m²)입니다.

→ 1 m² = 10000 cm²이므로
└─ 100 × 100 = 10000 (cm²)

64 m² = 640000 cm²입니다.
└─ 800 × 800 = 640000 (cm²)

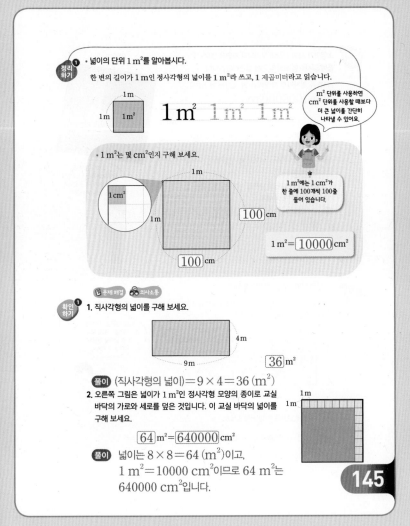

이런 문제가 서술형으로 나와요

직사각형 가의 넓이는 300000 cm²이고, 나의 넓이는 3 m²입니다. 넓이가 더 넓은 직사각형은 어느 것인지 풀이 과정을 쓰고, 답을 구해 보세요.

| 풀이 과정 |

❶ 가의 넓이를 m² 단위로 나타내기

$10000 \text{ cm}^2 = 1 \text{ m}^2$이므로
$300000 \text{ cm}^2 = 30 \text{ m}^2$입니다.

❷ 넓이가 더 넓은 직사각형 구하기

$30 \text{ m}^2 > 3 \text{ m}^2$이므로 넓이가 더 넓은 직사각형은 가입니다.

답 가

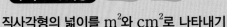

수학 교과 역량 문제 해결 의사소통

직사각형의 넓이를 m²와 cm²로 나타내기

1 m^2 단위를 사용하여 직사각형의 넓이를 구하고 1 cm^2와 1 m^2 사이의 관계를 설명하는 과정에서 문제 해결 능력과 의사소통 능력을 기를 수 있습니다.

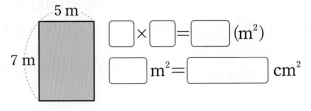

개념 확인 문제   정답 및 풀이 229쪽

1 ☐ 안에 알맞게 써넣으세요.

한 변의 길이가 ☐ 인 정사각형의 넓이를 1 m^2라 쓰고, ☐ 라고 읽습니다.

2 직사각형의 넓이를 구해 보세요.

5 m
7 m

$☐ \times ☐ = ☐ \text{ (m}^2)$

$☐ \text{ m}^2 = ☐ \text{ cm}^2$

3 ☐ 안에 알맞은 수를 써넣으세요.

(1) $20000 \text{ cm}^2 = ☐ \text{ m}^2$

(2) $5 \text{ m}^2 = ☐ \text{ cm}^2$

4 넓이가 48 m^2인 직사각형의 모양의 꽃밭이 있습니다. 이 꽃밭의 가로가 6 m일 때 세로는 몇 m인지 구해 보세요.

(   )

그림으로 개념 잡기

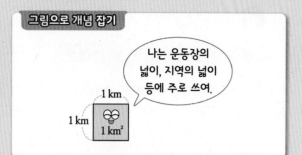

나는 운동장의 넓이, 지역의 넓이 등에 주로 쓰여.

1 km
1 km
1 km²

참고

- 1 km²에는 1 m²가 한 줄에 1000개씩 1000줄 들어갑니다.
- 1 km² = 1000000 m²
  = 10000000000 cm²

학부모 코칭 Tip

1 km²는 1000000 m²임을 단순히 암기하기보다 1 m²는 10000 cm²라는 것을 탐구한 것과 같이 1 km²가 1000000 m²가 된다는 것을 설명하게 합니다.

탐구하기 ② 소영이가 사회 시간에 우리나라 지형을 알아보던 중에 정사각형 모양의 논을 발견하였습니다.

- 오른쪽 정사각형 모양의 논의 넓이는 몇 m²인가요? 1000000 m²

- 논의 넓이를 m²로 나타내면 어떤 점이 불편한가요?
  예 수가 커져서 넓이를 쉽게 읽거나 말하기 어렵습니다.

- m²보다 더 큰 넓이의 단위를 어떻게 나타내면 좋을지 이야기해 보세요.
  예 m²보다 큰 넓이의 단위는 km²로 나타내면 좋을 것 같습니다.

1 cm²보다 큰 넓이의 단위는 1 m²인데, 1 m²보다 더 큰 넓이의 단위는 무엇일까?

정리하기 ② 넓이의 단위 1 km²를 알아봅시다.

- 한 변의 길이가 1 km인 정사각형의 넓이를 1 km²라 쓰고 1 제곱킬로미터라고 읽습니다.
- 1 km²는 1000000 m²입니다.

1 km
1 km²
1 km

1 km² = 1000000 m²

km² 단위를 사용하면 m² 단위를 사용할 때보다 더 큰 넓이를 간단히 나타낼 수 있어요.

1 km² 1 km² 1 km²

- □ 안에 알맞은 수를 써넣으세요.
  1 km² = 1000000 m²이므로 9 km² = 9000000 m²입니다.
  1000000 m² = 1 km²이므로 73000000 m² = 73 km²입니다.

146

교과서 개념 완성

탐구하기 ② 1 m²보다 더 큰 넓이의 단위 알아보기

- 정사각형의 넓이는 (한 변의 길이) × (한 변의 길이)이므로 논의 넓이는
  1000 × 1000 = 1000000 (m²)입니다.

- 논의 넓이를 m²로 나타내면 자릿수가 커져서 넓이를 나타내는 데 불편합니다.

- cm보다 더 긴 단위가 m이고, m보다 더 긴 단위는 km입니다. 이와 같이 cm²보다 더 큰 넓이의 단위는 m²이고, m²보다 더 큰 넓이의 단위는 km²로 나타내면 좋을 것 같습니다.

정리하기 ② 1 km²를 이해하고 1 m²와 1 km² 사이의 관계 알아보기

- 9 km²는 1 km²의 9배이므로 9000000 m²입니다.
  └─ 1000000 m²

- 73000000 m²는 1000000 m²의 73배이므로 73 km²입니다.

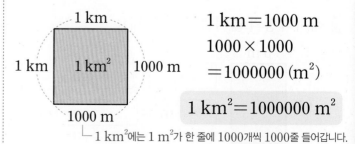

1 km
1 km
1 km²
1000 m
1000 m

1 km = 1000 m
1000 × 1000
= 1000000 (m²)

1 km² = 1000000 m²

└─ 1 km²에는 1 m²가 한 줄에 1000개씩 1000줄 들어갑니다.

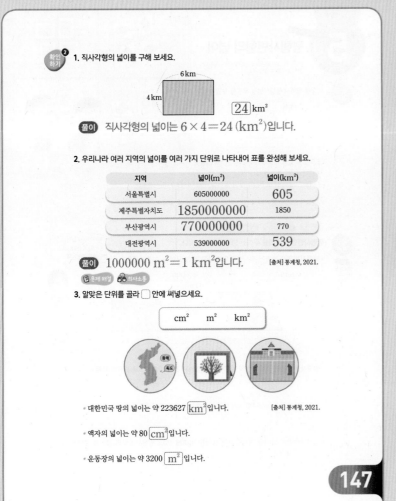

이런 문제가 서술형으로 나와요

넓이가 49 km²인 정사각형 모양의 땅의 둘레는 몇 km인지 풀이 과정을 쓰고, 답을 구해 보세요.

| 풀이 과정 |

❶ 정사각형 모양의 땅의 한 변의 길이 구하기

정사각형은 네 변의 길이가 모두 같으므로 땅의 한 변의 길이는 7×7＝49에서 7 km입니다.

❷ 정사각형 모양의 땅의 둘레 구하기

정사각형 모양의 땅의 둘레는 7×4＝28 (km)입니다.

답 28 km

◆ 수학 교과 역량 ◆ 📖 문제 해결　🔍 의사소통

cm², m², km²를 상황에 맞게 사용하기

넓이의 단위(cm², m², km²)에 대한 이해를 바탕으로 넓이의 단위를 적절하게 선택하고 올바른 단위를 찾는 활동을 통하여 문제 해결 능력과 의사소통 능력을 기를 수 있습니다.

개념 확인 문제

정답 및 풀이 230쪽

1 알맞은 단위에 ○표 하세요.

서울특별시의 넓이는
605 (m², km²)입니다.

2 직사각형의 넓이는 몇 km²인지 구해 보세요.

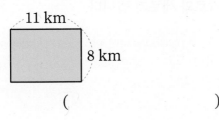

11 km
8 km

(　　　　　　)

3 직사각형의 넓이는 몇 km²인지 구해 보세요.

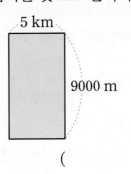

5 km
9000 m

(　　　　　　　　)

4 ☐ 안에 알맞은 수를 써넣으세요.

(1) 2 km² ＝ ☐ m²

(2) 800000 m² ＝ ☐ km²

5 | 평행사변형의 넓이

학습 목표

평행사변형의 넓이를 구하는 방법을 이해하고, 넓이를 구할 수 있습니다.

그림으로 개념 잡기

밑에 있지 않아도 밑변을 정할 수 있고, 그에 따라서 높이도 정해져.

높이
밑변
밑변
높이

참고 평행사변형에서 밑변과 높이는 서로 수직입니다.

어휘
평행사변형
parallelogram

平 (평평할 평) 行 (갈 행)
四 (넉 사) 邊 (가 변) 形 (모양 형)

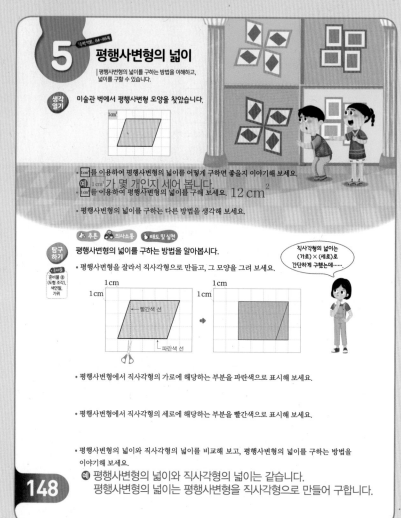

5 평행사변형의 넓이

평행사변형의 넓이를 구하는 방법을 이해하고, 넓이를 구할 수 있습니다.

생각 열기 미술관 벽에서 평행사변형 모양을 찾았습니다.

1cm²

• 1cm²를 이용하여 평행사변형의 넓이를 어떻게 구하면 좋을지 이야기해 보세요.
예 1cm²가 몇 개인지 세어 봅니다.
• 1cm²를 이용하여 평행사변형의 넓이를 구해 보세요. 12 cm²
• 평행사변형의 넓이를 구하는 다른 방법을 생각해 보세요.

추론 의사소통 태도 및 실천

탐구 하기 평행사변형의 넓이를 구하는 방법을 알아봅시다.

준비물 (도형 조각), 색연필, 가위

• 평행사변형을 잘라서 직사각형으로 만들고, 그 모양을 그려 보세요.

직사각형의 넓이는 (가로)×(세로)로 간단하게 구했는데······

1cm   1cm   →   1cm   1cm
빨간색 선
파란색 선

• 평행사변형에서 직사각형의 가로에 해당하는 부분을 파란색으로 표시해 보세요.

• 평행사변형에서 직사각형의 세로에 해당하는 부분을 빨간색으로 표시해 보세요.

• 평행사변형의 넓이와 직사각형의 넓이를 비교해 보고, 평행사변형의 넓이를 구하는 방법을 이야기해 보세요.
예 평행사변형의 넓이와 직사각형의 넓이는 같습니다.
평행사변형의 넓이는 평행사변형을 직사각형으로 만들어 구합니다.

148

교과서 개념 완성

생각 열기 평행사변형의 넓이를 구하는 방법 생각하기

• 1cm²가 9개 있습니다. ╱와 ╱를 합하면 1cm² 3개의 넓이와 같습니다.

➡ 1cm²가 12개 있으므로 넓이는 12 cm²입니다.

• 1cm²의 개수를 세기 편리하도록 평행사변형을 직사각형 모양으로 바꾸어 넓이를 구합니다.

학부모 코칭 Tip
모양을 하나씩 세어 넓이를 구하는 것의 불편함을 느끼는 활동을 통하여 넓이를 구하는 다른 방법의 필요성을 느끼게 합니다.

탐구하기 정리하기 **평행사변형의 넓이를 구하는 방법 알아보기**

평행사변형을 직사각형으로 바꾸어 넓이 구하기

평행사변형의 높이를 따라 잘라서 직사각형을 만들면 평행사변형의 밑변의 길이와 높이는 각각 직사각형의 가로와 세로가 됩니다.

(평행사변형의 넓이)=(직사각형의 넓이)
=(가로)×(세로)
=(밑변의 길이)×(높이)

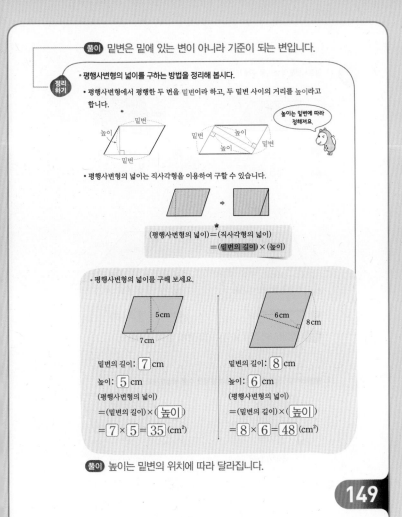

풀이 밑변은 밑에 있는 변이 아니라 기준이 되는 변입니다.

정리하기

• 평행사변형의 넓이를 구하는 방법을 정리해 봅시다.
• 평행사변형에서 평행한 두 변을 밑변이라 하고, 두 밑변 사이의 거리를 높이라고 합니다.

높이는 밑변에 따라 정해져요.

• 평행사변형의 넓이는 직사각형을 이용하여 구할 수 있습니다.

(평행사변형의 넓이)=(직사각형의 넓이)
=(밑변의 길이)×(높이)

• 평행사변형의 넓이를 구해 보세요.

밑변의 길이: 7 cm
높이: 5 cm
(평행사변형의 넓이)
=(밑변의 길이)×(높이)
=7×5=35 (cm²)

밑변의 길이: 8 cm
높이: 6 cm
(평행사변형의 넓이)
=(밑변의 길이)×(높이)
=8×6=48 (cm²)

풀이 높이는 밑변의 위치에 따라 달라집니다.

149

이런 문제가 서술형으로 나와요

높이가 7 m인 평행사변형의 넓이가 84 m²일 때 밑변의 길이는 몇 m인지 풀이 과정을 쓰고, 답을 구해 보세요.

| 풀이 과정 |
❶ 밑변의 길이를 ⬜m로 하여 넓이 구하는 식 세우기
⬜×7=84입니다.
❷ 밑변의 길이 구하기
⬜×7=84, ⬜=84÷7, ⬜=12
밑변의 길이는 12 m입니다.

답 12 m

◀ 수학 교과 역량 ▶ 추론 의사소통 태도 및 실천

평행사변형의 넓이를 구하는 방법 탐구하기
평행사변형과 직사각형의 관계를 이해하는 것을 통하여 추론 능력을 기르고 직사각형의 넓이를 구하는 방법을 이용하여 평행사변형의 넓이를 구하는 방법을 형식화하고 수학에 대한 유용함을 느끼는 과정을 통하여 의사소통 능력과 태도 및 실천 능력을 기를 수 있습니다.

개념 확인 문제
정답 및 풀이 230쪽

1 오른쪽 평행사변형에서 밑변을 모두 찾아 기호를 써 보세요.

( )

2 ⬜안에 알맞은 수를 써넣으세요.

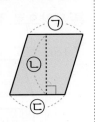

(평행사변형의 넓이)
=⬜×⬜=⬜ (cm²)

3 평행사변형의 넓이는 몇 cm²인지 구해 보세요.

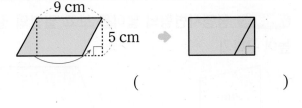

( )

4 평행사변형의 넓이는 몇 m²인지 구해 보세요.

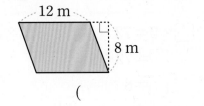

( )

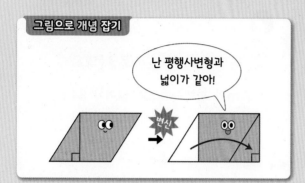

난 평행사변형과
넓이가 같아!

변신

어휘

넓이

area

일정한 평면에 걸쳐 있는 공간이나 범위의 크기를 말합니다.

참고

평행사변형의 높이를 따라 직접 자르고 직사각형으로 만드는 활동을 하면서 넓이의 공식을 단순한 암기로 하지 않고 평행사변형과 직사각형의 관계를 파악하여 이해하도록 합니다.

확인하기 1. 평행사변형의 넓이를 구해 보세요.

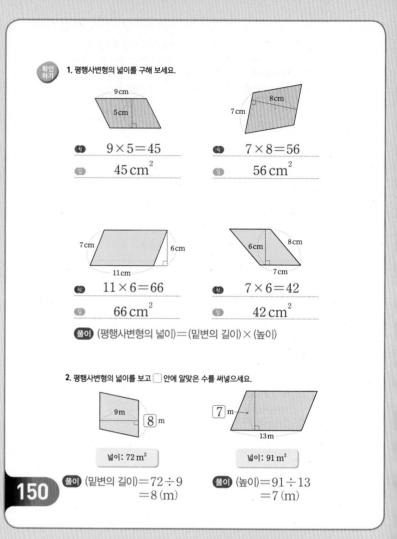

식 $9 \times 5 = 45$
답 $45 \, \text{cm}^2$

식 $7 \times 8 = 56$
답 $56 \, \text{cm}^2$

식 $11 \times 6 = 66$
답 $66 \, \text{cm}^2$

식 $7 \times 6 = 42$
답 $42 \, \text{cm}^2$

풀이 (평행사변형의 넓이)=(밑변의 길이)×(높이)

2. 평행사변형의 넓이를 보고 ☐ 안에 알맞은 수를 써넣으세요.

넓이: $72 \, \text{m}^2$

넓이: $91 \, \text{m}^2$

풀이 (밑변의 길이)=72÷9
=8 (m)

풀이 (높이)=91÷13
=7 (m)

150

교과서 개념 완성

확인하기 평행사변형의 넓이를 보고 밑변의 길이와 높이 구하기

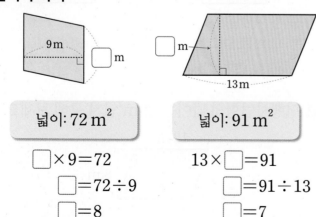

넓이: $72 \, \text{m}^2$

넓이: $91 \, \text{m}^2$

☐ × 9 = 72
☐ = 72 ÷ 9
☐ = 8

13 × ☐ = 91
☐ = 91 ÷ 13
☐ = 7

생각 솔솔 넓이가 같고 모양이 다른 평행사변형 그리기

모눈종이에 넓이가 $12 \, \text{cm}^2$인 평행사변형을 서로 다른 모양으로 3가지 그려 봅니다.

예
1 cm
1 cm

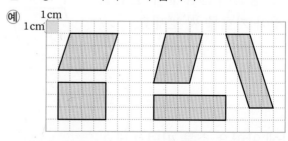

학부모 코칭 Tip

평행사변형에 속하는 직사각형, 정사각형, 마름모를 그린 경우도 정답으로 인정하되 사각형 사이의 포함 관계를 드러내 보이지 않도록 합니다.

3. 밑변의 길이와 높이가 각각 같은 평행사변형의 넓이를 비교해 보세요.

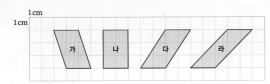

* 표를 완성해 보세요.

평행사변형	가	나	다	라
밑변의 길이(cm)	2	2	2	2
높이(cm)	3	3	3	3
넓이(cm^2)	6	6	6	6

* 밑변의 길이와 높이가 각각 같은 평행사변형의 넓이를 비교해 보고 알게 된 점을 이야기해 보세요. 예 넓이가 모두 6 cm^2입니다.
  평행사변형의 밑변의 길이와 높이가 같으면 모양이 달라도 넓이는 모두 같습니다.

생각 쏙쏙 모눈종이에 넓이가 12 cm^2인 평행사변형을 서로 다른 모양으로 3가지 그려 보세요.

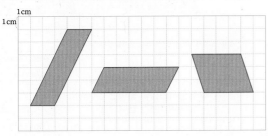

풀이 밑변의 길이와 높이의 곱이 12가 되는 평행사변형을 그립니다.

151

이런 문제가 서술형으로 나와요

직선 가와 나는 서로 평행합니다. 넓이가 다른 평행사변형을 찾아 기호를 쓰려고 합니다. 풀이 과정을 쓰고, 답을 구해 보세요.

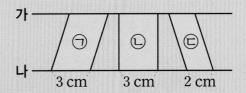

| 풀이 과정 |

❶ 밑변의 길이가 다른 평행사변형 찾기

㉠, ㉡은 밑변의 길이가 3 cm이고 ㉢은 밑변의 길이가 2 cm로 다릅니다.

❷ 넓이가 다른 평행사변형 찾기

높이가 모두 같고 밑변의 길이가 ㉢만 다르므로 넓이가 다른 평행사변형은 ㉢입니다.

답 ㉢

참고 다양한 형태의 평행사변형을 그려 보는 활동을 통하여 평행사변형의 넓이와 구성 요소 간의 관계를 이해합니다.

개념 확인 문제
정답 및 풀이 230쪽

1 평행사변형의 넓이는 몇 m^2인지 구해 보세요.

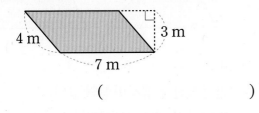

( )

2 밑변의 길이가 11 m이고 넓이가 44 m^2인 평행사변형의 높이는 몇 m인지 구해 보세요.

( )

3 넓이가 같은 두 평행사변형을 찾아 기호를 써 보세요.

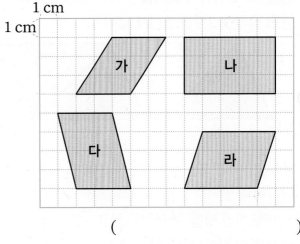

( )

6 | 삼각형의 넓이

학습 목표

삼각형의 넓이를 구하는 방법을 이해하고, 넓이를 구할 수 있습니다.

그림으로 개념 잡기

삼각형의 세 변은 어느 변이나 밑변이 될 수 있고, 그 밑변에 따라 높이가 정해져!

밑변   높이

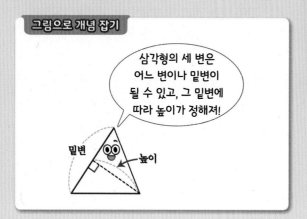

참고 삼각형의 넓이는 삼각형 2개를 붙여서 넓이가 2배인 평행사변형으로 만들어 넓이를 구하게 하거나 삼각형 1개를 잘라서 넓이가 같은 평행사변형으로 모양을 바꾸어 넓이를 구할 수 있습니다.

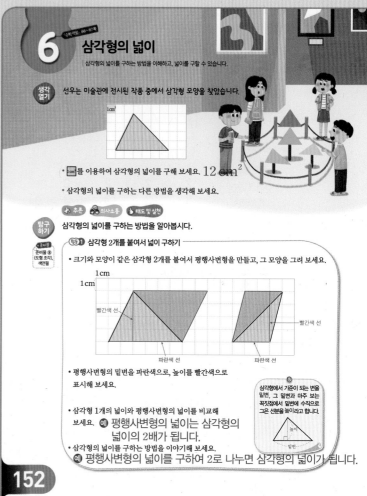

6 삼각형의 넓이

삼각형의 넓이를 구하는 방법을 이해하고, 넓이를 구할 수 있습니다.

생각 열기 선우는 미술관에 전시된 작품 중에서 삼각형 모양을 찾았습니다.

1cm²

· ▨를 이용하여 삼각형의 넓이를 구해 보세요. 12 cm²

· 삼각형의 넓이를 구하는 다른 방법을 생각해 보세요.

추론   의사소통   태도 및 실천

탐구 하기 삼각형의 넓이를 구하는 방법을 알아봅시다.

방법1 삼각형 2개를 붙여서 넓이 구하기

준비물 ⑧ (도형 조각), 색연필

· 크기와 모양이 같은 삼각형 2개를 붙여서 평행사변형을 만들고, 그 모양을 그려 보세요.

1cm
1cm

빨간색 선   빨간색 선

파란색 선   파란색 선

· 평행사변형의 밑변을 파란색으로, 높이를 빨간색으로 표시해 보세요.

· 삼각형 1개의 넓이와 평행사변형의 넓이를 비교해 보세요. 예 평행사변형의 넓이는 삼각형의 넓이의 2배가 됩니다.

삼각형에서 기준이 되는 변을 밑변, 그 밑변과 마주 보는 꼭짓점에서 밑변에 수직으로 그은 선분을 높이라고 합니다.

높이
밑변

· 삼각형의 넓이를 구하는 방법을 이야기해 보세요. 예 평행사변형의 넓이를 구하여 2로 나누면 삼각형의 넓이가 됩니다.

152

교과서 개념 완성

탐구하기 삼각형의 넓이를 구하는 방법 알아보기

활동1 삼각형 2개를 붙여서 넓이 구하기

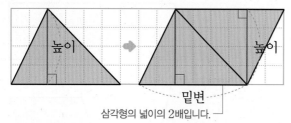

높이   높이

밑변
삼각형의 넓이의 2배입니다.

(삼각형의 넓이)   (밑변의 길이)×(높이)

= (만들어진 평행사변형의 넓이)÷2

= (밑변의 길이)×(높이)÷2

활동2 삼각형을 잘라서 넓이 구하기

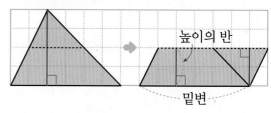

높이의 반

밑변

(삼각형의 넓이)

= (만들어진 평행사변형의 넓이)

= (밑변의 길이)×(삼각형의 높이÷2)

= (밑변의 길이)×(높이)÷2

학부모 코칭 Tip

삼각형을 변형하여 넓이를 구하는 방법을 다양하게 추론하게 합니다.

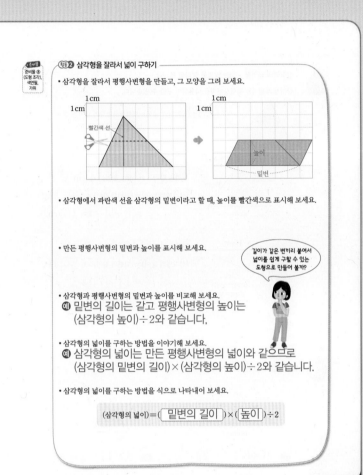

 삼각형을 잘라서 넓이 구하기

• 삼각형을 잘라서 평행사변형을 만들고, 그 모양을 그려 보세요.

• 삼각형에서 파란색 선을 삼각형의 밑변이라고 할 때, 높이를 빨간색으로 표시해 보세요.

• 만든 평행사변형의 밑변과 높이를 표시해 보세요.

길이가 같은 변끼리 붙여서 넓이를 쉽게 구할 수 있는 도형으로 만들어 볼까?

• 삼각형과 평행사변형의 밑변과 높이를 비교해 보세요.
  예 밑변의 길이는 같고 평행사변형의 높이는
  (삼각형의 높이)÷2와 같습니다.

• 삼각형의 넓이를 구하는 방법을 이야기해 보세요.
  예 삼각형의 넓이는 만든 평행사변형의 넓이와 같으므로
  (삼각형의 밑변의 길이)×(삼각형의 높이)÷2와 같습니다.

• 삼각형의 넓이를 구하는 방법을 식으로 나타내어 보세요.
  (삼각형의 넓이)=(밑변의 길이)×(높이)÷2

• 활동1과 활동2에서 알게 된 점을 이야기해 보세요.
  예 삼각형의 넓이는 삼각형 2개를 붙이거나 삼각형 1개를
  잘라서 평행사변형을 만들어 구할 수 있습니다.

153

이런 문제가 서술형으로 나와요

오른쪽 삼각형의 넓이는 24 cm^2 입니다. 밑변의 길이는 몇 cm인 지 풀이 과정을 쓰고, 답을 구해 보세요.

6 cm

| 풀이 과정 |

❶ 밑변의 길이를 ☐cm라 하여 넓이를 구하는 식 세우기
☐×6÷2=24입니다.

❷ 밑변의 길이 구하기
☐×6÷2=24, ☐×6=48, ☐=8
따라서 밑변의 길이는 8 cm입니다.

답 8 cm

수학 교과 역량   추론   의사소통   태도 및 실천

삼각형의 넓이를 구하는 방법 알아보기

삼각형과 평행사변형의 관계를 이해하는 것을 통하여 추론 능력을 기르고 평행사변형의 넓이를 구하는 방법을 이용하여 삼각형의 넓이를 구하는 방법을 형식화하고 수학에 대한 유용함을 느끼는 과정을 통하여 의사소통 능력과 태도 및 실천 능력을 기를 수 있습니다.

개념 확인 문제
정답 및 풀이 230쪽

1 ☐ 안에 알맞은 말을 써넣으세요.

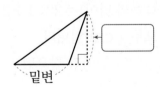
밑변

2 오른쪽 삼각형의 넓이를 구해 보세요.
(   )

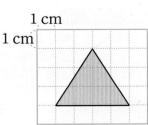
1 cm
1 cm

3 그림과 같이 크기와 모양이 같은 삼각형 2개를 붙여서 평행사변형을 만들었습니다. 만들어진 평행사변형의 넓이를 이용하여 왼쪽 삼각형의 넓이를 구해 보세요.

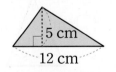
5 cm
12 cm
5 cm
12 cm

(1) 평행사변형의 넓이
(   )

(2) 삼각형의 넓이
(   )

삼각형을 다른 모양으로 만들어 넓이를 구하는 다양한 방법을 찾아 추론할 수 있습니다.

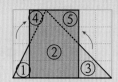

(삼각형의 넓이)=①+②+③
①=④, ③=⑤이므로
➡ (삼각형의 넓이)=(직사각형의 넓이)
          =②+④+⑤

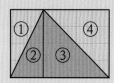

(삼각형의 넓이)=②+③
①=②, ③=④이므로
➡ (삼각형의 넓이)=(직사각형의 넓이)÷2
          =(①+②+③+④)÷2

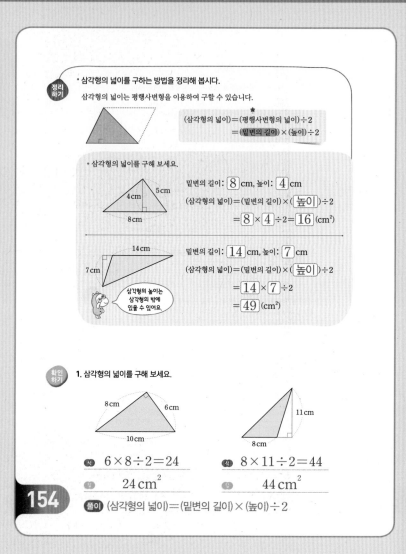

정리하기 · 삼각형의 넓이를 구하는 방법을 정리해 봅시다.

삼각형의 넓이는 평행사변형을 이용하여 구할 수 있습니다.

(삼각형의 넓이)=(평행사변형의 넓이)÷2
          =(밑변의 길이)×(높이)÷2

· 삼각형의 넓이를 구해 보세요.

밑변의 길이: 8 cm, 높이: 4 cm
(삼각형의 넓이)=(밑변의 길이)×(높이)÷2
          =8×4÷2=16 (cm²)

밑변의 길이: 14 cm, 높이: 7 cm
(삼각형의 넓이)=(밑변의 길이)×(높이)÷2
          =14×7÷2
          =49 (cm²)

삼각형의 높이는 삼각형의 밖에 있을 수 있어요.

확인하기 1. 삼각형의 넓이를 구해 보세요.

식 6×8÷2=24
답 24 cm²

식 8×11÷2=44
답 44 cm²

풀이 (삼각형의 넓이)=(밑변의 길이)×(높이)÷2

154

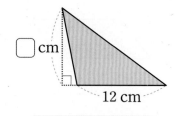

교과서 개념 완성

확인하기 삼각형의 넓이를 보고 밑변의 길이와 높이 구하기

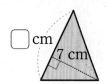

넓이: 60 cm²

12×□÷2=60
□=120÷12
□=10

넓이: 35 cm²

□×7÷2=35
□=70÷7
□=10

생각 솔솔 밑변의 길이와 높이가 각각 같은 삼각형의 넓이 비교하기

· (삼각형 ㄱㄴㄷ의 넓이)=2×4÷2=4 (cm²)
· (삼각형 ㄴㄷㄹ의 넓이)=2×4÷2=4 (cm²)
➡ 넓이가 모두 4 cm²입니다.
  밑변의 길이와 높이가 같으면 모양이 달라도 넓이는 모두 같습니다.

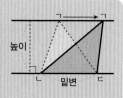

2. 삼각형의 넓이를 보고 □ 안에 알맞은 수를 써넣으세요.

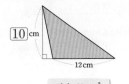

넓이: 60 cm²

넓이: 35 cm²

3. 그림을 보고 물음에 답해 보세요.

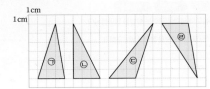

• 삼각형 ㉠, ㉡, ㉢, ㉣의 넓이를 각각 구해 보세요.

㉠: 9 cm², ㉡: 9 cm², ㉢: 9 cm², ㉣: 9 cm²

• 삼각형 ㉠, ㉡, ㉢, ㉣의 넓이를 비교해 보고 알게 된 점을 이야기해 보세요.

예 삼각형의 모양이 달라도 밑변의 길이와 높이가 같으면 넓이는 같습니다.

생각 술술

삼각형 ㄱㄴㄷ과 삼각형 ㄴㄷㄹ의 넓이를 각각 구해 보세요.

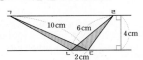

삼각형 ㄱㄴㄷ: 4 cm², 삼각형 ㄴㄷㄹ: 4 cm²

풀이 밑변의 길이와 높이가 같으면 넓이는 모두 같습니다.

155

이런 문제가 **서술형**으로 나와요

가와 넓이가 같은 삼각형을 찾아 기호를 쓰려고 합니다. 풀이 과정을 쓰고, 답을 구해 보세요.

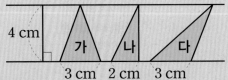

| 풀이 과정 |

❶ 가의 밑변의 길이와 같은 삼각형 찾기

가와 다는 밑변의 길이가 3 cm로 같습니다.

❷ 가와 넓이가 같은 삼각형 찾기

높이가 모두 4 cm로 같고 밑변의 길이가 같으면 삼각형의 넓이가 같으므로 가와 넓이가 같은 삼각형은 다입니다.   답 다

수학 교과 역량 의사소통

밑변의 길이와 높이가 각각 같은 삼각형의 넓이 비교하기

모양은 다르지만 밑변의 길이와 높이가 같은 삼각형의 넓이를 비교하는 과정에서 의사소통 능력을 기를 수 있습니다.

개념 확인 문제   정답 및 풀이 230쪽

[1~2] 삼각형의 넓이는 몇 cm²인지 구해 보세요

1
8 cm   10 cm

(   )

2
12 cm
14 cm

(   )

3 넓이가 다른 삼각형을 찾아 기호를 써 보세요.

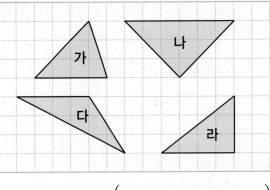

(   )

7 | 마름모의 넓이

학습 목표

마름모의 넓이를 구하는 방법을 이해하고, 넓이를 구할 수 있습니다.

그림으로 개념 잡기

모양을 바꿔서 마름모의 넓이를 이해해 봐!

| 어휘 | 마름모 rhombus | 네 변의 길이가 모두 같은 사각형을 말합니다. |

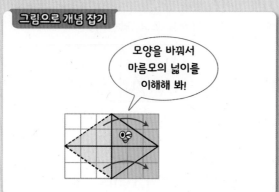

7 마름모의 넓이

마름모의 넓이를 구하는 방법을 이해하고, 넓이를 구할 수 있습니다.

생각 열기 민정이가 기념품 가게에 있는 기념품 중에서 마름모 모양을 찾았습니다.

마름모를 어떤 도형으로 만들어 넓이를 구할까?

1cm²

• 1cm² 를 이용하여 마름모의 넓이를 구해 보세요. 12 cm²

• 마름모의 넓이를 구하는 다른 방법을 생각해 보세요.

탐구하기 추론 의사소통 태도 및 실천

마름모의 넓이를 구하는 방법을 알아봅시다.

활동1 삼각형으로 잘라서 넓이 구하기

준비물 ⑨ (도형 조각), 색연필, 가위

파란색 선
빨간색 선

• 마름모의 한 대각선을 파란색, 다른 대각선을 빨간색으로 표시해 보세요.

• 마름모의 대각선을 따라 삼각형으로 잘라서 넓이를 구하기 쉬운 도형으로 만들고, 그 모양을 그려 보세요.

• 만든 도형을 이용하여 마름모의 넓이를 구하는 방법을 이야기해 보세요.
  예 만든 도형의 넓이는 마름모의 넓이와 같습니다.

• 마름모의 넓이를 구하는 방법을 식으로 나타내어 보세요.
  예 마름모의 넓이는 (한 대각선의 길이)×(다른 대각선의 길이)÷2로 구합니다.

156

교과서 개념 완성

탐구하기 마름모의 넓이를 구하는 방법 알아보기

활동1 삼각형으로 잘라서 넓이 구하기

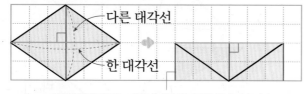

다른 대각선
한 대각선

직사각형의 세로는 다른 대각선의 길이의 반과 같습니다.

(마름모의 넓이)
=(직사각형의 넓이)
=(가로)×(세로)
=(한 대각선의 길이)×(다른 대각선의 길이)÷2

활동2 마름모를 둘러싸는 직사각형을 이용하여 넓이 구하기

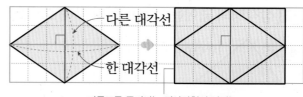

다른 대각선
한 대각선

마름모를 둘러싸는 직사각형의 넓이는 마름모의 넓이의 2배입니다.

(마름모의 넓이)
=(직사각형의 넓이)÷2
=(가로)×(세로)÷2
=(한 대각선의 길이)×(다른 대각선의 길이)÷2

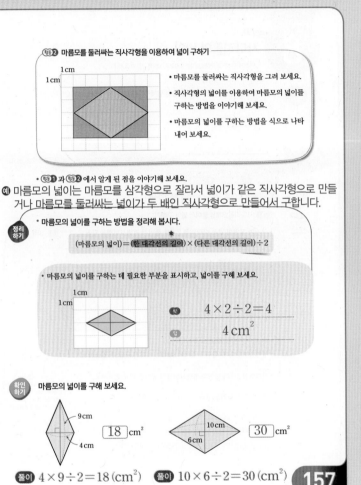

이런 문제가 서술형으로 나와요

오른쪽 마름모의 넓이는 84 cm²입니다. 다른 대각선의 길이는 몇 cm인지 풀이 과정을 쓰고, 답을 구해 보세요.

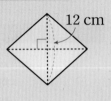

| 풀이 과정 |

❶ 다른 대각선의 길이를 ◯cm라 하여 넓이 구하는 식 세우기

◯×12÷2＝84입니다.

❷ 다른 대각선의 길이 구하기

◯×12÷2＝84, ◯×12＝168, ◯＝14
이므로 다른 대각선의 길이는 14 cm입니다.

답 14 cm

─ 수학 교과 역량 ─ 추론   의사소통   태도 및 실천

마름모의 넓이를 구하는 방법 알아보기
평행사변형이나 직사각형의 관계를 이해하는 것을 통하여 추론 능력을 기르고 마름모의 넓이를 구하는 방법을 형식화하고 수학에 대한 유용함을 느끼는 과정을 통하여 의사소통 능력과 태도 및 실천 능력을 기를 수 있습니다.

개념 확인 문제   정답 및 풀이 230쪽

1 마름모의 넓이를 구하려고 합니다. ◯안에 알맞은 수를 써넣으세요.

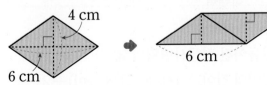

(마름모의 넓이)
＝(평행사변형의 넓이)
＝(밑변의 길이)×(평행사변형의 높이)
＝6×◯÷2＝◯(cm²)

2 마름모의 넓이는 몇 cm²인지 구해 보세요.

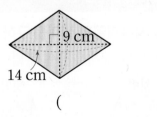

(   )

3 마름모의 넓이는 몇 m²인지 구해 보세요.

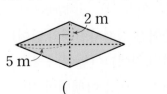

(   )

8 | 사다리꼴의 넓이

차시 12~13

학습 목표

사다리꼴의 넓이를 구하는 방법을 이해하고, 넓이를 구할 수 있습니다.

그림으로 개념 잡기

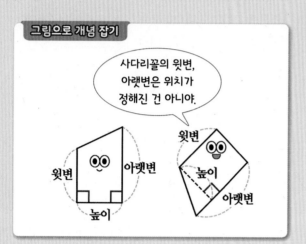

사다리꼴의 윗변, 아랫변은 위치가 정해진 건 아니야.

어휘

사다리꼴

trapezoid

평행한 변이 한 쌍이라도 있는 사각형을 말합니다.

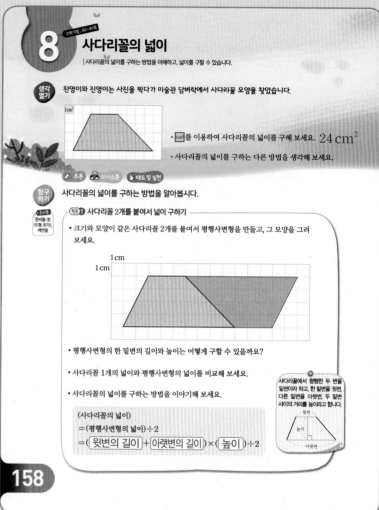

8 사다리꼴의 넓이

사다리꼴의 넓이를 구하는 방법을 이해하고, 넓이를 구할 수 있습니다.

생각 열기 찬영이와 진영이는 사진을 찍다가 미술관 담벼락에서 사다리꼴 모양을 찾았습니다.

• 1cm²를 이용하여 사다리꼴의 넓이를 구해 보세요. $24 \, cm^2$

• 사다리꼴의 넓이를 구하는 다른 방법을 생각해 보세요.

추론 **의사소통** **태도 및 실천**

탐구하기 사다리꼴의 넓이를 구하는 방법을 알아봅시다.

활동1 사다리꼴 2개를 붙여서 넓이 구하기

준비물 ① (도형 조각), 색연필

• 크기와 모양이 같은 사다리꼴 2개를 붙여서 평행사변형을 만들고, 그 모양을 그려 보세요.

• 평행사변형의 한 밑변의 길이와 높이는 어떻게 구할 수 있을까요?

• 사다리꼴 1개의 넓이와 평행사변형의 넓이를 비교해 보세요.

• 사다리꼴의 넓이를 구하는 방법을 이야기해 보세요.

(사다리꼴의 넓이)
= (평행사변형의 넓이) ÷ 2
= (윗변의 길이 + 아랫변의 길이) × (높이) ÷ 2

사다리꼴에서 평행한 두 변을 밑변이라 하고, 한 밑변을 윗변, 다른 밑변을 아랫변, 두 밑변 사이의 거리를 높이라고 합니다.

158

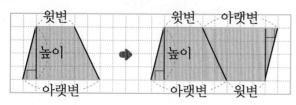

교과서 개념 완성

탐구하기 사다리꼴의 넓이를 구하는 방법 알아보기

활동1 사다리꼴 2개를 붙여서 넓이 구하기

(사다리꼴의 넓이) ┌(사다리꼴의 넓이)×2
= (만들어진 평행사변형의 넓이) ÷ 2
= (밑변의 길이) × (높이) ÷ 2
= (윗변의 길이 + 아랫변의 길이) × (높이) ÷ 2

활동2 사다리꼴을 잘라서 넓이 구하기

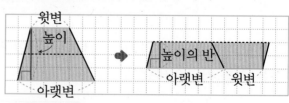

(사다리꼴의 넓이)
= (만들어진 평행사변형의 넓이)
= (밑변의 길이) × (사다리꼴의 높이) ÷ 2
= (윗변의 길이 + 아랫변의 길이) × (높이) ÷ 2

학부모 코칭 Tip

사다리꼴에서 윗변과 아랫변은 위치에 따라 정해지는 것이 아님에 주의합니다.

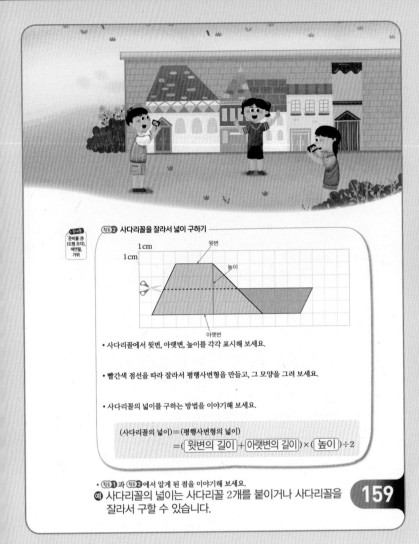

159

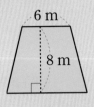

이런 문제가 서술형으로 나와요

오른쪽 사다리꼴의 아랫변의 길이는 윗변의 길이보다 4 m 더 깁니다. 사다리꼴의 넓이는 몇 m²인지 풀이 과정을 쓰고, 답을 구해 보세요.

| 풀이 과정 |

❶ 아랫변의 길이 구하기

(아랫변의 길이)=6+4=10 (m)

❷ 사다리꼴의 넓이 구하기

(사다리꼴의 넓이)=(6+10)×8÷2

＝64 (m²)

답 64 m²

• **수학 교과 역량** ✦추론 🔍의사소통 👍태도 및 실천

사다리꼴의 넓이를 구하는 방법 알아보기

사다리꼴과 평행사변형의 관계를 이해하는 것을 통하여 추론 능력을 기르고 평행사변형의 넓이를 구하는 방법을 이용하여 사다리꼴의 넓이를 구하는 방법을 형식화하고 수학에 대한 유용함을 느끼는 과정을 통하여 의사소통 능력과 태도 및 실천 능력을 기를 수 있습니다.

개념 확인 문제

정답 및 풀이 230쪽

1 오른쪽 사다리꼴에 높이를 표시해 보세요.

윗변
아랫변

2 오른쪽 사다리꼴의 넓이를 구하는 데 필요한 부분에 모두 ○표 하세요.

3 색칠한 사다리꼴의 넓이를 구하려고 합니다. ☐ 안에 알맞은 수를 써넣으세요.

1 cm
1 cm

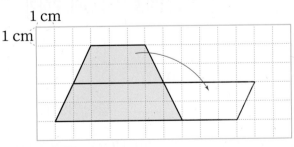

(사다리꼴의 넓이)

＝(평행사변형의 넓이)

＝(윗변의 길이＋아랫변의 길이)×(높이)÷2

＝(7＋3)×☐÷☐=☐(cm²)

사다리꼴을 다른 모양으로 만들어 넓이를 다양한 방법으로 구할 수 있습니다.

① 도형을 나누어서 구하기

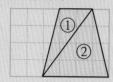

(사다리꼴의 넓이)＝(①＋②)

② 도형을 옮겨서 구하기

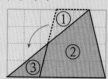

(사다리꼴의 넓이)＝(①＋②)
①＝③이므로
(사다리꼴의 넓이)＝(삼각형의 넓이)
＝(②＋③)

참고 사다리꼴의 넓이를 구하는 방법을 이용하여 한 밑변의 길이를 구하거나 높이를 구하는 문제가 잘 나옵니다.

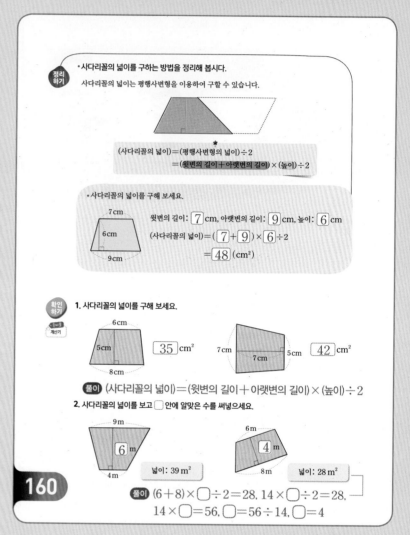

정리하기

• 사다리꼴의 넓이를 구하는 방법을 정리해 봅시다.

사다리꼴의 넓이는 평행사변형을 이용하여 구할 수 있습니다.

(사다리꼴의 넓이)＝(평행사변형의 넓이)÷2
＝(윗변의 길이＋아랫변의 길이)×(높이)÷2

• 사다리꼴의 넓이를 구해 보세요.

윗변의 길이: 7 cm, 아랫변의 길이: 9 cm, 높이: 6 cm
(사다리꼴의 넓이)＝(7 ＋ 9)× 6 ÷2
＝ 48 (cm²)

확인하기

계산기

1. 사다리꼴의 넓이를 구해 보세요.

35 cm²   42 cm²

풀이 (사다리꼴의 넓이)＝(윗변의 길이＋아랫변의 길이)×(높이)÷2

2. 사다리꼴의 넓이를 보고 □ 안에 알맞은 수를 써넣으세요.

넓이: 39 m²   넓이: 28 m²

풀이 (6＋8)×□÷2＝28, 14×□÷2＝28,
14×□＝56, □＝56÷14, □＝4

160

교과서 개념 완성

확인하기 사다리꼴의 넓이를 보고 높이 구하기

넓이: 39 m²

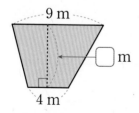

(9＋4)×□÷2＝39, 13×□÷2＝39,
13×□＝78, □＝78÷13, □＝6

학부모 코칭 Tip
사다리꼴의 넓이를 구하는 식을 이용한 넓이 구하기의 편리함을 부각하여 넓이를 구하는 식의 필요성을 압니다.

생각 솔솔 사다리꼴을 두 개의 도형으로 나누어 넓이 구하기

• 바름이가 구한 방법
사다리꼴을 삼각형 2개로 나누어 삼각형의 넓이를 구해 더하였습니다.
(사다리꼴의 넓이)＝(2×4÷2)＋(6×4÷2)
＝4＋12＝16 (cm²)

• 새롬이가 구한 방법
사다리꼴을 평행사변형과 삼각형으로 나누어 각각의 넓이를 구해 더하였습니다.
(사다리꼴의 넓이)＝(2×4)＋(4×4÷2)
＝8＋8＝16 (cm²)

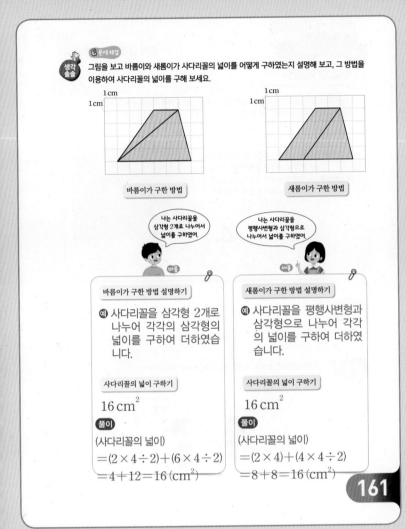

문제 해결

생각
솔솔

그림을 보고 바름이와 새롬이가 사다리꼴의 넓이를 어떻게 구하였는지 설명해 보고, 그 방법을 이용하여 사다리꼴의 넓이를 구해 보세요.

바름이가 구한 방법

새롬이가 구한 방법

나는 사다리꼴을 삼각형 2개로 나누어서 넓이를 구하였어.

나는 사다리꼴을 평행사변형과 삼각형으로 나누어서 넓이를 구하였어.

바름이가 구한 방법 설명하기

예 사다리꼴을 삼각형 2개로 나누어 각각의 삼각형의 넓이를 구하여 더하였습니다.

사다리꼴의 넓이 구하기

$16\,cm^2$

풀이

(사다리꼴의 넓이)
$=(2\times4\div2)+(6\times4\div2)$
$=4+12=16\,(cm^2)$

새롬이가 구한 방법 설명하기

예 사다리꼴을 평행사변형과 삼각형으로 나누어 각각의 넓이를 구하여 더하였습니다.

사다리꼴의 넓이 구하기

$16\,cm^2$

풀이

(사다리꼴의 넓이)
$=(2\times4)+(4\times4\div2)$
$=8+8=16\,(cm^2)$

161

이런 문제가 서술형으로 나와요

사다리꼴의 넓이가 $48\,cm^2$일 때 높이는 몇 cm 인지 풀이 과정을 쓰고, 답을 구해 보세요.

7 cm

9 cm

| 풀이 과정 |

❶ 높이를 ☐ cm로 하여 사다리꼴의 넓이 구하는 식 세우기

$(7+9)\times$ ☐ $\div2=48$입니다.

❷ 사다리꼴의 높이 구하기

$(7+9)\times$ ☐ $\div2=48$, $16\times$ ☐ $=96$,

☐ $=96\div16$, ☐ $=6$

사다리꼴의 높이는 6 cm입니다.

 답 6 cm

수학 교과 역량   문제 해결

사다리꼴을 두 개의 도형으로 나누어 넓이 구하기
다양한 방법으로 사다리꼴의 넓이를 구하는 활동을 통하여 문제 해결 능력을 기를 수 있습니다.

 개념 확인 문제   정답 및 풀이 230쪽

1 오른쪽 사다리꼴의 넓이는 몇 cm^2인지 구해 보세요.

(   )

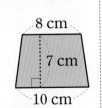
8 cm
7 cm
10 cm

2 사다리꼴의 넓이가 $26\,m^2$일 때 ☐ 안에 알맞은 수를 써넣으세요.

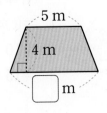
5 m
4 m
☐ m

[3~4] 사다리꼴의 넓이를 2개의 삼각형으로 나누어 구하려고 합니다. 물음에 답해 보세요.

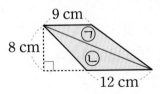
9 cm
8 cm
㉠
㉡
12 cm

3 삼각형 ㉠의 넓이와 삼각형 ㉡의 넓이는 각각 몇 cm^2인지 구해 보세요.

㉠ (   )

㉡ (   )

4 사다리꼴의 넓이는 몇 cm^2인지 구해 보세요.

(   )

14차시

문제 해결력 | 쑥쑥 · 땅의 넓이를 구해 보아요

그림 그리기 전략을 이용하여 문제를 해결하고, 문제를 어떻게 해결하였는지 설명할 수 있습니다.

◇ 문제 해결 전략 | 그림 그리기 전략

• 수학 교과 역량 📖 문제 해결 🔵 창의·융합

· 문제의 조건을 확인하고 문제 해결에 적절한 전략을 선택하는 과정에서 문제 해결 능력을 기를 수 있습니다.

· 문제를 해결하기 위해 주어진 도형의 넓이를 구할 수 있는 익숙한 도형으로 변형함으로써 창의·융합 능력을 기를 수 있습니다.

◇ 문제 해결 Tip 삼각형을 둘러싸는 정사각형을 만들어서 넓이를 구할 수 있고, 삼각형을 두 개의 삼각형으로 나누어 넓이를 구할 수 있습니다.

문제 해결력 쑥쑥   땅의 넓이를 구해 보아요

📖 문제 해결   🔵 창의·융합

다음 설명과 같이 말뚝을 박고 줄로 이어 만든 삼각형 모양의 땅에 화단을 만들려고 합니다. 삼각형 모양의 땅의 넓이를 구해 보세요.

설명	
첫 번째 말뚝	출발 지점에 박습니다.
두 번째 말뚝	출발 지점에서 동쪽으로 6 m, 북쪽으로 2 m 떨어진 곳에 박습니다.
세 번째 말뚝	두 번째 말뚝에서 북쪽으로 4 m, 서쪽으로 3 m 떨어진 곳에 박습니다.

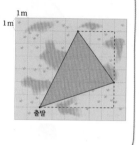

 문제 이해하기

• 구하려고 하는 것은 무엇인가요? 예 삼각형 모양의 땅의 넓이입니다.

• 알고 있는 것은 무엇인가요? 예 세 말뚝의 위치를 알고 있습니다.

 계획 세우기

• 어떤 방법으로 문제를 해결할 수 있을지 계획을 세워 보세요.

162

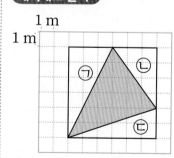

교과서 개념 완성

문제 이해하기

》 구하려고 하는 것

삼각형 모양의 땅의 넓이입니다.

》 알고 있는 것

세 말뚝의 위치를 알고 있습니다.

계획 세우기

· 삼각형을 둘러싸는 정사각형을 만들어서 넓이를 구할 수 있습니다.

· 삼각형을 두 개의 삼각형으로 나누어서 넓이를 구할 수 있습니다.

계획대로 풀기

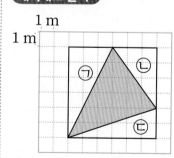

(삼각형의 넓이)
= (정사각형의 넓이)
  − (㉠+㉡+㉢의 넓이)
= 36 − (9+6+6)
= 15 (m²)

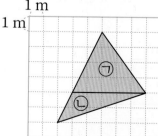

(삼각형의 넓이)
= (㉠의 넓이) + (㉡의 넓이)
= 10 + 5
= 15 (m²)

문제 해결력 쑥쑥

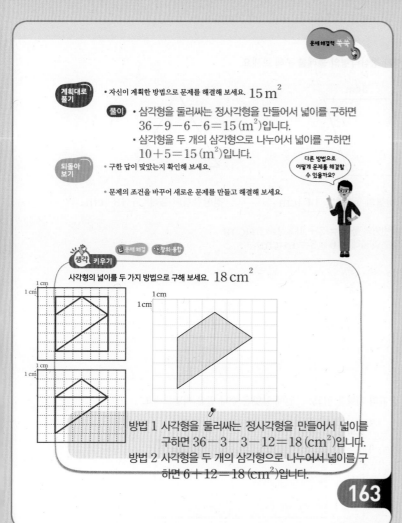

계획대로 풀기
• 자신이 계획한 방법으로 문제를 해결해 보세요. $15\,\text{m}^2$

풀이 • 삼각형을 둘러싸는 정사각형을 만들어서 넓이를 구하면
$36-9-6-6=15\,(\text{m}^2)$입니다.
• 삼각형을 두 개의 삼각형으로 나누어서 넓이를 구하면
$10+5=15\,(\text{m}^2)$입니다.

되돌아 보기 • 구한 답이 맞는지 확인해 보세요.

• 문제의 조건을 바꾸어 새로운 문제를 만들고 해결해 보세요.

다른 방법으로 어떻게 문제를 해결할 수 있을까요?

생각 키우기　문제 해결　창의·융합

사각형의 넓이를 두 가지 방법으로 구해 보세요. $18\,\text{cm}^2$

방법 1 사각형을 둘러싸는 정사각형을 만들어서 넓이를 구하면 $36-3-3-12=18\,(\text{cm}^2)$입니다.
방법 2 사각형을 두 개의 삼각형으로 나누어서 넓이를 구하면 $6+12=18\,(\text{cm}^2)$입니다.

163

생각 키우기　문제 해결　창의·융합

문제 이해하기

≫ 구하려고 하는 것
색칠되어 있는 사각형의 넓이입니다.

≫ 알고 있는 것
네 꼭짓점의 위치를 알고 있습니다.

계획 세우기
• 사각형을 둘러싸는 정사각형을 만들어서 넓이를 구할 수 있습니다.
• 사각형을 두 개의 삼각형으로 나누어서 넓이를 구할 수 있습니다.

계획대로 풀기

(사각형의 넓이)
＝(정사각형의 넓이)
－(㉠＋㉡＋㉢의 넓이)

(사각형의 넓이)
＝(㉠의 넓이)
＋(㉡의 넓이)

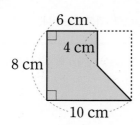
문제 해결력 문제　　　정답 및 풀이 231쪽

[1~3] 색칠한 도형의 넓이를 구하려고 합니다. 물음에 답해 보세요.

6 cm
4 cm
8 cm
10 cm

1 직사각형의 넓이에서 사다리꼴의 넓이를 빼는 방법으로 구해 보세요.
(　　　　　　)

2 직사각형과 삼각형으로 나누어서 각각의 넓이를 더하는 방법으로 구해 보세요.
(　　　　　　)

3 사다리꼴과 삼각형으로 나누어서 각각의 넓이를 더하는 방법으로 구해 보세요.
(　　　　　　)

 추론

평행사변형과 정삼각형의 둘레 구하기

▶자습서 158~161쪽

· 평행사변형은 마주 보는 변의 길이가 같습니다.

· 정삼각형은 세 변의 길이가 모두 같습니다.

학부모 코칭 Tip

평행사변형과 정삼각형의 성질을 이용하여 둘레를 구하도록 합니다.

문제 해결 **추론** **의사소통**

직사각형의 넓이를 구하는 방법 추론하여 구하기

▶자습서 164~165쪽

· (직사각형의 넓이)
 =(가로)×(세로)

· (정사각형의 넓이)
 =(한 변의 길이)
  ×(한 변의 길이)

---

1 136쪽 평행사변형과 정삼각형의 둘레를 구해 보세요.

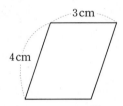

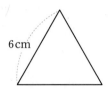

평행사변형의 둘레 : 14 cm

정삼각형의 둘레 : 18 cm

풀이 (평행사변형의 둘레)=(3+4)×2=14 (cm)
(정삼각형의 둘레)=6×3=18 (cm)

2 142쪽 다영이와 슬기의 대화를 읽고 □ 안에 알맞은 수나 말을 써넣으세요.

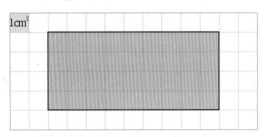

다영: 직사각형을 1cm² 몇 개로 덮을 수 있는지 구해 볼까?

슬기: 직사각형을 1cm²로 겹치지 않게 덮으면 가로에 9개, 세로에 4 개가 되니까, 이 직사각형을 덮는 데 1cm²가 모두 9× 4 = 36 (개)가 필요해.

다영: 이것을 이용하면 직사각형의 넓이를 구하는 식을 알 수 있어.

슬기: 아하, 그래서 직사각형의 넓이를 구하는 식을
(직사각형의 넓이)=(가로)×(세로)라고 하는구나.

풀이 직사각형을 1cm로 겹치지 않게 덮으면 가로에 9개, 세로에 4개가 되므로 이 직사각형을 덮는 데 1cm가 모두 9 × 4 = 36(개)가 필요합니다.

164

3 □ 안에 알맞은 단위나 수를 써넣으세요.

145쪽

$40000 \text{ cm}^2 = 4 \boxed{\text{m}}^2$

$9 \text{ m}^2 = \boxed{90000} \text{ cm}^2$

$4000000 \text{ m}^2 = 4 \boxed{\text{km}}^2$

$25 \text{ km}^2 = \boxed{25000000} \text{ m}^2$

풀이 · $10000 \text{ cm}^2 = 1 \text{ m}^2$이므로 $40000 \text{ cm}^2 = 4 \text{ m}^2$입니다.
· $1 \text{ m}^2 = 10000 \text{ cm}^2$이므로 $9 \text{ m}^2 = 90000 \text{ cm}^2$입니다.
· $1000000 \text{ m}^2 = 1 \text{ km}^2$이므로 $4000000 \text{ m}^2 = 4 \text{ km}^2$입니다.
· $1 \text{ km}^2 = 1000000 \text{ m}^2$이므로 $25 \text{ km}^2 = 25000000 \text{ m}^2$입니다.

4 도형의 넓이를 구해 보세요.

149, 154,
157, 160쪽

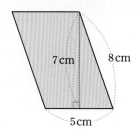

평행사변형의 넓이 : $\boxed{35}$ cm^2

삼각형의 넓이 : $\boxed{24}$ cm^2

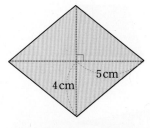

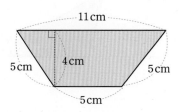

마름모의 넓이 : $\boxed{40}$ cm^2

사다리꼴의 넓이 : $\boxed{32}$ cm^2

풀이 (평행사변형의 넓이)$=5 \times 7 = 35 \text{ (cm}^2)$
(삼각형의 넓이)$=8 \times 6 \div 2 = 24 \text{ (cm}^2)$
(마름모의 넓이)$=10 \times 8 \div 2 = 40 \text{ (cm}^2)$
(사다리꼴의 넓이)$=(11+5) \times 4 \div 2 = 32 \text{ (cm}^2)$

정보 처리   의사소통

1 cm^{2}와 1 m^2, 1 m^{2}와 1 km^2 사이의 관계 알기

▶자습서 166~169쪽

· $1 \text{ m}^2 = 10000 \text{ cm}^2$
· $1 \text{ km}^2 = 1000000 \text{ m}^2$

추론

평행사변형, 삼각형, 마름모, 사다리꼴의 넓이 구하기

▶자습서 170~183쪽

· (평행사변형의 넓이)
 $=$(밑변의 길이)$\times$(높이)
· (삼각형의 넓이)
 $=$(밑변의 길이)$\times$(높이)$\div 2$
· (마름모의 넓이)
 $=$(한 대각선의 길이)
  $\times$(다른 대각선의 길이)$\div 2$
· (사다리꼴의 넓이)
 $=$(윗변의 길이
  $+$아랫변의 길이)
  $\times$(높이)$\div 2$

학부모 코칭 **Tip**

넓이를 구하는 방법은 알고 있으나 계산 과정에서 실수한 경우에는 다시 해결할 수 있게 합니다.

165

▶자습서 174~177쪽

▶자습서 174~183쪽

★ 추론

삼각형의 넓이를 여러 가지 방법으로 구하기

▶자습서 174~177쪽

삼각형의 넓이를 구하는 방법을 이해하고, 밑변에 따라 높이를 다르게 하여 삼각형의 넓이를 구할 수 있는지 확인합니다.

학부모 코칭 Tip

삼각형의 넓이를 구하는 공식을 사용하지 않고 삼각형을 직사각형이나 평행사변형 등과 같이 다른 도형으로 바꾸어 문제를 해결할 수도 있습니다.

5 삼각형의 넓이를 두 가지 방법으로 구해 보세요.

154쪽

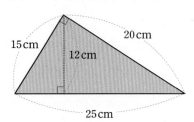

15 cm 20 cm 12 cm 25 cm

★

방법1

밑변의 길이를 25 cm로 할 때, 높이는 12 cm가 되므로 삼각형의 넓이는 $25 \times 12 \div 2 = 150 \, (cm^2)$입니다.

방법2

밑변의 길이를 15 cm로 할 때, 높이는 20 cm가 되므로 삼각형의 넓이는 $15 \times 20 \div 2 = 150 \, (cm^2)$입니다.

풀이 다양한 방법으로 삼각형의 넓이를 구해도 계산 결과는 모두 같습니다.

📘 문제 해결 ✦ 창의·융합

넓이가 같은 삼각형, 마름모, 사다리꼴 그리기

▶자습서 174~183쪽

학부모 코칭 Tip

• 삼각형의 모양(밑변과 높이)이 달라도 넓이가 $12 \, cm^2$인 삼각형을 바르게 그렸는지 확인합니다.

• 마름모의 모양(두 대각선의 길이)이 달라도 넓이가 $12 \, cm^2$인 마름모를 바르게 그렸는지 확인합니다.

• 사다리꼴의 모양(윗변과 아랫변, 높이)이 달라도 넓이가 $12 \, cm^2$인 사다리꼴을 바르게 그렸는지 확인합니다.

6 넓이가 $12 \, cm^2$인 삼각형, 마름모, 사다리꼴을 각각 1개씩 그려 보세요.

154, 157, 160쪽

1 cm
1 cm
예

풀이 • 삼각형의 넓이가 $12 \, cm^2$이므로 밑변의 길이와 높이의 곱이 24인 여러 가지 모양의 삼각형을 그립니다.

• 마름모의 넓이가 $12 \, cm^2$이므로 한 대각선의 길이와 다른 대각선의 길이의 곱이 24인 여러 가지 모양의 마름모를 그립니다.

• 사다리꼴의 넓이가 $12 \, cm^2$이므로 (윗변의 길이＋아랫변의 길이)와 높이의 곱이 24인 여러 가지 모양의 사다리꼴을 그립니다.

166

생각 넓히기 추론 태도 및 실천

7 점 종이에 점을 연결하여 둘레가 16 cm인 가장 넓은 직사각형을 만들려고 합니다. 물음에 답해 보세요.

136, 142쪽

• 둘레가 16 cm인 직사각형을 서로 다른 모양으로 4가지 그려 보세요.

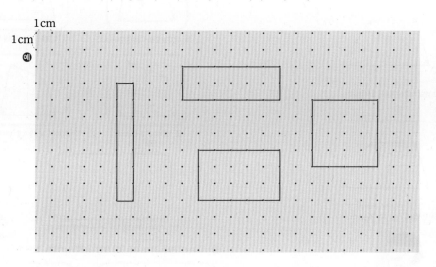

▶자습서 158~165쪽

둘레가 같을 때 넓이가 가장 큰 직사각형의 넓이 구하기

태도 및 실천 추론

• (직사각형의 둘레)
  =(가로＋세로)×2
• (정사각형의 둘레)
  =(한 변의 길이)×4
• (직사각형의 넓이)
  =(가로)×(세로)
• (정사각형의 넓이)
  =(한 변의 길이)
  ×(한 변의 길이)

학부모 코칭 Tip

• 정사각형도 직사각형이라고 할 수 있습니다.
• 정사각형은 네 변의 길이가 같으므로 가로와 세로의 길이가 같습니다.

• 표를 완성하여 둘레가 16 cm일 때 넓이가 가장 큰 직사각형을 찾아보세요.

가로(cm)	1	2	3	4	5	6	7
세로(cm)	7	6	5	4	3	2	1
넓이(cm²)	7	12	15	16	15	12	7

• 둘레가 16 cm일 때 넓이가 가장 큰 직사각형의 넓이를 구해 보세요.

(16 cm²   )

풀이

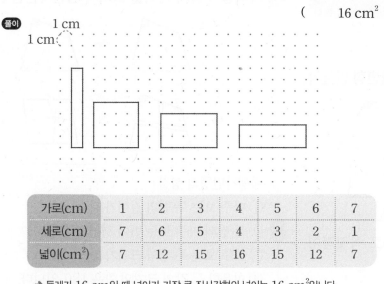

가로(cm)	1	2	3	4	5	6	7
세로(cm)	7	6	5	4	3	2	1
넓이(cm²)	7	12	15	16	15	12	7

167

➡ 둘레가 16 cm일 때 넓이가 가장 큰 직사각형의 넓이는 16 cm²입니다.

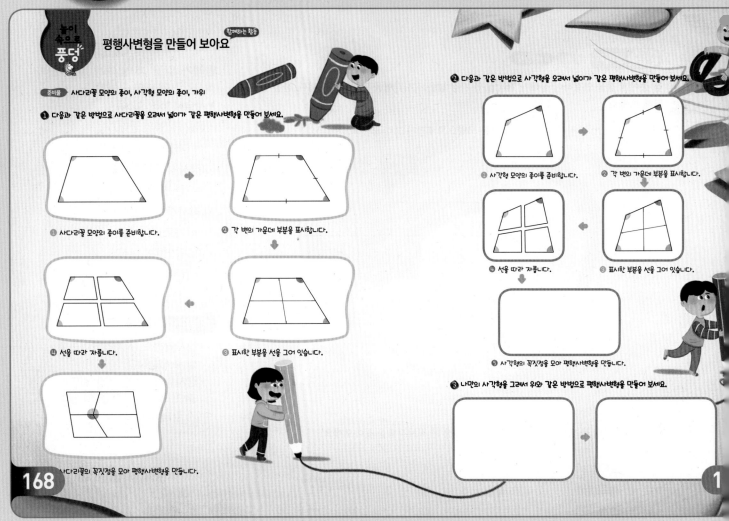

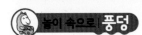 **교과서 개념 완성**

놀이 속으로 | 풍덩

1 사다리꼴 모양의 종이를 오려서 평행사변형 만들기

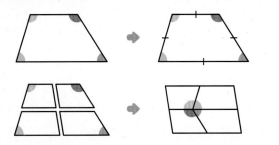

사각형의 네 각의 크기의 합이 360°이므로 꼭짓점이 정확히 모입니다. ― 사각형의 모양과 관계없이 넓이가 같은 평행사변형으로 만들 수 있습니다.

2 사각형 모양의 종이를 오려서 평행사변형 만들기

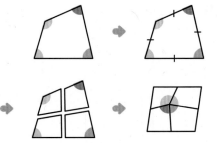

> **참고**
> 평행사변형의 성질
> ① 마주 보는 두 변의 길이가 같습니다.
> ② 두 쌍의 마주 보는 변이 평행합니다.
> ③ 마주 보는 두 각의 크기가 같습니다.
> ④ 이웃한 두 각의 크기의 합은 180°입니다.

이야기로 키우는 생각

이집트 사람들의 넓이 재기 · 창의력 키우기

고대 이집트 사람들은 생존에 필요한 물을 모두 나일강에 의존하였습니다. 매년 나일강 상류에 내리는 많은 비 때문에 나일강 하류가 흘러넘쳤습니다. 강물을 따라 흘러 들어온 흙은 영양분이 많아 물에 잠긴 밭을 비옥한 땅으로 만들어 주어 해마다 풍년이 들었습니다.

하지만 해마다 찾아 오는 홍수로 땅이 강물에 모두 잠기면, 각자의 땅을 구분하기 위해 설치한 말뚝들도 홍수에 모두 휩쓸렸습니다. 그래서 농부들은 홍수가 나면 자신들의 땅이 어디서부터 어디까지인지 정확하게 알 수 없었습니다.

홍수가 휩쓸고 지나가면 농부들은 어김없이 서로 네 땅 내 땅을 가리느라 싸움이 일어나곤 하였습니다. 관리들은 이런 문제를 해결하기 위해 원래 땅의 넓이를 계산하여 기록해 두었다가 후에 같은 크기의 땅을 다시 나누어 주었습니다. 이것이 바로 도형 계산의 시작이었습니다. 그렇다면 이집트 사람들은 어떻게 땅의 넓이를 쟀을까요?

옛날에는 자나 각도기가 없었는데 어떻게 도형을 그린 걸까요? 그들은 자나 각도기 대신 밧줄을 이용하였습니다. 고대 이집트에는 땅의 넓이를 계산하는 일을 하는 사람들이 따로 있었습니다. 그들은 밧줄로 땅을 여러 개의 삼각형으로 나누고 삼각형의 넓이를 계산하여 땅의 넓이를 구하였습니다. 땅이 어떤 모양이든 여러 개의 삼각형으로 나누면 그 넓이를 쉽게 구할 수 있었기 때문입니다.

지혜로운 이집트인들은 밧줄에 똑같은 간격으로 매듭을 지어 길이를 재고, 밧줄 방향을 꺾어 직각도 만들었습니다. 그래서 고대 그리스의 사상가 데모크리토스는 이집트의 수학자들을 '밧줄 측량사'라고 부르기도 하였습니다. 고대 이집트 사람들의 수학 실력, 정말 뛰어나지요?

[출처] 『조선일보』 2021. 1. 7.

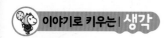

이야기로 키우는 생각

★ 참고 자료

이집트의 수학

이집트의 고대 문명에서는 홍수의 시기를 예측하기 위한 천문학이 발달하였습니다.

1년이 365일과 4분의 1이라는 것을 알아냈으며 이를 이용하여 달력도 만들었습니다.

또한 범람의 피해에 따른 세금 감면을 위한 계산법이나 범람 후의 토지를 다시 구획해야 할 토지 측량법이 발달하였습니다.

오늘날의 기하학을 영어로 geometry라 하는 것은 'geo'가 '토지'를, 'metry'가 '측량'을 의미하는 데에서 나온 것입니다.

이집트인들의 수학 지식은 단순한 생활의 지혜였으나 그들이 사용한 과학과 기술 속에는 상당한 수학적 지식을 찾아낼 수 있습니다.

고대 이집트인들은 나일강 하류에 무성한 파피루스라는 풀로 만든 일종의 종이 같은 것에 문자로 기록을 남겼는데 그중에서도 수학에 관해 적어 놓은 린드 파피루스가 특히 유명합니다.

여기에는 분수를 나열한 표와 약 87가지의 수학 문제가 담겨 있으며 분수를 사용하였을 뿐 아니라 수학 문제도 풀었다는 점에서 고대 이집트의 수학이 어느 정도로 발달하였었는지 짐작할 수 있는 자료입니다.

[출처] 박세희, 2006.

개념 ÷ 확인

교과서 개념을 익히고 확인 문제를 풀면서 단원을 마무리해 보아요.

개념

다각형의 둘레

- 다각형의 둘레는 변의 길이를 모두 더하여 구할 수 있습니다.
- 직사각형의 둘레

  (직사각형의 둘레)=((가로)+(세로))×2
- 평행사변형의 둘레

  (평행사변형의 둘레)

  =((한 변의 길이)+(다른 한 변의 길이))×2
- 마름모의 둘레

  (마름모의 둘레)=(한 변의 길이)×4

넓이의 단위 1 cm²

1 cm²: 한 변의 길이가 1 cm인 정사각형의 넓이

쓰기 $1\,\text{cm}^2$ 읽기 1 제곱센티미터

직사각형의 넓이

- (직사각형의 넓이)=(가로)×(세로)
- (정사각형의 넓이)

  =(한 변의 길이)×(한 변의 길이)

넓이의 단위 1 m², 1 km²

- 1 m²: 한 변의 길이가 1 m인 정사각형의 넓이

  쓰기 $1\,\text{m}^2$ 읽기 1 제곱미터

  $1\,\text{m}^2 = 10000\,\text{cm}^2$

- 1 km²: 한 변의 길이가 1 km인 정사각형의 넓이

  쓰기 $1\,\text{km}^2$ 읽기 1 제곱킬로미터

  $1\,\text{km}^2 = 1000000\,\text{m}^2$

확인 문제

1 평행사변형의 둘레는 몇 cm인지 구해 보세요.

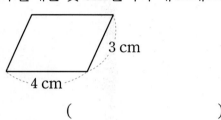

(   )

2 마름모의 둘레는 몇 cm인지 구해 보세요.

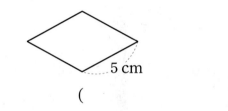

(   )

3 직사각형의 넓이는 몇 cm²인지 구해 보세요.

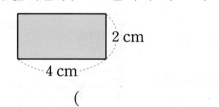

(   )

4 ◻ 안에 알맞은 수를 써넣으세요.

(1) $3\,\text{km}^2 = $ ◻ m^2

(2) $7000000\,\text{m}^2 = $ ◻ km^2

→ 정답 및 풀이 231쪽

개념

✎ 평행사변형의 넓이

- 평행사변형에서 평행한 두 변을 밑변이라 하고, 두 밑변 사이의 거리를 높이라고 합니다.

- (평행사변형의 넓이)
  =(밑변의 길이)×(높이)

✎ 삼각형의 넓이

- 삼각형의 어느 한 변을 밑변이라고 하면, 그 밑변과 마주 보는 꼭 짓점에서 밑변에 수직으로 그은 선분의 길이를 높이라고 합니다.

- (삼각형의 넓이)
  =(밑변의 길이)×(높이)÷2

✎ 마름모의 넓이

- (마름모의 넓이)
  =(한 대각선의 길이)
  ×(다른 대각선의 길이)÷2

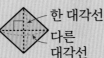

✎ 사다리꼴의 넓이

- 사다리꼴에서 평행한 두 변을 밑변이라 하고, 한 밑변을 윗변, 다른 밑변을 아랫변이라고 합니다. 이때 두 밑변 사이의 거리를 높이라고 합니다.

- (사다리꼴의 넓이)
  =(윗변의 길이+아랫변의 길이)
  ×(높이)÷2

확인 문제

5 평행사변형의 넓이는 몇 cm²인지 구해 보세요.

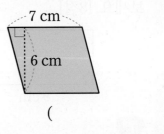

(   )

6 삼각형의 넓이는 몇 cm²인지 구해 보세요.

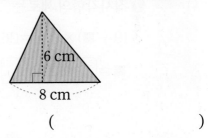

(   )

7 마름모의 넓이는 몇 m²인지 구해 보세요.

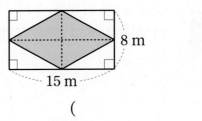

(   )

8 사다리꼴의 넓이가 16 cm²일 때 아랫변의 길이를 구해 보세요.

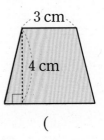

(   )

1-1 직사각형의 둘레가 26 cm일 때 세로는 몇 cm인지 풀이 과정을 쓰고, 답을 구해 보세요. [8점]

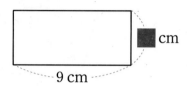

풀이

❶ 세로를 ■ cm라 하면 직사각형의 둘레를 구하는 식은 $(9 + ■) \times \boxed{} = 26$입니다.

❷ 직사각형의 세로는

$(9 + ■) \times \boxed{} = 26$, $9 + ■ = \boxed{}$,

$■ = \boxed{}$이므로 $\boxed{}$ cm입니다.

답 _____

1-2 쌍둥이 직사각형의 둘레가 34 cm일 때 세로는 몇 cm인지 풀이 과정을 쓰고, 답을 구해 보세요. [12점]

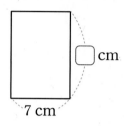

풀이

답 _____

1-3 유사 두 정다각형의 둘레가 80 cm로 같을 때, ㉠과 ㉡에 알맞은 수의 차는 얼마인지 풀이 과정을 쓰고, 답을 구해 보세요. [15점]

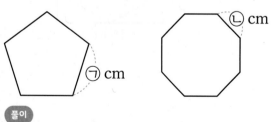

풀이

답 _____

1-4 실전 다음 직사각형과 둘레가 같은 정사각형의 한 변의 길이는 몇 cm인지 풀이 과정을 쓰고, 답을 구해 보세요. [15점]

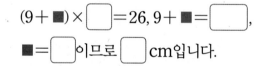

풀이

답 _____

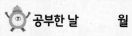 공부한 날　　월　　일

→ 정답 및 풀이 231쪽

2-1 평행사변형과 직사각형의 넓이가 같다면 ■ 안에 알맞은 수는 얼마인지 풀이 과정을 쓰고, 답을 구해 보세요. [8점]

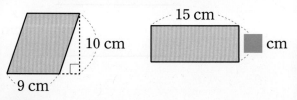

풀이

❶ (평행사변형의 넓이)

$= \boxed{} \times \boxed{} = \boxed{} (cm^2)$

❷ 직사각형의 넓이도 $\boxed{}$ cm²이므로

$15 \times \blacksquare = \boxed{}$,

$\blacksquare = \boxed{} \div \boxed{} = \boxed{}$ 입니다.

답

2-2 쌍둥이 사다리꼴과 직사각형의 넓이가 같다면 ⬜ 안에 알맞은 수는 얼마인지 풀이 과정을 쓰고, 답을 구해 보세요. [12점]

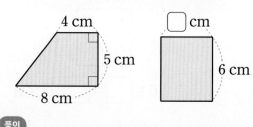

풀이

답

2-3 유사 마름모와 넓이가 같은 정사각형의 둘레는 몇 cm인지 풀이 과정을 쓰고, 답을 구해 보세요. [15점]

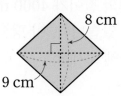

풀이

답

2-4 실전 삼각형을 보고 ⬜ 안에 알맞은 수는 얼마인지 풀이 과정을 쓰고, 답을 구해 보세요. [15점]

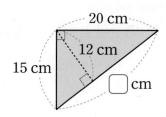

풀이

답

| 다각형의 둘레 |

01 정사각형의 둘레를 구하려고 합니다. ☐ 안
에 알맞은 수를 써넣으세요.
하

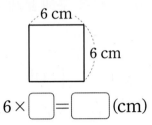

$6 \times$ ☐ $=$ ☐ (cm)

| 넓이의 단위 $1\,cm^2$ |

02 가와 나의 넓이를 구해 보세요.
하

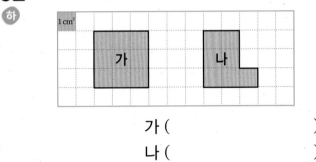

가 (   )
나 (   )

| 다각형의 둘레 |

03 평행사변형의 둘레는 몇 cm인지 구해 보세요.
하

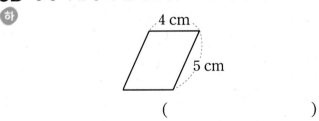

(   )

| 넓이의 단위 $1\,m^2$, $1\,km^2$ |

04 ☐ 안에 알맞은 수를 써넣으세요.
하

(1) $8000000\ m^2 =$ ☐ km^2

(2) $4\ m^2 =$ ☐ cm^2

| 다각형의 둘레 |

05 직사각형의 둘레가 14 cm일 때, ☐ 안에 알
맞은 수를 써넣으세요.
중

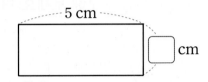

| 직사각형의 넓이 |

06 직사각형의 넓이는 몇 m^2인지 구해 보세요.
중

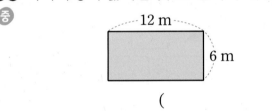

(   )

| 넓이의 단위 $1\,m^2$, $1\,km^2$ |

07 한 변의 길이가 4000 m인 정사각형 모양의
중 땅이 있습니다. 이 땅의 넓이는 몇 km^2 인
지 구해 보세요.

(   )

| 평행사변형의 넓이 |

08 평행사변형의 넓이는 몇 cm^2인지 구해 보세요.
중

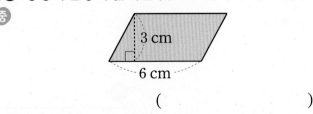

(   )

| 삼각형의 넓이 |

09 삼각형의 넓이는 몇 cm²인지 구해 보세요.

중

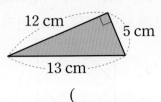

(   )

| 마름모의 넓이 |

10 마름모의 넓이는 몇 m²인지 구해 보세요.

중

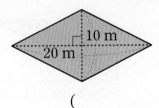

(   )

| 사다리꼴의 넓이 |

11 사다리꼴의 넓이는 몇 cm²인지 구해 보세요.

중

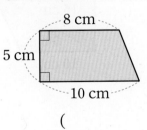

(   )

| 다각형의 둘레 |

12 도형의 둘레는 몇 m인지 구해 보세요.

중

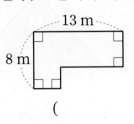

(   )

| 넓이의 단위 1 m², 1 km² |

13 직사각형의 넓이는 몇 m²인지 구해 보세요.

중

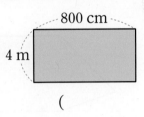

(   )

| 평행사변형의 넓이 |

서술형

14 평행사변형의 넓이가 96 m²일 때 밑변의 길이는 몇 m인지 풀이 과정을 쓰고, 답을 구해 보세요.

중

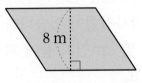

풀이

답

| 삼각형의 넓이 |

15 색칠한 부분의 넓이를 구해 보세요.

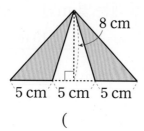

( )

| 사다리꼴의 넓이 |

16 도형의 넓이는 몇 cm²인지 구해 보세요.

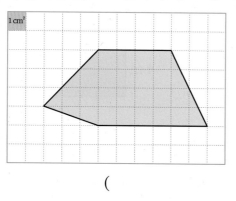

( )

| 다각형의 둘레 | 서술형

17 둘레는 30 cm이고, 가로가 세로보다 3 cm 더 긴 직사각형이 있습니다. 이 직사각형의 세로는 몇 cm인지 풀이 과정을 쓰고, 답을 구하세요.

 풀이

| 마름모의 넓이 |

18 한 변의 길이가 14 cm인 정사각형 안에 네 변의 가운데를 이어 마름모를 그렸습니다. 마름모의 넓이는 몇 cm²인지 구해 보세요.

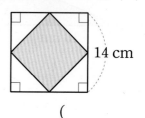

( )

| 삼각형의 넓이 |

19 정사각형 3개를 겹치지 않게 이어 붙인 것 입니다. 색칠한 부분의 넓이는 몇 cm²인지 구해 보세요.

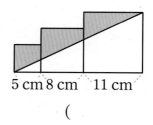

( )

| 사다리꼴의 넓이 | 서술형

20 사다리꼴 ㄱㄴㄷㄹ의 넓이는 몇 cm²인지 풀이 과정을 쓰고, 답을 구해 보세요.

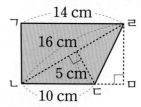

풀이

답 ....

언제 넓이를 사용할까요?

도형의 둘레와 넓이는 왜 배우는 거야! 도형의 특징에 따라 구하는 것도 다르고, cm^2, m^2, km^2도 너무 헷갈린다구~.

우리 생활과 아주 밀접해! 자 봐봐~

옛날에 형과 동생이 아버지가 물려주신 땅에 똑같은 길이만큼 밧줄을 사용해서 같은 크기의 돼지 울타리를 만들었어.

형   동생

그런데 동생네 돼지 한 마리가 울타리를 망가트려서 모양이 평행사변형으로 바뀐 거야.

쾅

형   동생

땅의 넓이가 어떻게 되었을 것 같아?

당연히 동생 땅이 줄어들었겠지!

우리가 배운 것처럼 평행사변형을 직사각형으로 옮겨서 만들어 봐.

이렇게?

맞아. 넓이가 변하지 않은 걸 알 수 있지? 그래서 동생이 억울해하지 않았어.

탁

아~

그러고 보니 어제 내 동생이 평행사변형 모양으로 된 빵 조각이 더 적다고 1개 더 먹었는데! 으이구~! 넓이를 생각해 볼걸!

5~6학년군

수학 5-1

수학 다잡기

정답 및 풀이

1 자연수의 혼합 계산

개념 확인 문제   9쪽

1 (계산 순서대로) 45, 45, 37
2 177   **3** 142
4 5400원

풀이

2 $387 < 564 \rightarrow 564 - 387 = 177$

3
$$\begin{array}{r} 142 \\ 6\overline{)852} \\ \underline{6} \\ 25 \\ \underline{24} \\ 12 \\ \underline{12} \\ 0 \end{array}$$

4 (공책의 값)$= 450 \times 12 = 5400$(원)

개념 확인 문제   11쪽

1 (1) $60-24$에 ○표   (2) $10+17$에 ○표
2 $29 - (9+6) = 29 - 15$
                 ①$= 14$
             ②

3 ㉠   **4** 70, 22, 33

풀이

1 (1) 덧셈과 뺄셈이 섞여 있는 식은 앞에서부터 차례로 계산합니다.
  (2) ( )가 있는 식은 ( ) 안을 먼저 계산합니다.
2 ( )가 있는 식은 ( ) 안을 먼저 계산합니다.
3 ㉠ $42 + 8 - 13 = 50 - 13 = 37$
  ㉡ $56 - (12+9) = 56 - 21 = 35$ $\rightarrow$ ㉠ $>$ ㉡

4 어제와 오늘 읽은 동화책의 쪽수를 식으로 나타내면 $15+22$입니다. 따라서 오늘까지 읽고 남은 쪽수는 $70 - (15+22) = 70 - 37 = 33$(쪽)입니다.

개념 확인 문제   13쪽

1 (계산 순서대로) 9, 63, 63
2 (1) 8   (2) 5   **3** ×
4 12, 4, 15

풀이

1 곱셈과 나눗셈이 섞여 있는 식은 앞에서부터 차례로 계산합니다.
2 (1) $28 \times 2 \div 7 = 56 \div 7 = 8$
  (2) $45 \div (3 \times 3) = 45 \div 9 = 5$
3 $32 \div 4 \times 2 = 8 \times 2 = 16$, $32 \div (4 \times 2) = 32 \div 8 = 4$
  $\rightarrow$ 두 식의 계산 결과는 다릅니다.
4 전체 사탕의 수를 식으로 나타내면 12×5입니다. 따라서 한 명에게 주어야 하는 사탕의 수는 $12 \times 5 \div 4 = 60 \div 4 = 15$(개)입니다.

개념 확인 문제   15쪽

1 ( ) (○)   **2** (1) 16   (2) 35
3 소정   **4** 21, 4, 3, 27

풀이

1 덧셈, 뺄셈, 곱셈이 섞여 있는 식은 곱셈을 먼저 계산한 다음 덧셈과 뺄셈을 앞에서부터 차례로 계산합니다.
2 (1) $11 - 7 + 2 \times 6 = 11 - 7 + 12 = 4 + 12 = 16$
  (2) $7 \times (8-5) + 14 = 7 \times 3 + 14 = 21 + 14 = 35$
3 소정: $17 + 18 - 2 \times 5 = 17 + 18 - 10 = 35 - 10$
                        $= 25$
  현우: $8 \times (7-3) + 4 = 8 \times 4 + 4 = 32 + 4 = 36$
4 $21 + (6-4) \times 3 = 21 + 2 \times 3 = 21 + 6 = 27$

개념 확인 문제 17쪽

1 9, 29, 24
2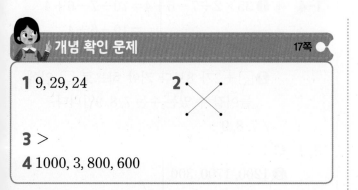
3 >
4 1000, 3, 800, 600

풀이

1 덧셈, 뺄셈, 나눗셈이 섞여 있는 식은 나눗셈을 먼저 계산합니다.

2 덧셈, 뺄셈, 나눗셈이 섞여 있는 식은 나눗셈을 먼저 계산합니다.
( )가 있는 식은 ( ) 안을 먼저 계산합니다.

3 $17-8+14\div7=17-8+2=9+2=11$
$(15-3)\div3+6=12\div3+6=4+6=10$
→ $11>10$

4 사과 1개의 값을 식으로 나타내면 $1200\div3$입니다.
따라서 하나의 식으로 나타내면
$1000+1200\div3-800=1000+400-800$
$\qquad\qquad\qquad\qquad=1400-800=600$(원)
입니다.

개념 확인 문제 19쪽

1 1, 3, 2, 4
2 32
3 $15\times2\div3-4+2$에 ○표, 8개

풀이

1 덧셈, 뺄셈, 곱셈, 나눗셈이 섞여 있는 식은 곱셈과 나눗셈을 먼저 계산합니다.

2 $81\div(3+6)\times5-13=81\div9\times5-13$
$\qquad\qquad\qquad\qquad=9\times5-13$
$\qquad\qquad\qquad\qquad=45-13=32$

3 한 묶음의 사탕 수를 식으로 나타내면 $15\times2\div3$입니다.
따라서 지금 선우가 가지고 있는 사탕 수는 다음과 같습니다.
$15\times2\div3-4+2=30\div3-4+2$
$\qquad\qquad\qquad\qquad=10-4+2$
$\qquad\qquad\qquad\qquad=6+2$
$\qquad\qquad\qquad\qquad=8$(개)

문제 해결력 문제 21쪽

1 예 $(99999-33333)\times(97-3)$
2 예 $(11111+88888)\times(72+2+2)$

풀이

1 사용할 수 있는 숫자 버튼은 1, 3, 7, 9입니다.
예 66666 만들기: $99999-33333$
94 만들기: $97-3$
→ $66666\times94=(99999-33333)\times(97-3)$

2 사용할 수 있는 숫자 버튼은 1, 2, 7, 8입니다.
예 99999 만들기: $11111+88888$
76 만들기: $72+2+2$
→ $99999\times76=(11111+88888)\times(72+2+2)$

개념÷확인 26~27쪽

1 ( ) (○)
2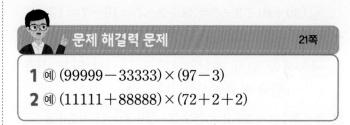
3 ×
4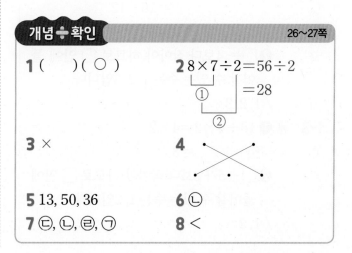
5 13, 50, 36
6 ㉡
7 ㉢, ㉡, ㉣, ㉠
8 <

풀이

1 덧셈과 뺄셈이 섞여 있는 식은 앞에서부터 차례로 계산합니다.

3 $42 \div 2 \times 3 = 21 \times 3 = 63$, $42 \div (2 \times 3) = 42 \div 6 = 7$
→ 두 식의 계산 결과는 다릅니다.

4 $96 - 8 \times 9 + 3 = 96 - 72 + 3 = 24 + 3 = 27$
$(5 + 7) \times 3 - 13 = 12 \times 3 - 13 = 36 - 13 = 23$

5 덧셈, 뺄셈, 나눗셈이 섞여 있는 식은 나눗셈을 먼저 계산합니다.

6 ㉠ $16 + 9 - 18 \div 6 = 16 + 9 - 3 = 25 - 3 = 22$
㉡ $(30 + 8) \div 2 - 7 = 38 \div 2 - 7 = 19 - 7 = 12$

7 덧셈, 뺄셈, 곱셈, 나눗셈이 섞여 있는 식은 곱셈과 나눗셈을 먼저 계산합니다. ( )가 있는 식은 ( ) 안을 먼저 계산합니다.

8 $9 \times 5 \div 3 - 7 + 8 = 45 \div 3 - 7 + 8 = 15 - 7 + 8$
$= 8 + 8 = 16$
$(31 - 6) \div 5 + 3 \times 4 = 25 \div 5 + 3 \times 4 = 5 + 3 \times 4$
$= 5 + 12 = 17$
→ $16 < 17$

서술형 문제 해결하기   28~29쪽

1-1 ❶ 7, 28, 3
❷ 3, 1, 2
/ 1, 2

1-2 예 ❶ $7 + 9 - 36 \div 3 = 7 + 9 - 12$
$= 16 - 12$
$= 4$
❷ □는 4보다 작아야 하므로 □ 안에 들어갈 수 있는 수는 1, 2, 3입니다.
/ 1, 2, 3

1-3 예 ❶ $16 \div 4 \times 2 = 4 \times 2$
$= 8$
❷ □+5가 8보다 작아야 하므로 □ 안에 들어갈 수 있는 수는 1, 2입니다.
/ 1, 2

1-4 예 ❶ $35 \times 2 \div 7 - 6 + 4 = 70 \div 7 - 6 + 4$
$= 10 - 6 + 4$
$= 4 + 4 = 8$
❷ □+2가 8보다 커야 하므로 □ 안에 들어갈 수 있는 수는 7, 8, 9입니다.
/ 7, 8, 9

2-1 ❶ 1200, 1200
❷ 1200, 1700, 300
/ 300원

2-2 예 ❶ 산 물건 값을 식으로 나타내면 $800 + 1300$입니다. 거스름돈은 얼마인지 하나의 식으로 나타내면 $3000 - (800 + 1300)$입니다.
❷ (거스름돈) $= 3000 - (800 + 1300)$
$= 3000 - 2100 = 900$(원)
/ 900원

2-3 예 ❶ 공책 3권의 값을 식으로 나타내면 600×3이므로 산 물건 값은 $500 + 600 \times 3$입니다. 거스름돈은 얼마인지 하나의 식으로 나타내면 $3000 - (500 + 600 \times 3)$입니다.
❷ (거스름돈) $= 3000 - (500 + 600 \times 3)$
$= 3000 - (500 + 1800)$
$= 3000 - 2300 = 700$(원)
/ 700원

2-4 예 ❶ 연필 1자루의 값을 식으로 나타내면 $3600 \div 12$이므로 연필 3자루의 값은 $3600 \div 12 \times 3$이고, 산 물건 값은 $700 + 3600 \div 12 \times 3$입니다. 거스름돈은 얼마인지 하나의 식으로 나타내면 $5000 - (700 + 3600 \div 12 \times 3)$입니다.
❷ (거스름돈)
$= 5000 - (700 + 3600 \div 12 \times 3)$
$= 5000 - (700 + 300 \times 3)$
$= 5000 - (700 + 900)$
$= 5000 - 1600 = 3400$(원)
/ 3400원

풀이

| 1-1 | 채점 기준 | ❶ $4 \times (5+2) - 25$를 계산하기 | 4점 |
| | | ❷ ■에 알맞은 수 모두 구하기 | 4점 |

| 1-2 | 채점 기준 | ❶ $7+9-36 \div 3$을 계산하기 | 6점 |
| | | ❷ ☐ 안에 들어갈 수 있는 수 모두 구하기 | 6점 |

| 1-3 | 채점 기준 | ❶ $16 \div 4 \times 2$를 계산하기 | 8점 |
| | | ❷ ☐ 안에 들어갈 수 있는 수 모두 구하기 | 7점 |

| 1-4 | 채점 기준 | ❶ $35 \times 2 \div 7 - 6 + 4$를 계산하기 | 8점 |
| | | ❷ ☐ 안에 들어갈 수 있는 수 모두 구하기 | 7점 |

| 2-1 | 채점 기준 | ❶ 거스름돈은 얼마인지 (   )가 있는 하나의 식으로 나타내기 | 4점 |
| | | ❷ 거스름돈은 얼마인지 구하기 | 4점 |

| 2-2 | 채점 기준 | ❶ 거스름돈은 얼마인지 (   )가 있는 하나의 식으로 나타내기 | 6점 |
| | | ❷ 거스름돈은 얼마인지 구하기 | 6점 |

| 2-3 | 채점 기준 | ❶ 거스름돈은 얼마인지 (   )가 있는 하나의 식으로 나타내기 | 8점 |
| | | ❷ 거스름돈은 얼마인지 구하기 | 7점 |

| 2-4 | 채점 기준 | ❶ 거스름돈은 얼마인지 (   )가 있는 하나의 식으로 나타내기 | 8점 |
| | | ❷ 거스름돈은 얼마인지 구하기 | 7점 |

단원 평가 30~32쪽

01 40, 32

02 (계산 순서대로) 48, 16, 16

03 유나

04 $21-2 \times 7 + 9 \div 3 = 21-14+9 \div 3$
$= 21-14+3$
$= 7+3$
$= 10$
①②③④

05 $>$ **06** ㉠

07

08 $34-(14+5)=15$

09 $(18-9) \times 3 + 2 = 9 \times 3 + 2$
$= 27+2$
$= 29$

10 16

11 ㉢

12 4

13 ㉢

14 예) $(12+3) \times 3 - 2 = 43$, 43살

15 38

16 예) ❶ 가 대신에 11, 나 대신에 8을 넣어 식을 만들면 $11 ⊙ 8 = 11 \times (8-2) \div 2 + 5$입니다.
❷ $11 ⊙ 8 = 11 \times (8-2) \div 2 + 5$
$= 11 \times 6 \div 2 + 5$
$= 66 \div 2 + 5 = 33 + 5 = 38$
/ 38

17 2

18 $72 + 45 \div (9-4) = 81$

19 예) ❶ 달에서 선생님의 몸무게는 $66 \div 6$, 하린이와 서연이의 몸무게의 합은 $(24+30) \div 6$입니다. 따라서 선생님의 몸무게에서 하린이와 서연이의 몸무게의 합을 빼면 $66 \div 6 - (24+30) \div 6$입니다.
❷ $66 \div 6 - (24+30) \div 6 = 66 \div 6 - 54 \div 6$
$= 11 - 54 \div 6 = 11 - 9 = 2 \,(\text{kg})$
이므로 선생님의 몸무게는 하린이와 서연이의 몸무게의 합보다 2 kg 더 무겁습니다.
/ 2 kg

20 예) ❶ 계산 결과가 가장 크게 되려면 48을 나누는 수 $☐+☐$가 가장 작아야 합니다.
$48 \div (1+3) - 5$ 또는 $48 \div (3+1) - 5$
❷ 따라서 계산 결과가 가장 큰 경우는
$48 \div (1+3) - 5 = 48 \div 4 - 5$
$= 12 - 5 = 7$입니다.
/ 7

풀이

01 ( )가 있는 식은 ( ) 안을 먼저 계산합니다.

02 곱셈과 나눗셈이 섞여 있는 식은 앞에서부터 차례로 계산합니다.

03 덧셈, 뺄셈, 나눗셈이 섞여 있는 식은 나눗셈을 먼저 계산합니다.

04 덧셈, 뺄셈, 곱셈, 나눗셈이 섞여 있는 식은 곱셈과 나눗셈을 먼저 계산합니다.

05 $86-27\times2+9=86-54+9$
$\qquad\qquad\qquad\quad=32+9=41$
➜ $41>35$

06 ㉠ $18\div3\times2=6\times2=12$
㉡ $18\div(3\times2)=18\div6=3$

07 $35+4\times11-16=35+44-16$
$\qquad\qquad\qquad\quad=79-16=63$
$26+9\times(9-6)=26+9\times3$
$\qquad\qquad\qquad\quad=26+27=53$

08 $\underline{14+5}=\underline{19},\ 34-\underline{19}=15$

> **참고** $14+5$를 먼저 계산해야 하므로 19 대신에 $(14+5)$를 넣어 하나의 식으로 만듭니다.

09 ( ) 안을 계산한 다음에는 곱셈을 먼저 계산해야 하는데 덧셈을 계산하여 잘못되었습니다.

10 $96\div(54-48)=96\div6=16$

11 도화지의 수를 식으로 나타내면 18×3입니다. 한 명에게 주어야 하는 도화지의 수를 식으로 나타내면 $18\times3\div6$입니다.

12 $15-11+19=4+19=23$
$36-(8+9)=36-17=19$
➜ $23-19=4$

13 ㉠ $12+(24-9)\div3=17$
$\quad\ 12+24-9\div3=33$
㉡ $27-3\times(4+2)=9$
$\quad\ 27-3\times4+2=17$
㉢ $(33+2)-24\div8=32$
$\quad\ 33+2-24\div8=32$

14 언니의 나이를 식으로 나타내면 $12+3$입니다. 어머니는 언니 나이의 3배보다 2살 적으므로 어머니의 나이는
$(12+3)\times3-2=15\times3-2=45-2=43$(살)입니다.

15 $6\times(3+4)-15\div5=6\times7-15\div5$
$\qquad\qquad\qquad\qquad\quad=42-15\div5$
$\qquad\qquad\qquad\qquad\quad=42-3=39$
□는 39보다 작아야 하므로 □ 안에 들어갈 수 있는 가장 큰 자연수는 38입니다.

16
채점 기준		
❶ 11◉8을 식으로 나타내기		2점
❷ 11◉8은 얼마인지 구하기		3점

17 어떤 수를 □라 하면 $\square+35-21=16$입니다.
$\square+35-21=16$,
$\square+35=16+21=37$,
$\square=37-35=2$입니다.

18 ( )를 넣으면 계산 순서가 달라지는 곳에 ( )를 넣어 봅니다.
$(72+45)\div9-4=117\div9-4=13-4=9$
$72+45\div(9-4)=72+45\div5=72+9=81$

19
채점 기준		
❶ 선생님의 몸무게는 하린이와 서연이의 몸무게의 합보다 몇 kg 더 무거운지 하나의 식으로 나타내기		3점
❷ 선생님의 몸무게는 하린이와 서연이의 몸무게의 합보다 몇 kg 더 무거운지 구하기		2점

20
채점 기준		
❶ 계산 결과가 가장 크게 되도록 식 만들기		3점
❷ 계산 결과가 가장 클 때는 얼마인지 구하기		2점

② 배수와 약수

개념 확인 문제   37쪽

1 7, 7, 14   **2** 5, 5
3 3, 27 / 3, 9, 27   **4** 3, 5, 8

풀이

2 $4 \times 5 = 20 \Rightarrow 20 \div 4 = 5$

3 하나의 나눗셈식을 2개의 곱셈식으로 바꿀 수 있습니다.

4 $18 \div 6 = 3$, $30 \div 6 = 5$, $48 \div 6 = 8$

개념 확인 문제   39쪽

1 4, 6, 4, 6   **2** 9, 18, 27, 36
3 6, 12, 18에 색칠   **4** 3개

풀이

1 2를 1배, 2배, 3배, … 한 수를 2의 배수라고 합니다.

2 $9 \times 1 = 9$, $9 \times 2 = 18$, $9 \times 3 = 27$, $9 \times 4 = 36$이므로 9의 배수는 9, 18, 27, 36, …입니다.

3 $6 \times 1 = 6$, $6 \times 2 = 12$, $6 \times 3 = 18$, …이므로 6의 배수를 찾으면 6, 12, 18입니다.

4 8의 배수: 8, 16, 24, 32, 40, … ➡ 3개

개념 확인 문제   41쪽

1 12, 24 / 12   **2** 18
3 ㉡   **4** 21, 42, 63

풀이

1 3과 4의 공배수는 12, 24, …이고 최소공배수는 12입니다.

2 6의 배수: 6, 12, <u>18</u>, 24, 30, <u>36</u>, …
9의 배수: 9, <u>18</u>, 27, <u>36</u>, 45, …
➡ 6과 9의 공배수는 18, 36, …이고 최소공배수는 18입니다.

3 2의 배수: 2, 4, 6, 8, <u>10</u>, 12, 14, 16, 18, <u>20</u>, 22, 24, 26, 28, <u>30</u>, …
5의 배수: 5, <u>10</u>, 15, <u>20</u>, 25, <u>30</u>, …
➡ 2와 5의 공배수: 10, 20, 30, …

4 어떤 두 수의 공배수는 최소공배수인 21의 배수와 같습니다. 따라서 21, 42, 63, …입니다.
참고 두 수의 공배수는 최소공배수의 배수와 같습니다.

개념 확인 문제   43쪽

1 3, 5, 15   **2** 1, 2, 7, 14
3 1, 25   **4** 2명, 4명에 ○표

풀이

1 15를 나누어떨어지게 하는 수 1, 3, 5, 15가 15의 약수입니다.

2 $14 \div 1 = 14$, $14 \div 2 = 7$, $14 \div 7 = 2$, $14 \div 14 = 1$
➡ 14의 약수: 1, 2, 7, 14

3 어떤 수의 약수 중 가장 작은 수는 1이고, 가장 큰 수는 그 수와 같습니다.

4 사탕 16개를 남김없이 똑같이 나누어 주려면 16의 약수를 구해야 합니다. 16의 약수는 1, 2, 4, 8, 16이므로 1명, 2명, 4명, 8명, 16명에게 똑같이 나누어 줄 수 있습니다.

정답 및 풀이

1 (1)

| ① | ② | 3 | ④ | 5 | ⑥ | 7 | △8 |
| 9 | 10 | 11 | ⑫ | 13 | 14 | 15 | △16 |

(2) 2, 4 / 4

2 1, 2, 4 / 4

3 1, 2, 13, 26

 풀이

1 12와 16의 공약수는 1, 2, 4이고 최대공약수는 4입니다.

2 20의 약수: 1, 2, 4, 5, 10, 20
32의 약수: 1, 2, 4, 8, 16, 32
➡ 20과 32의 공약수: 1, 2, 4
　　20과 32의 최대공약수: 4

3 어떤 두 수의 공약수는 최대공약수인 26의 약수와 같습니다. 따라서 1, 2, 13, 26입니다.

1 (1) 배수   (2) 약수   (3) 배수
2 예 4   **3** ㉡

풀이

1 (1) $35 = 1 \times 35$에서 35는 1의 배수입니다.
(2) $35 = 5 \times 7$에서 7은 35의 약수입니다.
(3) $35 = 5 \times 7$에서 35는 5의 배수입니다.

2 빈칸에는 8의 약수가 들어가도 되고 8의 배수가 들어가도 됩니다.

3 ㉡ $6 \times 5 = 30$ ➡ 30은 6의 배수입니다.
　　　　　　　　6은 30의 약수입니다.

1 3, 3 / 2, 3, 6
2 6   **3** ㉡

풀이

2
```
2 ) 42  54
3 ) 21  27
     7   9
```
최대공약수: $2 \times 3 = 6$

3 ㉠ 16과 24의 최대공약수: 8
㉡ 13과 65의 최대공약수: 13
➡ 두 수의 최대공약수가 더 큰 것은 ㉡입니다.

1 2, 2 / 2, 2, 40
2 (1) 30   (2) 84   **3** 45

풀이

2 (1)
```
5 ) 10  15
     2   3
```
최소공배수: $5 \times 2 \times 3 = 30$

(2)
```
6 ) 12  42
     2   7
```
최소공배수: $6 \times 2 \times 7 = 84$

3
```
3 ) 9  15
     3   5
```
최소공배수: $3 \times 3 \times 5 = 45$

1 (1) 30분   (2) 9시 30분, 10시
2 (1) 6번째   (2) 3번

풀이

1 (1) 두 버스는 10과 15의 최소공배수인 30분마다 동시에 출발합니다.

(2) 두 버스는 30분마다 동시에 출발하므로 오전 9시 이후 1시간 동안 동시에 출발하는 시각은 9시 30분, 10시입니다.

2 (1) 우영이는 2의 배수마다, 태호는 3의 배수마다 흰 바둑돌을 놓고 있으므로 2와 3의 최소공배수인 6번째마다 같은 자리에 흰 바둑돌을 놓습니다.

(2) 6번째, 12번째, 18번째 ➔ 3번

참고 10분마다 출발하는 버스는 분이 10의 배수가 될 때마다 출발합니다.

15분마다 출발하는 버스는 분이 15의 배수가 될 때마다 출발합니다.

따라서 두 버스가 동시에 출발하는 시간은 분이 10과 15의 공배수가 될 때마다입니다.

개념✚확인

 58~59쪽

1 6, 12, 18, 24, 30

2 (위에서부터) 27, 36, 45, 54, 63 / 12, 18, 24, 30, 36, 42 / 18

3 1, 5, 7, 35 / 1, 5, 7, 35

4 1, 2, 4 / 4

5 (○) (×)

6 •———•

•———•

7 180

8 ㉠

풀이

1 $6 \times 1 = 6$, $6 \times 2 = 12$, $6 \times 3 = 18$, $6 \times 4 = 24$, $6 \times 5 = 30$

2 9와 6의 공배수: 18, 36, ...

9와 6의 최소공배수: 18

---

3 35를 나누어떨어지게 하는 수는 1, 5, 7, 35이므로 35의 약수는 1, 5, 7, 35입니다.

4 32의 약수: 1, 2, 4, 8, 16, 32

44의 약수: 1, 2, 4, 11, 22, 44

➔ 32와 44의 공약수: 1, 2, 4

32와 44의 최대공약수: 4

5 $5 \times 15 = 75$ ➔ 75는 5의 배수입니다.

5는 75의 약수입니다.

6 (1)
$$
\begin{array}{r|ll}
2 & 16 & 28 \\
\hline
2 & 8 & 14 \\
\hline
& 4 & 7
\end{array}
$$
최대공약수: $2 \times 2 = 4$

(2)
$$
\begin{array}{r|ll}
2 & 18 & 48 \\
\hline
3 & 9 & 24 \\
\hline
& 3 & 8
\end{array}
$$
최대공약수: $2 \times 3 = 6$

참고 최대공약수를 구하는 방법

① 두 수를 공약수로 나누어 몫을 아래에 씁니다.

② 1 이외의 공약수로 더 이상 나눌 수 없을 때까지 두 수를 공약수로 계속 나눕니다.

③ 공약수들을 모두 곱하여 최대공약수를 구합니다.

7 45와 60의 최소공배수: $3 \times 5 \times 3 \times 4 = 180$

참고 최소공배수를 구하는 방법

① 두 수를 공약수로 나누어 몫을 아래에 씁니다.

② 1 이외의 공약수로 더 이상 나눌 수 없을 때까지 두 수를 공약수로 계속 나눕니다.

③ 공약수들과 남은 몫들을 곱하여 최소공배수를 구합니다.

8 ㉠
$$
\begin{array}{r|ll}
9 & 54 & 45 \\
\hline
& 6 & 5
\end{array}
$$
최소공배수: $9 \times 6 \times 5 = 270$

㉡
$$
\begin{array}{r|ll}
6 & 24 & 78 \\
\hline
& 4 & 13
\end{array}
$$
최소공배수: $6 \times 4 \times 13 = 312$

➔ 최소공배수가 더 작은 것은 ㉠입니다.

1-1 ❶ 최대공약수에 ○표, 최대공약수, 7
❷ 7
/ 7개

1-2 예 ❶ 최대한 많은 친구들에게 남김없이 똑같이 나누어 주려면 최대공약수를 이용합니다.
18과 27의 최대공약수는 9입니다.
❷ 따라서 최대 9명에게 나누어 줄 수 있습니다.
/ 9명

1-3 예 ❶ 최대한 많은 봉지에 남김없이 똑같이 나누어 담으려면 최대공약수를 이용합니다.
36과 16의 최대공약수는 4이므로 4봉지에 똑같이 나누어 담을 수 있습니다.
❷ (한 봉지에 담는 귤 수)=36÷4
=9(개)
(한 봉지에 담는 키위 수)=16÷4
=4(개)
/ 9개, 4개

1-4 예 ❶ 최대한 많은 상자에 남김없이 똑같이 나누어 담으려면 최대공약수를 이용합니다.
48과 42의 최대공약수는 6이므로 6상자에 똑같이 나누어 담을 수 있습니다.
❷ (한 상자에 담는 공책 수)=48÷6
=8(권)
(한 상자에 담는 수첩 수)=42÷6
=7(권)
/ 8권, 7권

2-1 ❶ 28 ❷ 28, 56, 56
/ 56

2-2 예 ❶ 10과 15의 공배수는 10과 15의 최소공배수인 30의 배수와 같습니다.
❷ 40보다 크고 70보다 작은 수 중에서 30의 배수를 찾으면 60이므로 조건을 모두 만족하는 수는 60입니다. / 60

2-3 예 ❶ 50÷1=50, 50÷2=25, 50÷5=10, 50÷10=5, 50÷25=2, 50÷50=1
➔ 50의 약수: 1, 2, 5, 10, 25, 50
❷ 20보다 크고 30보다 작은 수 중에서 50의 약수를 찾으면 25이므로 조건을 모두 만족하는 수는 25입니다. / 25

2-4 예 ❶ 50보다 크고 70보다 작은 수 중에서 9의 배수는 54, 63입니다.
❷ 54와 63 중에서 7을 약수로 가지는 수는 63이므로 조건을 모두 만족하는 수는 63입니다. / 63

풀이

| 1-1 | 채점 기준 | ❶ 35와 49의 최대공약수 구하기 | 5점 |
| | | ❷ 최대 몇 접시에 나누어 담을 수 있는지 구하기 | 5점 |

| 1-2 | 채점 기준 | ❶ 18과 27의 최대공약수 구하기 | 8점 |
| | | ❷ 최대 몇 명에게 나누어 줄 수 있는지 구하기 | 4점 |

| 1-3 | 채점 기준 | ❶ 최대 몇 봉지에 나누어 담을 수 있는지 구하기 | 8점 |
| | | ❷ 한 봉지에 담는 귤 수와 키위 수 구하기 | 7점 |

| 1-4 | 채점 기준 | ❶ 똑같이 나누어 담을 수 있는 상자 수 구하기 | 8점 |
| | | ❷ 한 상자에 담는 공책 수와 수첩 수 구하기 | 7점 |

| 2-1 | 채점 기준 | ❶ 4와 14의 공배수는 어떤 수의 배수와 같은지 구하기 | 5점 |
| | | ❷ 조건을 모두 만족하는 수 구하기 | 3점 |

| 2-2 | 채점 기준 | ❶ 10과 15의 공배수는 어떤 수의 배수와 같은지 구하기 | 6점 |
| | | ❷ 조건을 모두 만족하는 수 구하기 | 6점 |

| 2-3 | 채점 기준 | ❶ 50의 약수 구하기 | 8점 |
| | | ❷ 조건을 모두 만족하는 수 구하기 | 7점 |

단원 평가

62~64쪽

01 (위에서부터) 6, 9, 12 / 6, 9, 12

02 2, 3, 6   03 2, 2 / 4

04 (위에서부터) 2, 3, 9, 7 / 378

05 1, 2, 4, 8 / 8   06 ㉠

07 12, 24에 ○표   08 15, 90

09 16, 32, 48

10 (3, 15), (5, 15), (7, 14)

11 7명에 색칠   12 ㉠

13 50   14 25, 50

15 ㉢   16 42, 18

17 예 ❶ 50÷6=8…2이므로 6×8=48,
6×9=54입니다.
❷ 이 중에서 50에 가장 가까운 수는 48입니다.
/ 48

18 2, 4

19 예 ❶ 소연이와 은지는 2와 3의 최소공배수인 6
일마다 함께 수영장에 갑니다.
❷ 3월은 31일까지 있으므로 3월 한 달 동안
두 사람이 수영장에 함께 가는 날은 3월
2일, 3월 8일, 3월 14일, 3월 20일, 3월 26일
로 모두 5번입니다.
/ 5번

20 예 ❶ 60보다 크고 90보다 작은 수 중에서 11의
배수는 66, 77, 88입니다.
❷ 66, 77, 88 중에서 4를 약수로 가지는 수는
88이므로 조건을 모두 만족하는 수는 88
입니다.
/ 88

풀이

01 어떤 수를 1배, 2배, 3배, … 한 수를 그 수의 배수라
고 합니다.

02 6을 나누어떨어지게 하는 수 1, 2, 3, 6이 6의 약수
입니다.

03 28과 52의 최대공약수: 2×2=4

04 54와 42의 최소공배수: 2×3×9×7=378

05 32의 약수: 1, 2, 4, 8, 16, 32
40의 약수: 1, 2, 4, 5, 8, 10, 20, 40
➡ 32와 40의 공약수: 1, 2, 4, 8
32와 40의 최대공약수: 8

06 ㉠ 15×3=45 ➡ 45는 15의 배수입니다.
15는 45의 약수입니다.

07 4의 배수: 4, 8, 12, 16, 20, 24, 28, 32, …
6의 배수: 6, 12, 18, 24, 30, 36, 42, …
➡ 4와 6의 공배수: 12, 24, …

08 3) 30 45
  5) 10 15
      2   3
최대공약수: 3×5=15
최소공배수: 3×5×2×3=90

09 어떤 두 수의 공배수는 최소공배수인 16의 배수와
같습니다.
따라서 16, 32, 48, …입니다.

10 3×3=9이므로 (3, 9)입니다.
3×5=15이므로 (3, 15)입니다.
5×3=15이므로 (5, 15)입니다.
7×2=14이므로 (7, 14)입니다.

11 49의 약수: 1, 7, 49
따라서 1명, 7명, 49명에게 나누어 줄 수 있습니다.

12 ㉠ 6과 8의 공배수 중에서 가장 작은 수는 24입
니다.

13 1, 2, 5, 10, 25, 50으로 나누어떨어지면서 50을 가장 큰 약수로 가지는 수는 50이므로 어떤 수는 50입니다.

> 참고 주어진 수들이 어떤 수의 약수인지 알려면 먼저 주어진 수들을 1부터 차례대로 늘어놓은 다음 생각해 봅니다.

14 오전 7시에 첫차가 출발한 후 25분 간격으로 출발하므로 분이 25의 배수가 될 때 출발합니다.

➜ 오전 7시, 오전 7시 25분, 오전 7시 50분

15 ㉠ 15의 약수: 1, 3, 5, 15 ➜ 4개
㉡ 19의 약수: 1, 19 ➜ 2개
㉢ 20의 약수: 1, 2, 4, 5, 10, 20 ➜ 6개

16 □) ㉠ ㉡ 에서 □×3=6, □=2
　3) 21　9
　　　 7　 3

　2) ㉠ ㉡ 에서 ㉠=2×21=42,
　3) 21　9　　　 ㉡=2×9=18
　　　 7　 3

17

채점기준	❶ 50보다 작은 6의 배수 중에서 가장 큰 수와 50보다 큰 6의 배수 중에서 가장 작은 수 구하기	3점
	❷ 6의 배수 중에서 50에 가장 가까운 수 구하기	2점

> 참고 6의 배수 중에서 50에 가장 가까운 수를 구할 때 50을 기준으로 바로 앞의 6의 배수, 바로 뒤의 6의 배수, 2개의 수를 구한 다음 두 수 중 50에 더 가까운 수를 알아봅니다.

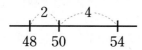

18 어떤 수는 64와 52를 모두 나누어떨어지게 하는 수이므로 64와 52의 공약수입니다.
64의 약수: 1, 2, 4, 8, 16, 32, 64
52의 약수: 1, 2, 4, 13, 26, 52
➜ 64와 52의 공약수: 1, 2, 4
따라서 어떤 수는 1보다 큰 2, 4입니다.

19

채점기준	❶ 두 사람이 며칠마다 함께 수영장에 가는지 구하기	3점
	❷ 3월 한 달 동안 두 사람이 함께 수영장에 가는 날은 몇 번인지 구하기	2점

20

채점기준	❶ 60보다 크고 90보다 작은 수 중에서 11의 배수 구하기	3점
	❷ 조건을 모두 만족하는 수 구하기	2점

---

3 규칙과 대응

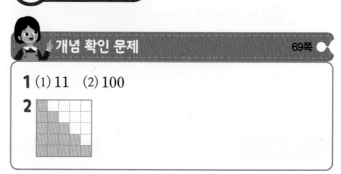

> 개념 확인 문제　　69쪽

1 (1) 11　　(2) 100
2

풀이

1 (1) 가로(→)에서 11씩 커집니다.
(2) 세로(↓)에서 100씩 커집니다.

2 1개에서 시작하여 2개, 3개, 4개, ...씩 늘어납니다. 다섯째에 알맞은 모양은 넷째 모양에서 5개 더 늘어난 1+2+3+4+5=15(개)입니다.

> 개념 확인 문제　　71쪽

1 예 의자 다리의 수
2 (1) 예 의자 다리의 수, 많아집니다에 ○표
(2) 예 의자 다리의 수, 적어집니다에 ○표

풀이

1 함께 변하는 두 양은 의자의 수와 의자 다리의 수입니다.

2 의자의 수가 많아지거나 적어지면 의자 다리의 수도 많아지거나 적어집니다.

> 개념 확인 문제　　73쪽

1 3, 4, 5, 6
2 2
3 7개

풀이

1 초록색 모양 조각의 수가 1개, 2개, 3개, 4개, ...일 때 주황색 모양 조각의 수는 3개, 4개, 5개, 6개, ...입니다.

2 주황색 모양 조각의 수는 초록색 모양 조각의 수보다 2개 더 많고, 초록색 모양 조각의 수가 1개 늘어날 때마다 주황색 모양 조각의 수는 1개씩 늘어납니다.

3 주황색 모양 조각의 수는 초록색 모양 조각의 수보다 2개 더 많으므로 초록색 모양 조각의 수가 5개이면 노란색 모양 조각의 수는 7개입니다.

개념 확인 문제 75쪽

1 2, 3, 4, 5
2 (철봉 대의 수)＋1＝(철봉 기둥의 수)에 색칠
3 예 ○＋1＝△

풀이

1 철봉 대의 수가 1개, 2개, 3개, 4개, ...일 때 철봉 기둥의 수는 2개, 3개, 4개, 5개, ...입니다.

2 철봉 기둥의 수는 철봉 대의 수보다 1 큽니다.

3 ○＝△−1(△−1＝○) 또는
△＝○＋1(○＋1＝△)로 나타낼 수 있습니다.

개념 확인 문제 77쪽

1 예 책상의 수 / 예 색종이의 수
2 예 색종이의 수는 책상의 수의 4배입니다.
3 예 책상의 수(◇), 색종이의 수(○)
  / 예 ◇×4＝○

풀이

1 책상의 수와 색종이의 수 사이의 대응 관계, 책상의 수와 학생의 수 사이의 대응 관계 등을 찾을 수 있습니다.

---

2 책상의 수가 1개씩 늘어날 때마다 색종이의 수는 몇 장씩 늘어나는지 알아봅니다.

3 책상의 수를 ◇, 색종이의 수를 ○라고 하면
◇×4＝○입니다.
참고 (책상의 수)×4＝(색종이의 수) ➡ ◇×4＝○
(색종이의 수)＝(책상의 수)×4 ➡ ○＝◇×4
(색종이의 수)÷4＝(책상의 수) ➡ ○÷4＝◇
(책상의 수)＝(색종이의 수)÷4 ➡ ◇＝○÷4
따라서 두 양 사이의 대응 관계를 식으로 나타내면
◇×4＝○, ○＝◇×4, ○÷4＝◇,
◇＝○÷4 등입니다.

문제 해결력 문제 79쪽

1 29회
2 16회

풀이

1
끈을 자른 횟수(회)	1	2	3	4	5	⋯
자른 뒤 도막의 수(개)	2	3	4	5	6	⋯

(끈을 자른 횟수)＋1＝(자른 뒤 도막의 수)이므로 자른 도막이 30개가 되게 하려면 30−1＝29(회) 잘라야 합니다.
참고 두 양 사이의 대응 관계를 식으로 나타내는 방법
① 대응 관계인 두 양을 찾습니다.
② 두 양 사이의 대응 관계에서 규칙을 찾습니다.
③ 두 양을 나타낼 기호를 정합니다.
④ 두 양 사이의 대응 관계를 기호를 사용한 식으로 나타냅니다.

2
철사를 자른 횟수(회)	1	2	3	4	5	⋯
자른 뒤 도막의 수(개)	2	4	6	8	10	⋯

(철사를 자른 횟수)×2＝(자른 뒤 도막의 수)이므로 자른 도막이 32개가 되게 하려면 32÷2＝16(회) 잘라야 합니다.

1 예 바람개비의 수, 날개의 수

2 예 바람개비의 수, 많아지면에 ○표,
　날개의 수, 많아집니다에 ○표

3 3, 6, 9, 12 / 3

4 10, 11, 12, 13

5 ㉡

6 예 ◇, 접시의 수(△), ◇×2=△

풀이

1 함께 변하는 두 양은 바람개비의 수와 날개의 수입니다.

2 바람개비의 수가 많아지면(적어지면) 날개의 수도 많아집니다.(적어집니다.)

3 봉지의 수가 1개, 2개, 3개, 4개, ...일 때 쿠키의 수는 3개, 6개, 9개, 12개, ...입니다.
➡ 쿠키의 수는 봉지의 수의 3배입니다.

4 민재의 나이가 12살, 13살, 14살, 15살, ...일 때 동생의 나이는 10살, 11살, 12살, 13살, ...입니다.

5 (민재의 나이)-2=(동생의 나이)
　➡ □-2=△
　참고 (동생의 나이)+2=(민재의 나이)
　　　➡ △+2=□

6 상의 수와 접시의 수 사이의 대응 관계, 상의 수와 포크의 수 사이의 대응 관계, 상의 수와 나이프의 수 사이의 대응 관계 등을 찾을 수 있습니다.
　참고 (상의 수)×4=(포크의 수)
　　➡ 상의 수 (○), 포크의 수 (☆)
　　➡ ○×4=☆
　　(포크의 수)÷4=(상의 수)
　　➡ 상의 수 (○), 포크의 수 (☆)
　　➡ ☆÷4=○
　상의 수와 포크의 수 사이의 대응 관계를 식으로 나타내면 ○×4=☆, ☆÷4=○ 등입니다.

1-1 ❶ 2, 3, 4, 5　　❷ 1, 많습니다에 ○표

1-2 예 ❶

연두색 모양 조각의 수(개)	1	2	3	4	⋯
분홍색 모양 조각의 수(개)	2	4	6	8	⋯

❷ 분홍색 모양 조각의 수는 연두색 모양 조각의 수의 2배입니다.

1-3 예 ❶

빨간색 모양 조각의 수(개)	1	2	3	4	⋯
노란색 모양 조각의 수(개)	3	6	9	12	⋯

❷ 노란색 모양 조각의 수는 빨간색 모양 조각의 수의 3배입니다.

1-4 예 ❶

배열 순서	1	2	3	4	⋯
사각형 모양 조각의 수(개)	3	4	5	6	⋯

❷ 배열 순서에 2를 더하면 사각형 모양 조각의 수와 같습니다.

2-1 ❶ 예 □+1=○　　❷ 1, 11
/ 11개

2-2 예 ❶ 꽃다발의 수를 □, 꽃의 수를 △라고 할 때, 두 양 사이의 대응 관계를 기호를 사용하여 식으로 나타내면
□×4=△입니다.
❷ 따라서 꽃의 수는 꽃다발의 수의 4배이므로 꽃다발을 7개 만들려면 꽃은 28송이 필요합니다. / 28송이

2-3 예 ❶ 휘발유의 양을 ◇, 갈 수 있는 거리를 ○라고 할 때, 두 양 사이의 대응 관계를 식으로 나타내면 ◇×13=○입니다.
❷ 따라서 갈 수 있는 거리는 휘발유의 양의 13배이므로 휘발유 25 L로 갈 수 있는 거리는 25×13=325 (km)입니다. / 325 km

2-4 예 ❶ 토스트의 수를 ☆, 버터의 양을 □라고 할 때, 두 양 사이의 대응 관계를 식으로 나타내면 ☆＝□÷6입니다.

❷ 따라서 버터 30 g으로는 토스트를 30÷6＝5(개) 만들 수 있습니다.

／ 5개

풀이

| **1-1** | 채점
기준 | ❶ 노란색 모양 조각의 수와 초록색 모양 조각의 수 사이의 대응 관계를 표로 나타내기 | 4점 |
| | | ❷ 규칙을 찾아 설명하기 | 4점 |

| **1-2** | 채점
기준 | ❶ 연두색 모양 조각의 수와 분홍색 모양 조각의 수 사이의 대응 관계를 표로 나타내기 | 6점 |
| | | ❷ 규칙을 찾아 설명하기 | 6점 |

| **1-3** | 채점
기준 | ❶ 빨간색 모양 조각의 수와 노란색 모양 조각의 수 사이의 대응 관계를 표로 나타내기 | 7점 |
| | | ❷ 규칙을 찾아 설명하기 | 8점 |

| **1-4** | 채점
기준 | ❶ 배열 순서와 사각형 모양 조각의 수 사이의 대응 관계를 표로 나타내기 | 7점 |
| | | ❷ 규칙을 찾아 설명하기 | 8점 |

| **2-1** | 채점
기준 | ❶ 종이의 수와 누름 못의 수 사이의 대응 관계를 식으로 나타내기 | 4점 |
| | | ❷ 종이를 10장 붙일 때 필요한 누름못의 수 구하기 | 4점 |

| **2-2** | 채점
기준 | ❶ 꽃다발의 수와 꽃의 수 사이의 대응 관계를 식으로 나타내기 | 6점 |
| | | ❷ 꽃다발을 7개 만들 때 필요한 꽃의 수 구하기 | 6점 |

| **2-3** | 채점
기준 | ❶ 휘발유의 양과 갈 수 있는 거리 사이의 대응 관계를 식으로 나타내기 | 7점 |
| | | ❷ 휘발유 25 L로 갈 수 있는 거리 구하기 | 8점 |

| **2-4** | 채점
기준 | ❶ 토스트의 수와 버터의 양 사이의 대응 관계를 식으로 나타내기 | 7점 |
| | | ❷ 버터 30 g으로 만들 수 있는 토스트의 수 구하기 | 8점 |

단원 평가 88~90쪽

01 3개

02 6개

03 예 사탕의 수

04 예 사탕의 수도 많아집니다.

05 2, 4, 6, 8

06 2

07 12개

08 예 삼각형의 수, 변의 수

09 2, 3, 4, 5

10 예 (매듭의 수)＋1＝(끈의 수)

11 예 ○＋1＝△

12 13, 14, 15, 16

13 예 ☆, △ ／ 예 ☆＋2＝△

14 예 ❶ 형의 나이는 예준이의 나이보다 2살 많으므로 예준이의 나이가 17살일 때 형의 나이는 19살입니다.

❷ 따라서 바르게 구한 것은 ㉠입니다.

／ ㉠

15 예 만두 접시의 수 (◇), 만두의 수 (○), ◇×4＝○

16 예 송편 접시의 수 (□), 송편의 수 (△), □×5＝△

17 예 ❶ 하랑이가 답한 수는 윤재가 말한 수의 6배입니다.

❷ 따라서 윤재가 10을 말할 때 하랑이가 답하는 수는 10×6＝60입니다.

／ 60

18 예 □＋△＝24

19 28개

20 예 ❶ 까치 날개의 수(☆)는 까치의 수(□)의 2배입니다.

❷ 까치 다리의 수(☆)는 까치의 수(□)의 2배입니다.

풀이

01 봉지가 1개일 때 사탕은 3개입니다.

02 봉지가 2개일 때 사탕은 6개입니다.

03 함께 변하는 두 양은 봉지의 수와 사탕의 수입니다.

04 봉지의 수가 많아지면 사탕의 수도 많아집니다.

05 초록색 모양 조각의 수가 1개, 2개, 3개, 4개, ...일 때 분홍색 모양 조각의 수는 2개, 4개, 6개, 8개, ...입니다.

06 분홍색 모양 조각의 수는 초록색 모양 조각의 수의 2배입니다.

07 분홍색 모양 조각의 수는 초록색 모양 조각의 수의 2배이므로 초록색 모양 조각의 수가 6개이면 분홍색 모양 조각의 수는 12개입니다.

08 삼각형의 수와 변의 수 사이의 대응 관계, 삼각형의 수와 꼭짓점의 수 사이의 대응 관계를 찾을 수 있습니다.

> 참고 삼각형의 수가 1개, 2개, 3개, 4개, ...일 때 삼각형의 변의 수는 3개, 6개, 9개, 12개, ...입니다.

09 매듭의 수가 1개, 2개, 3개, 4개, ...일 때 끈의 수는 2개, 3개, 4개, 5개, ...입니다.

10 매듭의 수에 1을 더하면 끈의 수입니다.
➡ (매듭의 수)+1=(끈의 수)

11 (매듭의 수)+1=(끈의 수)
$$\bigcirc+1=\triangle$$

12 예준이의 나이가 11살, 12살, 13살, 14살, ...일 때 형의 나이는 13살, 14살, 15살, 16살, ...입니다.

13 (예준이의 나이)+2=(형의 나이)
➡ ☆+2=△
(형의 나이)-2=(예준이의 나이)
➡ △-2=☆

14

채점 기준	❶ 예준이의 나이가 17살일 때 형의 나이 구하기	3점
	❷ 바르게 구한 것을 찾아 기호 쓰기	2점

15 (만두 접시의 수)×4=(만두의 수)
➡ ◇×4=○
(만두의 수)÷4=(만두 접시의 수)
➡ ○÷4=◇

> 참고 (만두의 수)=(만두 접시의 수)×4 ➡ ○=◇×4
> (만두 접시의 수)=(만두의 수)÷4 ➡ ◇=○÷4
> 따라서 두 양 사이의 대응 관계를 식으로 나타내면
> ◇×4=○, ○=◇×4, ○÷4=◇,
> ◇=○÷4 등입니다.

16 (송편 접시의 수)×5=(송편의 수)
➡ □×5=△
(송편의 수)÷5=(송편 접시의 수)
➡ △÷5=□

17

채점 기준	❶ 윤재가 말한 수와 하랑이가 답한 수 사이의 대응 관계 찾기	3점
	❷ 윤재가 10을 말할 때 하랑이가 답하는 수 구하기	2점

18 하루는 모두 24시간이므로
(낮의 길이)+(밤의 길이)=24입니다. 따라서 낮의 길이를 □시간, 밤의 길이를 △시간이라 하면
□+△=24입니다.

19

배열 순서	1	2	3	4	⋯
사각형 조각의 수(개)	4	8	12	16	⋯

사각형 조각의 수는 배열 순서의 4배이므로 7째에 필요한 사각형은 7×4=28(개)입니다.

20 까치 날개의 수와 까치의 수 사이의 대응 관계, 까치 다리의 수와 까치의 수 사이의 대응 관계를 찾을 수 있습니다.

채점 기준	❶ 식에 알맞은 상황을 1가지 쓰기	3점
	❷ 식에 알맞은 또 다른 상황을 1가지 쓰기	2점

④ 약분과 통분

개념 확인 문제 95쪽

> **1** (1) >   (2) <   **2** (앞에서부터) 2, 3, 1
> **3** 나   **4** 12장

1 (1) 분모가 같은 분수는 분자를 비교합니다.

$$7 > 5 \rightarrow \frac{7}{11} > \frac{5}{11}$$

(2) 단위분수는 분모가 작을수록 큽니다.

$$6 > 3 \rightarrow \frac{1}{6} < \frac{1}{3}$$

2 $2\frac{3}{5} = \frac{13}{5} \rightarrow \frac{5}{9} < \frac{11}{5} < 2\frac{3}{5}$

3 같습니다.

$$\underset{\underset{0<1}{\rule{0pt}{0pt}}}{3.08 < 3.14}$$

4
2) 48 36
2) 24 18   최대공약수: $2 \times 2 \times 3 = 12$
3) 12   9   → 봉지는 12장 필요합니다.
　　 4   3

개념 확인 문제 97쪽

1 예

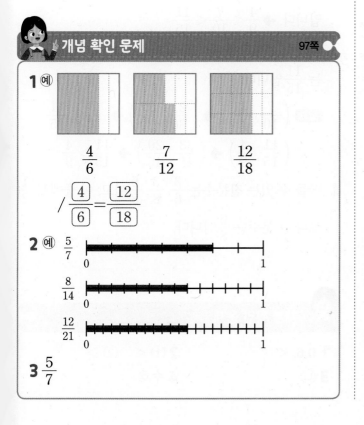

$$\frac{4}{6} \qquad \frac{7}{12} \qquad \frac{12}{18}$$

$$/ \quad \frac{\boxed{4}}{\boxed{6}} = \frac{\boxed{12}}{\boxed{18}}$$

2 예 $\frac{5}{7}$

$\frac{8}{14}$

$\frac{12}{21}$

3 $\frac{5}{7}$

풀이

1 색칠한 부분의 크기가 같은 것은 $\frac{4}{6}$와 $\frac{12}{18}$입니다.

2 분수만큼 선을 그어 봅니다.

3 그은 선의 길이가 다른 것을 찾으면 $\frac{5}{7}$입니다.

개념 확인 문제 99쪽

1 $\dfrac{2}{5} = \dfrac{2 \times 2}{5 \times \boxed{2}} = \dfrac{2 \times \boxed{3}}{5 \times 3} = \dfrac{2 \times 4}{5 \times \boxed{4}}$

$\rightarrow \dfrac{2}{5} = \dfrac{\boxed{4}}{\boxed{10}} = \dfrac{\boxed{6}}{\boxed{15}} = \dfrac{\boxed{8}}{\boxed{20}}$

2 $\dfrac{18}{42} = \dfrac{18 \div 2}{42 \div \boxed{2}} = \dfrac{18 \div \boxed{3}}{42 \div 3} = \dfrac{18 \div \boxed{6}}{42 \div \boxed{6}}$

$\rightarrow \dfrac{18}{42} = \dfrac{\boxed{9}}{\boxed{21}} = \dfrac{\boxed{6}}{\boxed{14}} = \dfrac{\boxed{3}}{\boxed{7}}$

3 예

$\frac{10}{18}$	$\frac{2}{3}$	$\frac{20}{24}$
$\frac{8}{12}$	$\frac{5}{6}$	$\frac{5}{9}$

풀이

1 분모와 분자에 0이 아닌 같은 수를 곱합니다.

2 분모와 분자를 0이 아닌 같은 수로 나눕니다.

3 $\dfrac{10}{18} = \dfrac{10 \div 2}{18 \div 2} = \dfrac{5}{9}$, $\dfrac{2}{3} = \dfrac{2 \times 4}{3 \times 4} = \dfrac{8}{12}$,

$\dfrac{20}{24} = \dfrac{20 \div 4}{24 \div 4} = \dfrac{5}{6}$

개념 확인 문제 101쪽

1 $\dfrac{12 \div 2}{32 \div \boxed{2}} = \dfrac{\boxed{6}}{\boxed{16}}$, $\dfrac{\overset{6}{\cancel{12}}}{\underset{16}{\cancel{32}}} = \dfrac{\boxed{6}}{\boxed{16}}$

2 $\dfrac{10}{15}, \dfrac{6}{9}, \dfrac{2}{3}$ **3** (1) $\dfrac{2}{5}$ (2) $\dfrac{3}{7}$

4 $\dfrac{1}{8}, \dfrac{3}{8}, \dfrac{5}{8}, \dfrac{7}{8}$

풀이

1 분자를 2로 나누었으므로 분모도 2로 나누어 약분합니다.

2 45와 30의 공약수는 1, 3, 5, 15이므로 3, 5, 15로 약분할 수 있습니다.

➡ 약분하여 나타낼 수 있는 수는

$\overset{10}{\underset{15}{\frac{30}{45}}}=\frac{10}{15}, \overset{6}{\underset{9}{\frac{30}{45}}}=\frac{6}{9}, \overset{2}{\underset{3}{\frac{30}{45}}}=\frac{2}{3}$입니다.

3 (1)
```
2)20  8
2)10  4
   5  2
```
최대공약수: $2\times2=4$

➡ $\frac{8}{20}=\frac{8\div4}{20\div4}=\frac{2}{5}$

(2)
```
2)42  18
3)21   9
   7   3
```
최대공약수: $2\times3=6$

➡ $\frac{18}{42}=\frac{18\div6}{42\div6}=\frac{3}{7}$

4 분모가 8인 진분수는 $\frac{1}{8}, \frac{2}{8}, \frac{3}{8}, \frac{4}{8}, \frac{5}{8}, \frac{6}{8}, \frac{7}{8}$이고, 이 중에서 기약분수는 $\frac{1}{8}, \frac{3}{8}, \frac{5}{8}, \frac{7}{8}$입니다.

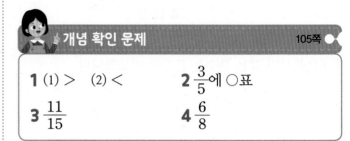

개념 확인 문제 103쪽

1 $\left(\frac{12}{18}, \frac{8}{18}\right)$ **2** ②

3 $\left(\frac{11}{42}, \frac{7}{30}\right)$ **4** 36, 72

풀이

1 6과 9의 최소공배수는 18이므로 18을 공통분모로 하여 통분합니다.

2 4와 6의 공배수는 12, 24, 36, 48, …이므로 공통분모가 될 수 있는 수는 12, 24, 36, 48, …입니다.

➡ 공통분모가 될 수 없는 것은 ②입니다.

3 $\frac{\square\times5}{42\times5}=\frac{55}{210}$ ➡ $\square\times5=55, \square=11$

$\frac{7\times7}{\square\times7}=\frac{49}{210}$ ➡ $\square\times7=210, \square=30$

4 공통분모가 될 수 있는 수는 9와 12의 공배수입니다. 9와 12의 최소공배수가 36이므로 공통분모가 될 수 있는 수는 36의 배수인 36, 72, 108, …이고 100보다 작은 수는 36, 72입니다.

개념 확인 문제 105쪽

1 (1) $>$ (2) $<$ **2** $\frac{3}{5}$에 ○표

3 $\frac{11}{15}$ **4** $\frac{6}{8}$

1 (1) $\left(\frac{5}{8}, \frac{7}{12}\right)$ ➡ $\left(\frac{15}{24}, \frac{14}{24}\right)$ ➡ $\frac{5}{8}>\frac{7}{12}$

(2) $\left(\frac{13}{20}, \frac{17}{24}\right)$ ➡ $\left(\frac{78}{120}, \frac{85}{120}\right)$ ➡ $\frac{13}{20}<\frac{17}{24}$

2 $\frac{2}{3}$와 $\frac{3}{5}$은 모두 $1\frac{1}{2}$보다 작으므로 가장 큰 수는 $1\frac{1}{2}$입니다.

$\left(\frac{2}{3}, \frac{3}{5}\right)$ ➡ $\left(\frac{10}{15}, \frac{9}{15}\right)$ ➡ $\frac{2}{3}>\frac{3}{5}$이므로 가장 작은 수는 $\frac{3}{5}$입니다.

3 수직선에서 가장 오른쪽에 있는 분수가 가장 큰 수입니다. ➡ $\frac{4}{9}<\frac{7}{10}<\frac{11}{15}$

따라서 수직선에 나타낼 때 가장 오른쪽에 있는 분수는 $\frac{11}{15}$입니다.

참고 $\left(\frac{7}{10}, \frac{11}{15}\right)$ ➡ $\left(\frac{21}{30}, \frac{22}{30}\right)$ ➡ $\frac{7}{10}<\frac{11}{15}$

$\left(\frac{11}{15}, \frac{4}{9}\right)$ ➡ $\left(\frac{33}{45}, \frac{20}{45}\right)$ ➡ $\frac{11}{15}>\frac{4}{9}$

4 만들 수 있는 진분수는 $\frac{3}{6}, \frac{3}{8}, \frac{6}{8}$이고, 이 중에서 $\frac{1}{2}$보다 큰 분수는 $\frac{6}{8}$입니다.

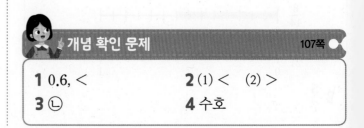

개념 확인 문제 107쪽

1 0.6, $<$ **2** (1) $<$ (2) $>$

3 ㉡ **4** 수호

풀이

1 분수를 소수로 나타내어 비교합니다.

2 (1) $\frac{7}{20} = 0.35$ ➡ $0.35 < 0.4$ ➡ $\frac{7}{20} < 0.4$

(2) $0.65 = \frac{65}{100}, \frac{16}{25} = \frac{64}{100}$

➡ $\frac{65}{100} > \frac{64}{100}$ ➡ $0.65 > \frac{16}{25}$

3 ㉠ 0.01이 72개인 수는 0.72입니다.

㉡ $\frac{3}{4} = \frac{75}{100} = 0.75$

➡ $0.72 < 0.75$

4 $\frac{23}{40} = \frac{575}{1000} = 0.575$이므로 $1\frac{23}{40} = 1.575$입니다.

$1.56 < 1.575$이므로 키가 더 큰 사람은 수호입니다.

문제 해결력 문제   109쪽

1

분수 카드 기호	$\frac{21}{24}$	$\frac{3}{7}$	$1\frac{3}{11}$	$\frac{4}{16}$
가	×	○	○	×
나	○	×	○	×
다	○	×	×	×
라				○

2

가	나	다	라
$\frac{3}{7}$	$1\frac{3}{11}$	$\frac{21}{24}$	$\frac{4}{16}$

풀이

1 기약분수는 $\frac{3}{7}, 1\frac{3}{11}$입니다.

$\frac{2}{3}$보다 큰 분수는 $\frac{21}{24}, 1\frac{3}{11}$입니다.

$\frac{21}{24}$과 $\frac{4}{16}$를 기약분수로 나타내면 각각 $\frac{7}{8}, \frac{1}{4}$입니다.

2 다가 될 수 있는 수는 $\frac{21}{24}$, 나는 $1\frac{3}{11}$, 가는 $\frac{3}{7}$이므로 라는 $\frac{4}{16}$입니다.

개념 확인   114~115쪽

1 예

$\underset{\frac{1}{4}}{\text{□}}$ $\underset{\frac{3}{8}}{\text{□}}$ $\underset{\frac{3}{12}}{\text{□}}$

2 (1) 6, 21, 12   (2) 15, 12, 3

3 예 $\frac{14}{21}, \frac{4}{6}$ **4** $\frac{4}{11}, \frac{7}{23}, \frac{10}{17}$

5 ($\frac{30}{80}$, $\frac{56}{80}$)   **6** (   ) (○)

7 $\frac{7}{9}$ **8** 유미

풀이

1 $\frac{1}{4}, \frac{3}{12}$만큼 색칠한 부분의 크기가 같으므로 크기가 같은 분수는 $\frac{1}{4}, \frac{3}{12}$입니다.

2 (1) 분모와 분자에 각각 0이 아닌 같은 수를 곱해서 크기가 같은 분수를 만듭니다.

(2) 분모와 분자를 각각 0이 아닌 같은 수로 나누어서 크기가 같은 분수를 만듭니다.

3 42와 28의 최대공약수가 14이므로 공약수는 1, 2, 7, 14입니다. ➡ 2, 7, 14로 약분할 수 있습니다.

4 분모와 분자의 공약수가 1뿐인 분수를 찾으면 $\frac{4}{11}, \frac{7}{23}, \frac{10}{17}$입니다.

5 분모의 곱 80을 공통분모로 합니다.

6 $\left(\frac{3}{4}, \frac{17}{22}\right)$ ➡ $\left(\frac{33}{44}, \frac{34}{44}\right)$ ➡ $\frac{3}{4} < \frac{17}{22}$ ➡ $2\frac{3}{4} < 2\frac{17}{22}$

7 숫자 카드로 만들 수 있는 진분수는 $\frac{5}{7}, \frac{5}{9}, \frac{7}{9}$입니다.

$\frac{5}{9} < \frac{7}{9}$이므로 $\frac{5}{7}$와 $\frac{7}{9}$을 비교하면

$\left(\frac{5}{7}, \frac{7}{9}\right)$ ➡ $\left(\frac{45}{63}, \frac{49}{63}\right)$ ➡ $\frac{5}{7} < \frac{7}{9}$이므로 가장 큰 수는 $\frac{7}{9}$입니다.

8 $\frac{17}{20}$을 소수로 나타내면 $\frac{17}{20} = \frac{85}{100} = 0.85$이므로 $0.84 < 0.85$입니다.

➡ 더 무거운 가방을 가지고 있는 사람은 유미입니다.

서술형 문제 해결하기   116~117쪽

1-1 ❶ ▲

❷ 10, 10, 5, $\dfrac{3\times\boxed{5}}{7\times\boxed{5}}=\dfrac{\boxed{15}}{\boxed{35}}$

/ $\dfrac{15}{35}$

1-2 예 ❶ 처음 분수를 □로 약분하여 $\dfrac{5}{11}$가 되었다고 하면 처음 분수의 분모와 분자의 합은 $\dfrac{5}{11}$의 분모와 분자의 합의 □배입니다.

❷ $\dfrac{5}{11}$의 분모와 분자의 합은 16이므로 $16\times□=64$, $□=4$입니다. 따라서 처음 분수는 $\dfrac{5}{11}$의 분모와 분자에 각각 4를 곱한 분수이므로 $\dfrac{5\times4}{11\times4}=\dfrac{20}{44}$입니다.

/ $\dfrac{20}{44}$

1-3 예 ❶ 처음 분수를 □로 약분하여 $\dfrac{5}{9}$가 되었다고 하면 처음 분수의 분모와 분자의 차는 $\dfrac{5}{9}$의 분모와 분자의 차의 □배입니다.

❷ $\dfrac{5}{9}$의 분모와 분자의 차는 4이므로 $4\times□=24$, $□=6$입니다. 따라서 처음 분수는 $\dfrac{5}{9}$의 분모와 분자에 각각 6을 곱한 분수이므로 $\dfrac{5\times6}{9\times6}=\dfrac{30}{54}$입니다.

/ $\dfrac{30}{54}$

1-4 예 ❶ 처음 분수를 □로 약분하여 $\dfrac{7}{12}$이 되었다고 하면 처음 분수의 분모와 분자의 차는 $\dfrac{7}{12}$의 분모와 분자의 차의 □배입니다.

❷ $\dfrac{7}{12}$의 분모와 분자의 차는 5이므로 $5\times□=25$, $□=5$입니다.

따라서 처음 분수는 $\dfrac{7}{12}$의 분모와 분자에 각각 5를 곱한 분수이므로 $\dfrac{7\times5}{12\times5}=\dfrac{35}{60}$입니다.

/ $\dfrac{35}{60}$

2-1 ❶ 9, 2

❷ 2, 3, 4, 4

/ 4

2-2 예 ❶ 두 분수를 통분합니다.

$\left(\dfrac{7}{10},\dfrac{□}{15}\right)\rightarrow\left(\dfrac{21}{30},\dfrac{□\times2}{30}\right)$

❷ 분자를 비교하면 $21>□\times2$이므로 □ 안에 들어갈 수 있는 자연수는 1, 2, 3, ..., 9, 10이고 이 중에서 가장 큰 수는 10입니다.

/ 10

2-3 예 ❶ 두 분수를 통분합니다.

$\left(\dfrac{8}{14},\dfrac{□}{21}\right)\rightarrow\left(\dfrac{24}{42},\dfrac{□\times2}{42}\right)$

❷ 분자를 비교하면 $24<□\times2$이므로 □ 안에 들어갈 수 있는 자연수는 13, 14, 15, ...이고 이 중에서 가장 작은 자연수는 13입니다.

/ 13

2-4 예 ❶ 세 분수를 통분합니다.

$\left(\dfrac{7}{16},\dfrac{□}{24},\dfrac{17}{32}\right)\rightarrow\left(\dfrac{42}{96},\dfrac{□\times4}{96},\dfrac{51}{96}\right)$

❷ 분자를 비교하면 $42<□\times4<51$이므로 □ 안에 들어갈 수 있는 자연수는 11, 12로 2개입니다.

/ 2개

풀이

1-1	채점 기준	❶ 구하는 분수의 분모와 분자의 합과 기약분수의 분모와 분자의 합의 관계 알아보기	4점
		❷ 조건에 맞는 분수 구하기	4점

1-2	채점 기준	❶ 구하는 분수의 분모와 분자의 합과 기약분수의 분모와 분자의 합의 관계 알아보기	6점
		❷ 조건에 맞는 분수 구하기	6점

1-3	채점 기준	❶ 구하는 분수의 분모와 분자의 차와 기약분수의 분모와 분자의 차의 관계 알아보기	7점
		❷ 조건에 맞는 분수 구하기	8점

1-4	채점 기준	❶ 구하는 분수의 분모와 분자의 차와 기약분수의 분모와 분자의 차의 관계 알아보기	7점
		❷ 조건에 맞는 분수 구하기	8점

2-1	채점 기준	❶ 두 분수를 통분하기	4점
		❷ □ 안에 들어갈 수 있는 가장 큰 수 구하기	4점

2-2	채점 기준	❶ 두 분수를 통분하기	6점
		❷ □ 안에 들어갈 수 있는 가장 큰 수 구하기	6점

2-3	채점 기준	❶ 두 분수를 통분하기	8점
		❷ □ 안에 들어갈 수 있는 가장 작은 수 구하기	7점

2-4	채점 기준	❶ 세 분수를 통분하기	8점
		❷ □ 안에 들어갈 수 있는 수의 개수 구하기	7점

단원 평가
118~120쪽

01 $\boxed{\dfrac{12}{16}}$ $\boxed{\dfrac{7}{8}}$ $\boxed{\dfrac{3}{4}}$
(○)( )(○)

02 (1) 14, 15, 28 (2) 36, 18, 12

03 (1) $\left(\boxed{\dfrac{7}{28}}, \boxed{\dfrac{16}{28}}\right)$ (2) $\left(\boxed{\dfrac{27}{48}}, \boxed{\dfrac{20}{48}}\right)$

04 예) $\dfrac{30}{45}, \dfrac{20}{30}, \dfrac{12}{18}$ **05** (선 연결)

06 (1) $\dfrac{5}{7}$ (2) $\dfrac{5}{9}$

07 (1) > (2) < **08** 2.4에 ○표

09 20 **10** $\dfrac{3}{4}$, 0.8, $\dfrac{17}{20}$

11 (위에서부터) $\dfrac{13}{18}, \dfrac{17}{24}, \dfrac{13}{18}$

12 $\dfrac{5}{8}, \dfrac{5}{6}$

13 예) ❶ 두 분수의 크기를 비교합니다.

$$\left(3\dfrac{5}{8}, 3\dfrac{11}{12}\right) \rightarrow \left(3\dfrac{15}{24}, 3\dfrac{22}{24}\right)$$

$$\rightarrow 3\dfrac{5}{8} < 3\dfrac{11}{12}$$

❷ 우체국을 지나서 가는 길이 더 가깝습니다.
/ 우체국

14 4개 **15** 126, 168

16 $\dfrac{\boxed{5}}{8} = \dfrac{\boxed{15}}{24}$ **17** 4개

18 $\dfrac{2}{5}, \dfrac{2}{8}$

19 예) ❶ 분모를 □, 분자를 △라고 하면 진분수이므로 □>△입니다.
□+△=72, □−△=18입니다.

분모	41	42	43	44	45
분자	31	30	29	28	27
차	10	12	14	16	18

조건에 맞는 것은 □=45, △=27입니다.

❷ 조건에 맞는 분수는 $\dfrac{27}{45}$이므로 기약분수로 나타내면 $\dfrac{3}{5}$입니다.

/ $\dfrac{3}{5}$

20 예) ❶ $\dfrac{9}{25} = \dfrac{36}{100} = 0.36$, $\dfrac{3}{4} = \dfrac{75}{100} = 0.75$이므로 0.36<0.□8<0.75입니다.

❷ 소수 첫째 자리 숫자를 비교하면 □ 안에 들어갈 수 있는 수는 3이거나 3보다 크고 7보다 작은 수이므로 3, 4, 5, 6이고 모두 4개입니다.

/ 4개

01 색칠한 부분의 크기가 같은 분수를 찾으면 $\dfrac{12}{16}, \dfrac{3}{4}$ 입니다.

02 (1) 분모와 분자에 0이 아닌 같은 수를 곱합니다.

(2) 분모와 분자를 0이 아닌 같은 수로 나눕니다.

03 (1) 4와 7의 곱 28을 공통분모로 하여 통분합니다.

(2) 16과 12의 최소공배수 48을 공통분모로 하여 통분합니다.

04 90과 60의 최대공약수는 30이므로 공약수는 1, 2, 3, 5, 6, 10, 15, 30이고 2, 3, 5, 6, 10, 15, 30으로 약분할 수 있습니다.

$$\Rightarrow \frac{60}{90}=\frac{30}{45}, \frac{60}{90}=\frac{20}{30}, \frac{60}{90}=\frac{12}{18}, \cdots$$

05 $\frac{7}{12}=\frac{7\times 6}{12\times 6}=\frac{42}{72}, \frac{18}{48}=\frac{18\div 6}{48\div 6}=\frac{3}{8},$

$\frac{8}{15}=\frac{8\times 3}{15\times 3}=\frac{24}{45}$

06 (1) 분모와 분자의 최대공약수 6으로 약분합니다.

$$\Rightarrow \frac{\overset{5}{\cancel{30}}}{\underset{7}{\cancel{42}}}=\frac{5}{7}$$

(2) 분모와 분자의 최대공약수 9로 약분합니다.

$$\Rightarrow \frac{\overset{5}{\cancel{20}}}{\underset{9}{\cancel{81}}}=\frac{5}{9}$$

07 (1) $\left(\frac{4}{5}, \frac{7}{9}\right) \Rightarrow \left(\frac{36}{45}, \frac{35}{45}\right) \Rightarrow \frac{4}{5}>\frac{7}{9}$

(2) $\left(\frac{11}{15}, \frac{19}{25}\right) \Rightarrow \left(\frac{55}{75}, \frac{57}{75}\right) \Rightarrow \frac{11}{15}<\frac{19}{25}$

08 분수를 소수로 나타내어 비교하면

$\frac{9}{25}=\frac{36}{100}=0.36$이므로 $2\frac{9}{25}=2.36$입니다.

$\Rightarrow 2.4>2.36$

09 공통분모를 40으로 통분한 것이므로 $\frac{11}{\bigcirc}$의 분모와

분자에 2를 곱해서 $\frac{22}{40}$가 되었습니다. $\Rightarrow \bigcirc=40$

$\frac{22}{40}$의 분모와 분자를 2로 나누면 $\frac{11}{20}$입니다.

$\Rightarrow \bigcirc=20$

10 분수를 소수로 나타내어 비교합니다.

$\frac{17}{20}=\frac{85}{100}=0.85, \frac{3}{4}=\frac{75}{100}=0.75$

$\Rightarrow 0.75<0.8<0.85$

11 $\left(\frac{5}{9}, \frac{13}{18}\right) \Rightarrow \left(\frac{10}{18}, \frac{13}{18}\right) \Rightarrow \frac{5}{9}<\frac{13}{18}$

$\left(\frac{17}{24}, \frac{5}{8}\right) \Rightarrow \left(\frac{17}{24}, \frac{15}{24}\right) \Rightarrow \frac{17}{24}>\frac{5}{8}$

$\left(\frac{13}{18}, \frac{17}{24}\right) \Rightarrow \left(\frac{52}{72}, \frac{51}{72}\right) \Rightarrow \frac{13}{18}>\frac{17}{24}$

12 120과 75의 최대공약수: 15

$$\Rightarrow \frac{75}{120}=\frac{75\div 15}{120\div 15}=\frac{5}{8}$$

120과 100의 최대공약수: 20

$$\Rightarrow \frac{100}{120}=\frac{100\div 20}{120\div 20}=\frac{5}{6}$$

13

채점 기준		
❶ 분수의 크기 비교하기		3점
❷ 어느 곳을 지나서 가는 길이 더 가까운지 구하기		2점

14 공통분모를 18로 해서 통분하면

$\frac{1}{6}=\frac{3}{18}, \frac{4}{9}=\frac{8}{18}$이므로 구하는 분수를 $\frac{\square}{18}$라고

하면 $\frac{3}{18}<\frac{\square}{18}<\frac{8}{18}$입니다. $\Rightarrow 3<\square<8$

따라서 조건에 맞는 분수는 $\frac{4}{18}, \frac{5}{18}, \frac{6}{18}, \frac{7}{18}$로

모두 4개입니다.

15 분모 14와 21의 최소공배수는 42이므로 공배수는 42, 84, 126, 168, 210, ...입니다.

$\Rightarrow$ 100보다 크고 200보다 작은 수 중에서 공통분모가 될 수 있는 수는 126, 168입니다.

16 $\frac{5}{8}=\frac{5\times 3}{8\times 3}=\frac{15}{24}$

17 $\frac{1}{2}=\frac{10}{20}$이므로 분모가 20인 진분수 중에서 $\frac{10}{20}$보

다 큰 수는 $\frac{11}{20}$부터 $\frac{19}{20}$까지입니다. 이 중에서 기

약분수는 $\frac{11}{20}, \frac{13}{20}, \frac{17}{20}, \frac{19}{20}$로 모두 4개입니다.

18 0.5보다 작은 수이므로 진분수를 만들어 소수로 나

타내어 보면 $\frac{2}{4}=0.5, \frac{2}{5}=0.4, \frac{4}{5}=0.8,$

$\frac{2}{8}=0.25, \frac{4}{8}=0.5, \frac{5}{8}=0.625$입니다.

$\Rightarrow$ 0.5보다 작은 수는 $\frac{2}{5}, \frac{2}{8}$입니다.

19

채점 기준		
❶ 조건에 맞는 분수의 분모와 분자 구하기		3점
❷ 분수를 기약분수로 나타내기		2점

20

채점 기준		
❶ 분수를 소수로 나타내어 비교하기		2점
❷ □ 안에 들어갈 수 있는 자연수의 개수 구하기		3점

5 분수의 덧셈과 뺄셈

🖐 개념 확인 문제   125쪽

1 (1) $1\dfrac{2}{5}$ (2) $\dfrac{2}{4}$ **2** $3\dfrac{6}{7}$

3 $\left(\dfrac{16}{36},\ \dfrac{15}{36}\right)$ **4** 포도 원액

풀이

1 (1) $\dfrac{3}{5}+\dfrac{4}{5}=\dfrac{3+4}{5}=\dfrac{7}{5}=1\dfrac{2}{5}$

   (2) $2\dfrac{1}{4}-1\dfrac{3}{4}=1\dfrac{5}{4}-1\dfrac{3}{4}=\dfrac{2}{4}$

2 $1\dfrac{5}{7}+2\dfrac{1}{7}=(1+2)+\left(\dfrac{5}{7}+\dfrac{1}{7}\right)=3\dfrac{6}{7}$

3 두 분모 9와 12의 최소공배수는 36입니다.

$\left(\dfrac{4}{9},\dfrac{5}{12}\right) \rightarrow \left(\dfrac{4\times4}{9\times4},\dfrac{5\times3}{12\times3}\right) \rightarrow \left(\dfrac{16}{36},\dfrac{15}{36}\right)$

4 $\left(1\dfrac{5}{8},1\dfrac{3}{4}\right) \rightarrow \left(1\dfrac{5}{8},1\dfrac{6}{8}\right) \rightarrow 1\dfrac{5}{8}<1\dfrac{3}{4}$이므로
포도 원액을 더 많이 넣었습니다.

🖐 개념 확인 문제   127쪽

1 $\dfrac{3}{8}+\dfrac{1}{10}=\dfrac{3\times5}{8\times5}+\dfrac{1\times4}{10\times4}=\dfrac{15}{40}+\dfrac{4}{40}=\dfrac{19}{40}$

2 (1) $\dfrac{11}{15}$ (2) $\dfrac{2}{3}$ **3** $\dfrac{3}{5}$ **4** $\dfrac{7}{18}$ kg

풀이

1 두 분모의 최소공배수를 공통분모로 하여 통분한 후
계산합니다.

2 (1) $\dfrac{2}{5}+\dfrac{1}{3}=\dfrac{6}{15}+\dfrac{5}{15}=\dfrac{11}{15}$

   (2) $\dfrac{1}{4}+\dfrac{5}{12}=\dfrac{3}{12}+\dfrac{5}{12}=\dfrac{8}{12}=\dfrac{2}{3}$

3 $\dfrac{1}{3}+\dfrac{4}{15}=\dfrac{5}{15}+\dfrac{4}{15}=\dfrac{9}{15}=\dfrac{3}{5}$

4 $\dfrac{2}{9}+\dfrac{1}{6}=\dfrac{4}{18}+\dfrac{3}{18}=\dfrac{7}{18}$ (kg)

🖐 개념 확인 문제   129쪽

1 (1) $1\dfrac{2}{15}$ (2) $1\dfrac{7}{30}$ **2** $1\dfrac{5}{36}$

3 >   **4** $1\dfrac{9}{40}$ L

풀이

1 (1) $\dfrac{4}{5}+\dfrac{1}{3}=\dfrac{12}{15}+\dfrac{5}{15}=\dfrac{17}{15}=1\dfrac{2}{15}$

   (2) $\dfrac{7}{10}+\dfrac{8}{15}=\dfrac{21}{30}+\dfrac{16}{30}=\dfrac{37}{30}=1\dfrac{7}{30}$

2 $\dfrac{7}{12}+\dfrac{5}{9}=\dfrac{21}{36}+\dfrac{20}{36}=\dfrac{41}{36}=1\dfrac{5}{36}$

3 $\dfrac{5}{7}+\dfrac{2}{3}=\dfrac{15}{21}+\dfrac{14}{21}=\dfrac{29}{21}=1\dfrac{8}{21} \rightarrow 1\dfrac{8}{21}>1\dfrac{5}{21}$

4 $\dfrac{5}{8}+\dfrac{3}{5}=\dfrac{25}{40}+\dfrac{24}{40}=\dfrac{49}{40}=1\dfrac{9}{40}$ (L)

🖐 개념 확인 문제   131쪽

1 (1) $3\dfrac{23}{40}$ (2) $4\dfrac{1}{12}$ **2** $5\dfrac{13}{18}$

3 $4\dfrac{23}{60}$ **4** $4\dfrac{1}{28}$ m

풀이

1 (1) $2\dfrac{1}{5}+1\dfrac{3}{8}=2\dfrac{8}{40}+1\dfrac{15}{40}=3\dfrac{23}{40}$

   (2) $2\dfrac{5}{12}+1\dfrac{2}{3}=2\dfrac{5}{12}+1\dfrac{8}{12}=3+\dfrac{13}{12}$

         $=3+1\dfrac{1}{12}=4\dfrac{1}{12}$

2 $3\dfrac{8}{9}+1\dfrac{5}{6}=3\dfrac{16}{18}+1\dfrac{15}{18}=4+\dfrac{31}{18}$

       $=4+1\dfrac{13}{18}=5\dfrac{13}{18}$

3 $1\frac{11}{15}+2\frac{13}{20}=1\frac{44}{60}+2\frac{39}{60}=3+\frac{83}{60}$

$\qquad\qquad =3+1\frac{23}{60}=4\frac{23}{60}$

4 (나 리본의 길이)$=2\frac{3}{4}+1\frac{2}{7}=2\frac{21}{28}+1\frac{8}{28}$

$\qquad\qquad =3+\frac{29}{28}=3+1\frac{1}{28}=4\frac{1}{28}$ (m)

개념 확인 문제   133쪽

1 (1) $\frac{1}{3}$ (2) $\frac{11}{24}$ **2** $\frac{13}{45}$

3 ✕   **4** $\frac{19}{40}$

풀이

1 (1) $\frac{5}{6}-\frac{1}{2}=\frac{5}{6}-\frac{3}{6}=\frac{2}{6}=\frac{1}{3}$

  (2) $\frac{7}{8}-\frac{5}{12}=\frac{21}{24}-\frac{10}{24}=\frac{11}{24}$

2 $\frac{11}{15}>\frac{4}{9}$ 이므로 $\frac{11}{15}-\frac{4}{9}=\frac{33}{45}-\frac{20}{45}=\frac{13}{45}$ 입니다.

3 $\frac{4}{5}-\frac{1}{3}=\frac{12}{15}-\frac{5}{15}=\frac{7}{15}$, $\frac{7}{9}-\frac{1}{3}=\frac{7}{9}-\frac{3}{9}=\frac{4}{9}$

4 $\frac{17}{20}-\frac{3}{8}=\frac{34}{40}-\frac{15}{40}=\frac{19}{40}$

개념 확인 문제   135쪽

1 (1) $2\frac{18}{35}$ (2) $2\frac{2}{9}$ **2** $2\frac{23}{40}$

3 $2\frac{23}{45}$ **4** $2\frac{1}{2}$ cm

풀이

1 (1) $3\frac{4}{5}-1\frac{2}{7}=3\frac{28}{35}-1\frac{10}{35}=2\frac{18}{35}$

  (2) $4\frac{5}{9}-2\frac{1}{3}=4\frac{5}{9}-2\frac{3}{9}=2\frac{2}{9}$

---

2 $3\frac{7}{8}-1\frac{3}{10}=3\frac{35}{40}-1\frac{12}{40}=2\frac{23}{40}$

3 가장 큰 수: $4\frac{11}{15}$, 가장 작은 수: $2\frac{2}{9}$

$\rightarrow 4\frac{11}{15}-2\frac{2}{9}=4\frac{33}{45}-2\frac{10}{45}=2+\frac{23}{45}=2\frac{23}{45}$

4 (가로)$-$(세로)$=4\frac{4}{5}-2\frac{3}{10}=4\frac{8}{10}-2\frac{3}{10}$

$\qquad\qquad =2\frac{5}{10}=2\frac{1}{2}$ (cm)

개념 확인 문제   137쪽

1 $4\frac{2}{9}-1\frac{5}{6}=4\frac{4}{18}-1\frac{15}{18}=3\frac{22}{18}-1\frac{15}{18}=2\frac{7}{18}$

2 (1) $1\frac{13}{16}$ (2) $2\frac{22}{35}$

3 $1\frac{23}{36}$ **4** $1\frac{17}{40}$ m

풀이

1 분수 부분끼리 뺄 수 없으므로 자연수 부분에서 1을 받아내림하여 계산합니다.

2 (1) $3\frac{1}{4}-1\frac{7}{16}=3\frac{4}{16}-1\frac{7}{16}=2\frac{20}{16}-1\frac{7}{16}=1\frac{13}{16}$

  (2) $5\frac{3}{7}-2\frac{4}{5}=5\frac{15}{35}-2\frac{28}{35}=4\frac{50}{35}-2\frac{28}{35}=2\frac{22}{35}$

3 $\square=3\frac{5}{12}-1\frac{7}{9}=3\frac{15}{36}-1\frac{28}{36}=2\frac{51}{36}-1\frac{28}{36}$

$\qquad =1\frac{23}{36}$

4 $5\frac{1}{8}-3\frac{7}{10}=5\frac{5}{40}-3\frac{28}{40}$

$\qquad\qquad =4\frac{45}{40}-3\frac{28}{40}=1\frac{17}{40}$ (m)

개념 확인 문제   139쪽

1 $\frac{7}{12}$ L   **2** $4\frac{16}{45}$ kg

3 $2\frac{4}{7}$ L   **4** $1\frac{5}{21}$ m

풀이

1 $2\dfrac{1}{3}-1\dfrac{3}{4}=2\dfrac{4}{12}-1\dfrac{9}{12}=1\dfrac{16}{12}-1\dfrac{9}{12}=\dfrac{7}{12}$ (L)

2 $1\dfrac{5}{9}+2\dfrac{4}{5}=1\dfrac{25}{45}+2\dfrac{36}{45}=3+\dfrac{61}{45}=4\dfrac{16}{45}$ (kg)

3 $4-1\dfrac{3}{7}=3\dfrac{7}{7}-1\dfrac{3}{7}=2\dfrac{4}{7}$ (L)

4 (가에서 다까지의 거리)+(나에서 라까지의 거리)
$=2\dfrac{3}{7}+3\dfrac{2}{3}=2\dfrac{9}{21}+3\dfrac{14}{21}=5+\dfrac{23}{21}=6\dfrac{2}{21}$ (m)
(나에서 다까지의 거리)
$=6\dfrac{2}{21}-4\dfrac{6}{7}=5\dfrac{23}{21}-4\dfrac{18}{21}=1\dfrac{5}{21}$ (m)

문제 해결력 문제
141쪽

1 14, 15, 16, 18

2 예

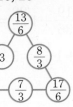

풀이

1 분모가 6이 되도록 각각 통분해 봅니다.

2 통분한 분수의 분자만 더하여 합이 같도록 빈 곳에 수를 써넣으면 오른쪽과 같습니다.

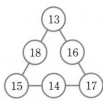

개념 ÷ 확인
146~147쪽

1 (1) $\dfrac{19}{42}$　(2) $3\dfrac{19}{40}$

2 $\dfrac{7}{12}+\dfrac{11}{15}=\dfrac{35}{60}+\dfrac{44}{60}=\dfrac{79}{60}=1\dfrac{19}{60}$

3 $6\dfrac{39}{40}$　　　　　**4** $5\dfrac{18}{35}$ kg

5 (1) $\dfrac{3}{10}$　(2) $1\dfrac{27}{28}$　**6** $\dfrac{13}{36}$

7 $2\dfrac{4}{9}$　　　　　**8** $4\dfrac{1}{12}$ m

풀이

1 분모를 통분하여 더합니다.
(1) $\dfrac{2}{7}+\dfrac{1}{6}=\dfrac{12}{42}+\dfrac{7}{42}=\dfrac{19}{42}$
(2) $1\dfrac{3}{5}+1\dfrac{7}{8}=1\dfrac{24}{40}+1\dfrac{35}{40}$
$=2+\dfrac{59}{40}$
$=2+1\dfrac{19}{40}$
$=3\dfrac{19}{40}$

2 두 분수의 분모를 통분하여 더하고, 계산 결과가 가분수이면 대분수로 나타냅니다.

3 $4\dfrac{5}{8}+2\dfrac{7}{20}=4\dfrac{25}{40}+2\dfrac{14}{40}=6+\dfrac{39}{40}=6\dfrac{39}{40}$

4 (멜론의 무게)+(망고의 무게)
$=3\dfrac{5}{7}+1\dfrac{4}{5}=3\dfrac{25}{35}+1\dfrac{28}{35}$
$=4+\dfrac{53}{35}=4+1\dfrac{18}{35}$
$=5\dfrac{18}{35}$ (kg)

5 통분한 다음 계산합니다.
(1) $\dfrac{4}{5}-\dfrac{1}{2}=\dfrac{8}{10}-\dfrac{5}{10}=\dfrac{3}{10}$
(2) $3\dfrac{1}{4}-1\dfrac{2}{7}=3\dfrac{7}{28}-1\dfrac{8}{28}=2\dfrac{35}{28}-1\dfrac{8}{28}=1\dfrac{27}{28}$

6 $\dfrac{7}{9}>\dfrac{5}{12}$이므로 차를 구하면
$\dfrac{7}{9}-\dfrac{5}{12}=\dfrac{28}{36}-\dfrac{15}{36}=\dfrac{13}{36}$입니다.

7 $\square+1\dfrac{2}{9}=3\dfrac{2}{3}$
➡ $\square=3\dfrac{2}{3}-1\dfrac{2}{9}=3\dfrac{6}{9}-1\dfrac{2}{9}=2\dfrac{4}{9}$

8 (동생에게 주고 남은 리본의 길이)
$=5-2\dfrac{3}{4}=4\dfrac{4}{4}-2\dfrac{3}{4}=2\dfrac{1}{4}$ (m)
(유진이에게 있는 리본의 길이)
$=2\dfrac{1}{4}+1\dfrac{5}{6}=2\dfrac{3}{12}+1\dfrac{10}{12}=3+\dfrac{13}{12}=4\dfrac{1}{12}$ (m)

서술형 문제 해결하기

1-1 ❶ $\dfrac{4}{5}$, $\dfrac{1}{7}$ ❷ $\dfrac{4}{5}+\dfrac{1}{7}=\dfrac{33}{35}$ / $\dfrac{33}{35}$

1-2 예 ❶ 숫자 카드로 만들 수 있는 가장 큰 진분수는 $\dfrac{5}{6}$, 가장 작은 진분수는 $\dfrac{2}{9}$입니다.

❷ 가장 큰 진분수와 가장 작은 진분수의 차를 구하면

$$\dfrac{5}{6}-\dfrac{2}{9}=\dfrac{15}{18}-\dfrac{4}{18}=\dfrac{11}{18}$$입니다.

/ $\dfrac{11}{18}$

1-3 예 ❶ 숫자 카드로 만들 수 있는 가장 큰 대분수는 $6\dfrac{3}{4}$, 가장 작은 대분수는 $1\dfrac{3}{6}$입니다.

❷ 가장 큰 대분수와 가장 작은 대분수의 합을 구하면

$$6\dfrac{3}{4}+1\dfrac{3}{6}=6\dfrac{9}{12}+1\dfrac{6}{12}$$
$$=7+\dfrac{15}{12}=7+1\dfrac{3}{12}$$
$$=8\dfrac{3}{12}=8\dfrac{1}{4}$$

입니다.

/ $8\dfrac{1}{4}$

1-4 예 ❶ 숫자 카드로 만들 수 있는 가장 큰 대분수는 $8\dfrac{4}{7}$, 가장 작은 대분수는 $2\dfrac{4}{8}$입니다.

❷ 가장 큰 대분수와 가장 작은 대분수의 차를 구하면

$$8\dfrac{4}{7}-2\dfrac{4}{8}=8\dfrac{32}{56}-2\dfrac{28}{56}$$
$$=6\dfrac{4}{56}=6\dfrac{1}{14}$$

입니다.

/ $6\dfrac{1}{14}$

2-1 ❶ $\dfrac{2}{5}$, $\dfrac{29}{35}$ ❷ $\dfrac{29}{35}$, $1\dfrac{9}{35}$

/ $1\dfrac{9}{35}$

2-2 예 ❶ 어떤 수를 □라고 하면 잘못 계산한 식은 $\square+\dfrac{2}{15}=\dfrac{7}{10}$이므로

$$\square=\dfrac{7}{10}-\dfrac{2}{15}=\dfrac{21}{30}-\dfrac{4}{30}=\dfrac{17}{30}$$

입니다.

❷ 바르게 계산하면

$$\dfrac{17}{30}-\dfrac{2}{15}=\dfrac{17}{30}-\dfrac{4}{30}=\dfrac{13}{30}$$입니다.

/ $\dfrac{13}{30}$

2-3 예 ❶ 어떤 수를 □라고 하면 잘못 계산한 식은 $\square-1\dfrac{7}{9}=1\dfrac{3}{4}$이므로

$$\square=1\dfrac{3}{4}+1\dfrac{7}{9}=1\dfrac{27}{36}+1\dfrac{28}{36}$$
$$=2+\dfrac{55}{36}=2+1\dfrac{19}{36}=3\dfrac{19}{36}$$입니다.

❷ 바르게 계산하면

$$3\dfrac{19}{36}+1\dfrac{7}{9}=3\dfrac{19}{36}+1\dfrac{28}{36}=4+\dfrac{47}{36}$$
$$=4+1\dfrac{11}{36}=5\dfrac{11}{36}$$입니다.

/ $5\dfrac{11}{36}$

2-4 예 ❶ 어떤 수를 □라고 하면 잘못 계산한 식은 $\square+1\dfrac{7}{12}=4\dfrac{3}{8}$이므로

$$\square=4\dfrac{3}{8}-1\dfrac{7}{12}=4\dfrac{9}{24}-1\dfrac{14}{24}$$
$$=3\dfrac{33}{24}-1\dfrac{14}{24}=2\dfrac{19}{24}$$입니다.

❷ 바르게 계산하면

$$2\dfrac{19}{24}-1\dfrac{7}{12}=2\dfrac{19}{24}-1\dfrac{14}{24}=1\dfrac{5}{24}$$

입니다. / $1\dfrac{5}{24}$

풀이

1-1		
채점 기준	❶ 숫자 카드로 가장 큰 진분수와 가장 작은 진분수 만들기	4점
	❷ 가장 큰 진분수와 가장 작은 진분수의 합 구하기	4점

1-2		
채점 기준	❶ 숫자 카드로 가장 큰 진분수와 가장 작은 진분수 만들기	6점
	❷ 가장 큰 진분수와 가장 작은 진분수의 차 구하기	6점

1-3	채점 기준	❶ 숫자 카드로 가장 큰 대분수와 가장 작은 대분수 만들기	7점
		❷ 가장 큰 대분수와 가장 작은 대분수의 합 구하기	8점
1-4	채점 기준	❶ 숫자 카드로 가장 큰 대분수와 가장 작은 대분수 만들기	7점
		❷ 가장 큰 대분수와 가장 작은 대분수의 차 구하기	8점
2-1	채점 기준	❶ 어떤 수 구하기	4점
		❷ 바르게 계산한 값 구하기	4점
2-2	채점 기준	❶ 어떤 수 구하기	6점
		❷ 바르게 계산한 값 구하기	6점
2-3	채점 기준	❶ 어떤 수 구하기	8점
		❷ 바르게 계산한 값 구하기	7점
2-4	채점 기준	❶ 어떤 수 구하기	8점
		❷ 바르게 계산한 값 구하기	7점

단원 평가
150~152쪽

01 ㉲

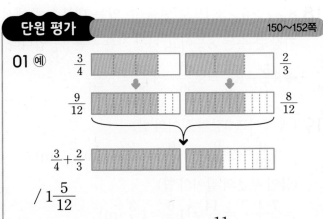

$/ 1\frac{5}{12}$

02 (1) 24, 5, 29 (2) 14, 15, 29, $1\frac{11}{18}$

03 (1) $\frac{5}{16}$ (2) $3\frac{5}{14}$ **04** $1\frac{11}{28}$

05 $2\frac{3}{8}+1\frac{7}{12}=\frac{19}{8}+\frac{19}{12}=\frac{57}{24}+\frac{38}{24}$

$=\frac{95}{24}=3\frac{23}{24}$

06 ╳

07 >

08 $3\frac{1}{5}-1\frac{3}{4}=3\frac{4}{20}-1\frac{15}{20}=2\frac{24}{20}-1\frac{15}{20}=1\frac{9}{20}$

09 $3\frac{17}{30}$ **10** $4\frac{13}{24}$ **11** $1\frac{19}{48}$ m

12 $1\frac{44}{45}$ **13** (위에서부터) $1\frac{1}{8}$, $\frac{31}{36}$, $1\frac{71}{72}$

14 ㉲ ❶ ㉠ $\frac{3}{10}+\frac{1}{5}=\frac{3}{10}+\frac{2}{10}=\frac{5}{10}=\frac{1}{2}$

㉡ $\frac{7}{15}+\frac{2}{5}=\frac{7}{15}+\frac{6}{15}=\frac{13}{15}$

㉢ $\frac{2}{9}+\frac{5}{6}=\frac{4}{18}+\frac{15}{18}=\frac{19}{18}=1\frac{1}{18}$

❷ $\frac{1}{2}<1$, $\frac{13}{15}<1$, $1\frac{1}{18}>1$이므로 합이 1

보다 큰 것은 ㉢입니다.

$/$ ㉢

15 (왼쪽에서부터) $3\frac{1}{30}$, $1\frac{7}{10}$, $\frac{17}{20}$ **16** $1\frac{21}{55}$ L

17 ㉲ ❶ 학교에서 서점을 지나 도서관까지 가는 길

은 $1\frac{3}{5}+1\frac{1}{3}=1\frac{9}{15}+1\frac{5}{15}=2\frac{14}{15}$ (km)

입니다.

❷ $2\frac{14}{15}-2\frac{2}{5}=2\frac{14}{15}-2\frac{6}{15}=\frac{8}{15}$ (km)

더 멉니다.

$/\frac{8}{15}$ km

18 $5\frac{5}{56}$ **19** $8\frac{3}{5}$ m

20 ㉲ ❶ $\frac{4}{9}+\frac{\square}{12}=\frac{16}{36}+\frac{\square\times3}{36}$

$=\frac{16+\square\times3}{36}>\frac{36}{36}$

❷ $16+\square\times3>36$, $\square\times3>20$

☐ 안에는 7, 8, 9가 들어갈 수 있습니다.

따라서 ☐ 안에 들어갈 수 있는 가장 작은

수는 7입니다.

$/$ 7

풀이

01 분모를 12로 통분하여 더합니다.

02 (1) 통분한 다음 분자끼리 더합니다.

(2) 계산 결과가 가분수이면 대분수로 나타냅니다.

03 통분한 다음 계산합니다.

(1) $\dfrac{9}{16} - \dfrac{1}{4} = \dfrac{9}{16} - \dfrac{4}{16} = \dfrac{5}{16}$

(2) $5\dfrac{9}{14} - 2\dfrac{2}{7} = 5\dfrac{9}{14} - 2\dfrac{4}{14} = 3\dfrac{5}{14}$

04 $3\dfrac{1}{7} - 1\dfrac{3}{4} = 3\dfrac{4}{28} - 1\dfrac{21}{28} = 2\dfrac{32}{28} - 1\dfrac{21}{28} = 1\dfrac{11}{28}$

05 대분수를 가분수로 바꾸어 계산하는 방법입니다.

06 · $1\dfrac{2}{9} + 1\dfrac{2}{3} = 1\dfrac{2}{9} + 1\dfrac{6}{9} = 2\dfrac{8}{9}$

· $4\dfrac{1}{5} - 1\dfrac{5}{6} = 4\dfrac{6}{30} - 1\dfrac{25}{30} = 3\dfrac{36}{30} - 1\dfrac{25}{30} = 2\dfrac{11}{30}$

· $1\dfrac{5}{12} + 1\dfrac{8}{15} = 1\dfrac{25}{60} + 1\dfrac{32}{60} = 2\dfrac{57}{60} = 2\dfrac{19}{20}$

07 $6\dfrac{5}{9} - 1\dfrac{4}{5} = 6\dfrac{25}{45} - 1\dfrac{36}{45} = 5\dfrac{70}{45} - 1\dfrac{36}{45} = 4\dfrac{34}{45}$

$2\dfrac{3}{10} + 1\dfrac{1}{3} = 2\dfrac{9}{30} + 1\dfrac{10}{30} = 3\dfrac{19}{30}$

➡ $4\dfrac{34}{45} > 3\dfrac{19}{30}$

08 분수끼리 뺄 수 없으므로 자연수 부분에서 1을 받아내림해야 하는데 받아내림하고 자연수가 1 작아지지 않았습니다.

09 $1\dfrac{11}{15} + 1\dfrac{5}{6} = 1\dfrac{22}{30} + 1\dfrac{25}{30} = 2 + \dfrac{47}{30} = 3\dfrac{17}{30}$ (cm)

10 $6\dfrac{5}{12} - 1\dfrac{7}{8} = 6\dfrac{10}{24} - 1\dfrac{21}{24} = 5\dfrac{34}{24} - 1\dfrac{21}{24} = 4\dfrac{13}{24}$

11 (이은 철사의 길이)

$= \dfrac{9}{16} + \dfrac{5}{6} = \dfrac{27}{48} + \dfrac{40}{48}$

$= \dfrac{67}{48} = 1\dfrac{19}{48}$ (m)

12 어떤 수를 ☐라고 하면

☐$- \dfrac{4}{9} = 1\dfrac{8}{15}$이므로

☐$= 1\dfrac{8}{15} + \dfrac{4}{9} = 1\dfrac{24}{45} + \dfrac{20}{45} = 1\dfrac{44}{45}$입니다.

13 · $\dfrac{3}{4} + \dfrac{3}{8} = \dfrac{6}{8} + \dfrac{3}{8} = \dfrac{9}{8} = 1\dfrac{1}{8}$

· $\dfrac{5}{12} + \dfrac{4}{9} = \dfrac{15}{36} + \dfrac{16}{36} = \dfrac{31}{36}$

· $1\dfrac{1}{8} + \dfrac{31}{36} = 1\dfrac{9}{72} + \dfrac{62}{72} = 1\dfrac{71}{72}$

14

채점기준	❶ 진분수의 덧셈하기	3점
	❷ 합이 1보다 큰 덧셈식을 찾아 기호 쓰기	2점

15 · $3\dfrac{3}{10} - \dfrac{4}{15} = 3\dfrac{9}{30} - \dfrac{8}{30} = 3\dfrac{1}{30}$

· $3\dfrac{3}{10} - 1\dfrac{3}{5} = 3\dfrac{3}{10} - 1\dfrac{6}{10} = 2\dfrac{13}{10} - 1\dfrac{6}{10} = 1\dfrac{7}{10}$

· $3\dfrac{3}{10} - 2\dfrac{9}{20} = 3\dfrac{6}{20} - 2\dfrac{9}{20} = 2\dfrac{26}{20} - 2\dfrac{9}{20} = \dfrac{17}{20}$

16 (사용하고 남은 페인트 양)

$= 5\dfrac{2}{11} - 3\dfrac{4}{5} = 5\dfrac{10}{55} - 3\dfrac{44}{55}$

$= 4\dfrac{65}{55} - 3\dfrac{44}{55} = 1\dfrac{21}{55}$ (L)

17

채점기준	❶ 학교에서 서점을 지나 도서관까지 가는 거리 구하기	2점
	❷ 몇 km 더 먼지 구하기	3점

18 $8 > 7 > 5 > 3$이므로 만들 수 있는 대분수 중에서 가장 큰 수는 $8\dfrac{5}{7}$이고, 가장 작은 수는 $3\dfrac{5}{8}$입니다.

➡ $8\dfrac{5}{7} - 3\dfrac{5}{8} = 8\dfrac{40}{56} - 3\dfrac{35}{56} = 5\dfrac{5}{56}$

19 (색 테이프 3장의 길이의 합)

$= 3\dfrac{9}{20} + 3\dfrac{9}{20} + 3\dfrac{9}{20} = 9\dfrac{27}{20} = 10\dfrac{7}{20}$ (m)

(붙인 부분의 길이의 합)

$= \dfrac{7}{8} + \dfrac{7}{8} = \dfrac{14}{8} = 1\dfrac{6}{8} = 1\dfrac{3}{4}$ (m)

(이어 붙인 전체 길이)

$= 10\dfrac{7}{20} - 1\dfrac{3}{4} = 10\dfrac{7}{20} - 1\dfrac{15}{20} = 9\dfrac{27}{20} - 1\dfrac{15}{20}$

$= 8\dfrac{12}{20} = 8\dfrac{3}{5}$ (m)

20

채점기준	❶ 분수의 덧셈 계산하기	3점
	❷ 분자를 비교하여 ☐ 안에 들어갈 수 있는 가장 작은 자연수 구하기	2점

6 다각형의 둘레와 넓이

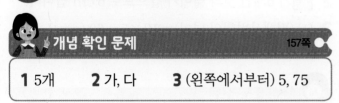

개념 확인 문제   157쪽

1 5개   **2** 가, 다   **3** (왼쪽에서부터) 5, 75

풀이

1 평행한 변이 한 쌍이라도 있는 사각형은 가, 나, 다, 라, 마로 모두 5개입니다.

2 두 쌍의 마주 보는 변이 서로 평행한 사각형은 가, 다입니다.

3 마름모는 네 변의 길이가 같고, 이웃한 두 각의 크기의 합이 180°입니다.

➡ □°=180°−105°=75°

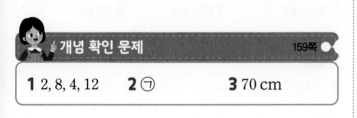

개념 확인 문제   159쪽

1 2, 8, 4, 12   **2** ㉠   **3** 70 cm

풀이

1 4×2+2×2=8+4=12 (cm)

2 5+4+5+4=5×2+4×2=18 (cm)

3 20×2+15×2=40+30=70 (cm)

개념 확인 문제   161쪽

1 28 cm   **2** 15 cm   **3** 7, 7, 24

풀이

1 (마름모의 둘레)=7×4=28 (cm)

2 (정오각형의 둘레)=3×5=15 (cm)

3 도형의 둘레는 가로가 5 cm, 세로가 7 cm인 직사각형의 둘레와 같습니다.

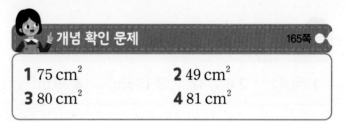

개념 확인 문제   163쪽

1 14, 14   **2** 나   **3** 1 cm²

풀이

1 1 cm 가 14개이므로 도형의 넓이는 14 cm²입니다.

2 가: 1 cm²가 10개 ➡ 10 cm²
나: 1 cm²가 9개 ➡ 9 cm²

3 가: 10 cm², 나: 9 cm²
➡ 10−9=1 (cm²)

개념 확인 문제   165쪽

1 75 cm²   **2** 49 cm²
3 80 cm²   **4** 81 cm²

풀이

1 15×5=75 (cm²)

2 7×7=49 (cm²)

3 10×8=80 (cm²)

4 (정사각형의 한 변의 길이)=36÷4=9 (cm)
➡ (정사각형의 넓이)=9×9=81 (cm²)

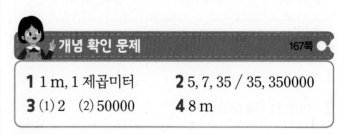

개념 확인 문제   167쪽

1 1 m, 1 제곱미터   **2** 5, 7, 35 / 35, 350000
3 (1) 2   (2) 50000   **4** 8 m

풀이

2 (직사각형의 넓이)=5×7=35 (m²)
➡ 35 m²=350000 cm²

3 10000 cm²=1 m²
(1) 20000 cm²=2 m²   (2) 5 m²=50000 cm²

4 (세로)=48÷6=8 (m)

개념 확인 문제   169쪽

1 km²에 ○표   **2** 88 km²

3 45 km²   **4** (1) 2000000   (2) 0.8

풀이

2 $11 \times 8 = 88$ (km²)

3 $9000 \text{ m} = 9 \text{ km}$

➡ $5 \times 9 = 45$ (km²)

4 $1 \text{ km}^2 = 1000000 \text{ m}^2$

(1) $2 \text{ km}^2 = 2000000 \text{ m}^2$ (2) $800000 \text{ m}^2 = 0.8 \text{ km}^2$

개념 확인 문제   171쪽

1 ㉠, ㉢   **2** 6, 7, 42   **3** 45 cm²   **4** 96 m²

풀이

2 $6 \times 7 = 42$ (cm²)

3 $9 \times 5 = 45$ (cm²)

4 $12 \times 8 = 96$ (m²)

개념 확인 문제   173쪽

1 21 m²   **2** 4 m   **3** 다, 라

풀이

1 $7 \times 3 = 21$ (m²)

2 $44 \div 11 = 4$ (m)

3 가: $3 \times 3 = 9$ (cm²), 나: $5 \times 3 = 15$ (cm²),

다: $3 \times 4 = 12$ (cm²), 라: $4 \times 3 = 12$ (cm²)

➡ 다와 라의 넓이가 12 cm²로 같습니다.

개념 확인 문제   175쪽

1 높이   **2** 6 cm²   **3** (1) 60 cm²   (2) 30 cm²

풀이

2 1cm² 가 6개인 것과 넓이가 같으므로 6 cm²입니다.

3 (1) (평행사변형의 넓이)$=12 \times 5 = 60$ (cm²)

(2) (삼각형의 넓이)$=60 \div 2 = 30$ (cm²)

개념 확인 문제   177쪽

1 40 cm²   **2** 84 cm²   **3** 나

풀이

1 $10 \times 8 \div 2 = 40$ (cm²)

2 $14 \times 12 \div 2 = 84$ (cm²)

3 가, 다, 라: 6 cm², 나: 9 cm²

개념 확인 문제   179쪽

1 4, 12   **2** 63 cm²   **3** 20 m²

풀이

1 마름모의 넓이는 평행사변형의 넓이와 같습니다.

2 $14 \times 9 \div 2 = 63$ (cm²)

3 $10 \times 4 \div 2 = 20$ (m²)

개념 확인 문제   181쪽

1 예    **2** 4 cm, 5 cm, 8 cm에 ○표

   3 4, 2, 20

풀이

1 두 밑변의 사이의 거리를 높이라고 합니다.

2 윗변의 길이, 아랫변의 길이, 높이가 필요합니다.

개념 확인 문제   183쪽

1 63 cm²   **2** 8

3 36 cm², 48 cm²   **4** 84 cm²

풀이

1 $(8+10)\times7\div2=63$ (cm²)

2 아랫변의 길이를 □ m라고 하면
$(5+□)\times4\div2=26$, $(5+□)\times4=52$,
$5+□=52\div4$, $5+□=13$, □=8입니다.

3 ㉠ $9\times8\div2=36$ (cm²)
㉡ $12\times8\div2=48$ (cm²)

4 (사다리꼴의 넓이)=(㉠의 넓이)+(㉡의 넓이)
$\qquad\qquad\quad=36+48=84$ (cm²)

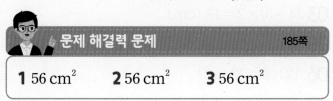

문제 해결력 문제 185쪽

1 56 cm²	**2** 56 cm²	**3** 56 cm²

풀이

1 $(10\times8)-(4+8)\times4\div2$
$\quad=80-24=56$ (cm²)

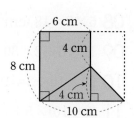

2 $(6\times8)+(4\times4\div2)$
$\quad=48+8=56$ (cm²)

3 $(4+8)\times6\div2+10\times4\div2$
$\quad=36+20=56$ (cm²)

개념✚확인 192~193쪽

1 14 cm	**2** 20 cm	**3** 8 cm²
4 (1) 3000000 (2) 7		**5** 42 cm²
6 24 cm²	**7** 60 m²	**8** 5 cm

풀이

1 (평행사변형의 둘레)=$(4+3)\times2=14$ (cm)

2 (마름모의 둘레)=$5\times4=20$ (cm)

3 (직사각형의 넓이)=$4\times2=8$ (cm²)

5 $7\times6=42$ (cm²)

6 $8\times6\div2=24$ (cm²)

7 (마름모의 넓이)=$15\times8\div2=60$ (m²)

8 아랫변의 길이를 □ cm라 하면
$(3+□)\times4\div2=16$,
$(3+□)\times4=32$, $3+□=8$, □=5입니다.

서술형 문제 해결하기 194~195쪽

1-1 ❶ 2 ❷ 2, 13, 4, 4 / 4 cm

1-2 예 ❶ 세로를 □ cm라 하면 직사각형의 둘레를 구하는 식은 $(7+□)\times2=34$입니다.
❷ 직사각형의 세로는 $(7+□)\times2=34$, $7+□=17$, □=10이므로 10 cm입니다.
/ 10 cm

1-3 예 ❶ 정오각형은 5개의 변의 길이가 같으므로 ㉠=$80\div5=16$입니다. 정팔각형은 8개의 변의 길이가 같으므로 ㉡=$80\div8=10$입니다.
❷ ㉠과 ㉡의 차는 $16-10=6$입니다.
/ 6

1-4 예 ❶ 직사각형의 둘레는 $(12+4)\times2=32$ (cm)입니다.
❷ 정사각형의 둘레도 32 cm이므로 한 변의 길이는 $32\div4=8$ (cm)입니다.
/ 8 cm

2-1 ❶ 9, 10, 90 ❷ 90, 90, 90, 15, 6 / 6

2-2 예 ❶ (사다리꼴의 넓이)=$(4+8)\times5\div2$
$\qquad\qquad\qquad\qquad=30$ (cm²)
❷ 직사각형의 넓이도 30 cm²이므로 □$\times6=30$, □=$30\div6=5$입니다.
/ 5

2-3 예 ❶ 마름모의 넓이는 $9\times8\div2=36$ (cm²)입니다. 정사각형의 넓이도 36 cm²이므로 한 변의 길이는 $6\times6=36$에서 6 cm입니다.
❷ 정사각형의 둘레는 $6\times4=24$ (cm)입니다. / 24 cm

2-4 예 ❶ 삼각형의 밑변의 길이를 20 cm로 할 때 높이는 15 cm이므로 넓이는 $20\times15\div2=150$ (cm²)입니다.
❷ 삼각형의 밑변의 길이를 □ cm로 할 때 높이는 12 cm이므로
□$\times12\div2=150$, □$\times12=300$, □=25입니다. / 25

풀이

1-1	채점 기준	❶ 직사각형의 둘레를 구하는 식 세우기	4점
		❷ 직사각형의 세로의 길이 구하기	4점

1-2	채점 기준	❶ 직사각형의 둘레를 구하는 식 세우기	6점
		❷ 직사각형의 세로의 길이 구하기	6점

1-3	채점 기준	❶ ㉠과 ㉡에 알맞은 수 구하기	8점
		❷ ㉠과 ㉡에 알맞은 수의 차 구하기	7점

1-4	채점 기준	❶ 직사각형의 둘레 구하기	8점
		❷ 정사각형의 한 변의 길이 구하기	7점

2-1	채점 기준	❶ 평행사변형의 넓이 구하기	4점
		❷ ■ 안에 알맞은 수 구하기	4점

2-2	채점 기준	❶ 사다리꼴의 넓이 구하기	6점
		❷ ☐ 안에 알맞은 수 구하기	6점

2-3	채점 기준	❶ 정사각형의 한 변의 길이 구하기	8점
		❷ 정사각형의 둘레 구하기	7점

2-4	채점 기준	❶ 삼각형의 넓이 구하기	8점
		❷ ☐ 안에 알맞은 수 구하기	7점

단원 평가
196~198쪽

01 4, 24
02 9 cm^2, 7 cm^2
03 18 cm
04 (1) 8 (2) 40000
05 2
06 72 m^2
07 16 km^2
08 18 cm^2
09 30 cm^2
10 100 m^2
11 45 cm^2
12 42 m
13 32 m^2

14 예 ❶ 밑변의 길이를 ☐m라 할 때 넓이를 구하
는 식을 세우면 ☐×8=96입니다.
❷ ☐×8=96, ☐=96÷8, ☐=12이므로
밑변의 길이는 12 m입니다. / 12 m

15 40 cm^2
16 26 cm^2

17 예 ❶ 둘레가 30 cm이므로 (가로)+(세로)는
30÷2=15 (cm)입니다. 세로를 ☐ cm
라 하면 가로는 (☐+3) cm입니다.
❷ ☐+3+☐=15, ☐+☐=12, ☐=6이므
로 세로는 6 cm입니다. / 6 cm

18 98 cm^2
19 78 cm^2

20 예 ❶ (삼각형 ㄴㄷㄹ의 넓이)=16×5÷2
=40 (cm²)
❷ 선분 ㄹㅁ의 길이를 ☐cm라 하면
10×☐÷2=40, 10×☐=80, ☐=8입
니다. 사다리꼴의 넓이는 (14+10)×8÷2
=96 (cm²)입니다. / 96 cm²

풀이

03 (4+5)×2=18 (cm)

05 (5+☐)×2=14, 5+☐=7, ☐=2

06 12×6=72 (m²)

07 4000×4000=16000000 (m²)
➡ 16000000 m²=16 km²

08 6×3=18 (cm²)

09 12×5÷2=30 (cm²)

10 20×10÷2=100 (m²)

11 (8+10)×5÷2=45 (cm²)

12 (13+8)×2=42 (m)

13 800 cm=8 m이므로 8×4=32 (m²)입니다.

14	채점 기준	❶ 평행사변형의 넓이를 구하는 식 세우기	3점
		❷ 밑변의 길이 구하기	2점

15 5×8÷2×2=40 (cm²)

16 4×3÷2+(4+6)×4÷2=6+20=26 (cm²)

17	채점 기준	❶ 세로를 ☐로 하여 식 세우기	2점
		❷ 세로의 길이 구하기	3점

18 14×14÷2=98 (cm²)

19 (세 정사각형의 넓이의 합)
=5×5+8×8+11×11=210 (cm²)
(색칠하지 않은 부분의 넓이)
=(5+8+11)×11÷2=132 (cm²)
➡ (색칠한 부분의 넓이)=210-132=78 (cm²)

20	채점 기준	❶ 삼각형 ㄴㄷㄹ의 넓이 구하기	2점
		❷ 사다리꼴의 넓이 구하기	3점

2015 개정 교육과정

초등 수학
자습서&평가문제집 **5-1**

평가문제
다잡기

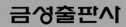

금성출판사

초등 수학
자습서 & 평가문제집

5-1

평가문제
다잡기

금성출판사

구성과 특징

[교과서 핵심 개념], [쪽지시험], [단원 평가], [서술형 평가]로 자신의 실력을 점검하고 다양해지는 학교 시험에 대비할 수 있습니다.

1 교과서 핵심 개념

교과서에 나온 핵심 개념을 모아서 정리했습니다.

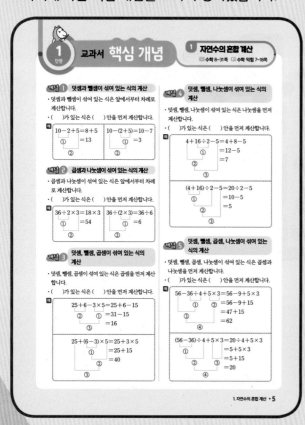

2 쪽지시험

한 회에 10문제씩 총 4회로 구성되어 있습니다.

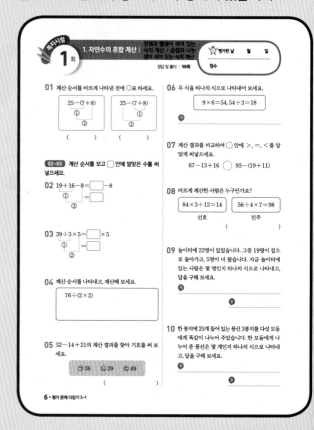

3 단원 평가 기본 실력

난이도별로 기본 단원 평가, 실력 단원 평가 2회가 제공됩니다.

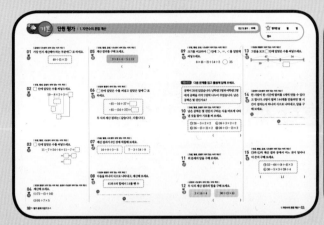
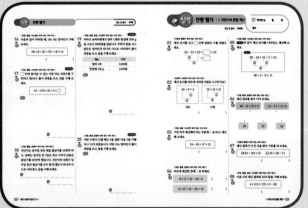

4 서술형 평가 연습 실전

난이도별로 연습 서술형 평가, 실전 서술형 평가 2회가 제공됩니다.

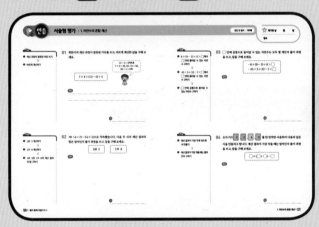
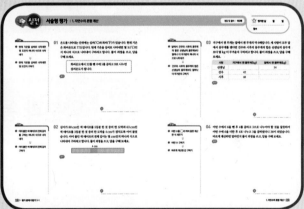

5 정답 및 풀이

자세한 풀이와 참고 , 주의 , 다른 풀이 등을 실어 학습 가이드로 활용할 수 있습니다.

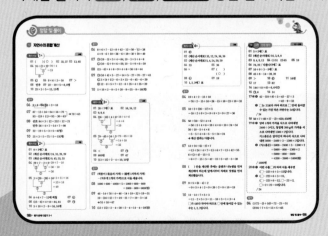

차례

개념 1　**덧셈과 뺄셈이 섞여 있는 식의 계산**

· 덧셈과 뺄셈이 섞여 있는 식은 앞에서부터 차례로 계산합니다.

· ( )가 있는 식은 ( ) 안을 먼저 계산합니다.

예

$$10-2+5=8+5$$
$$=13$$

$$10-(2+5)=10-7$$
$$=3$$

개념 2　**곱셈과 나눗셈이 섞여 있는 식의 계산**

· 곱셈과 나눗셈이 섞여 있는 식은 앞에서부터 차례로 계산합니다.

· ( )가 있는 식은 ( ) 안을 먼저 계산합니다.

예

$$36\div2\times3=18\times3$$
$$=54$$

$$36\div(2\times3)=36\div6$$
$$=6$$

개념 3　**덧셈, 뺄셈, 곱셈이 섞여 있는 식의 계산**

· 덧셈, 뺄셈, 곱셈이 섞여 있는 식은 곱셈을 먼저 계산합니다.

· ( )가 있는 식은 ( ) 안을 먼저 계산합니다.

예

$$25+6-3\times5=25+6-15$$
$$=31-15$$
$$=16$$

$$25+(6-3)\times5=25+3\times5$$
$$=25+15$$
$$=40$$

개념 4　**덧셈, 뺄셈, 나눗셈이 섞여 있는 식의 계산**

· 덧셈, 뺄셈, 나눗셈이 섞여 있는 식은 나눗셈을 먼저 계산합니다.

· ( )가 있는 식은 ( ) 안을 먼저 계산합니다.

예

$$4+16\div2-5=4+8-5$$
$$=12-5$$
$$=7$$

$$(4+16)\div2-5=20\div2-5$$
$$=10-5$$
$$=5$$

개념 5　**덧셈, 뺄셈, 곱셈, 나눗셈이 섞여 있는 식의 계산**

· 덧셈, 뺄셈, 곱셈, 나눗셈이 섞여 있는 식은 곱셈과 나눗셈을 먼저 계산합니다.

· ( )가 있는 식은 ( ) 안을 먼저 계산합니다.

예

$$56-36\div4+5\times3=56-9+5\times3$$
$$=56-9+15$$
$$=47+15$$
$$=62$$

$$(56-36)\div4+5\times3=20\div4+5\times3$$
$$=5+5\times3$$
$$=5+15$$
$$=20$$

⏰ 평가한 날 　 월 　 일

점수

01 계산 순서를 바르게 나타낸 것에 ○표 하세요.

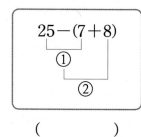
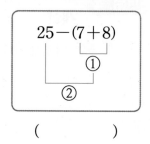

(　　　　) 　　　　 (　　　　)

02~03 계산 순서를 보고 □ 안에 알맞은 수를 써넣으세요.

02 $19 + 16 - 8 = \boxed{} - 8$

　① 　　　 $= \boxed{}$

　② 　

03 $39 \div 3 \times 5 = \boxed{} \times 5$

　① 　　　 $= \boxed{}$

　② 　

04 계산 순서를 나타내고, 계산해 보세요.

$$72 \div (4 \times 2)$$

05 $32 - 14 + 21$의 계산 결과를 찾아 기호를 써 보세요.

㉠ 38　　　㉡ 39　　　㉢ 49

(　　　　　　)

06 두 식을 하나의 식으로 나타내어 보세요.

$$9 \times 6 = 54, \ 54 \div 3 = 18$$

식

07 계산 결과를 비교하여 ○ 안에 >, =, <를 알맞게 써넣으세요.

$$67 - 13 + 16 \ \bigcirc \ 93 - (19 + 11)$$

08 바르게 계산한 사람은 누구인가요?

$84 \times 3 \div 12 = 14$ 　　 $56 \div 4 \times 7 = 98$

선호 　　　　　　 민주

(　　　　　　)

09 놀이터에 22명이 있었습니다. 그중 19명이 집으로 돌아가고, 5명이 더 왔습니다. 지금 놀이터에 있는 사람은 몇 명인지 하나의 식으로 나타내고, 답을 구해 보세요.

식

답

10 한 봉지에 25개 들어 있는 풍선 3봉지를 다섯 모둠에게 똑같이 나누어 주었습니다. 한 모둠에게 나누어 준 풍선은 몇 개인지 하나의 식으로 나타내고, 답을 구해 보세요.

식

답

01 가장 먼저 계산해야 하는 부분에 ◯표 하세요.

$$38-26+9\times2$$

02~03 ☐ 안에 알맞은 수를 써넣으세요.

02 $9+4\times6-5=$ ☐

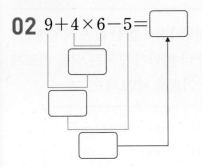

03 $(12-3)\times5+10=$ ☐

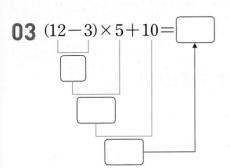

04~05 계산 순서를 나타내고, 계산해 보세요.

04
$$29+7-2\times5$$

05
$$3\times(39-28)+16$$

06 계산 결과가 38인 것에 색칠해 보세요.

$$8+6\times7-12$$

$$4\times9-6+10$$

07 ( )가 없어도 계산 결과가 같은 식을 찾아 기호를 써 보세요.

⊙ $(19-3)\times5+4$

ⓛ $(10-5)+9\times6$

(   )

08 다음을 하나의 식으로 나타내고, 계산해 보세요.

15와 6의 차에 4를 곱하고 8을 더한 수

 _____

 _____

09 계산 결과가 다른 하나를 찾아 기호를 써 보세요.

⊙ $(10+4)\times5-27$

ⓛ $3\times(4+11)-6$

ⓒ $12-8+5\times7$

(   )

10 자두가 5개 있었는데 어머니께서 한 봉지에 10개씩 2봉지를 더 사오셨습니다. 그중 9개를 먹었다면 남은 자두는 몇 개인지 하나의 식으로 나타내고, 답을 구해 보세요.

 _____

답 _____

01 $14+28\div7-5$를 계산할 때 가장 먼저 계산해야 하는 부분을 찾아 ○표 하세요.

| $14+28$ | $28\div7$ | $7-5$ |

02~03 ☐ 안에 알맞은 수를 써넣으세요.

02 $18+96\div6-22=18+\boxed{}-22$

$=\boxed{}-22$

$=\boxed{}$

03 $81\div(3+6)-3=81\div\boxed{}-3$

$=\boxed{}-3$

$=\boxed{}$

04~05 계산 순서를 나타내고, 계산해 보세요.

04

$(26-10)\div4+6$

05

$79-65+54\div3$

06 크기를 비교하여 ◯ 안에 $>$, $=$, $<$를 알맞게 써넣으세요.

$24+(90-27)\div7\ \bigcirc\ 35$

07~08 다음 문제를 읽고 물음에 답해 보세요.

색종이 1묶음은 1000원, 볼펜 1자루는 600원, 지우개 5개는 4000원입니다. 색종이 1묶음과 볼펜 1자루를 산 값은 지우개 1개의 값보다 얼마나 더 비싼가요?

07 색종이 1묶음과 볼펜 1자루를 산 값은 지우개 1개의 값보다 얼마나 더 비싼지 구하는 식을 바르게 나타낸 것을 찾아 기호를 써 보세요.

$\bigcirc\ 1000+600-4000\div5$
$\bigcirc\ 1000+4000\div5-600$

(   )

08 위 문제의 답을 구해 보세요.

(   )

09 두 식의 계산 결과의 합을 구해 보세요.

| $46-14+76\div4$ | $19-(16+5)\div7$ |

(   )

10 붙임딱지를 윤지는 13장, 미지는 15장 가지고 있습니다. 두 사람이 가지고 있는 붙임딱지를 합하여 똑같이 나누어 가진 다음, 윤지가 4장을 사용하였습니다. 윤지에게 남은 붙임딱지는 몇 장인지 하나의 식으로 나타내고, 답을 구해 보세요.

식

답

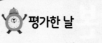
01 가장 먼저 계산해야 하는 부분을 찾아 기호를 써 보세요.

$$12+9\times(8-6)\div3$$
$$\underset{㉠}{\uparrow}\ \underset{㉡}{\uparrow}\ \underset{㉢}{\uparrow}\ \underset{㉣}{\uparrow}$$

(   )

02~03 ☐ 안에 알맞은 수를 써넣으세요.

02 $59-5\times7+24\div2=$ ☐

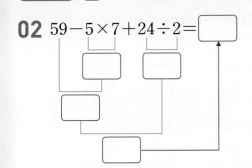

03 $25\div5+6\times(7-3)=$ ☐

04~05 계산 결과를 구해 보세요.

04
$$19\times4\div2-15+10$$

(   )

05
$$18\div2+(26-17)\times3$$

(   )

06 ( )가 없어도 계산 결과가 같으면 ○표, 다르면 ×표 하세요.

$$50\div(10-5)+4\times6$$ ☐

07 바르게 계산한 것에 ○표 하세요.

$$13+24\div(6-2)\times7=50$$ (   )

$$6\times(3+4)-15\div5=39$$ (   )

08~09 정민이가 잘못 계산한 것입니다. 물음에 답해 보세요.

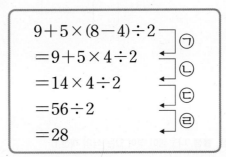

$$9+5\times(8-4)\div2$$
$$=9+5\times4\div2 \quad ㉠$$
$$=14\times4\div2 \quad ㉡$$
$$=56\div2 \quad ㉢$$
$$=28 \quad ㉣$$

08 계산이 처음으로 잘못된 부분을 찾아 기호를 써 보세요.

(   )

09 바르게 계산한 결과를 구해 보세요.

(   )

10 ☐ 안에 들어갈 수 있는 수에 모두 ○표 하세요.

$$11-14\div7\times5+3>☐$$

(1 , 2 , 3 , 4 , 5   )

| 곱셈과 나눗셈이 섞여 있는 식의 계산 |

01 가장 먼저 계산해야 하는 부분에 ○표 하세요.

$$40 \div (5 \times 2)$$

| 덧셈, 뺄셈, 곱셈이 섞여 있는 식의 계산 |

02 □ 안에 알맞은 수를 써넣으세요.

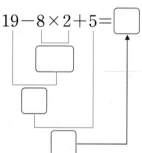

$$19 - 8 \times 2 + 5 = \boxed{}$$

| 덧셈, 뺄셈, 나눗셈이 섞여 있는 식의 계산 |

03 □ 안에 알맞은 수를 써넣으세요.

$$11 - 7 + 54 \div 6 = 11 - 7 + \boxed{}$$
$$= \boxed{} + \boxed{}$$
$$= \boxed{}$$

| 덧셈과 뺄셈이 섞여 있는 식의 계산, 곱셈과 나눗셈이 섞여 있는 식의 계산 |

04 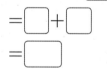 계산해 보세요.

(1) $72 - (5 + 16)$

(2) $91 \div 7 \times 5$

| 덧셈, 뺄셈, 곱셈, 나눗셈이 섞여 있는 식의 계산 |

05 계산 결과를 구해 보세요.

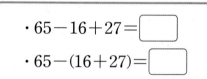

$$9 \times 8 \div 6 - 5 + 12$$

(   )

| 덧셈과 뺄셈이 섞여 있는 식의 계산 |

06 □ 안에 알맞은 수를 써넣고 알맞은 말에 ○표 하세요.

$$\cdot 65 - 16 + 27 = \boxed{}$$
$$\cdot 65 - (16 + 27) = \boxed{}$$

두 식의 계산 결과는 (같습니다 , 다릅니다).

| 덧셈, 뺄셈, 나눗셈이 섞여 있는 식의 계산 |

07 계산 결과가 8인 것에 색칠해 보세요.

$$10 + 9 \div 3 - 5$$ $$7 - 3 + 54 \div 9$$

| 덧셈과 뺄셈이 섞여 있는 식의 계산 |

08 다음을 하나의 식으로 나타내고, 계산해 보세요.

$$45와 8의 합에서 14를 뺀 수$$

식

답

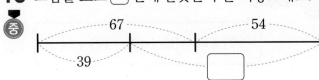
| 덧셈, 뺄셈, 곱셈, 나눗셈이 섞여 있는 식의 계산 |

09 크기를 비교하여 ◯ 안에 >, =, <를 알맞게
 써넣으세요.

$$8 \times (6-2) + 14 \div 2 \bigcirc 35$$

10~11 다음 문제를 읽고 물음에 답해 보세요.

> 공책이 26권 있었습니다. 남학생 3명과 여학생 2명
> 에게 공책을 각각 2권씩 나누어 주었습니다. 남은
> 공책은 몇 권인가요?

| 덧셈, 뺄셈, 곱셈이 섞여 있는 식의 계산 |

10 남은 공책은 몇 권인지 구하는 식을 바르게 나타
 낸 것을 찾아 기호를 써 보세요.

> ㉠ 26−3+2×2   ㉡ 26+3×2÷2
> ㉢ 26−(3+2)×2   ㉣ 26+(3−2)×2

(   )

| 덧셈, 뺄셈, 곱셈이 섞여 있는 식의 계산 |

11 위 문제의 답을 구해 보세요.

(   )

| 곱셈과 나눗셈이 섞여 있는 식의 계산 |

12 두 식의 계산 결과의 합을 구해 보세요.

| $3 \times 16 \div 4$ | | $90 \div (3 \times 6)$ |

(   )

| 덧셈과 뺄셈이 섞여 있는 식의 계산 |

13 그림을 보고 ☐ 안에 알맞은 수를 써넣으세요.
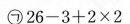

| 곱셈과 나눗셈이 섞여 있는 식의 계산 |

14 한 사람이 한 시간에 팔찌를 4개씩 만들 수 있다
고 합니다. 6명이 팔찌 144개를 만들려면 몇 시
간이 걸리는지 하나의 식으로 나타내고, 답을 구
해 보세요.

식 _____

답 _____

| 덧셈, 뺄셈, 곱셈, 나눗셈이 섞여 있는 식의 계산 |

15 ㉠과 ㉡의 계산 결과 중에서 어느 것이 얼마나
더 큰지 구해 보세요.

> ㉠ 52−64÷(4+4)×3
> ㉡ 30−5×3+28÷4

(   ), (   )

| 덧셈, 뺄셈, 나눗셈이 섞여 있는 식의 계산 |

16 다음과 같이 약속할 때, 16▲9는 얼마인지 구해 보세요.

$$가▲나=35÷(가-나)+나$$

(   )

| 덧셈, 뺄셈, 나눗셈이 섞여 있는 식의 계산 | **서술형**

17 ☐ 안에 들어갈 수 있는 가장 작은 자연수를 구하려고 합니다. 풀이 과정을 쓰고, 답을 구해 보세요.

$$42-(19+8)÷3<☐$$

풀이

답

| 덧셈, 뺄셈, 곱셈이 섞여 있는 식의 계산 |

18 지안이는 일주일 동안 매일 줄넘기를 50번씩 하고, 승화는 일주일 중 2일은 쉬고 나머지 날들은 줄넘기를 60번씩 했습니다. 지안이와 승화가 일주일 동안 줄넘기를 모두 몇 번 했는지 하나의 식으로 나타내고, 답을 구해 보세요.

식

답

| 덧셈, 뺄셈, 곱셈, 나눗셈이 섞여 있는 식의 계산 | **서술형**

19 주하가 슈퍼마켓에서 양파 1개와 청경채 200 g을 고르고 5000원을 냈습니다. 주하가 받을 거스름돈은 얼마인지 하나의 식으로 나타내어 풀이 과정을 쓰고, 답을 구해 보세요.

채소	가격
양파 3개	2400원
청경채 100 g	1300원

풀이

답

| 덧셈, 뺄셈, 곱셈이 섞여 있는 식의 계산 | **서술형**

20 어떤 수에서 22를 빼고 6을 곱한 다음 3을 더했더니 15가 되었습니다. 어떤 수는 얼마인지 풀이 과정을 쓰고, 답을 구해 보세요.

풀이

답

| 덧셈과 뺄셈이 섞여 있는 식의 계산 |

01 계산 순서를 보고 ▢ 안에 알맞은 수를 써넣으세요.

$$55-15+23=\boxed{}+23$$
①
②
$$=\boxed{}$$

| 곱셈과 나눗셈이 섞여 있는 식의 계산 |

02 계산 순서를 바르게 나타낸 사람은 누구인가요?

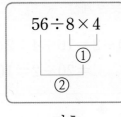
$56\div8\times4$
①
②

지호

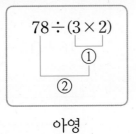
$78\div(3\times2)$
①
②

아영

( )

| 덧셈, 뺄셈, 나눗셈이 섞여 있는 식의 계산 |

03 가장 먼저 계산해야 하는 부분에 ○표 하고, 계산해 보세요.

$$34-63\div(7+2)$$

( )

| 덧셈, 뺄셈, 곱셈이 섞여 있는 식의 계산 |

04 바르게 계산한 것에 ○표 하세요.

$6\times(7+2)-42=2$ ( )

$6\times(7+2)-42=12$ ( )

| 덧셈, 뺄셈, 나눗셈이 섞여 있는 식의 계산 |

05 보기 와 같이 계산 순서를 나타내고, 계산해 보세요.

보기
$$29-10+21\div7=22$$
② ①
③

$$48\div2-9+11$$

| 덧셈, 뺄셈, 곱셈이 섞여 있는 식의 계산 |

06 계산 결과를 찾아 이어 보세요.

$40-(5+3)\times2$ $15-11+3\times6$

20   22   24

| 덧셈과 뺄셈이 섞여 있는 식의 계산 |

07 계산 결과가 더 큰 식을 찾아 기호를 써 보세요.

㉠ $63-(19+5)$ ㉡ $45+26-17$

( )

| 덧셈, 뺄셈, 곱셈, 나눗셈이 섞여 있는 식의 계산 |

08 다음 식의 계산 결과와 16의 합을 구해 보세요.

$$4\times(13+12)\div2-26$$

( )

| 곱셈과 나눗셈이 섞여 있는 식의 계산 |

09 ( )가 없어도 계산 결과가 같은 것에 색칠해 보세요.

$$5 \times (21 \div 7) \qquad 42 \div (3 \times 2)$$

| 덧셈, 뺄셈, 곱셈, 나눗셈이 섞여 있는 식의 계산 |

10 계산 결과가 27인 것을 찾아 기호를 써 보세요.

$$\bigcirc\ 5 \times (8-3) + 6 \div 3$$
$$\bigcirc\!\!\!-\ 9 + 28 \div (2 \times 2) - 10$$

( )

| 덧셈과 뺄셈이 섞여 있는 식의 계산 |

11 냉장고에 사과가 6개 있었습니다. 그중 3개를 먹고 어머니께서 4개를 더 사 오셨습니다. 지금 냉장고에 있는 사과는 몇 개인지 하나의 식으로 나타내고, 답을 구해 보세요.

식

답

| 덧셈, 뺄셈, 곱셈이 섞여 있는 식의 계산 |

12 17과 21의 합에 5를 곱하고 9를 뺀 수를 구해 보세요.

( )

| 덧셈과 뺄셈이 섞여 있는 식의 계산 |

13 식이 성립하도록 ◯ 안에 ＋, ― 를 알맞게 한 번씩 써넣으세요.

$$26 \bigcirc 8 \bigcirc 12 = 30$$

| 덧셈, 뺄셈, 나눗셈이 섞여 있는 식의 계산 |

14 계산이 잘못된 곳을 찾아 그 이유를 쓰고, 바르게 계산해 보세요.

잘못된 계산

$$16 + (15-11) \div 2 = 16 + 4 \div 2$$
$$= 20 \div 2 = 10$$

↓

바르게 계산하기

이유

| 덧셈, 뺄셈, 곱셈이 섞여 있는 식의 계산 |

15 성재네 반 학생은 27명입니다. 4명씩 3모둠으로 나누어 휴지를 줍고 있고, 나머지 학생들은 다른 반 학생 5명과 함께 꽃을 심고 있습니다. 꽃을 심고 있는 학생은 몇 명인지 하나의 식으로 나타내고, 답을 구해 보세요.

식

답

| 덧셈, 뺄셈, 나눗셈이 섞여 있는 식의 계산 |

16 식이 성립하도록 ▢ 안에 알맞은 수를 써넣으세요.

$$36 \div ▢ - 5 + 9 = 10$$

| 덧셈, 뺄셈, 나눗셈이 섞여 있는 식의 계산 |

17 빨간 구슬 12개와 파란 구슬 18개를 혜지네 모둠 학생 5명이 똑같이 나누어 가졌습니다. 혜지가 구슬 2개를 동생에게 주었을 때 혜지에게 남은 구슬은 몇 개인지 하나의 식으로 나타내고, 답을 구해 보세요.

식 _____

답 _____

| 덧셈, 뺄셈, 곱셈, 나눗셈이 섞여 있는 식의 계산 |

18 계산 결과가 맞는 식이 되도록 알맞은 곳에 ( )를 넣어 보세요.

$$6 + 24 \div 3 \times 4 - 3 = 5$$

| 곱셈과 나눗셈이 섞여 있는 식의 계산 | **서술형**

19 수 카드 3장을 한 번씩만 사용하여 오른쪽과 같은 식을 만들려고 합니다. 계산 결과가 가장 클 때는 얼마인지 풀이 과정을 쓰고, 답을 구해 보세요.

   →

풀이

답 _____

| 덧셈, 뺄셈, 곱셈, 나눗셈이 섞여 있는 식의 계산 | **서술형**

20 1부터 9까지의 자연수 중에서 ▢ 안에 들어갈 수 있는 수를 모두 구하려고 합니다. 풀이 과정을 쓰고, 답을 구해 보세요.

$$(15 - 3) \div 6 \times 7 + 5 < ▢ + 3 \times 4$$

풀이

답 _____

Tip

❶ 계산 과정이 잘못된 이유 쓰기
❷ 바르게 계산하기

01 희찬이의 계산 과정이 잘못된 이유를 쓰고, 바르게 계산한 값을 구해 보세요.

$13 - 5 = 8$이므로
$7 \times 4 = 28$, $28 + 8 = 36$,
$36 \div 4 = 9$야.

$$7 \times 4 + (13 - 5) \div 4$$

이유

풀이

답

Tip

❶ 16♠5 계산하기
❷ 17♠8 계산하기
❸ 16♠5와 17♠8의 계산 결과의 합 구하기

02 가♠나＝가－(나＋3)으로 약속했습니다. 다음 두 식의 계산 결과의 합은 얼마인지 풀이 과정을 쓰고, 답을 구해 보세요.

$16 ♠ 5$

$17 ♠ 8$

풀이

답

정답 및 풀이 | 101쪽

평가한 날   월   일

점수

❶ $6 \times (9-3) + 8 >$ 　에서
　 안에 들어갈 수 있는 자연
수 구하기

❷ $45 \div 3 + 32 - 7 <$ 　에서
　 안에 들어갈 수 있는 자연
수 구하기

❸ 　 안에 공통으로 들어갈 수
있는 자연수 구하기

03 　 안에 공통으로 들어갈 수 있는 자연수는 모두 몇 개인지 풀이 과정
을 쓰고, 답을 구해 보세요.

· $6 \times (9-3) + 8 >$ 　
· $45 \div 3 + 32 - 7 <$ 　

풀이

답 _____

❶ 계산 결과가 가장 작게 되도록
식 만들기

❷ 계산 결과가 가장 작을 때는 얼마
인지 구하기

04 숫자 카드  를 한 번씩만 사용하여 다음과 같은
식을 만들려고 합니다. 계산 결과가 가장 작을 때는 얼마인지 풀이 과정
을 쓰고, 답을 구해 보세요.

　 $\times ($ 　 $+$ 　 $) -$ 　

풀이

답 _____

Tip

❶ 현재 기온을 섭씨로 나타내면 몇 도인지 하나의 식으로 나타내기

❷ 현재 기온을 섭씨로 나타내면 몇 도인지 구하기

01 온도를 나타내는 단위에는 섭씨(℃)와 화씨(℉)가 있습니다. 현재 기온은 화씨온도로 77도입니다. 현재 기온을 섭씨로 나타내면 몇 도(℃)인지 하나의 식으로 나타내어 구하려고 합니다. 풀이 과정을 쓰고, 답을 구해 보세요.

> 화씨온도에서 32를 뺀 수에 5를 곱하고 9로 나누면 섭씨온도가 됩니다.

풀이

답

Tip

❶ 이어 붙인 색 테이프의 전체 길이를 구하는 하나의 식으로 나타내기

❷ 이어 붙인 색 테이프의 전체 길이 구하기

02 길이가 80 cm인 색 테이프를 5등분 한 것 중의 한 도막과 63 cm인 색 테이프를 3등분 한 것 중의 한 도막을 4 cm가 겹치도록 이어 붙였습니다. 이어 붙인 색 테이프의 전체 길이는 몇 cm인지 하나의 식으로 나타내어 구하려고 합니다. 풀이 과정을 쓰고, 답을 구해 보세요.

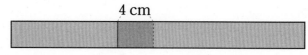
4 cm

풀이

답

Tip

❶ 달에서 건우와 시후의 몸무게의 합은 선생님의 몸무게보다 얼마나 더 무거운지 하나의 식으로 나타내기

❷ 건우와 시후의 몸무게의 합은 선생님의 몸무게보다 얼마나 더 무거운지 구하기

03 지구에서 잰 무게는 달에서 잰 무게의 약 6배입니다. 세 사람이 모두 달에서 몸무게를 잰다면 건우와 시후의 몸무게의 합은 선생님의 몸무게보다 몇 kg 더 무거운지 구하려고 합니다. 풀이 과정을 쓰고, 답을 구해 보세요.

사람	지구에서 잰 몸무게(kg)	달에서 잰 몸무게(kg)
선생님		14
건우	42	
시후	48	

풀이

답 ....

 Tip

❶ 어떤 수를 ◯라 하여 잘못 계산한 식 세우기

❷ 어떤 수 구하기

❸ 바르게 계산한 값 구하기

04 어떤 수에서 6을 뺀 후 4를 곱하고 3으로 나누어야 할 것을 잘못하여 어떤 수에 6을 더한 후 4로 나누고 3을 곱하였더니 36이 되었습니다. 바르게 계산하면 얼마인지 풀이 과정을 쓰고, 답을 구해 보세요.

풀이

답 ....

개념 1 배수

배수: 어떤 수를 1배, 2배, 3배, 4배, ... 한 수

예 3의 배수

$3 \times 1 = 3, 3 \times 2 = 6, 3 \times 3 = 9, 3 \times 4 = 12, ...$

➡ 3의 배수: 3, 6, 9, 12, ...

개념 2 공배수와 최소공배수

· 공배수: 두 수의 공통인 배수

· 최소공배수: 두 수의 공배수 중에서 가장 작은 수

예 3과 4의 공배수와 최소공배수

3의 배수: 3, 6, 9, 12, 15, 18, 21, 24, ...

4의 배수: 4, 8, 12, 16, 20, 24, ...

➡ 3과 4의 공배수: 12, 24, ...

3과 4의 최소공배수: 12

개념 3 약수

약수: 어떤 수를 나누어떨어지게 하는 수

예 4의 약수

$4 \div 1 = 4, 4 \div 2 = 2, 4 \div 4 = 1$

➡ 4의 약수: 1, 2, 4

개념 4 공약수와 최대공약수

· 공약수: 두 수의 공통인 약수

· 최대공약수: 두 수의 공약수 중에서 가장 큰 수

예 12와 16의 공약수와 최대공약수

12의 약수: 1, 2, 3, 4, 6, 12

16의 약수: 1, 2, 4, 8, 16

➡ 12와 16의 공약수: 1, 2, 4

12와 16의 최대공약수: 4

개념 5 배수와 약수의 관계

| $15 = 1 \times 15$ | $15 = 3 \times 5$ |

┌ 15는 1, 3, 5, 15의 배수입니다.
└ 1, 3, 5, 15는 15의 약수입니다.

개념 6 최대공약수를 구하는 방법

최대공약수를 간단히 구하는 방법

```
2 ) 42   28
7 ) 21   14
     3    2
```
42와 28의 최대공약수는
$2 \times 7 = 14$입니다.

① 42와 28을 공약수로 나누어 몫을 아래에 쓰기

② 1 이외의 공약수로 더 이상 나눌 수 없을 때까지 두 수를 공약수로 계속 나누기

③ 공약수들을 모두 곱하여 최대공약수 구하기

개념 7 최소공배수를 구하는 방법

최소공배수를 간단히 구하는 방법

```
2 ) 42   28
7 ) 21   14
     3    2
```
42와 28의 최소공배수는
$2 \times 7 \times 3 \times 2 = 84$입니다.

① 42와 28을 공약수로 나누어 몫을 아래에 쓰기

② 1 이외의 공약수로 더 이상 나눌 수 없을 때까지 두 수를 공약수로 계속 나누기

③ 공약수들과 남은 몫들을 곱하여 최소공배수 구하기

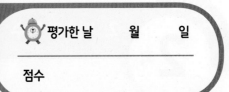
01 배수를 가장 작은 수부터 순서대로 5개 써 보세요.

4의 배수

➔ 4, ☐ , ☐ , ☐ , ☐

02~03 다음을 보고 물음에 답하세요.

· 6의 배수: 6, 12, 18, 24, 30, 36, 42, 48, ...
· 8의 배수: 8, 16, 24, 32, 40, 48, 56, 64, ...

02 6과 8의 공배수를 가장 작은 수부터 순서대로 2개 써 보세요.

(　　　　　　　　)

03 6과 8의 최소공배수를 구해 보세요.

(　　　　　　　　)

04 9의 배수를 찾아 ○표 하세요.

| 19 | 27 | 32 | 44 |

05 두 수의 공배수를 가장 작은 수부터 순서대로 3개 쓰고, 최소공배수를 구해 보세요.

4와 6

공배수 (　　　　　　　　)
최소공배수 (　　　　　　　　)

06 어떤 수의 배수를 가장 작은 수부터 차례로 쓴 것입니다. 어떤 수의 배수인지 써 보세요.

12, 24, 36, 48, 60, ...

(　　　　　　　　)

07 12의 배수도 되고 15의 배수도 되는 수 중에서 가장 작은 수를 구해 보세요.

(　　　　　　　　)

08 7과 3의 공배수가 아닌 수를 찾아 기호를 써 보세요.

㉠ 21　　㉡ 48　　㉢ 63　　㉣ 84

(　　　　　　　　)

09 어떤 두 수의 최소공배수가 16일 때, 두 수의 공배수를 작은 수부터 순서대로 3개 써 보세요.

(　　　　　　　　)

10 40보다 크고 60보다 작은 수 중에서 7의 배수는 모두 몇 개인가요?

(　　　　　　　　)

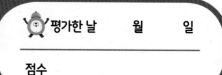
01 9의 약수를 구하려고 합니다. ☐ 안에 알맞은 수를 써넣으세요.

$$9 \div 1 = 9 \quad 9 \div 3 = 3 \quad 9 \div 9 = 1$$

→ 9의 약수: 1, ☐, ☐

02~03 12와 32의 최대공약수를 구하려고 합니다. 물음에 답하세요.

02 12의 약수와 32의 약수를 가장 작은 수부터 순서대로 써 보세요.

12의 약수	1, 2, 3, ☐, ☐, ☐
32의 약수	1, 2, 4, ☐, ☐, ☐

03 12와 32의 공약수를 모두 쓰고, 최대공약수에 ○표 하세요.

12와 32의 공약수	

04 10의 약수가 아닌 수에 ×표 하세요.

1	4	5	10

05 두 수의 공약수를 모두 쓰고, 최대공약수를 구해 보세요.

8과 24

공약수 (   )

최대공약수 (   )

06 38의 약수 중에서 가장 작은 수와 가장 큰 수를 차례로 써 보세요.

(   ), (   )

07 30과 45의 공약수가 아닌 수를 찾아 써 보세요.

1	3	5	9

(   )

08 젤리 18개를 친구들에게 남김없이 똑같이 나누어 주려고 합니다. 나누어 줄 수 없는 사람 수를 찾아 기호를 써 보세요.

㉠ 3명	㉡ 5명	㉢ 9명

(   )

09 어떤 두 수의 최대공약수가 35일 때 두 수의 공약수를 모두 구해 보세요.

(   )

10 두 수의 약수의 개수의 차는 몇 개인가요?

25	36

(   )

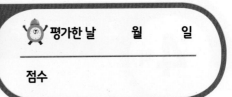
01 곱셈식을 보고 알맞은 말에 ○표 하세요.

$$56 = 7 \times 8$$

(1) 56은 7과 8의 (배수 , 약수)입니다.
(2) 7과 8은 56의 (배수 , 약수)입니다.

02 27을 두 수의 곱으로 나타내고 ☐ 안에 알맞은 수를 써넣으세요.

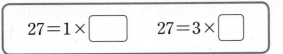

$$27 = 1 \times \boxed{} \qquad 27 = 3 \times \boxed{}$$

27은 1, ☐, ☐, ☐ 의 배수이고

1, ☐, ☐, ☐ 은/는 27의 약수입니다.

03~04 두 수가 배수와 약수의 관계인 것에 ○표, 아닌 것에 ×표 하세요.

03
| 4 | 15 |
(   )

04

| 7 | 21 |
(   )

05 28과 배수와 약수의 관계인 수를 찾아 ○표 하세요.

| 5 | 7 | 9 |

06 곱셈식 48=6×8에 대해 잘못 설명한 것을 찾아 기호를 써 보세요.

ⓐ 6은 48의 배수입니다.
ⓑ 48은 8의 배수입니다.

(   )

07 두 수가 배수와 약수의 관계가 되도록 빈칸에 1 이외의 알맞은 수를 써넣으세요.

| | 12 |

08 40은 5의 배수이고 5는 40의 약수입니다. 이 관계를 나타내는 곱셈식을 써 보세요.

식 _____

09 두 수가 배수와 약수의 관계인 것을 찾아 기호를 써 보세요.

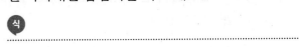
ⓐ (36, 10)   ⓑ (5, 25)   ⓒ (20, 3)

(   )

10 ☐ 안에 들어갈 수 있는 수는 모두 몇 개인가요?

44 →배수 / 약수→ ☐

(   )

01~02 20과 28을 여러 수의 곱으로 나타낸 곱셈식을 보고 물음에 답하세요.

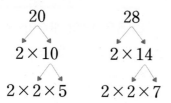

20

2 × 10

2 × 2 × 5

28

2 × 14

2 × 2 × 7

01 20과 28의 최대공약수를 구하려고 합니다. ☐ 안에 알맞은 수를 써넣으세요.

최대공약수: 2 × ☐ = ☐

02 20과 28의 최소공배수를 구하려고 합니다. ☐ 안에 알맞은 수를 써넣으세요.

최소공배수: 2 × ☐ × ☐ × ☐ = ☐

03 ☐ 안에 알맞은 수를 써넣고, 30과 18의 최소공배수를 구해 보세요.

```
2 ) 30  18
3 ) 15   9   → 최소공배수: ☐
    ☐   ☐
```

04 두 수의 최대공약수를 구해 보세요.

8과 52

(   )

05 두 수의 최소공배수를 구해 보세요.

15와 24

(   )

06 두 수의 최소공배수를 찾아 선으로 이어 보세요.

| 12와 8 | • | | • | 30 |
| 10과 6 | • | | • | 24 |

07 두 수의 최대공약수가 더 작은 것을 찾아 기호를 써 보세요.

㉠ 27과 42   ㉡ 25와 45

(   )

08 공약수를 이용하여 최소공배수를 구하는 과정입니다. ☐ 안에 알맞은 수를 써넣으세요.

```
3 ) ☐    ☐
5 ) 10   25
    2    5
```

09~10 긴 막대의 길이는 54 cm, 짧은 막대의 길이는 36 cm입니다. 두 막대를 모두 같은 길이로 남는 부분 없이 최대한 길게 잘랐습니다. 자른 막대 한 도막의 길이는 몇 cm인지 구해 보세요.

09 54와 36의 최대공약수를 구해 보세요.

(   )

10 자른 막대 한 도막의 길이는 몇 cm인가요?

(   )

| 배수 |

01 곱셈식을 보고 □ 안에 알맞은 수를 써넣으세요.

$$6 \times 1 = 6$$
$$6 \times 2 = 12$$
$$6 \times 3 = 18$$
$$6 \times 4 = 24$$
$$\vdots$$

→ 6의 배수: 6, □ , □ , □ , …

| 배수와 약수의 관계 |

02 곱셈식을 보고 □ 안에 '배수'와 '약수'를 알맞게 써넣으세요.

$$27 = 3 \times 9$$

(1) 9는 27의 □ 입니다.

(2) 27은 3의 □ 입니다.

| 공배수와 최소공배수 |

03 3의 배수에는 ○표, 6의 배수에는 △표 하고, 3과 6의 공배수를 표에서 모두 찾아 써 보세요.

1	2	3	4	5
6	7	8	9	10
11	12	13	14	15
16	17	18	19	20

(   )

| 최대공약수를 구하는 방법 |

04 42와 18을 여러 수의 곱으로 나타낸 곱셈식을 보고 두 수의 최대공약수를 구해 보세요.

$$42 = 2 \times 3 \times 7$$
$$18 = 2 \times 3 \times 3$$

(   )

| 배수와 약수의 관계 |

05 두 수가 배수와 약수의 관계인 것에 ○표 하세요.

32	4		16	9

(   )   (   )

| 약수 |

06 16의 약수를 모두 찾아 색칠해 보세요.

1   3   6   8   16

| 최대공약수를 구하는 방법 |

07 두 수의 최대공약수를 구해 보세요.

72와 81

(   )

| 최소공배수를 구하는 방법 |

08 최소공배수가 70인 두 수를 찾아 기호를 써 보세요.

중

ㄱ 28과 21   ㄴ 35와 14

(   )

| 공약수와 최대공약수 |

09 다음이 설명하는 수는 모두 몇 개인가요?

중

52와 39의 공약수

(   )

| 공배수와 최소공배수 |

10 어떤 두 수의 최소공배수가 32일 때, 두 수의 공배수를 가장 작은 수부터 순서대로 3개 써 보세요.

중

(   )

| 약수 |

11 물고기 12마리를 어항에 남김없이 똑같이 나누어 담으려고 합니다. 나누어 담을 수 있는 어항 수로 알맞지 않은 것을 찾아 ×표 하세요.

중

8개   2개   4개

| 배수와 약수의 관계 |

12 두 수가 배수와 약수의 관계가 되도록 만들려고 합니다. ☐ 안에 들어갈 수 있는 수를 모두 찾아 기호를 써 보세요.

중

15, ☐

ㄱ 45   ㄴ 100   ㄷ 9   ㄹ 5

(   )

| 최소공배수를 구하는 방법 |

13 최소공배수가 더 작은 두 수를 말한 사람은 누구인가요?

중

12, 15   10, 14

민아   소현

(   )

| 배수 | 서술형

14 30과 50 사이의 수 중에서 6의 배수는 모두 몇 개인지 풀이 과정을 쓰고, 답을 구해 보세요.

중

풀이

답

| 배수 |

15 어떤 수의 배수를 가장 작은 수부터 순서대로 쓴
것입니다. 12번째 수를 구해 보세요.

<중>

> 9, 18, 27, 36, 45, ...

(   )

| 최소공배수를 구하는 방법 |

16 직선 위의 한 점에서 시작하여 같은 방향으로 검
은색 점은 4 cm, 파란색 점은 10 cm 간격으로
찍었습니다. 검은색 점과 파란색 점이 처음으로
같이 찍히는 곳은 시작점에서 몇 cm 떨어진 곳
인지 구해 보세요.

<중>

(   )

| 공배수와 최소공배수 | **서술형**

17 6의 배수도 되고 9의 배수도 되는 수 중에서 두
번째로 작은 수를 구하려고 합니다. 풀이 과정을
쓰고, 답을 구해 보세요.

<중>

풀이

답

| 공약수와 최대공약수 |

18 최대공약수가 6인 두 수는 많습니다. 두 쌍을 찾아
써 보세요.

<상>

(☐ , ☐)   (☐ , ☐)

| 최대공약수를 구하는 방법 |

19 쿠키 32개와 사탕 40개를 최대한 많은 봉지에
남김없이 똑같이 나누어 담으려고 합니다. 한 봉
지에 들어가는 쿠키와 사탕은 각각 몇 개인지 구
해 보세요.

<상>

쿠키 (   )
사탕 (   )

| 약수 | **서술형**

20 ☐ 안에 공통으로 들어갈 수 있는 수는 얼마인
지 풀이 과정을 쓰고, 답을 구해 보세요.

<상>

> · ☐은/는 27의 약수입니다.
> · ☐의 약수를 모두 더하면 13입니다.

풀이

답

| 약수 |

01 나눗셈식을 보고 5의 약수를 모두 써 보세요.

$$5 \div 1 = 5 \qquad 5 \div 2 = 2 \cdots 1$$
$$5 \div 3 = 1 \cdots 2 \qquad 5 \div 4 = 1 \cdots 1$$
$$5 \div 5 = 1$$

( )

| 배수 |

02 7의 배수를 찾아 ○표 하세요.

| 8 | 10 | 21 |

| 최대공약수를 구하는 방법 |

03 ☐ 안에 알맞은 수를 써넣고, 12와 20의 최대공약수를 구해 보세요.

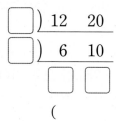

( )

| 공배수와 최소공배수 |

04 3과 4의 공배수를 가장 작은 것부터 순서대로 3개 써 보세요.

( )

| 배수와 약수의 관계 |

05 식을 보고 배수와 약수의 관계를 바르게 설명한 사람에 ○표 하세요.

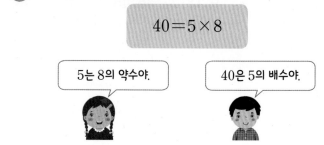

$$40 = 5 \times 8$$

5는 8의 약수야.   40은 5의 배수야.

( )   ( )

| 약수 |

06 다음 수의 약수를 모두 구해 보세요.

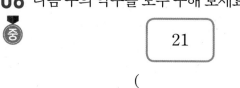

21

( )

| 최대공약수를 구하는 방법, 최소공배수를 구하는 방법 |

07 알맞은 것을 찾아 선으로 이어 보세요.

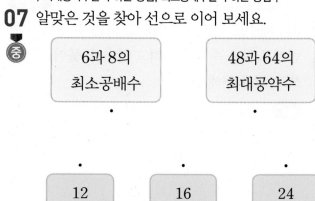

6과 8의
최소공배수   48과 64의
최대공약수

12   16   24

평가한 날   월   일

점수

| 공약수와 최대공약수 |

08 20과 8의 공약수가 아닌 수를 찾아 써 보세요.

| 4   5   1   2 |

(   )

| 약수 |

09 약수의 개수가 더 많은 수에 색칠해 보세요.

| 45 | | 27 |

| 배수와 약수의 관계 |

10 두 수가 배수와 약수의 관계인 것을 모두 찾아 기호를 써 보세요.

㉠ (7, 56)   ㉡ (18, 7)
㉢ (20, 72)   ㉣ (16, 64)

(   )

| 공배수와 최소공배수 |

11 바르게 말한 사람의 이름을 써 보세요.

[성규] 10과 18의 공배수 중에서 가장 작은
　　　 수는 72야.
[서윤] 30과 20의 공배수 중에서 가장 작은
　　　 수는 60이야.

(   )

| 배수 |

12 어떤 수의 배수를 가장 작은 수부터 순서대로 쓴 것입니다. □ 안에 알맞은 수를 써넣으세요.

6, 12, 18, □ , 30, 36, ...

| 공약수와 최대공약수 | **서술형**

13 63과 42의 공약수 중에서 가장 큰 수와 가장 작은 수의 차는 얼마인지 풀이 과정을 쓰고, 답을 구해 보세요.

풀이

답 _____

| 공배수와 최소공배수 |

14 홍석이는 3일마다, 선영이는 5일마다 자전거를 탑니다. 오늘 두 사람이 함께 자전거를 탔다면 다음번에 두 사람이 처음으로 함께 자전거를 타는 날은 며칠 후인가요?

(   )

| 최소공배수를 구하는 방법 |

15 두 수의 최소공배수가 50에 가장 가까운 것을 찾아 기호를 써 보세요.

ⓒ 8과 9   ⓛ 6과 10   ⓒ 9와 15

( )

| 공약수와 최대공약수 | 서술형

16 가로가 64 cm, 세로가 56 cm인 직사각형 모양의 종이를 크기가 같은 정사각형 모양으로 남는 부분 없이 나누어 자르려고 합니다. 가장 큰 정사각형 모양으로 자르면 정사각형의 한 변의 길이는 몇 cm가 되는지 풀이 과정을 쓰고, 답을 구해 보세요.

풀이

답

| 최대공약수를 구하는 방법 |

17 ㉠과 ㉡의 최대공약수가 14일 때, ㉠과 ㉡에 알맞은 수의 합을 구해 보세요.

```
  ) ㉠  ㉡
  ) 14  35
    2   5
```

( )

| 배수 | 서술형

18 버스 터미널에서 동물원으로 가는 버스가 오전 9시부터 40분 간격으로 출발합니다. 오전 9시부터 오전 11시까지 버스는 몇 번 출발하는지 풀이 과정을 쓰고, 답을 구해 보세요.

풀이

답

| 배수와 약수의 관계 |

19 다음 조건 을 모두 만족하는 수를 구해 보세요.

조건
· 40보다 크고 80보다 작습니다.
· 9의 배수입니다.
· 12는 이 수의 약수입니다.

( )

| 최소공배수를 구하는 방법 |

20 어떤 두 수의 최대공약수는 4이고, 최소공배수는 112입니다. 두 수 중에서 한 수가 28일 때, 두 수의 차를 구해 보세요.

( )

 Tip

❶ ◯ 안에 들어갈 수 있는 수 모두 구하기

❷ ◯ 안에 들어갈 수 있는 수는 모두 몇 개인지 구하기

01 ◯ 안에 들어갈 수 있는 수는 모두 몇 개인지 구하려고 합니다. 풀이 과정을 쓰고, 답을 구해 보세요.

풀이

답 _____

 Tip

❶ 36과 42의 공약수 구하기

❷ 어떤 수가 될 수 있는 수 중에서 가장 큰 수 구하기

02 36과 42를 어떤 수로 나누면 두 수 모두 나누어떨어집니다. 어떤 수가 될 수 있는 수 중에서 가장 큰 수는 얼마인지 풀이 과정을 쓰고, 답을 구해 보세요.

풀이

답 _____

Tip

❶ 손뼉을 치는 수와 제자리 뛰기를 하게 하는 수 각각 구하기

❷ 손뼉을 치면서 동시에 제자리 뛰기를 하게 하는 두 번째로 작은 수 구하기

03 민재는 1부터 50까지의 수를 차례로 말하면서 다음과 같은 놀이를 하였습니다. 손뼉을 치면서 동시에 제자리 뛰기를 하게 하는 수 중에서 두 번째로 작은 수는 얼마인지 풀이 과정을 쓰고, 답을 구해 보세요.

> **규칙**
>
> · 6의 배수에서는 말하는 대신 손뼉을 칩니다.
> · 9의 배수에서는 말하는 대신 제자리 뛰기를 합니다.

풀이

답

Tip

❶ 16과 20의 최대공약수 또는 최소공배수를 알맞은 방법으로 구하기

❷ 정사각형의 한 변의 길이는 몇 cm가 되어야 하는지 구하기

❸ 종이는 모두 몇 장 필요한지 구하기

04 가로가 16 cm, 세로가 20 cm인 직사각형 모양의 종이를 겹치지 않게 이어 붙여서 가장 작은 정사각형을 만들려고 합니다. 종이는 모두 몇 장 필요한지 풀이 과정을 쓰고, 답을 구해 보세요.

풀이

답

① 어떤 수 구하기

⌄

② 9번째 카드에 적힌 수 구하기

01 민하가 어떤 수의 배수가 적힌 카드를 가장 작은 수부터 차례로 놓았습니다. 그중 몇 장을 동생이 그림과 같이 뒤집어 놓았습니다. 9번째 카드에 적힌 수는 얼마인지 풀이 과정을 쓰고, 답을 구해 보세요.

 26 5265 …

풀이

답 _____

① 풍선을 나누어 줄 수 있는 학생 수 모두 구하기

⌄

② 풍선을 나누어 줄 수 있는 방법은 모두 몇 가지인지 구하기

02 풍선 64개를 학생들에게 남김없이 똑같이 나누어 주려고 합니다. 나누어 줄 수 있는 방법은 모두 몇 가지인지 풀이 과정을 쓰고, 답을 구해 보세요. (단, 한 사람에게 모두 주는 것은 제외합니다.)

풀이

답 _____

Tip

① 몇 번째마다 같은 자리에 빨간 색 구슬이 놓이는지 구하기

∨

② 같은 자리에 빨간색 구슬이 놓이는 경우는 모두 몇 번인지 구하기

03 정우와 호연이가 다음과 같이 규칙에 따라 각각 구슬을 30개씩 놓을 때, 같은 자리에 빨간색 구슬이 놓이는 경우는 모두 몇 번인지 풀이 과정을 쓰고, 답을 구해 보세요.

풀이

답

Tip

① 70과 84의 최대공약수 또는 최소공배수를 알맞은 방법으로 구하기

∨

② 최대 몇 봉지에 나누어 담았는지 구하기

∨

③ 판매 금액 구하기

04 땅콩 70개와 호두 84개를 최대한 많은 봉지에 남김없이 똑같이 나누어 담아 한 봉지에 2000원씩 받고 모두 팔았습니다. 판매 금액은 모두 얼마인지 풀이 과정을 쓰고, 답을 구해 보세요.

풀이

답

개념 1 **두 양 사이의 대응 관계**

생활 속에서 한 양이 변함에 따라 다른 양이 변하는 대응 관계를 찾을 수 있습니다.

함께 변하는 두 양은?	
세잎클로버의 수	잎의 수

어떻게 변하는가?
세잎클로버의 수가 늘어나면 잎의 수도 늘어납니다.

개념 2 **대응 관계를 표로 나타내고 규칙 찾기**

함께 변하는 두 양의 대응 관계를 표로 나타내어 규칙을 찾을 수 있습니다.

연두색 모양 조각의 수(개)	1	2	3	4	⋯
분홍색 모양 조각의 수(개)	2	3	4	5	⋯

규칙 분홍색 모양 조각의 수는 연두색 모양 조각의 수보다 1개 더 많습니다.

개념 3 **대응 관계를 식으로 나타내기**

두 양 사이의 대응 관계를 △, ○, □ 등과 같은 기호를 사용한 식으로 간단하게 나타낼 수 있습니다.

① 두 양 사이의 대응 관계를 표로 나타내기

잠자리의 수(마리)	1	2	3	4	5	⋯
날개의 수(개)	4	8	12	16	20	⋯

② 두 양 사이의 대응 관계를 식으로 나타내기

(잠자리의 수) ➡ ☆, (날개의 수) ➡ ○

(잠자리의 수) × 4 = (날개의 수)

☆ × 4 = ○

(날개의 수) ÷ 4 = (잠자리의 수)

○ ÷ 4 = ☆

개념 4 **생활 속에서 대응 관계를 찾아 식으로 나타내기**

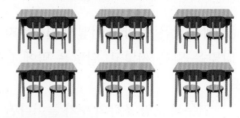

서로 대응 관계인 두 양	책상의 수	의자의 수
규칙 찾기	의자의 수는 책상의 수의 2배입니다.	
기호 정하기	책상의 수 (□)	의자의 수 (△)
대응 관계를 식으로 나타내기	□ × 2 = △	

01~04 모양 조각을 이용하여 규칙적인 배열을 만들고 있습니다. 물음에 답해 보세요.

01 연두색 모양 조각이 1개일 때 분홍색 모양 조각은 몇 개인가요?

(   )

02 연두색 모양 조각이 2개일 때 분홍색 모양 조각은 몇 개인가요?

(   )

03 함께 변하는 두 양을 찾아 써 보세요.

연두색 모양 조각의 수,

04 위 **03**에서 찾은 두 양은 어떻게 변하는지 ◯ 안에 알맞은 말을 써넣고, 알맞은 말에 ◯표 하세요.

연두색 모양 조각의 수가 늘어나면

◯ 모양 조각의 수는

(늘어납니다 , 줄어듭니다).

05 그림을 보고 함께 변하는 두 양을 찾아 써 보세요.

  ,

06~07 버스와 버스의 바퀴에서 한 양이 변함에 따라 다른 양이 변하는 대응 관계를 찾아보세요.

06 함께 변하는 두 양을 찾아 써 보세요.

버스의 수,

07 위 **06**에서 찾은 두 양은 어떻게 변하는지 써 보세요.

버스의 수가 많아지면 _____

_____

08~10 바둑돌을 이용하여 규칙적인 배열을 만들고 있습니다. 물음에 답해 보세요.

첫째   둘째   셋째

08 검은색 바둑돌이 4개일 때 흰색 바둑돌은 몇 개인가요?

(   )

09 함께 변하는 두 양을 찾아 써 보세요.

  ,

10 위 **09**에서 찾은 두 양은 어떻게 변하는지 써 보세요.

_____

_____

01~03 접시의 수와 만두의 수 사이의 대응 관계를 알아보려고 합니다. 물음에 답해 보세요.

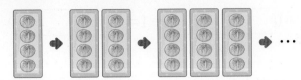

01 접시의 수와 만두의 수 사이의 대응 관계를 표로 나타내어 보세요.

접시의 수(개)	1	2	3	4	⋯
만두의 수(개)	4				⋯

02 접시가 5개일 때 만두는 몇 개인가요?

(   )

03 접시의 수와 만두의 수 사이의 대응 관계에서 규칙을 찾아 써 보세요.

규칙 만두의 수는 접시의 수의 ☐ 배입니다.

04~05 단추의 수와 단춧구멍의 수 사이의 대응 관계를 알아보려고 합니다. 물음에 답해 보세요.

04 단추의 수와 단춧구멍의 수 사이의 대응 관계를 표로 나타내어 보세요.

단추의 수(개)	1	2	3	4	⋯
단춧구멍의 수(개)					⋯

05 단추의 수와 단춧구멍의 수 사이의 대응 관계에서 규칙을 찾아 써 보세요.

규칙 단춧구멍의 수는 단추의 수의 ☐ 배입니다.

06~08 주황색 모양 조각과 초록색 모양 조각을 이용하여 규칙적인 모양을 만들고 있습니다. 물음에 답해 보세요.

06 주황색 모양 조각의 수와 초록색 모양 조각의 수 사이의 대응 관계를 표로 나타내어 보세요.

주황색 모양 조각의 수(개)	1	2	3	4	⋯
초록색 모양 조각의 수(개)					⋯

07 주황색 모양 조각의 수와 초록색 모양 조각의 수 사이의 대응 관계에서 규칙을 찾아 써 보세요.

규칙 초록색 모양 조각의 수는 주황색 모양 조각의 수보다 _____

08 주황색 모양 조각의 수가 6개일 때 초록색 모양 조각의 수는 몇 개인가요?

(   )

09~10 연도와 지아의 나이 사이의 대응 관계를 알아보려고 합니다. 물음에 답해 보세요.

09 표를 완성해 보세요.

연도(년)	2022	2023		2025	⋯
지아의 나이(살)	10	11	12		⋯

10 연도와 지아의 나이 사이의 대응 관계에서 규칙을 찾아 써 보세요.

규칙 _____

01~03 연필꽂이의 수와 연필의 수 사이의 대응 관계를 알아보려고 합니다. 물음에 답해 보세요.

01 연필꽂이의 수와 연필의 수 사이의 대응 관계를 표로 나타내어 보세요.

연필꽂이의 수(개)	1	2	3	4	⋯
연필의 수(자루)					⋯

02 연필꽂이의 수와 연필의 수 사이의 대응 관계를 식으로 나타내어 보세요.

(⬚) × 5 = (⬚)

03 연필꽂이의 수를 ○, 연필의 수를 ◇라고 할 때, 두 양 사이의 대응 관계를 기호를 사용하여 식으로 바르게 나타낸 것에 색칠해 보세요.

○ × 5 = ◇	◇ × 5 = ○

04~06 리본을 자른 횟수와 리본 도막의 수 사이의 대응 관계를 알아보려고 합니다. 물음에 답해 보세요.

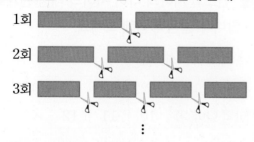

1회
2회
3회
⋮

04 리본을 자른 횟수와 리본 도막의 수 사이의 대응 관계를 표로 나타내어 보세요.

자른 횟수(회)	1	2	3	4	⋯
도막의 수(개)					⋯

05 자른 횟수와 도막의 수 사이의 대응 관계를 식으로 나타내어 보세요.

(⬚) + 1 = (⬚)

06 위 **05**의 식에서 자른 횟수를 □, 도막의 수를 △로 바꾸어 식으로 나타내어 보세요.

식

07~09 학생들에게 한 명당 색종이를 4장씩 나누어 주려고 합니다. 물음에 답해 보세요.

07 학생 수와 필요한 색종이의 수 사이의 대응 관계를 표로 나타내어 보세요.

학생 수(명)	1	2	3	4	⋯
색종이의 수(장)	4				⋯

08 학생 수를 △, 필요한 색종이의 수를 ○라고 할 때, 두 양 사이의 대응 관계를 기호를 사용하여 식으로 나타내어 보세요.

식

09 학생 수가 8명일 때 필요한 색종이의 수는 몇 장인가요?

( )

10 책꽂이 한 칸에 책이 7권씩 꽂혀 있습니다. 책꽂이의 칸 수를 □, 책의 수를 △라고 할 때, 두 양 사이의 대응 관계를 기호를 사용하여 식으로 나타내어 보세요.

식

01~03 그림과 같이 집게로 사진을 매달고 있습니다. 물음에 답해 보세요.

01 서로 대응 관계인 두 양을 찾아 써 보세요.

사진의 수, [   ]

02 두 양 사이의 대응 관계에서 규칙을 찾아 ◯안에 알맞은 수나 말을 써넣으세요.

(사진의 수)×[   ]=([   ])

03 서로 대응하는 두 양을 적절한 기호로 나타내고, 대응 관계를 식으로 나타내어 보세요.

기호 정하기		
사진의 수 ( )		( )

식

04~07 생활 속에서 볼 수 있는 대응 관계를 나타낸 것입니다. 대응 관계를 찾아 두 양을 나타낼 기호를 정하여 식으로 나타내어 보세요.

04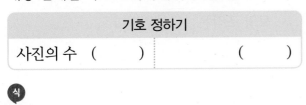

실의 수를 □, 구슬의 수를 ◯라고 하여 식으로 나타내면 [   ]입니다.

05

의자의 수를 [ ], 팔걸이의 수를 [ ]라고 하여 식으로 나타내면 [   ]입니다.

06

피자 한 조각의 열량
250 킬로칼로리

피자의 수를 [ ](조각), 열량을 [ ](킬로칼로리)라고 하여 식으로 나타내면 [   ]입니다.

07

인형 한 개의 무게
300 g

인형의 수를 [ ], 무게를 [ ] g이라고 하여 식으로 나타내면 [   ]입니다.

08~10 그림을 보고 물음에 답해 보세요.

08 서로 대응 관계인 두 양을 찾아 써 보세요.

[   ], [   ]

09 두 양 사이의 대응 관계에서 규칙을 찾아 써 보세요.

규칙 _____

10 서로 대응하는 두 양을 적절한 기호로 나타내고, 대응 관계를 식으로 나타내어 보세요.

기호 정하기		
( )		( )

식

01~02 그림과 같이 상자에 초콜릿이 들어 있습니다. 물음에 답해 보세요.

| 두 양 사이의 대응 관계 |

01 상자의 수에 따라 변하는 양이 무엇인지 찾아 써 보세요.
하

상자의 수, ⬜

| 두 양 사이의 대응 관계 |

02 위 **01**에서 찾은 두 양은 어떻게 변하는지 ⬜ 안에 알맞은 말을 써넣고, 알맞은 말에 ○표 하세요.
하

상자의 수가 많아지면 ⬜ 은/는 (많아집니다 , 적어집니다).

03~05 꽃병의 수와 꽃의 수 사이의 대응 관계를 알아보려고 합니다. 물음에 답해 보세요.

| 대응 관계를 표로 나타내고 규칙 찾기 |

03 꽃병의 수와 꽃의 수 사이의 대응 관계를 표로 나타내어 보세요.
하

꽃병의 수(개)	1	2	3	4	⋯
꽃의 수(송이)	3				⋯

| 대응 관계를 표로 나타내고 규칙 찾기 |

04 꽃병의 수와 꽃의 수 사이의 대응 관계에서 규칙을 찾아 써 보세요.
하

규칙 꽃의 수는 꽃병의 수의 ⬜ 배입니다.

| 대응 관계를 표로 나타내고 규칙 찾기 |

05 꽃병이 7개일 때 꽃은 몇 송이인가요?
중

( )

06~07 모양 조각을 이용하여 규칙적인 배열을 만들고 있습니다. 물음에 답해 보세요.

| 두 양 사이의 대응 관계 |

06 ⬜ 안에 알맞은 수를 써넣으세요.
중

분홍색 모양 조각이 1개일 때 초록색 모양 조각은 ⬜ 개, 분홍색 모양 조각이 2개일 때 초록색 모양 조각은 ⬜ 개입니다.

| 두 양 사이의 대응 관계 |

07 대응 관계를 바르게 말한 사람의 이름을 써 보세요.
중

분홍색 모양 조각의 수가 늘어나면 초록색 모양 조각의 수는 줄어들어.

분홍색 모양 조각의 수가 늘어나면 초록색 모양 조각의 수도 늘어나.

 정현   은서

( )

| 두 양 사이의 대응 관계 |

08 함께 변하는 두 양을 찾아 기호를 써 보세요.
중

㉠ 접시의 수와 접시의 색깔
㉡ 메뚜기의 수와 메뚜기의 다리의 수

( )

정답 및 풀이 | 109쪽

평가한 날 　월　　일

점수

09~12 책상의 수와 의자의 수 사이의 대응 관계를 알아보려고 합니다. 물음에 답해 보세요.

| 대응 관계를 식으로 나타내기 |
09 책상의 수와 의자의 수 사이의 대응 관계를 표로 나타내어 보세요.

책상의 수(개)	1	2	3	4	⋯
의자의 수(개)					⋯

| 대응 관계를 식으로 나타내기 |
10 책상의 수와 의자의 수 사이의 대응 관계에서 규칙을 찾아 써 보세요.

규칙 의자의 수는 책상의 수보다 ☐ 개 더 많습니다.

| 대응 관계를 식으로 나타내기 |
11 알맞은 카드를 골라 책상의 수와 의자의 수 사이의 대응 관계를 식으로 나타내어 보세요.

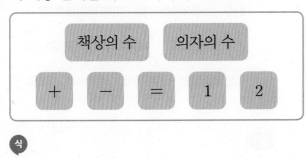

책상의 수　　의자의 수

+　　−　　=　　1　　2

식

| 대응 관계를 식으로 나타내기 |
12 책상의 수를 ◇, 의자의 수를 ○라고 할 때, 두 양 사이의 대응 관계를 기호를 사용하여 식으로 나타내어 보세요.

식

13~14 그림을 보고 대응 관계를 찾아 두 양을 나타낼 기호를 정하여 식으로 나타내어 보세요.

| 생활 속에서 대응 관계를 찾아 식으로 나타내기 |
13

학생 수를 ☐, 마라카스의 수를 ☐라고 하여 식으로 나타내면 ☐ 입니다.

| 생활 속에서 대응 관계를 찾아 식으로 나타내기 |
14

나뭇가지의 수를 ☐, 잎의 수를 ☐라고 하여 식으로 나타내면 ☐ 입니다.

| 대응 관계를 식으로 나타내기 | 서술형
15 상우가 12살일 때 동생은 7살이었습니다. 상우의 나이를 ◇, 동생의 나이를 △라고 할 때, 두 양 사이의 대응 관계를 기호를 사용하여 식으로 나타내려고 합니다. 풀이 과정을 쓰고, 답을 구해 보세요.

풀이

답

| 두 양 사이의 대응 관계 |　　　　　　　　　　　서술형

16 보기 에서 함께 변하는 두 양을 찾아 어떤 대응
중　관계가 있는지 설명해 보세요.

> 보기
> 비행기　　헬리콥터　　날개

설명 _____

_____

| 생활 속에서 대응 관계를 찾아 식으로 나타내기 |

17 그림을 보고 대응 관계가 있는 두 양을 찾아 각각
중　기호로 나타내고, 대응 관계를 기호를 사용하여
식으로 나타내어 보세요.

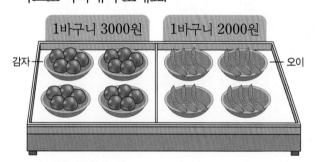

서로 대응	(　)
관계인 두 양	(　)
대응 관계를 나타낸 식	

| 대응 관계를 표로 나타내고 규칙 찾기 |

18 선유가 수를 말할 때 고은이가 규칙에 맞게 답하
상　고 있습니다. 선유가 13을 말할 때 고은이가 답
하는 수는 얼마인지 구해 보세요.

선유가 말한 수	7	8	9	10	⋯
고은이가 답한 수	4	5	6	7	⋯

(　　　　　)

| 생활 속에서 대응 관계를 찾아 식으로 나타내기 |

19 어느 공연의 시간표입니다. 공연의 시작 시각을
상　◇(시), 끝나는 시각을 ○(시)라고 할 때, 두 양 사
이의 대응 관계를 기호를 사용하여 식으로 나타
내고 공연을 오후 8시에 시작한다면 몇 시에 끝
나는지 구해 보세요.

시작 시각	오전 9시	낮 12시	오후 4시	오후 6시
끝나는 시각	오전 11시	오후 2시	오후 6시	오후 8시

식 ┄┄┄┄┄┄┄┄┄┄┄┄┄┄┄┄┄

답 ┄┄┄┄┄┄┄┄┄┄┄┄┄┄┄┄┄

| 대응 관계를 표로 나타내고 규칙 찾기 |　　　　　서술형

20 그림과 같은 방법으로 끈을 잘라 자른 도막이 27개
상　가 되게 하려면 몇 회 잘라야 할지 풀이 과정을
쓰고, 답을 구해 보세요.

1회 ▨▨▨✄▨▨▨

2회 ▨▨✄▨▨✄▨▨

3회 ▨▨✄▨✄▨✄▨▨

⋮

풀이

답 ┄┄┄┄┄┄┄┄┄┄┄┄┄┄┄┄┄

정답 및 풀이 | **111쪽**

🕐 평가한 날　　월　　일

점수

01~02 그림과 같이 색종이로 꽃을 만들고 있습니다. 물음에 답해 보세요.

| 두 양 사이의 대응 관계 |

01 꽃의 수에 따라 변하는 양이 무엇인지 찾아 써 보세요.
하

꽃의 수, ☐

| 두 양 사이의 대응 관계 |

02 위 **01**에서 찾은 두 양은 어떻게 변하는지 ☐ 안에 알맞은 말을 써넣고, 알맞은 말에 ○표 하
하 세요.

꽃의 수가 1송이씩 늘어남에 따라

☐ 은/는 ☐ 개씩 늘어납니다.

03~04 모양 조각을 이용하여 규칙적인 배열을 만들고 있습니다. 물음에 답해 보세요.

| 대응 관계를 표로 나타내고 규칙 찾기 |

03 분홍색 모양 조각의 수와 초록색 모양 조각의 수 사이의 대응 관계를 표로 나타내어 보세요.
하

분홍색 모양 조각의 수(개)	1	2	3	4	…
초록색 모양 조각의 수(개)	3				…

| 대응 관계를 표로 나타내고 규칙 찾기 |

04 분홍색 모양 조각의 수와 초록색 모양 조각의 수 사이의 대응 관계에서 규칙을 찾아 써 보세요.
중

규칙 초록색 모양 조각의 수는 분홍색 모양 조각의 수보다 _____

05~07 풍차의 수와 풍차 날개의 수 사이의 대응 관계를 알아보려고 합니다. 물음에 답해 보세요.

| 대응 관계를 식으로 나타내기 |

05 풍차의 수와 풍차 날개의 수 사이의 대응 관계를 표로 나타내어 보세요.
중

풍차의 수(개)	1	2	3	4	…
날개의 수(개)					…

| 대응 관계를 식으로 나타내기 |

06 풍차의 수와 풍차 날개의 수 사이의 대응 관계를 식으로 바르게 나타낸 것에 ○표 하세요.
중

(풍차의 수)×4＝(날개의 수)　　(　　　)

(풍차의 수)÷4＝(날개의 수)　　(　　　)

| 대응 관계를 식으로 나타내기 |

07 풍차의 수를 △, 풍차 날개의 수를 ♡라고 할 때, 두 양 사이의 대응 관계를 기호를 사용하여 식으로 나타내어 보세요.
중

식

08~11 그림과 같이 동물 카드를 고리로 연결하고 있습니다. 물음에 답해 보세요.

| 대응 관계를 식으로 나타내기 |

08 고리의 수와 카드의 수 사이의 대응 관계를 표로 나타내어 보세요.

고리의 수(개)	1	2	3	4	…
카드의 수(장)					…

| 대응 관계를 식으로 나타내기 |

09 고리의 수와 카드의 수 사이의 대응 관계를 식으로 나타내어 보세요.

식

| 대응 관계를 식으로 나타내기 |

10 고리의 수를 ○, 카드의 수를 □라고 할 때, 두 양 사이의 대응 관계를 기호를 사용하여 식으로 나타내어 보세요.

식

| 대응 관계를 식으로 나타내기 |

11 바르게 이야기한 사람은 누구인지 찾아 이름을 써 보세요.

> 다현: 카드를 16장 연결하려면 고리는 17개 필요해.
>
> 서후: 카드를 14장 연결하려면 고리는 13개 필요해.

( )

12~14 그림을 보고 대응 관계를 찾아 식으로 나타내려고 합니다. 물음에 답해 보세요.

| 생활 속에서 대응 관계를 찾아 식으로 나타내기 |

12 대응 관계인 두 양을 찾아 써 보세요.
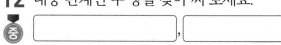

	,	

| 생활 속에서 대응 관계를 찾아 식으로 나타내기 |

13 위 **12**에서 찾은 두 양 사이의 대응 관계에서 규칙을 찾아 써 보세요.

규칙 _____

| 생활 속에서 대응 관계를 찾아 식으로 나타내기 |

14 위 **12**에서 찾은 두 양을 나타낼 기호를 정하고, 대응 관계를 식으로 나타내어 보세요.

기호 정하기	
( )	( )

식

| 두 양 사이의 대응 관계 | **서술형**

15 그림을 보고 함께 변하는 두 양을 찾아 어떤 대응 관계가 있는지 설명해 보세요.

북채
북

설명 _____

| 대응 관계를 표로 나타내고 규칙 찾기 |

16 ☆과 ○ 사이의 대응 관계를 나타낸 표입니다. ☆이 22일 때 ○는 얼마인지 구해 보세요.

☆	7	8	9	10	11
○	11	12	13	14	15

(   )

| 대응 관계를 표로 나타내고 규칙 찾기 |

17 그림에서 함께 변하는 두 양 사이의 대응 관계를 표로 나타내고, 규칙을 찾아 써 보세요.

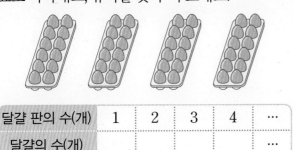

달걀 판의 수(개)	1	2	3	4	…
달걀의 수(개)					…

규칙

| 생활 속에서 대응 관계를 찾아 식으로 나타내기 | 서술형

18 어느 동물원의 어린이 입장료는 1500원입니다. 어린이 입장객의 수를 ♡, 입장료의 합을 ○원이라고 할 때, 두 양 사이의 대응 관계를 기호를 사용하여 식으로 나타내고, 어린이가 6명이면 입장료를 얼마 내야 하는지 구하려고 합니다. 풀이 과정을 쓰고, 답을 구해 보세요.

풀이

답

| 대응 관계를 표로 나타내고 규칙 찾기 |

19 바둑돌을 이용하여 규칙적인 배열을 만들고 있습니다. 함께 변하는 두 양 사이의 대응 관계를 표로 나타내고, 검은색 바둑돌이 13개일 때 흰색 바둑돌은 몇 개인지 구해 보세요.

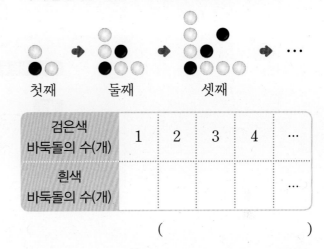

첫째   둘째   셋째

검은색 바둑돌의 수(개)	1	2	3	4	…
흰색 바둑돌의 수(개)					…

(   )

| 대응 관계를 식으로 나타내기 | 서술형

20 정사각형의 한 변의 길이를 □ cm, 정사각형의 둘레를 △ cm라고 할 때, 두 양 사이의 대응 관계를 기호를 사용하여 식으로 나타내고, 정사각형의 둘레가 96 cm일 때 한 변의 길이는 몇 cm인지 구하려고 합니다. 풀이 과정을 쓰고, 답을 구해 보세요.

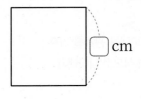

풀이

답

Tip

❶ 함께 변하는 두 양 찾기

❷ 어떻게 변하는지 설명하기

01 그림을 보고 함께 변하는 두 양을 찾아 쓰고, 어떻게 변하는지 설명해 보세요.

함께 변하는 두 양 _____

설명 _____

Tip

❶ 라디오를 들은 날수와 라디오를 들은 전체 시간 사이의 대응 관계에서 규칙 찾기

❷ 두 양 사이의 대응 관계를 기호를 사용하여 식으로 나타내기

02 기훈이는 매일 아침에 10분, 저녁에 20분씩 라디오를 듣습니다. 기훈이가 라디오를 들은 날수를 ◇(일), 라디오를 들은 전체 시간을 ♡(분)이라고 할 때, 두 양 사이의 대응 관계를 기호를 사용하여 식으로 나타내려고 합니다. 풀이 과정을 쓰고, 답을 구해 보세요.

 풀이

 답 _____

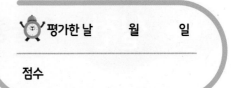

Tip

❶ 분홍색 모양 조각의 수와 초록색 모양 조각의 수 사이의 대응 관계에서 규칙 찾기

❷ 분홍색 모양 조각이 16개일 때 초록색 모양 조각의 수 구하기

03 분홍색 모양 조각과 초록색 모양 조각을 이용하여 규칙적인 배열을 만들고 있습니다. 분홍색 모양 조각이 16개일 때 초록색 모양 조각은 몇 개인지 풀이 과정을 쓰고, 답을 구해 보세요.

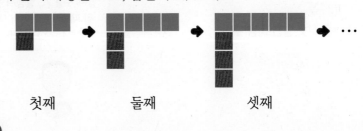

첫째   둘째   셋째

풀이

답

Tip

❶ 자른 횟수와 도막의 수 사이의 대응 관계에서 규칙 찾기

❷ 13도막으로 자르려면 몇 번 잘라야 하는지 구하기

❸ 통나무를 쉬지 않고 13도막으로 자르는 데 걸리는 시간 구하기

04 굵기가 일정한 긴 통나무를 한 번 자르는 데 2분이 걸린다고 합니다. 이 통나무를 쉬지 않고 13도막으로 자르는 데 걸리는 시간은 몇 분인지 풀이 과정을 쓰고, 답을 구해 보세요.

풀이

답

❶ 컵의 수와 얼음의 수 사이의 대응
관계 찾기

❷ 대응 관계를 잘못 말한 사람 구
하기

01 얼음을 한 컵에 4개씩 넣고 있습니다. 대응 관계를 잘못 말한 사람은 누구인지 풀이 과정을 쓰고, 답을 구해 보세요.

컵의 수를 △, 얼음의 수를 ♡라고 할 때 두 양 사이의 대응 관계는 △×4=♡로 나타낼 수 있어.

성현

대응 관계를 나타낸 식 ☆×4=○에서 ☆은 얼음의 수, ○는 컵의 수를 나타내.

은채

풀이

답

❶ 식에 알맞은 상황을 한 가지 만
들기

❷ 식에 알맞은 또 다른 상황을 한
가지 만들기

02 대응 관계를 나타낸 식을 보고 식에 알맞은 상황을 2가지 만들어 보세요.

$$\square \times 3 = \triangle$$

상황1 _____

상황2 _____

Tip

❶ 그림의 수와 자석의 수 사이의 대응 관계에서 규칙 찾기

⌄

❷ 그림이 8장일 때 필요한 자석의 수 구하기

03 다음과 같이 그림을 게시판에 자석으로 붙이려고 합니다. 그림이 8장일 때 필요한 자석은 몇 개인지 풀이 과정을 쓰고, 답을 구해 보세요.

 ➡ ➡ ➡ …

풀이

답 _____

Tip

❶ 서울의 시각과 파리의 시각 사이의 대응 관계에서 규칙 찾기

⌄

❷ 파리가 오후 1시일 때 서울의 시각 구하기

04 어느 해 4월 5일 서울의 시각과 프랑스 파리의 시각 사이의 대응 관계를 나타낸 표입니다. 이날 파리가 오후 1시일 때 서울의 시각은 몇 시인지 풀이 과정을 쓰고, 답을 구해 보세요.

서울의 시각	오전 🕘	오전 🕙	오전 🕚	오전 🕛
파리의 시각	오전 🕑	오전 🕒	오전 🕓	오전 🕓

풀이

답 _____

개념 1 **크기가 같은 분수** (1), (2)

· 크기가 같은 분수

$\dfrac{1}{2}, \dfrac{2}{4}, \dfrac{3}{6}$ 은 크기가 같은 분수입니다.

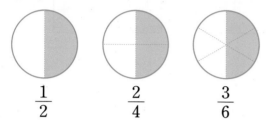

$\dfrac{1}{2}$　　$\dfrac{2}{4}$　　$\dfrac{3}{6}$

· 크기가 같은 분수를 만드는 방법

① 분모와 분자에 각각 0이 아닌 같은 수를 곱해서 크기가 같은 분수를 만듭니다.

② 분모와 분자를 각각 0이 아닌 같은 수로 나누어서 크기가 같은 분수를 만듭니다.

$$\dfrac{1}{3} = \dfrac{2}{6} = \dfrac{3}{9} = \dfrac{4}{12} \qquad \dfrac{6}{12} = \dfrac{3}{6} = \dfrac{2}{4} = \dfrac{1}{2}$$

개념 2 **분수를 간단하게 나타내기**

· 분모와 분자를 공약수로 나누어 간단한 분수로 만드는 것을 약분한다고 합니다.

예 $\dfrac{6}{15} = \dfrac{6 \div 3}{15 \div 3} = \dfrac{2}{5} \rightarrow \dfrac{6}{15} = \dfrac{2}{5}$

· 분모와 분자의 공약수가 1뿐인 분수를 기약분수라고 합니다.

· 분모와 분자를 최대공약수로 나누면 기약분수가 됩니다.

예 $\dfrac{12}{18} = \dfrac{12 \div 6}{18 \div 6} = \dfrac{2}{3} \rightarrow \dfrac{12}{18} = \dfrac{2}{3}$

12와 18의 최대공약수

개념 3 **분모가 같은 분수로 나타내기**

· 분수의 분모를 같게 하는 것을 통분한다고 하고, 통분한 분모를 공통분모라고 합니다.

· 통분하는 방법

방법1 두 분모의 **곱**을 공통분모로 하여 통분합니다.

예 $\left(\dfrac{3}{8}, \dfrac{1}{6} \right) \rightarrow \left(\dfrac{3 \times 6}{8 \times 6}, \dfrac{1 \times 8}{6 \times 8} \right) \rightarrow \left(\dfrac{18}{48}, \dfrac{8}{48} \right)$

방법2 두 분모의 **최소공배수**를 공통분모로 하여 통분합니다.

예 $\left(\dfrac{3}{8}, \dfrac{1}{6} \right) \rightarrow \left(\dfrac{3 \times 3}{8 \times 3}, \dfrac{1 \times 4}{6 \times 4} \right) \rightarrow \left(\dfrac{9}{24}, \dfrac{4}{24} \right)$

8과 6의 최소공배수

개념 4 **분모가 다른 분수의 크기 비교**

· 분모가 다른 두 분수의 크기를 비교하는 방법
분모가 다른 두 분수의 크기는 통분을 이용하여 비교할 수 있습니다.

예 $\left(\dfrac{5}{9}, \dfrac{2}{3} \right) \rightarrow \left(\dfrac{5}{9}, \dfrac{6}{9} \right) \rightarrow \dfrac{5}{9} < \dfrac{2}{3}$

개념 5 **분수와 소수의 크기 비교**

· 분수와 소수의 크기를 비교하는 방법
분수를 소수로 나타내거나, 소수를 분수로 나타내어 두 수의 크기를 비교합니다.

예 $\dfrac{1}{2}$ 과 0.4의 크기 비교

$\dfrac{1}{2} = \dfrac{5}{10} = 0.5$　　$\dfrac{1}{2} > 0.4$

분수를 소수로 나타내기

$\dfrac{1}{2} = \dfrac{5}{10}$　　$\dfrac{1}{2} > 0.4$　　$0.4 = \dfrac{4}{10}$

소수를 분수로 나타내기

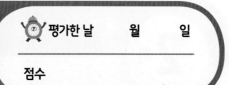
01 그림을 보고 크기가 같은 분수를 찾아 ☐ 안에 알맞은 수를 써넣으세요.

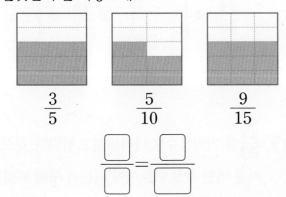

$\dfrac{3}{5}$ $\dfrac{5}{10}$ $\dfrac{9}{15}$

$\dfrac{\Box}{\Box} = \dfrac{\Box}{\Box}$

02~03 크기가 같은 분수가 되도록 ☐ 안에 알맞은 수를 써넣으세요.

02 $\dfrac{3}{4} = \dfrac{6}{\Box} = \dfrac{\Box}{12} = \dfrac{\Box}{16}$

03 $\dfrac{24}{42} = \dfrac{12}{\Box} = \dfrac{\Box}{14} = \dfrac{\Box}{7}$

04~05 크기가 같은 분수를 3개씩 만들어 보세요.

04 $\dfrac{5}{6}$ ➡ (   )

05 $\dfrac{36}{54}$ ➡ (   )

06 크기가 같은 두 분수를 찾아보세요.

$\dfrac{2}{4}$ $\dfrac{6}{8}$ $\dfrac{18}{24}$ $\dfrac{20}{36}$

(   )

07~08 크기가 같은 분수를 만든 것입니다. ㉠에 알맞은 수를 구해 보세요.

07 $\dfrac{㉠}{7} = \dfrac{40}{56}$ (   )

08 $\dfrac{28}{63} = \dfrac{4}{㉠}$ (   )

09 분모와 분자를 어떤 수로 나누어 $\dfrac{32}{72}$와 크기가 같은 분수를 만들려고 합니다. 분모와 분자를 공통으로 나눌 수 있는 수 중에서 1이 아닌 수를 모두 써 보세요.

(   )

10 $\dfrac{3}{8}$과 크기가 같은 분수 중에서 분모가 60보다 작은 분수는 모두 몇 개인지 구해 보세요.

(단, $\dfrac{3}{8}$은 포함하지 않습니다.)

(   )

01~02 분수를 약분하려고 합니다. ☐ 안에 알맞은 수를 써넣으세요.

01 $\dfrac{28}{36} = \dfrac{28 \div \boxed{}}{36 \div 4} = \dfrac{\boxed{}}{\boxed{}}$

02 $\dfrac{30}{48} \rightarrow \dfrac{30}{\underset{\boxed{}}{48}} = \dfrac{\boxed{}}{\boxed{}}$

03 $\dfrac{18}{45}$ 을 약분하려고 합니다. 분모와 분자를 나눌 수 있는 수를 모두 찾아 ○표 하세요.

| 2 | 3 | 6 | 9 |

04~05 분수를 약분하여 크기가 같은 분수를 각각 2개씩 구해 보세요.

04 $\dfrac{20}{32}$ → (   )

05 $\dfrac{48}{84}$ → (   )

06 분수를 약분하여 기약분수로 나타내어 보세요.

(1) $\dfrac{24}{30}$ → ☐   (2) $\dfrac{16}{72}$ → ☐

07 $\dfrac{45}{63}$ 를 기약분수로 나타내려고 합니다. 분모와 분자를 어떤 수로 나누어야 하는지 구해 보세요.

(   )

08 기약분수를 모두 찾아 써 보세요.

| $\dfrac{3}{10}$ | $\dfrac{9}{15}$ | $\dfrac{12}{32}$ | $\dfrac{17}{24}$ |

(   )

09 다음 분수를 약분하여 나타낼 수 있는 분수는 모두 몇 개인지 구해 보세요. (단, $\dfrac{60}{75}$ 은 제외합니다.)

$\dfrac{60}{75}$

(   )

10 분모와 분자의 합이 40이고, 차가 8인 진분수를 기약분수로 나타내어 보세요.

(   )

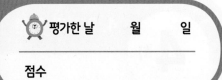
01~02 $\dfrac{3}{8}$과 $\dfrac{7}{10}$을 두 가지 방법으로 통분하려고 합니다. ☐ 안에 알맞은 수를 써넣으세요.

01 두 분모의 곱을 공통분모로 하여 통분해 보세요.

$$\left(\dfrac{3}{8},\ \dfrac{7}{10}\right) \rightarrow \left(\dfrac{3\times\boxed{}}{8\times\boxed{}},\ \dfrac{7\times\boxed{}}{10\times\boxed{}}\right)$$

$$\rightarrow \left(\dfrac{\boxed{}}{\boxed{}},\ \dfrac{\boxed{}}{\boxed{}}\right)$$

02 두 분모의 최소공배수를 공통분모로 하여 통분해 보세요.

$$\left(\dfrac{3}{8},\ \dfrac{7}{10}\right) \rightarrow \left(\dfrac{3\times\boxed{}}{8\times\boxed{}},\ \dfrac{7\times\boxed{}}{10\times\boxed{}}\right)$$

$$\rightarrow \left(\dfrac{\boxed{}}{\boxed{}},\ \dfrac{\boxed{}}{\boxed{}}\right)$$

03 두 분모의 곱을 공통분모로 하여 통분해 보세요.

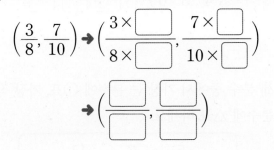 $\left(\dfrac{3}{4},\ \dfrac{2}{5}\right) \rightarrow$ ☐

04~05 두 분모의 최소공배수를 공통분모로 하여 통분해 보세요.

04 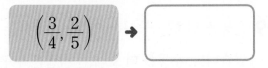 $\left(\dfrac{5}{6},\ \dfrac{5}{8}\right) \rightarrow$ ☐

05 $\left(\dfrac{7}{12},\ \dfrac{8}{15}\right) \rightarrow$ ☐

06 두 분수 $\dfrac{7}{12}$과 $\dfrac{11}{18}$을 통분하려고 합니다. 공통분모가 될 수 없는 것은 어느 것인가요? (   )
① 36   ② 72   ③ 90
④ 108   ⑤ 144

07 리본을 지우는 $\dfrac{11}{25}$ m, 민서는 $\dfrac{17}{30}$ m 가지고 있습니다. 두 사람이 가지고 있는 리본의 길이를 가장 작은 수를 공통분모로 하여 통분해 보세요.

(,   )

08 두 분수를 통분한 것입니다. ☐ 안에 알맞은 수를 써넣으세요.

$$\left(\dfrac{\boxed{}}{16},\ \dfrac{13}{\boxed{}}\right) \rightarrow \left(\dfrac{21}{48},\ \dfrac{26}{\boxed{}}\right)$$

09 어떤 두 기약분수를 통분하였더니 다음과 같이 되었습니다. 통분하기 전의 두 기약분수를 구해 보세요.

$$\left(\dfrac{80}{128},\ \dfrac{56}{128}\right) \rightarrow \left(\qquad , \qquad \right)$$

10 4장의 숫자 카드를 한 번씩만 사용하여 만들 수 있는 두 진분수 중에서 18을 공통분모로 하여 통분할 수 있는 진분수를 만들고, 통분해 보세요.

5   6   7   9

$$\left(\dfrac{\boxed{}}{\boxed{}},\ \dfrac{\boxed{}}{\boxed{}}\right) \rightarrow \left(\dfrac{\boxed{}}{18},\ \dfrac{\boxed{}}{18}\right)$$

01 분수만큼 색칠하고, 크기를 비교하여 ◯ 안에 >, =, <를 알맞게 써넣으세요.

$\dfrac{3}{5}$

$\dfrac{5}{8}$

$\dfrac{3}{5}$ ◯ $\dfrac{5}{8}$

02 ☐ 안에 알맞은 수를 써넣고, 두 분수의 크기를 비교하여 ◯ 안에 >, =, <를 알맞게 써넣으세요.

$\left(\dfrac{2}{7}, \dfrac{1}{3}\right)$ → $\left(\dfrac{\square}{21}, \dfrac{\square}{21}\right)$ → $\dfrac{2}{7}$ ◯ $\dfrac{1}{3}$

03 ☐ 안에 알맞은 분수 또는 소수를 써넣고, 두 분수의 크기를 비교해 보세요.

$0.7 = \boxed{}$ 0.7 ◯ $\dfrac{2}{5}$ $\dfrac{2}{5} = \boxed{}$

0.7 ◯ $\dfrac{2}{5}$ $\dfrac{2}{5} = \boxed{}$

04~05 크기를 비교하여 ◯ 안에 >, =, <를 알맞게 써넣으세요.

04 $1\dfrac{7}{9}$ ◯ $1\dfrac{13}{15}$

05 $\dfrac{11}{20}$ ◯ 0.5

06 세 분수의 크기를 비교하여 작은 수부터 차례로 써 보세요.

$\left(\dfrac{3}{4}, \dfrac{2}{3}, \dfrac{5}{6}\right)$ → ☐, ☐, ☐

07 세 분수 중에서 가장 큰 분수에 ◯표, 가장 작은 분수에 △표 하세요.

$\dfrac{5}{9}$ $\dfrac{7}{12}$ $\dfrac{11}{15}$

08 1부터 9까지의 자연수 중에서 ☐ 안에 들어갈 수 있는 가장 큰 수를 구해 보세요.

$\dfrac{9}{25} > 0.\square 4$

(   )

09 운동을 민호는 $\dfrac{3}{4}$시간, 연우는 0.8시간 동안 하였습니다. 운동을 더 오래 한 사람은 누구인지 구해 보세요.

(   )

10 4장의 숫자 카드 중에서 2장을 한 번씩만 사용하여 만들 수 있는 진분수 중에서 가장 큰 수를 구해 보세요.

2   4   5   9

(   )

평가한 날   월   일

점수

| 크기가 같은 분수 ⑴ |

01 분수만큼 색칠해 보고, 크기가 같은 분수를 찾아 ☐ 안에 알맞은 수를 써넣으세요.

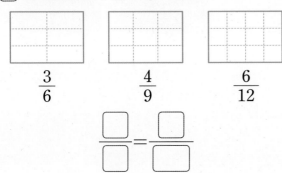

$\dfrac{3}{6}$ $\dfrac{4}{9}$ $\dfrac{6}{12}$

$$\dfrac{\boxed{}}{\boxed{}} = \dfrac{\boxed{}}{\boxed{}}$$

| 크기가 같은 분수 ⑵ |

02 크기가 같은 분수가 되도록 ☐ 안에 알맞은 수를 써넣으세요.

$$\dfrac{7}{9} = \dfrac{\boxed{}}{18} = \dfrac{28}{\boxed{}} = \dfrac{\boxed{}}{54}$$

| 분수를 간단하게 나타내기 |

03 희수는 다음과 같이 약분하였습니다. 잘못 계산한 부분에 ○표 하고, 바르게 약분해 보세요.

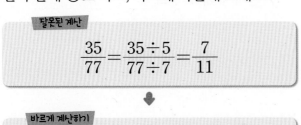

잘못된 계산

$$\dfrac{35}{77} = \dfrac{35 \div 5}{77 \div 7} = \dfrac{7}{11}$$

바르게 계산하기

| 분모가 같은 분수로 나타내기 |

04 $\dfrac{5}{8}$와 $\dfrac{11}{12}$을 두 가지 방법으로 통분해 보세요.

(1) 두 분모의 곱을 공통분모로 하여 통분하기

$$(\qquad , \qquad)$$

(2) 두 분모의 최소공배수를 공통분모로 하여 통분하기

$$(\qquad , \qquad)$$

| 분모가 다른 분수의 크기 비교 |

05 분수의 크기를 비교하여 ○ 안에 >, =, <를 알맞게 써넣으세요.

$$\dfrac{7}{18} \bigcirc \dfrac{13}{30}$$

| 크기가 같은 분수 ⑵ |

06 크기가 같은 분수를 찾아 선으로 이어 보세요.

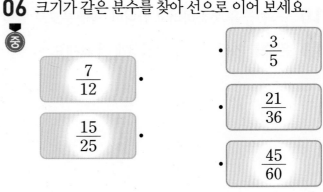

$\dfrac{7}{12}$ ·   · $\dfrac{3}{5}$

· $\dfrac{21}{36}$

$\dfrac{15}{25}$ ·   · $\dfrac{45}{60}$

| 분수를 간단하게 나타내기 |

07 $\dfrac{45}{60}$를 약분할 수 있는 수를 모두 구해 보세요.

(단, 1은 제외합니다.)

$$(\qquad\qquad)$$

| 분수를 간단하게 나타내기 |

08 $\dfrac{36}{48}$ 을 약분하여 나타낼 수 없는 분수는 어느 것

인가요? ·· (   )

① $\dfrac{3}{4}$ ② $\dfrac{6}{8}$ ③ $\dfrac{9}{12}$

④ $\dfrac{12}{18}$ ⑤ $\dfrac{18}{24}$

| 분수를 간단하게 나타내기 |

09 다음 중 기약분수는 어느 것인가요? ··· (   )

① $\dfrac{4}{10}$ ② $\dfrac{10}{16}$ ③ $\dfrac{9}{18}$

④ $\dfrac{12}{20}$ ⑤ $\dfrac{25}{42}$

| 분모가 같은 분수로 나타내기 |

10 $\dfrac{1}{6}$ 과 $\dfrac{3}{8}$ 을 통분하려고 합니다. 공통분모로 알맞

은 수를 가장 작은 것부터 3개 써 보세요.

(   )

| 분모가 다른 분수의 크기 비교 |

11 세 분수의 크기를 비교하여 큰 수부터 차례로 써

보세요.

$\dfrac{17}{24}$	$\dfrac{7}{16}$	$\dfrac{1}{2}$

(   )

| 분수와 소수의 크기 비교 |

12 분수와 소수의 크기를 비교하여 더 작은 수에 ○

표 하세요.

$1\dfrac{13}{20}$	1.7

(   )   (   )

| 분수와 소수의 크기 비교 |

13 다음 중 가장 작은 수를 찾아 기호를 써 보세요.

ㄱ $2\dfrac{1}{4}$ ㄴ 1.4   ㄷ $1\dfrac{4}{25}$

(   )

| 분모가 다른 분수의 크기 비교 |

14 주희의 가방은 $1\dfrac{7}{20}$ kg이고, 세영이의 가방은

$1\dfrac{11}{25}$ kg입니다. 가방이 더 가벼운 사람은 누구

인지 구해 보세요.

(   )

| 크기가 같은 분수 ⑵ |

15 $\dfrac{5}{9}$ 의 분모에 27을 더하여도 분수의 크기가 변하

지 않게 하려면 분자에 얼마를 더해야 하는지 구

해 보세요.

(   )

| 분수와 소수의 크기 비교 |

16 두 수의 크기를 비교하여 더 큰 수를 위의 빈칸에
써넣으세요.

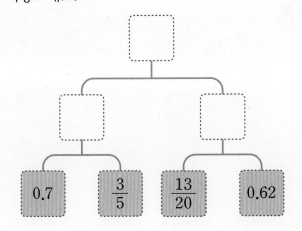

| 분수를 간단하게 나타내기 |　　　서술형

17 분모가 20인 진분수 중에서 기약분수는 모두 몇
개인지 풀이 과정을 쓰고, 답을 구해 보세요.

풀이

답 ....

| 분수와 소수의 크기 비교 |

18 0.28보다 크고 $\frac{3}{4}$ 보다 작은 소수 두 자리 수 중
에서 소수 둘째 자리 숫자가 7인 수는 모두 몇 개
인지 구해 보세요.

(　　　　　　　)

| 분모가 다른 분수의 크기 비교 |　　　서술형

19 ☐ 안에 들어갈 수 있는 자연수는 모두 몇 개인
지 풀이 과정을 쓰고, 답을 구해 보세요.

$$\frac{2}{9} < \frac{\square}{36} < \frac{5}{12}$$

풀이

답 ....

| 분수와 소수의 크기 비교 |　　　서술형

20 숫자 카드 중에서 2장을 한 번씩만 사용하여 만
들 수 있는 가장 작은 진분수와 나머지 카드를
☐에 놓아 만든 소수 중에서 더 큰 수는 얼마인
지 풀이 과정을 쓰고, 답을 구해 보세요.

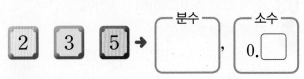

풀이

답 ....

| 크기가 같은 분수 (1), (2) |

01 크기가 같은 두 분수를 찾아 ○표 하세요.

$$\dfrac{5}{7} \qquad \dfrac{8}{14} \qquad \dfrac{12}{21}$$

(   )   (   )   (   )

| 크기가 같은 분수 (2) |

02 크기가 같은 분수를 분모가 작은 것부터 차례로 3개 써 보세요.

$$\dfrac{72}{90} \quad \rightarrow \quad (\qquad\qquad)$$

| 분모가 다른 분수의 크기 비교, 분수와 소수의 크기 비교 |

03 수의 크기를 비교하여 ○ 안에 >, =, <를 알 맞게 써넣으세요.

(1) $\dfrac{9}{16}$ ◯ $\dfrac{17}{24}$ (2) $\dfrac{17}{25}$ ◯ 0.65

| 분수를 간단하게 나타내기 |

04 $\dfrac{50}{75}$ 을 약분할 수 없는 수를 찾아 기호를 써 보세요.

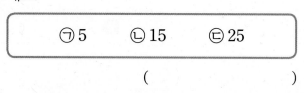

㉠ 5   ㉡ 15   ㉢ 25

(   )

| 분수를 간단하게 나타내기 |

05 약분한 분수를 찾아 선으로 이어 보세요.

$$\dfrac{24}{56} \cdot$$

$$\dfrac{36}{54} \cdot$$

$$\cdot \dfrac{6}{9}$$

$$\cdot \dfrac{8}{18}$$

$$\cdot \dfrac{3}{7}$$

| 크기가 같은 분수 (2) |

06 크기가 같은 분수끼리 짝 지어진 것은 어느 것인 가요? ······················ (   )

① $\left(\dfrac{2}{7}, \dfrac{6}{27}\right)$ ② $\left(\dfrac{20}{32}, \dfrac{5}{8}\right)$ ③ $\left(\dfrac{4}{5}, \dfrac{16}{25}\right)$

④ $\left(\dfrac{14}{27}, \dfrac{7}{9}\right)$ ⑤ $\left(\dfrac{9}{12}, \dfrac{18}{36}\right)$

| 분수를 간단하게 나타내기 |

07 기약분수는 모두 몇 개인지 구해 보세요.

$$\dfrac{8}{9} \qquad \dfrac{4}{12} \qquad \dfrac{5}{10} \qquad \dfrac{14}{21} \qquad \dfrac{18}{35}$$

(   )

| 분모가 같은 분수로 나타내기 |

08 두 분수를 분모의 최소공배수를 공통분모로 하여 통분할 때, 공통분모가 가장 작은 것은 어느 것인가요? ·························· (   )

① $\left(\dfrac{4}{7}, \dfrac{3}{8}\right)$ ② $\left(\dfrac{7}{9}, \dfrac{11}{12}\right)$ ③ $\left(\dfrac{7}{10}, \dfrac{4}{15}\right)$

④ $\left(\dfrac{9}{16}, \dfrac{7}{20}\right)$ ⑤ $\left(\dfrac{13}{18}, \dfrac{5}{24}\right)$

| 분모가 같은 분수로 나타내기 |

09 다음 중에서 통분한 것이 바르지 않은 것을 찾아 기호를 써 보세요.

㉠ $\left(\dfrac{5}{6}, \dfrac{3}{8}\right)$ ➡ $\left(\dfrac{20}{24}, \dfrac{9}{24}\right)$

㉡ $\left(\dfrac{8}{15}, \dfrac{11}{20}\right)$ ➡ $\left(\dfrac{24}{60}, \dfrac{44}{60}\right)$

㉢ $\left(\dfrac{11}{12}, \dfrac{7}{16}\right)$ ➡ $\left(\dfrac{44}{48}, \dfrac{21}{48}\right)$

(   )

| 분모가 다른 분수의 크기 비교 |

10 세 분수의 크기를 비교하여 큰 수부터 차례로 써 보세요.

| $\dfrac{13}{24}$ | $\dfrac{7}{16}$ | $\dfrac{5}{8}$ |

(   )

| 분수와 소수의 크기 비교 |

11 하루에 민수는 0.36 L의 우유를 마시고, 태호는 $\dfrac{3}{8}$ L의 우유를 마십니다. 하루에 마시는 우유의 양이 더 많은 사람은 누구인지 구해 보세요.

(   )

| 분수와 소수의 크기 비교 |

12 큰 수부터 차례로 기호를 써 보세요.

㉠ $2\dfrac{1}{4}$

㉡ 0.01이 235개인 수

㉢ $\dfrac{1}{5}$이 12개인 수

(   )

| 크기가 같은 분수 ⑵ | **서술형**

13 $\dfrac{5}{7}$와 크기가 같은 분수 중에서 분모와 분자의 차가 12인 분수는 얼마인지 풀이 과정을 쓰고, 답을 구해 보세요.

풀이

답

| 분모가 같은 분수로 나타내기 |

14 두 기약분수를 통분하였더니 다음과 같이 되었습니다. 통분하기 전의 두 기약분수를 구해 보세요.

$\left(\dfrac{100}{240}, \dfrac{125}{240}\right)$ ➡ $\left(\qquad , \qquad\right)$

| 분모가 같은 분수로 나타내기 |

15 $\frac{7}{15}$과 $\frac{5}{9}$를 통분할 때, 공통분모가 될 수 있는
수 중에서 100보다 작은 수를 모두 구해 보세요.

(　　　　　)

| 분모가 같은 분수로 나타내기 |

16 $\frac{3}{8}$보다 크고 $\frac{7}{12}$보다 작은 분수 중에서 분모가
24인 분수는 모두 몇 개인지 구해 보세요.

(　　　　　)

| 분수를 간단하게 나타내기 |

17 분모와 분자의 합이 48이고, 기약분수로 나타내
면 $\frac{3}{5}$이 되는 분수를 구해 보세요.

(　　　　　)

| 분모가 다른 분수의 크기 비교 |

18 숫자 카드 중에서 2장을 한 번씩만 사용하여 만
들 수 있는 진분수 중 $\frac{5}{7}$보다 작은 분수는 모두
몇 개인지 구해 보세요.

| 3 |　| 5 |　| 7 |　| 8 |

(　　　　　)

| 분수를 간단하게 나타내기 |　　　서술형

19 어떤 분수의 분자에 3을 더하고, 분모에서 3을
뺀 후, 3으로 약분하였더니 $\frac{13}{17}$이 되었습니다.
어떤 분수를 기약분수로 나타내면 얼마인지 풀
이 과정을 쓰고, 답을 구해 보세요.

풀이

답 _____

| 분수와 소수의 크기 비교 |　　　서술형

20 ☐ 안에 공통으로 들어갈 수 있는 소수 한 자리
수를 모두 구하려고 합니다. 풀이 과정을 쓰고,
답을 구해 보세요.

$3\frac{2}{5} < ☐$ 　　　 $☐ < 3\frac{13}{20}$

풀이

답 _____

Tip

❶ 하준이가 먹은 피자의 양을 분수로 나타내기

❷ 서현이는 몇 조각을 먹어야 하는지 구하기

01 같은 크기의 피자 두 판을 사 와서 하준이는 똑같이 6조각, 서현이는 똑같이 12조각으로 나누었습니다. 하준이가 4조각을 먹었다면 서현이는 몇 조각을 먹어야 같은 양을 먹게 되는지 풀이 과정을 쓰고, 답을 구해 보세요.

풀이

답 _____

Tip

❶ 숫자 카드로 만들 수 있는 진분수 구하기

❷ 진분수 중 기약분수 구하기

02 숫자 카드 중에서 2장을 한 번씩만 사용하여 만들 수 있는 진분수 중에서 기약분수는 모두 몇 개인지 풀이 과정을 쓰고, 답을 구해 보세요.

풀이

답 _____

연습 **서술형 평가**

Tip

❶ 분수의 크기 비교하기

❷ 가장 먼 길 구하기

03 수민이네 집에서 공원까지 가는 길을 나타낸 그림입니다. 가장 먼 길은 어느 길인지 풀이 과정을 쓰고, 답을 구해 보세요.

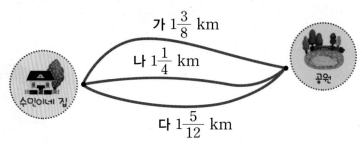

풀이

답

Tip

❶ 소수 둘째 자리 숫자를 ◯로 하여 소수로 나타내기

❷ 분수와 비교하여 설명하는 소수 구하기

04 우진이와 민서가 설명하는 소수는 얼마인지 풀이 과정을 쓰고, 답을 구해 보세요.

풀이

답

❶ 분모가 72인 분수로 통분하기
⌄
❷ 분수의 크기를 비교하여 분모가 72인 분수 구하기
⌄
❸ 기약분수 구하기

01 두 조건을 모두 만족하는 수는 얼마인지 풀이 과정을 쓰고, 답을 구해 보세요.

> · $\dfrac{5}{6}$보다 크고 $\dfrac{8}{9}$보다 작은 분수입니다.
> · 분모가 72인 기약분수입니다.

풀이

답 ....

❶ 조건에 맞는 두 진분수 구하기
⌄
❷ 더 큰 진분수 구하기

02 숫자 카드를 모두 한 번씩만 사용하여 36을 공통분모로 하여 만들 수 있는 두 진분수 중에서 더 큰 수는 얼마인지 풀이 과정을 쓰고, 답을 구해 보세요.

풀이

답 ....

Tip

❶ 유진이가 마신 우유의 양을 분수로 나타내기

❷ 가장 많이 마신 사람 구하기

03 우유를 하영, 은우, 유진 세 사람이 나누어 마셨습니다. 하영이는 전체의 $\frac{3}{10}$, 은우는 전체의 $\frac{2}{5}$를 마시고 나머지를 유진이가 마셨습니다. 우유를 가장 많이 마신 사람은 누구인지 구해 보세요.

풀이

답 ....

Tip

❶ 분모가 40인 분수로 통분하여 나타내기

❷ 분수의 크기를 비교하여 분모가 40인 분수가 모두 몇 개인지 구하기

04 ☐안에 들어갈 수 있는 분수 중에서 분모가 40인 분수는 모두 몇 개인지 풀이 과정을 쓰고, 답을 구해 보세요.

$$3\frac{17}{40} < \boxed{} < 3.575$$

풀이

답 ....

개념 1 　**분모가 다른 진분수의 덧셈 (1)**

예 $\dfrac{1}{4} + \dfrac{2}{3}$의 계산

분모가 다른 진분수의 덧셈은 통분하여 계산합니다.

$$\dfrac{1}{4} + \dfrac{2}{3} = \dfrac{1 \times 3}{4 \times 3} + \dfrac{2 \times 4}{3 \times 4} = \dfrac{3}{12} + \dfrac{8}{12} = \dfrac{11}{12}$$

개념 2 　**분모가 다른 진분수의 덧셈 (2)**

예 $\dfrac{2}{3} + \dfrac{3}{5}$의 계산

분모가 다른 진분수의 덧셈은 통분하여 계산합니다.

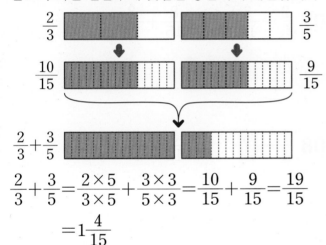

$$\dfrac{2}{3} + \dfrac{3}{5} = \dfrac{2 \times 5}{3 \times 5} + \dfrac{3 \times 3}{5 \times 3} = \dfrac{10}{15} + \dfrac{9}{15} = \dfrac{19}{15}$$
$$= 1\dfrac{4}{15}$$

개념 3 　**분모가 다른 대분수의 덧셈**

예 $1\dfrac{2}{3} + 1\dfrac{1}{2}$의 계산

방법1 통분하여 자연수는 자연수끼리, 분수는 분수끼리 더합니다.

$$1\dfrac{2}{3} + 1\dfrac{1}{2} = 1\dfrac{4}{6} + 1\dfrac{3}{6} = (1+1) + \left(\dfrac{4}{6} + \dfrac{3}{6}\right)$$
$$= 2 + \dfrac{7}{6} = 2 + 1\dfrac{1}{6} = 3\dfrac{1}{6}$$

방법2 대분수를 가분수로 나타낸 후 통분하여 더합니다.

$$1\dfrac{2}{3} + 1\dfrac{1}{2} = \dfrac{5}{3} + \dfrac{3}{2} = \dfrac{10}{6} + \dfrac{9}{6} = \dfrac{19}{6} = 3\dfrac{1}{6}$$

개념 4 　**분모가 다른 진분수의 뺄셈**

예 $\dfrac{3}{4} - \dfrac{1}{3}$의 계산

분모가 다른 진분수의 뺄셈은 통분하여 계산합니다.

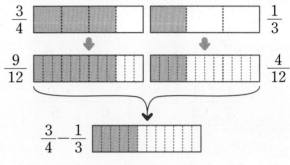

$$\dfrac{3}{4} - \dfrac{1}{3} = \dfrac{3 \times 3}{4 \times 3} - \dfrac{1 \times 4}{3 \times 4} = \dfrac{9}{12} - \dfrac{4}{12} = \dfrac{5}{12}$$

개념 5 　**분모가 다른 대분수의 뺄셈 (1)**

예 $3\dfrac{4}{5} - 1\dfrac{1}{3}$의 계산

방법1 통분하여 자연수는 자연수끼리, 분수는 분수끼리 뺍니다.

$$3\dfrac{4}{5} - 1\dfrac{1}{3} = 3\dfrac{12}{15} - 1\dfrac{5}{15} = (3-1) + \left(\dfrac{12}{15} - \dfrac{5}{15}\right)$$
$$= 2 + \dfrac{7}{15} = 2\dfrac{7}{15}$$

방법2 대분수를 가분수로 나타낸 후 통분하여 뺍니다.

$$3\dfrac{4}{5} - 1\dfrac{1}{3} = \dfrac{19}{5} - \dfrac{4}{3} = \dfrac{57}{15} - \dfrac{20}{15} = \dfrac{37}{15} = 2\dfrac{7}{15}$$

개념 6 　**분모가 다른 대분수의 뺄셈 (2)**

예 $3\dfrac{1}{6} - 1\dfrac{1}{4}$의 계산

방법1 통분하여 분수 부분끼리 뺄 수 없을 때에는 자연수 부분의 1만큼을 분수로 나타내어 뺍니다.

$$3\dfrac{1}{6} - 1\dfrac{1}{4} = 3\dfrac{2}{12} - 1\dfrac{3}{12} = 2\dfrac{14}{12} - 1\dfrac{3}{12}$$
$$= (2-1) + \left(\dfrac{14}{12} - \dfrac{3}{12}\right) = 1\dfrac{11}{12}$$

방법2 대분수를 가분수로 나타낸 후 통분하여 뺍니다.

$$3\dfrac{1}{6} - 1\dfrac{1}{4} = \dfrac{19}{6} - \dfrac{5}{4} = \dfrac{38}{12} - \dfrac{15}{12} = \dfrac{23}{12} = 1\dfrac{11}{12}$$

01 ☐안에 알맞은 수를 써넣으세요.

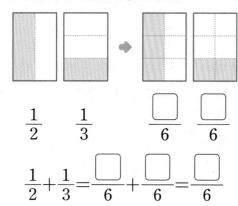

$\dfrac{1}{2}$ $\dfrac{1}{3}$ $\dfrac{\square}{6}$ $\dfrac{\square}{6}$

$\dfrac{1}{2}+\dfrac{1}{3}=\dfrac{\square}{6}+\dfrac{\square}{6}=\dfrac{\square}{6}$

02~03 $\dfrac{3}{4}+\dfrac{5}{6}$ 를 두 가지 방법으로 계산하려고 합니다. ☐안에 알맞은 수를 써넣으세요.

02 분모의 곱을 공통분모로 하여 통분한 후 계산해 보세요.

$\dfrac{3}{4}+\dfrac{5}{6}=\dfrac{\square}{24}+\dfrac{\square}{24}=\dfrac{\square}{24}$

$=\dfrac{\square}{12}=\square$

03 분모의 최소공배수를 공통분모로 하여 통분한 후 계산해 보세요.

$\dfrac{3}{4}+\dfrac{5}{6}=\dfrac{\square}{\square}+\dfrac{\square}{\square}=\dfrac{\square}{\square}=\square$

04~05 계산해 보세요.

04 $\dfrac{2}{7}+\dfrac{1}{4}$

05 $\dfrac{5}{8}+\dfrac{7}{12}$

06 빈 곳에 알맞은 수를 써넣으세요.

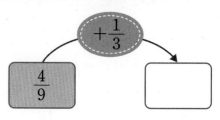

07~08 계산 결과의 크기를 비교하여 ◯ 안에 >, =, <를 알맞게 써넣으세요.

07 $\dfrac{2}{5}+\dfrac{3}{10}$ ◯ $\dfrac{8}{15}+\dfrac{3}{20}$

08 $\dfrac{1}{4}+\dfrac{17}{18}$ ◯ $\dfrac{5}{12}+\dfrac{8}{9}$

09 $\dfrac{1}{6}$ kg인 상자에 $\dfrac{7}{9}$ kg인 고구마를 담았습니다. 고구마를 담은 상자의 무게는 모두 몇 kg인지 구해 보세요.

(   )

10 숫자 카드 중에서 2장을 한 번씩 사용하여 만들 수 있는 진분수 중에서 가장 큰 수와 가장 작은 수의 합을 구해 보세요.

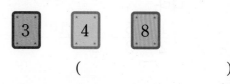

(   )

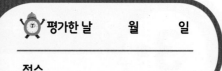
01~02 $1\frac{3}{4}+1\frac{2}{5}$ 를 두 가지 방법으로 계산해 보세요.

01 자연수는 자연수끼리, 분수는 분수끼리 계산해 보세요.

$$1\frac{3}{4}+1\frac{2}{5}=$$

02 대분수를 가분수로 나타낸 후 계산해 보세요.

$$1\frac{3}{4}+1\frac{2}{5}=$$

03~04 계산해 보세요.

03 $2\frac{1}{3}+1\frac{2}{7}$

04 $1\frac{4}{9}+2\frac{5}{6}$

05 빈 곳에 두 분수의 합을 써넣으세요.

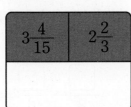

$3\frac{4}{15}$	$2\frac{2}{3}$

06 두 색 테이프의 길이의 합은 몇 m인지 구해 보세요.

$1\frac{3}{7}$ m

$2\frac{1}{4}$ m

(   )

07 다음이 나타내는 수를 구해 보세요.

$2\frac{9}{16}$ 보다 $1\frac{5}{8}$ 만큼 더 큰 수

(   )

08 ☐ 안에 알맞은 수를 써넣으세요.

$$\boxed{}-1\frac{7}{20}=3\frac{11}{15}$$

09 어떤 수에서 $5\frac{1}{6}$ 을 뺐더니 $2\frac{4}{5}$ 가 되었습니다. 어떤 수를 구해 보세요.

(   )

10 냉장고에 우유는 $1\frac{7}{8}$ L 있고, 주스는 우유보다 $\frac{1}{4}$ L 더 많이 있습니다. 냉장고에 있는 우유와 주스는 모두 몇 L인지 구해 보세요.

(   )

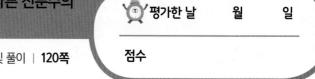
01 분수만큼 색칠하고, ☐ 안에 알맞은 수를 써넣으세요.

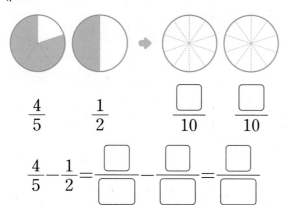

$$\frac{4}{5} \quad \frac{1}{2} \quad \frac{\square}{10} \quad \frac{\square}{10}$$

$$\frac{4}{5} - \frac{1}{2} = \frac{\square}{\square} - \frac{\square}{\square} = \frac{\square}{\square}$$

02~03 $\frac{7}{8} - \frac{3}{10}$ 을 두 가지 방법으로 계산하려고 합니다. ☐ 안에 알맞은 수를 써넣으세요.

02 분모의 곱을 공통분모로 하여 통분한 후 계산해 보세요.

$$\frac{7}{8} - \frac{3}{10} = \frac{\square}{80} - \frac{\square}{80} = \frac{\square}{80}$$
$$= \frac{\square}{40}$$

03 분모의 최소공배수를 공통분모로 하여 통분한 후 계산해 보세요.

$$\frac{7}{8} - \frac{3}{10} = \frac{\square}{40} - \frac{\square}{40} = \frac{\square}{40}$$

04~05 계산해 보세요.

04 $\frac{2}{3} - \frac{1}{4}$

05 $\frac{7}{9} - \frac{5}{12}$

06 빈 곳에 알맞은 수를 써넣으세요.

$$\boxed{\frac{11}{15}} \rightarrow \boxed{-\frac{2}{5}} \rightarrow \boxed{}$$

07 ☐ 안에 알맞은 수를 써넣으세요.

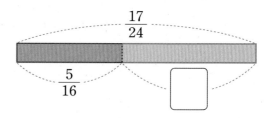

$$\frac{17}{24}$$
$$\frac{5}{16} \quad \boxed{}$$

08 세 분수 중에서 가장 큰 수와 가장 작은 수의 차를 구해 보세요.

$$\frac{11}{20} \qquad \frac{3}{5} \qquad \frac{3}{4}$$

(　　　　　　　　)

09 책상의 높이는 $\frac{11}{12}$ m이고 의자의 높이는 $\frac{2}{3}$ m 입니다. 책상의 높이는 의자의 높이보다 몇 m 더 높은지 구해 보세요.

(　　　　　　　　)

10 ☐ 안에는 1부터 7까지의 자연수 중 서로 다른 수가 들어갑니다. ☐ 안에 알맞은 자연수를 써넣으세요.

$$\frac{\square}{8} - \frac{\square}{6} = \frac{13}{24}$$

01~02 $2\frac{4}{5}-1\frac{1}{3}$을 두 가지 방법으로 계산해 보세요.

01 통분하여 자연수는 자연수끼리, 분수는 분수끼리 계산해 보세요.

$$2\frac{4}{5}-1\frac{1}{3}=$$

02 대분수를 가분수로 나타낸 후 통분하여 계산해 보세요.

$$2\frac{4}{5}-1\frac{1}{3}=$$

03~04 계산해 보세요.

03 $3\frac{5}{6}-1\frac{1}{4}$

04 $4\frac{2}{7}-2\frac{2}{5}$

05 두 분수의 차를 구해 보세요.

$$6\frac{4}{9} \qquad 2\frac{5}{6}$$

(   )

06 다음이 나타내는 수를 구해 보세요.

$4\frac{11}{15}$보다 $1\frac{2}{9}$만큼 더 작은 수

(   )

07 나 색 테이프의 길이는 몇 m인지 구해 보세요.

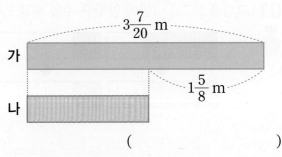

가 $3\frac{7}{20}$ m

나 $1\frac{5}{8}$ m

(   )

08 빈 곳에 알맞은 수를 써넣으세요.

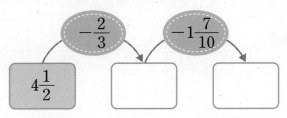

$-\frac{2}{3}$ $-1\frac{7}{10}$

$4\frac{1}{2}$

09 수박이 들어 있는 상자의 무게는 $8\frac{5}{21}$ kg입니다. 빈 상자의 무게가 $1\frac{9}{14}$ kg이라면 수박의 무게는 몇 kg인지 구해 보세요.

(   )

10 ☐ 안에 들어갈 수 있는 자연수는 모두 몇 개인지 구해 보세요.

$$4\frac{2}{9}-1\frac{11}{12}>2\frac{\square}{36}$$

(   )

| 분모가 다른 진분수의 뺄셈 |

01 그림을 보고 ☐ 안에 알맞은 수를 써넣으세요.

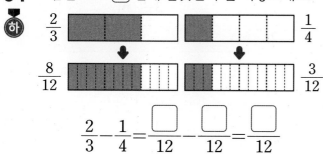

$$\frac{2}{3} - \frac{1}{4} = \frac{\Box}{12} - \frac{\Box}{12} = \frac{\Box}{12}$$

| 분모가 다른 진분수의 덧셈 (2), 분모가 다른 대분수의 뺄셈 (2) |

02 ☐ 안에 알맞은 수를 써넣으세요.

(1) $\dfrac{9}{14} + \dfrac{10}{21} = \dfrac{\Box}{42} + \dfrac{\Box}{42} = \dfrac{\Box}{42}$

$= \boxed{}$

(2) $4\dfrac{2}{9} - 1\dfrac{5}{6} = 4\dfrac{\Box}{18} - 1\dfrac{\Box}{18}$

$= \boxed{}\dfrac{\Box}{18} - 1\dfrac{\Box}{18}$

$= \boxed{}\dfrac{\Box}{18}$

| 분모가 다른 진분수의 뺄셈, 분모가 다른 대분수의 덧셈 |

03 계산해 보세요.

(1) $\dfrac{13}{15} - \dfrac{7}{10}$

(2) $1\dfrac{5}{12} + 2\dfrac{11}{18}$

| 분모가 다른 진분수의 덧셈 (2) |

04 빈 곳에 두 분수의 합을 써넣으세요.

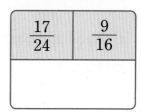

| 분모가 다른 대분수의 뺄셈 (2) |

05 두 분수의 차를 구해 보세요.

$$2\dfrac{7}{12} \qquad 5\dfrac{4}{15}$$

(   )

| 분모가 다른 대분수의 덧셈 |

06 빈 곳에 알맞은 수를 써넣으세요.

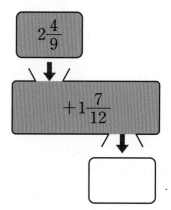

| 분모가 다른 진분수의 뺄셈 |

07 다음이 나타내는 수를 구해 보세요.

$$\frac{19}{27}\text{보다 } \frac{5}{18}\text{만큼 더 작은 수}$$

(   )

| 분모가 다른 진분수의 덧셈 (2) |

08 $\dfrac{5}{8}+\dfrac{17}{20}$ 의 계산에서 틀린 부분을 찾아 바르게
계산해 보세요.

$$\dfrac{5}{8}+\dfrac{17}{20}=\dfrac{17}{20}+\dfrac{17}{20}=\dfrac{34}{20}=1\dfrac{14}{20}=1\dfrac{7}{10}$$

$$\dfrac{5}{8}+\dfrac{17}{20}=\underline{\hspace{4cm}}$$

| 분모가 다른 대분수의 뺄셈 (2) |

09 빈 곳에 알맞은 수를 써넣으세요.

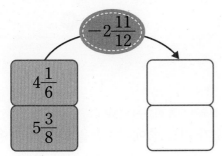

| 분모가 다른 진분수의 덧셈 |

10 ☐ 안에 알맞은 수를 써넣으세요.

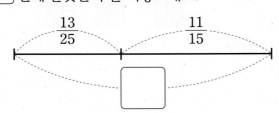

| 분모가 다른 대분수의 뺄셈 |

11 가장 큰 분수와 가장 작은 분수의 차는 얼마인지
구해 보세요.

$$1\dfrac{3}{4} \quad 2\dfrac{5}{8} \quad 1\dfrac{7}{9} \quad 3\dfrac{2}{11} \quad 3\dfrac{9}{14}$$

(　　　　　)

| 분모가 다른 진분수의 뺄셈 |

12 계산 결과의 크기를 비교하여 ◯ 안에 >, =,
<를 알맞게 써넣으세요.

$$\dfrac{8}{9}-\dfrac{2}{3} \bigcirc \dfrac{11}{12}-\dfrac{5}{9}$$

| 분모가 다른 대분수의 덧셈, 분모가 다른 대분수의 뺄셈 (2) |

13 계산 결과를 찾아 선으로 이어 보세요.

$$1\dfrac{5}{16}+1\dfrac{7}{12}\qquad 4\dfrac{7}{18}-1\dfrac{3}{4}$$

$$2\dfrac{17}{24}\qquad 2\dfrac{23}{36}\qquad 2\dfrac{43}{48}$$

| 분모가 다른 대분수의 뺄셈 (2) |

14 ☐ 안에 알맞은 수를 써넣으세요.

$$\boxed{}+2\dfrac{9}{16}=4\dfrac{13}{24}$$

| 분모가 다른 진분수의 뺄셈 |

15 ☐ 안에 들어갈 수 있는 자연수는 모두 몇 개인
지 구해 보세요.

$$\dfrac{17}{25}-\dfrac{8}{20}>\dfrac{\boxed{}}{25}$$

(　　　　　)

| 분모가 다른 진분수의 뺄셈 |

16 어떤 수에 $\frac{9}{14}$ 를 더하였더니 $\frac{31}{35}$ 이 되었습니다. 어떤 수에서 $\frac{1}{7}$ 을 뺀 수는 얼마인지 구해 보세요.

(   )

| 분모가 다른 대분수의 덧셈, 분모가 다른 대분수의 뺄셈 ⑵ | 서술형

17 윤수는 감자를 $5\frac{1}{4}$ kg 캤고, 동생은 윤수보다 중 $1\frac{3}{5}$ kg 더 적게 캤습니다. 윤수와 동생이 캔 감자는 모두 몇 kg인지 풀이 과정을 쓰고, 답을 구해 보세요.

풀이

답

| 분모가 다른 대분수의 덧셈 |

18 주원이네 가족이 집에서 출발하여 바닷가까지 상 가는 데 버스를 $1\frac{3}{4}$ 시간 동안 타고, 기차를 2시간 10분 동안 탔습니다. 주원이네 가족이 버스와 기차를 탄 시간은 모두 몇 시간 몇 분인지 구해 보세요.

(   )

| 분모가 다른 대분수의 덧셈 | 서술형

19 다음 두 분수의 합과 가장 가까운 자연수는 얼마 상 인지 풀이 과정을 쓰고, 답을 구해 보세요.

$$3\frac{7}{8} \qquad 3\frac{5}{6}$$

풀이

답

| 분모가 다른 진분수의 뺄셈 | 서술형

20 숫자 카드 중에서 2장을 한 번씩 사용하여 만들 상 수 있는 진분수 중에서 가장 큰 수와 가장 작은 수의 차는 얼마인지 풀이 과정을 쓰고, 답을 구해 보세요.

풀이

답

| 분모가 다른 진분수의 덧셈 (1), 분모가 다른 진분수의 뺄셈 |

01 두 수의 합과 차를 각각 구해 보세요.

$$\frac{1}{5} \quad \frac{5}{8}$$

합: ☐ , 차: ☐

| 분모가 다른 대분수의 뺄셈 (2) |

02 보기 와 같은 방법으로 계산해 보세요.

> 보기
> $$3\frac{1}{6} - 1\frac{3}{4} = 3\frac{2}{12} - 1\frac{9}{12} = 2\frac{14}{12} - 1\frac{9}{12}$$
> $$= 1\frac{5}{12}$$

$$5\frac{7}{12} - 2\frac{13}{18} =$$

| 분모가 다른 진분수의 뺄셈 |

03 빈 곳에 두 수의 차를 써넣으세요.

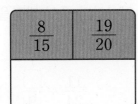

| 분모가 다른 진분수의 덧셈 (2) |

04 ㉮와 ㉯의 합을 구해 보세요.

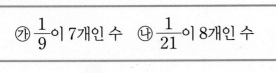
㉮ $\frac{1}{9}$이 7개인 수   ㉯ $\frac{1}{21}$이 8개인 수

(   )

| 분모가 다른 진분수의 덧셈 (2) |

05 계산 결과를 찾아 선으로 이어 보세요.

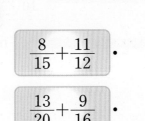

$$\frac{8}{15} + \frac{11}{12} \cdot$$

$$\frac{13}{20} + \frac{9}{16} \cdot$$

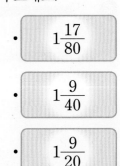

$\cdot \quad 1\frac{17}{80}$

$\cdot \quad 1\frac{9}{40}$

$1\frac{9}{20}$

| 분모가 다른 대분수의 덧셈, 분모가 다른 대분수의 뺄셈 (2) |

06 두 계산 결과를 비교하여 ◯ 안에 >, =, <를 알맞게 써넣으세요.

$$6\frac{2}{7} - 1\frac{2}{3} \quad ◯ \quad 1\frac{3}{8} + 2\frac{3}{4}$$

| 분모가 다른 대분수의 덧셈, 분모가 다른 대분수의 뺄셈 (2) |

07 빈 곳에 알맞은 수를 써넣으세요.
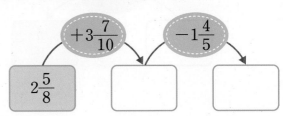

| 분모가 다른 대분수의 덧셈, 분모가 다른 대분수의 뺄셈 (2) |

08 두 계산 결과의 차를 구해 보세요.

$$3\frac{3}{14} - 1\frac{8}{21} \qquad 1\frac{5}{7} + 3\frac{2}{3}$$

(   )

| 분모가 다른 진분수의 덧셈 (2) |

09 두 끈의 길이의 합은 몇 m인지 구해 보세요.

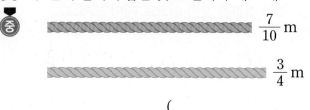

$\frac{7}{10}$ m

$\frac{3}{4}$ m

( )

| 분모가 다른 진분수의 덧셈 (1), (2) |

10 계산 결과가 1보다 작은 것을 찾아 기호를 써 보세요.

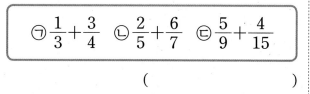

㉠ $\frac{1}{3} + \frac{3}{4}$ ㉡ $\frac{2}{5} + \frac{6}{7}$ ㉢ $\frac{5}{9} + \frac{4}{15}$

( )

| 분모가 다른 대분수의 덧셈 |

11 빈 곳에 알맞은 수를 써넣으세요.

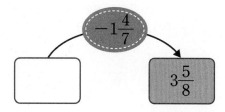

$-1\frac{4}{7}$

$3\frac{5}{8}$

| 분모가 다른 대분수의 뺄셈 (2) |

12 두 분수의 차가 가장 크게 되도록 ☐ 안에 알맞은 수를 써넣고 계산해 보세요.

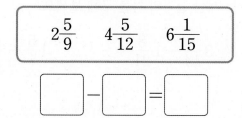

$2\frac{5}{9}$ $4\frac{5}{12}$ $6\frac{1}{15}$

☐ − ☐ = ☐

| 분모가 다른 진분수의 뺄셈 |

13 부침개를 만드는 데 사용한 밀가루의 양을 나타낸 것입니다. 밀가루를 가장 많이 사용한 사람은 가장 적게 사용한 사람보다 몇 kg 더 많이 사용했는지 구해 보세요.

이름	하진	유정	민성
밀가루 양	$\frac{5}{6}$ kg	$\frac{1}{2}$ kg	$\frac{7}{8}$ kg

( )

| 분모가 다른 진분수의 뺄셈 |

14 다음에서 ㉡에 알맞은 수를 구해 보세요.

$\frac{2}{3} + ㉠ = \frac{7}{8}$, $\frac{11}{12} - ㉠ = ㉡$

( )

| 분모가 다른 진분수의 덧셈 (2) | 서술형

15 ☐ 안에 들어갈 수 있는 자연수 중에서 가장 작은 수는 얼마인지 풀이 과정을 쓰고, 답을 구해 보세요.

$\frac{11}{24} + \frac{☐}{9} > 1$

풀이

답

| 분모가 다른 진분수의 덧셈 (1) |

16 $\dfrac{9}{20}$ 를 서로 다른 두 단위분수의 합으로 나타내려고 합니다. ☐ 안에 알맞은 수를 써넣으세요.

$$\dfrac{9}{20} = \dfrac{1}{\boxed{}} + \dfrac{1}{\boxed{}}$$

| 분모가 다른 진분수의 뺄셈 |

17 승우와 지희가 주사위 2개를 각각 던져서 나온 눈의 수로 진분수를 만들었습니다. 두 사람이 만든 분수를 빈칸에 써넣고, 그 차를 구해 보세요.

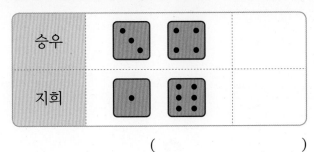

| 승우 | | |
| 지희 | | |

(   )

| 분모가 다른 대분수의 덧셈 | 서술형

18 수민이와 재영이가 카드 놀이를 하고 있습니다. 두 사람은 각각 합이 가장 크게 되는 두 분수를 골라 더했습니다. 합이 더 큰 사람은 누구인지 풀이 과정을 쓰고, 답을 구해 보세요.

수민			재영		
$\dfrac{4}{5}$	$3\dfrac{2}{3}$	$\dfrac{1}{2}$	$\dfrac{8}{9}$	$2\dfrac{4}{7}$	$1\dfrac{1}{3}$

풀이

답 ....

| 분모가 다른 대분수의 뺄셈 (2) |

19 저울에 딸기가 올려져 있습니다. 무게가 같아지려면 가와 나 중 어느 쪽 저울에 딸기를 몇 kg 더 올려야 하는지 구해 보세요.

(단, 딸기는 한 쪽에만 올립니다.)

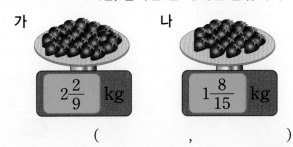

가 $2\dfrac{2}{9}$ kg   나 $1\dfrac{8}{15}$ kg

(,   )

| 분모가 다른 대분수의 덧셈, 분모가 다른 대분수의 뺄셈 (2) | 서술형

20 정류장에서 박물관까지 갈 때, 동물원을 지나가는 길과 식물원을 지나가는 길 중에서 어느 곳을 지나가는 것이 몇 km 더 가까운지 풀이 과정을 쓰고, 답을 구해 보세요.

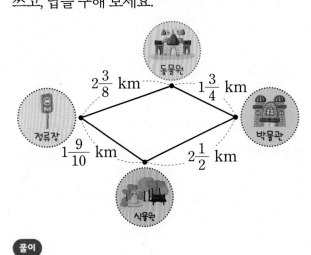

동물원 $2\dfrac{3}{8}$ km $1\dfrac{3}{4}$ km   박물관

정류장 $1\dfrac{9}{10}$ km $2\dfrac{1}{2}$ km   식물원

풀이

답 .... , ...

● 경민이와 서진이가 산 책의 무게의 합 각각 구하기

● 더 무거운 책을 산 사람은 누구인지 구하기

01 무게가 다음과 같은 책이 한 권씩 있습니다. 경민이는 동화책과 사전을, 서진이는 과학책과 문제집을 각각 한 권씩 샀습니다. 누가 산 책의 무게가 더 무거운지 풀이 과정을 쓰고, 답을 구해 보세요.

동화책: $\dfrac{7}{9}$ kg, 과학책: $\dfrac{11}{12}$ kg, 사전: $\dfrac{8}{15}$ kg, 문제집: $\dfrac{5}{8}$ kg

풀이

답

● 분수의 뺄셈 계산하기

● □ 안에 들어갈 수 있는 자연수의 개수 구하기

02 □ 안에 들어갈 수 있는 자연수는 모두 몇 개인지 풀이 과정을 쓰고, 답을 구해 보세요.

$$\dfrac{\square}{18} < \dfrac{5}{6} - \dfrac{2}{3}$$

풀이

답

Tip

❶ 어떤 수 구하기

❷ 바르게 계산한 값 구하기

03 어떤 수에 $3\frac{9}{14}$를 더해야 할 것을 잘못하여 뺐더니 $2\frac{6}{7}$이 되었습니다. 바르게 계산하면 얼마인지 풀이 과정을 쓰고, 답을 구해 보세요.

풀이

답 _____

Tip

❶ 만들 수 있는 대분수 중 가장 큰 수와 두 번째로 작은 수 만들기

❷ 만든 두 분수의 차 구하기

04 숫자 카드 중 3장을 한 번씩만 사용하여 만들 수 있는 대분수 중에서 가장 큰 수와 두 번째로 작은 수의 차는 얼마인지 풀이 과정을 쓰고, 답을 구해 보세요.

3   5   6   9

풀이

답 _____

❶ 영우와 혜진이가 마신 사과주스의 양의 합 구하기
❷ 남은 사과주스의 양 구하기

01 사과주스가 2 L 있습니다. 영우는 $\frac{3}{10}$ L를 마셨고, 혜진이는 영우보다 $\frac{7}{20}$ L를 더 많이 마셨습니다. 남은 사과주스는 몇 L인지 풀이 과정을 쓰고, 답을 구해 보세요.

답 ....

❶ 노란색, 보라색, 하늘색을 칠한 부분은 전체의 얼마인지 구하기
❷ 연두색을 칠한 부분은 전체의 얼마인지 구하기

02 벽화를 그리기 위해 다음과 같이 나누어서 색칠하였습니다. 전체를 1이라고 할 때, 각 부분이 얼마만큼 차지하는지 나타낸 것입니다. 연두색을 칠한 부분은 전체의 얼마인지 풀이 과정을 쓰고, 답을 구해 보세요.

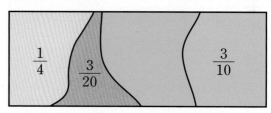

풀이

답 ....

정답 및 풀이 | 124쪽

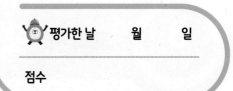

평가한 날   월   일

점수

Tip

❶ 시간을 분수로 나타내기

❷ 집에서 출발하여 공원에 갔다 가 집으로 돌아올 때까지 걸린 시간 구하기

03 세영이네 가족은 집에서 출발하여 15분만에 공원에 도착해서 $1\frac{5}{12}$시간 동안 산책을 한 뒤 20분만에 집에 돌아왔습니다. 세영이네 가족 이 집에서 출발하여 공원에 갔다가 집으로 돌 아올 때까지 걸린 시간은 모두 몇 시간인지 풀 이 과정을 쓰고, 답을 구해 보세요.

풀이

답

Tip

❶ 리본 4장의 길이의 합 구하기

❷ 이어 붙인 리본의 전체 길이 구 하기

04 소영이는 길이가 $2\frac{7}{16}$ m인 리본 4장을 $\frac{1}{8}$ m씩 겹치게 이어 붙였습니 다. 이어 붙인 리본의 전체 길이는 몇 m인지 풀이 과정을 쓰고, 답을 구 해 보세요.

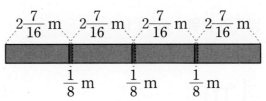

$2\frac{7}{16}$ m $2\frac{7}{16}$ m $2\frac{7}{16}$ m $2\frac{7}{16}$ m

$\frac{1}{8}$ m $\frac{1}{8}$ m $\frac{1}{8}$ m

풀이

답

교과서 핵심 개념

개념 ① 다각형의 둘레

· (직사각형의 둘레)=(가로+세로)×2
· (평행사변형의 둘레)
  =(한 변의 길이+다른 한 변의 길이)×2
· (정사각형의 둘레)=(한 변의 길이)×4
· (마름모의 둘레)=(한 변의 길이)×4

개념 ② 넓이의 단위 1 cm²

· 1 cm²: 한 변의 길이가 1 cm인
  정사각형의 넓이

✏️ 쓰기 $1\,cm^2$

🔊 읽기 1 제곱센티미터

개념 ③ 직사각형의 넓이

· (직사각형의 넓이)=(가로)×(세로)
· (정사각형의 넓이)
  =(한 변의 길이)×(한 변의 길이)

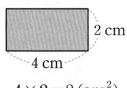

$4×2=8\,(cm^2)$ | $3×3=9\,(cm^2)$

개념 ④ 넓이의 단위 1 m², 1 km²

· 1 m²: 한 변의 길이가 1 m인 정사각형의 넓이

✏️ 쓰기 $1\,m^2$

🔊 읽기 1 제곱미터
  $1\,m^2=10000\,cm^2$

· 1 km²: 한 변의 길이가 1 km인 정사각형의 넓이

✏️ 쓰기 $1\,km^2$

🔊 읽기 1 제곱킬로미터
  $1\,km^2=1000000\,m^2$

개념 ⑤ 평행사변형의 넓이

(평행사변형의 넓이)=(밑변의 길이)×(높이)

예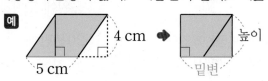

(평행사변형의 넓이)=$5×4=20\,(cm^2)$

개념 ⑥ 삼각형의 넓이

(삼각형의 넓이)=(밑변의 길이)×(높이)÷2

예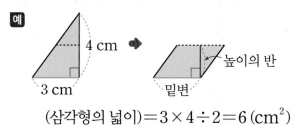

(삼각형의 넓이)=$3×4÷2=6\,(cm^2)$

개념 ⑦ 마름모의 넓이

(마름모의 넓이)
  =(한 대각선의 길이)×(다른 대각선의 길이)÷2

예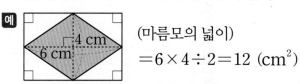

(마름모의 넓이)
  =$6×4÷2=12\,(cm^2)$

개념 ⑧ 사다리꼴의 넓이

(사다리꼴의 넓이)
  =(윗변의 길이+아랫변의 길이)×(높이)÷2

예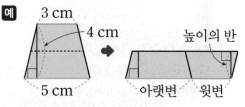

(사다리꼴의 넓이)=$(3+5)×4÷2=16\,(cm^2)$

01 직사각형의 둘레를 구해 보세요.

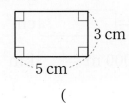

3 cm
5 cm

(   )

02 정사각형의 둘레를 구해 보세요.

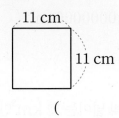

11 cm
11 cm

(   )

03 평행사변형의 둘레를 구해 보세요.

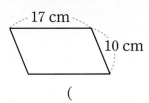

17 cm
10 cm

(   )

04 마름모의 둘레를 구해 보세요.

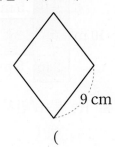

9 cm

(   )

05 한 변의 길이가 4 cm인 정칠각형의 둘레는 몇 cm인지 구해 보세요.

(   )

06 도형의 넓이를 구해 보세요.

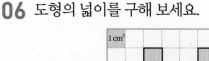

1 cm²

(   )

07 가로가 10 cm, 세로가 7 cm인 직사각형의 둘레는 몇 cm인지 구해 보세요.

(   )

08 둘레가 더 긴 도형의 기호를 써 보세요.

㉠ 평행사변형   ㉡ 마름모

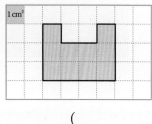

6 cm
10 cm
13 cm

(   )

09 둘레가 30 cm인 정오각형의 한 변의 길이는 몇 cm인지 구해 보세요.

(   )

10 평행사변형의 둘레가 24 cm일 때 변 ㄷㄹ의 길이는 몇 cm인지 구해 보세요.

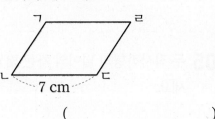

ㄱ   ㄹ
ㄴ 7 cm ㄷ

(   )

01 직사각형의 넓이는 몇 cm^2인지 구해 보세요.

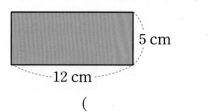

(   )

02 정사각형의 넓이는 몇 cm^2인지 구해 보세요.

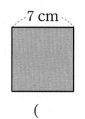

(   )

03 지훈이는 가로가 11 cm, 세로가 8 cm인 직사각형을 그렸습니다. 지훈이가 그린 직사각형의 넓이는 몇 cm^2인지 구해 보세요.

(   )

04~05 두 도형의 넓이의 차를 구하려고 합니다. 물음에 답해 보세요.

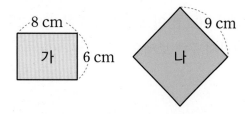

04 직사각형 가와 정사각형 나의 넓이는 몇 cm^2인지 구해 보세요.

가 (   ), 나 (   )

05 두 직사각형의 넓이의 차는 몇 cm^2인지 구해 보세요.

(   )

06 ☐ 안에 알맞은 수를 써넣으세요.

(1) $2 m^2 = $ ☐ cm^2

(2) $7000000 m^2 = $ ☐ km^2

07 넓이를 비교하여 ○ 안에 >, =, <를 알맞게 써넣으세요.

$$10000000 m^2 \bigcirc 8 km^2$$

08 직사각형의 넓이는 몇 km^2인지 구해 보세요.

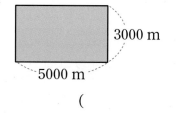

(   )

09~10 색칠한 부분의 넓이를 구하려고 합니다. 물음에 답해 보세요.

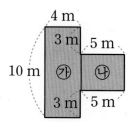

09 ㉮와 ㉯의 넓이는 몇 m^2인지 구해 보세요.

㉮ (   )

㉯ (   )

10 색칠한 부분의 넓이는 몇 m^2인지 구해 보세요.

(   )

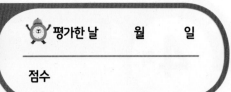
01 를 이용하여 평행사변형의 넓이를 구해 보세요.

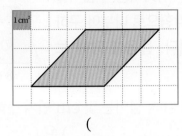

(   )

02 평행사변형의 넓이를 구해 보세요.

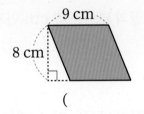

(   )

03 도현이는 밑변의 길이가 4 cm, 높이가 8 cm인 평행사변형 모양의 과자를 만들었습니다. 도현이가 만든 과자의 넓이는 몇 cm²인지 구해 보세요.

(   )

04 넓이가 다른 도형을 찾아 기호를 써 보세요.

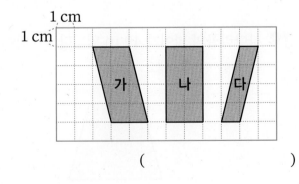

(   )

05 평행사변형의 넓이가 72 cm²입니다. ☐ 안에 알맞은 수를 써넣으세요.

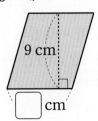

06 삼각형의 넓이를 구하려고 합니다. ☐ 안에 알맞은 수를 써넣으세요.

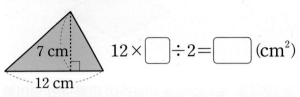

$12 \times \boxed{} \div 2 = \boxed{}$ (cm²)

07 삼각형의 넓이는 몇 cm²인지 구해 보세요.

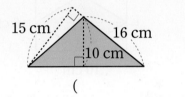

(   )

08 삼각형의 넓이는 몇 m²인지 구해 보세요.

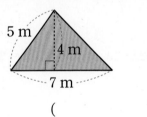

(   )

09 가와 넓이가 같은 삼각형을 찾아 기호를 써 보세요.

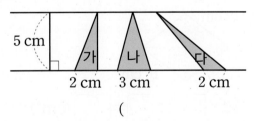

(   )

10 삼각형의 넓이가 81 cm²입니다. ☐ 안에 알맞은 수를 써넣으세요.

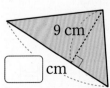

01 마름모의 대각선을 모두 표시해 보세요.

02~03 직사각형을 이용하여 마름모의 넓이를 구하려고 합니다. 물음에 답해 보세요.

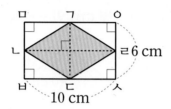

02 직사각형 ㅁㅂㅅㅇ의 넓이는 몇 cm²인지 구해 보세요.

(　　　　　　　　)

03 마름모 ㄱㄴㄷㄹ의 넓이는 몇 cm²인지 구해 보세요.

(　　　　　　　　)

04~05 마름모의 넓이를 구하려고 합니다. ⬜ 안에 알맞은 수를 써넣으세요.

04

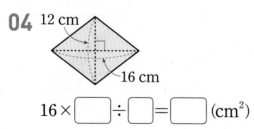

$16 \times \boxed{} \div \boxed{} = \boxed{}$ (cm²)

05

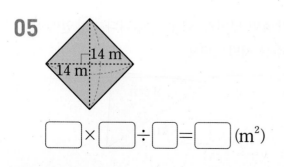

$\boxed{} \times \boxed{} \div \boxed{} = \boxed{}$ (m²)

06~07 사다리꼴의 넓이를 2개의 삼각형으로 나누어 구하려고 합니다. 물음에 답해 보세요.

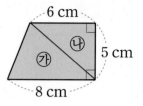

06 ㉮와 ㉯의 넓이는 몇 cm²인지 구해 보세요.

㉮ (　　　　　　), ㉯ (　　　　　　)

07 사다리꼴의 넓이는 몇 cm²인지 구해 보세요.

(　　　　　　　　)

08 사다리꼴의 넓이는 몇 m²인지 구해 보세요.

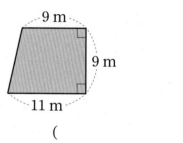

(　　　　　　　　)

09 사다리꼴의 넓이가 49 m²입니다. ⬜ 안에 알맞은 수를 써넣으세요.

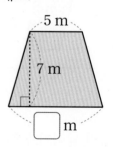

10 윗변의 길이와 아랫변의 길이의 합이 17 cm이고, 높이가 12 cm인 사다리꼴의 넓이는 몇 cm²인지 구해 보세요.

(　　　　　　　　)

정답 및 풀이 | **126쪽**

평가한 날   월   일

점수

| 다각형의 둘레 |

01 정육각형의 둘레를 구해 보세요.

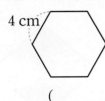
4 cm

(   )

| 넓이의 단위 $1 \, cm^2$ |

02 넓이가 $6 \, cm^2$인 것을 찾아 기호를 써 보세요.

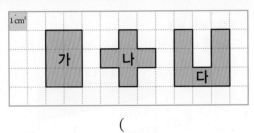

(   )

| 직사각형의 넓이 |

03 직사각형의 넓이는 몇 cm^2인지 구해 보세요.

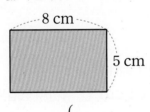
8 cm
5 cm

(   )

| 평행사변형의 넓이 |

04 평행사변형의 넓이는 몇 cm^2인지 구해 보세요.

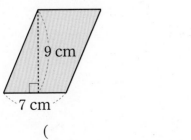
9 cm
7 cm

(   )

| 넓이의 단위 $1 \, m^2$, $1 \, km^2$ |

05 ☐ 안에 알맞은 수를 써넣으세요.

(1) $7 \, m^2 = $ ☐ cm^2

(2) $4 \, km^2 = $ ☐ m^2

| 다각형의 둘레 |

06 평행사변형의 둘레를 구해 보세요.

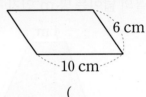
6 cm
10 cm

(   )

| 직사각형의 넓이 |

07 직사각형 모양의 땅의 넓이는 몇 km^2인지 구해 보세요.

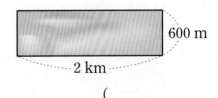
600 m
2 km

(   )

| 삼각형의 넓이 |

08 삼각형의 넓이는 몇 m^2인지 구해 보세요.

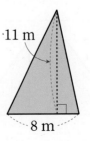
11 m
8 m

(   )

| 마름모의 넓이 |

09 직사각형의 넓이를 이용하여 마름모의 넓이는 몇 m²인지 구해 보세요.

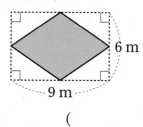

( )

| 사다리꼴의 넓이 |

10 사다리꼴의 넓이는 몇 m²인지 구해 보세요.

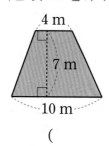

( )

| 평행사변형의 넓이 |

11 평행사변형의 넓이가 80 cm²입니다. ◯ 안에 알맞은 수를 써넣으세요.

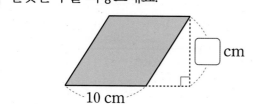

| 삼각형의 넓이 |

12 삼각형 가, 나, 다 중에서 넓이가 다른 삼각형을 찾아 기호를 써 보세요.

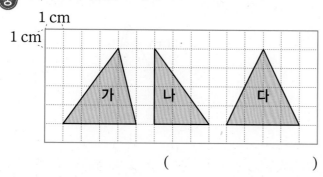

( )

| 마름모의 넓이 |

13 넓이가 60 cm²인 마름모입니다. ◯ 안에 알맞은 수를 써넣으세요.

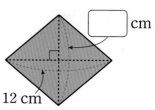

| 사다리꼴의 넓이 |

14 도형에서 색칠한 부분의 넓이를 구해 보세요.

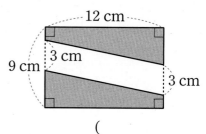

( )

| 직사각형의 넓이 |

15 넓이가 84 cm²인 직사각형입니다. ◯ 안에 알맞은 수를 써넣으세요.

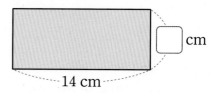

| 평행사변형의 넓이 |

16 주어진 평행사변형과 넓이가 같은 평행사변형을
서로 다른 모양으로 1개 그려 보세요.

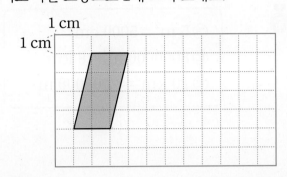

| 다각형의 둘레 | 서술형

17 가로가 24 cm, 세로가 20 cm인 직사각형과
둘레가 같은 마름모가 있습니다. 이 마름모의 한
변의 길이는 몇 cm인지 풀이 과정을 쓰고, 답을
구해 보세요.

 풀이

답 _____

| 직사각형의 넓이 |

18 주영이는 길이가 48 cm인 끈으로 될 수 있는
대로 가장 큰 정사각형을 만들었습니다. 만든 정
사각형의 넓이는 몇 cm²인지 구해 보세요.

(   )

| 삼각형의 넓이 | 서술형

19 삼각형의 밑변의 길이가 25 cm일 때 높이는 몇
cm인지 풀이 과정을 쓰고, 답을 구해 보세요.

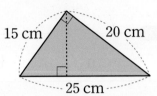

풀이

답 _____

| 평행사변형의 넓이 | 서술형

20 평행사변형의 넓이가 460 cm²일 때 둘레는 몇
cm인지 풀이 과정을 쓰고, 답을 구해 보세요.

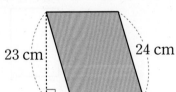

풀이

답 _____

| 넓이의 단위 1 m², 1 km² |

01 보기에서 알맞은 단위를 골라 ☐ 안에 써넣으
하 세요.

보기

cm²   m²   km²

(1) 농구 경기장의 넓이는 150 ☐ 입니다.

(2) 광주광역시 땅의 넓이는 약 151.1 ☐ 입
니다.

| 다각형의 둘레 |

02 정오각형의 둘레를 구해 보세요.
하

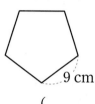

9 cm

(   )

| 다각형의 둘레 |

03 직사각형의 둘레를 구해 보세요.
하

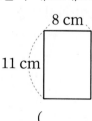

8 cm

11 cm

(   )

| 직사각형의 넓이 |

04 직사각형의 넓이는 몇 m²인지 구해 보세요.
중

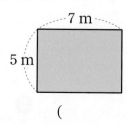

7 m

5 m

(   )

| 넓이의 단위 1 m², 1 km² |

05 바르게 나타낸 것을 찾아 기호를 써 보세요.
중

㉠ 5 m² = 5000 cm²

㉡ 8000000 m² = 8 km²

㉢ 20 km² = 2000000 m²

(   )

| 평행사변형의 넓이 |

06 평행사변형의 넓이는 몇 cm²인지 구해 보세요.
중

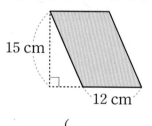

15 cm

12 cm

(   )

| 삼각형의 넓이 |

07 삼각형의 넓이는 몇 cm²인지 구해 보세요.
중

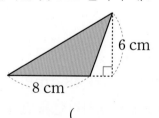

6 cm

8 cm

(   )

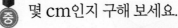

평가한 날　　　월　　　　일

점수

| 마름모의 넓이 |

08 마름모 모양 종이의 넓이는 몇 cm²인지 구해 보세요.

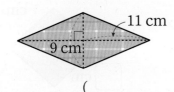

(　　　　　　　　　　)

| 사다리꼴의 넓이 |

09 사다리꼴의 넓이는 몇 m²인지 구해 보세요.

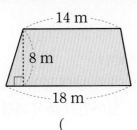

(　　　　　　　　　　)

| 다각형의 둘레 |

10 직사각형의 둘레가 30 m일 때, ☐ 안에 알맞은 수를 구해 보세요.

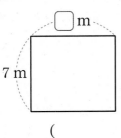

(　　　　　　　　　　)

| 평행사변형의 넓이 |

11 평행사변형의 넓이는 63 m²입니다. ☐ 안에 알맞은 수를 써넣으세요.

| 삼각형의 넓이 |

12 삼각형의 넓이가 64 cm²일 때, 밑변의 길이는 몇 cm인지 구해 보세요.

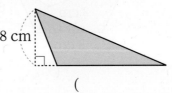

(　　　　　　　　　　)

| 마름모의 넓이 |

13 그림과 같이 한 변의 길이가 20 cm인 정사각형 안에 네 변의 가운데를 이어 마름모를 그렸습니다. 마름모의 넓이는 몇 cm²인지 구해 보세요.

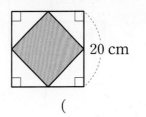

(　　　　　　　　　　)

| 직사각형의 넓이 |

14 넓이가 64 cm²인 정사각형의 둘레는 몇 cm인지 구해 보세요.

(　　　　　　　　　　)

| 직사각형의 넓이 |

15 평행사변형과 직사각형의 넓이가 같습니다. ☐ 안에 알맞은 수를 구해 보세요.

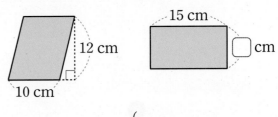

(　　　　　　　　　　)

| 사다리꼴의 넓이 |

16 색칠한 부분의 넓이는 몇 cm²인지 구해 보세요.
중

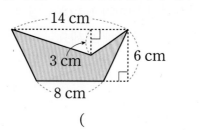

(   )

| 다각형의 둘레 |

17 도형의 둘레는 몇 cm인지 구해 보세요.
상

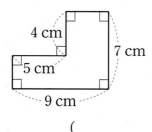

(   )

| 넓이의 단위 1 m², 1 km² | 서술형

18 가 공연장의 넓이는 11000000 m²이고, 나 공연
상 장의 넓이는 14 km²입니다. 어느 공연장의 넓이
가 몇 km² 더 넓은지 풀이 과정을 쓰고, 답을 구
해 보세요.

 풀이

 답   ,

| 마름모의 넓이 |

19 마름모의 넓이가 112 cm²일 때 ⬜ 안에 알맞
상 은 수를 써넣으세요.

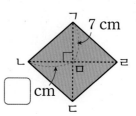

| 사다리꼴의 넓이 | 서술형

20 사다리꼴 ㉮와 ㉯의 넓이가 같을 때 ⬜ 안에 알
상 맞은 수는 얼마인지 풀이 과정을 쓰고, 답을 구해
보세요.

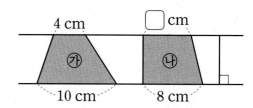

풀이

답

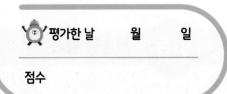

❶ 변 ㄴㄷ과 변 ㄷㄹ의 길이의 합
  구하기

❷ 변 ㄷㄹ의 길이 구하기

01 그림과 같은 평행사변형의 둘레가 24 cm일 때 변 ㄷㄹ의 길이는 몇 cm인지 풀이 과정을 쓰고, 답을 구해 보세요.

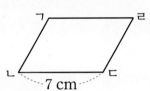

풀이

답

❶ 삼각형의 넓이 구하기

❷ ☐ 안에 알맞은 수 구하기

02 두 삼각형의 넓이가 같을 때 ☐ 안에 알맞은 수는 무엇인지 풀이 과정을 쓰고, 답을 구해 보세요.

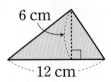
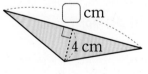

풀이

답

정답 및 풀이 | **128쪽**

TIP

❶ 평행사변형의 둘레 구하기

❷ 마름모의 한 변의 길이 구하기

03 둘레가 같은 평행사변형과 마름모입니다. 마름모의 한 변의 길이는 몇 cm인지 풀이 과정을 쓰고, 답을 구해 보세요.

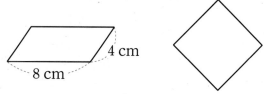

풀이

답

TIP

❶ 삼각형 ㄴㄷㅁ의 높이 구하기

❷ 삼각형 ㄴㄷㅁ의 넓이 구하기

04 삼각형 ㄴㄷㅁ의 넓이는 몇 cm^2인지 풀이 과정을 쓰고, 답을 구해 보세요.

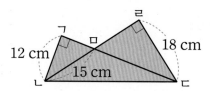

풀이

답

실전 **서술형 평가** | 6. 다각형의
둘레와 넓이

정답 및 풀이 | **128**쪽

🕐 **평가한 날**　　　**월**　　　**일**

점수

❶ 평행사변형의 넓이가 같을 조
　건 설명하기

⌄

❷ 넓이가 다른 평행사변형 찾기

01 평행사변형의 넓이가 다른 하나는 무엇인지 풀이 과정을 쓰고, 답을 구
해 보세요.

1 cm

1 cm

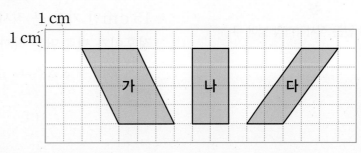

💬 풀이

답 ....

TiP

❶ 직사각형의 세로 구하기

⌄

❷ 직사각형의 넓이 구하기

02 직사각형의 둘레가 16 cm일 때 넓이는 몇 cm²인지 풀이 과정을 쓰
고, 답을 구해 보세요.

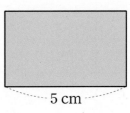

5 cm

💬 풀이

답 ....

6. 다각형의 둘레와 넓이 • **93**

❶ 직사각형의 둘레 구하기
❷ 새로 만든 직사각형의 넓이 구하기

03 정훈이는 철사로 한 변의 길이가 6 cm인 정팔각형을 만든 후 이 철사를 다시 펴서 가로가 15 cm인 가장 큰 직사각형을 만들었습니다. 정훈이가 새로 만든 직사각형의 넓이는 몇 cm^{2}인지 풀이 과정을 쓰고, 답을 구해 보세요.

풀이

답

❶ 삼각형 ㄱㄴㄹ의 넓이 구하기
❷ 선분 ㄱㅁ의 길이 구하기

04 사다리꼴 ㄱㄴㄷㄹ에서 선분 ㄱㅁ의 길이는 몇 cm인지 풀이 과정을 쓰고, 답을 구해 보세요.

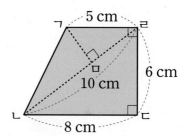

풀이

답

5~6학년군

수학 5-1

평가 문제 다잡기

정답 및 풀이

정답 및 풀이

1 자연수의 혼합 계산

쪽지시험 1회   6쪽

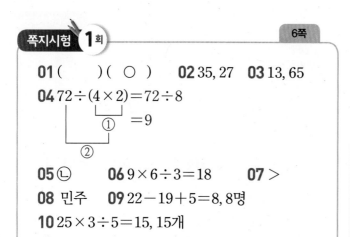

01 (   ) (○)   **02** 35, 27   **03** 13, 65
04 $72 \div (4 \times 2) = 72 \div 8$
             $= 9$

05 ㉡   **06** $9 \times 6 \div 3 = 18$ **07** >
08 민주   **09** $22 - 19 + 5 = 8$, 8명
10 $25 \times 3 \div 5 = 15$, 15개

풀이

06 $\underline{9 \times 6} = 54$, $\underline{54} \div 3 = 18$

07 $67 - 13 + 16 = 54 + 16 = 70$
     $93 - (19 + 11) = 93 - 30 = 63$ ➡ 70 > 63

08 선호: $84 \times 3 \div 12 = 252 \div 12 = 21$
     민주: $56 \div 4 \times 7 = 14 \times 7 = 98$

09 $22 - 19 + 5 = 3 + 5 = 8$(명)

10 $25 \times 3 \div 5 = 75 \div 5 = 15$(개)

쪽지시험 2회   7쪽

01 9×2에 ○표
02 (계산 순서대로) 24, 33, 28, 28
03 (계산 순서대로) 9, 45, 55, 55
04 $29 + 7 - 2 \times 5 = 29 + 7 - 10$
               $= 36 - 10$
               $= 26$
05 $3 \times (39 - 28) + 16 = 3 \times 11 + 16$
                    $= 33 + 16$
                    $= 49$
06 $8 + 6 \times 7 - 12$에 색칠   **07** ㉡
08 $(15 - 6) \times 4 + 8 = 44$, 44   **09** ㉠
10 $5 + 10 \times 2 - 9 = 16$, 16개

풀이

06 $8 + 6 \times 7 - 12 = 8 + 42 - 12 = 50 - 12 = 38$
     $4 \times 9 - 6 + 10 = 36 - 6 + 10 = 30 + 10 = 40$

07 ㉠ $(19 - 3) \times 5 + 4 = 84$, $19 - 3 \times 5 + 4 = 8$
     ㉡ $(10 - 5) + 9 \times 6 = 59$, $10 - 5 + 9 \times 6 = 59$

08 $(15 - 6) \times 4 + 8 = 9 \times 4 + 8 = 36 + 8 = 44$

09 ㉠ $(10 + 4) \times 5 - 27 = 14 \times 5 - 27 = 70 - 27 = 43$
     ㉡ $3 \times (4 + 11) - 6 = 3 \times 15 - 6 = 45 - 6 = 39$
     ㉢ $12 - 8 + 5 \times 7 = 12 - 8 + 35 = 4 + 35 = 39$

10 $5 + 10 \times 2 - 9 = 5 + 20 - 9 = 25 - 9 = 16$(개)

쪽지시험 3회   8쪽

01 $28 \div 7$에 ○표   **02** 16, 34, 12
03 9, 9, 6
04 $(26 - 10) \div 4 + 6 = 16 \div 4 + 6$
                   $= 4 + 6$
                   $= 10$
05 $79 - 65 + 54 \div 3 = 79 - 65 + 18$
                   $= 14 + 18$
                   $= 32$
06 <   **07** ㉠
08 800원   **09** 67
10 $(13 + 15) \div 2 - 4 = 10$, 10장

풀이

07 (색종이 1묶음의 가격) + (볼펜 1자루의 가격)
     − (지우개 1개의 가격)으로 식을 세웁니다.

08 $1000 + 600 - 4000 \div 5 = 1000 + 600 - 800$
                         $= 1600 - 800 = 800$(원)

09 $46 - 14 + 76 \div 4 = 46 - 14 + 19 = 32 + 19 = 51$
     $19 - (16 + 5) \div 7 = 19 - 21 \div 7 = 19 - 3 = 16$
     ➡ $51 + 16 = 67$

10 $(13 + 15) \div 2 - 4 = 28 \div 2 - 4 = 14 - 4 = 10$(장)

01 ㉢
02 (계산 순서대로) 35, 12, 24, 36, 36
03 (계산 순서대로) 4, 5, 24, 29, 29
04 33　　　　　　　　**05** 36
06 ×　　　　　　　　**07** (　　　)
　　　　　　　　　　　　　(○)
08 ㉡　　　　　　　　**09** 19
10 1, 2, 3에 ○표

풀이

04 $19×4÷2-15+10$
$=76÷2-15+10=38-15+10=23+10=33$

05 $18÷2+(26-17)×3$
$=18÷2+9×3=9+9×3=9+27=36$

06 $50÷(10-5)+4×6$
$=50÷5+4×6=10+4×6=10+24=34$
$50÷10-5+4×6$
$=5-5+4×6=5-5+24=24$
→ 계산 결과는 다릅니다.

07 $13+24÷(6-2)×7$
$=13+24÷4×7=13+6×7=13+42=55$
$6×(3+4)-15÷5$
$=6×7-15÷5=42-15÷5=42-3=39$

08 ( ) 안을 계산한 후에는 곱셈과 나눗셈을 먼저 계산해야 하는데 앞에서부터 차례로 덧셈을 먼저 계산했습니다.

09 $9+5×(8-4)÷2$
$=9+5×4÷2=9+20÷2=9+10=19$

10 $11-14÷7×5+3$
$=11-2×5+3=11-10+3=1+3=4$
□가 4보다 작아야 하므로 □ 안에 들어갈 수 있는 수는 1, 2, 3입니다.

01 $5×2$에 ○표
02 (계산 순서대로) 16, 3, 8, 8
03 9, 4, 9, 13　　**04** (1) 51　(2) 65　　**05** 19
06 76, 22 / 다릅니다에 ○표
07 $10+9÷3-5$에 색칠
08 $45+8-14=39$, 39
09 >　　　　　**10** ㉢　　　　　**11** 16권
12 17　　　　　**13** 82
14 $144÷(4×6)=6$, 6시간
15 ㉠, 6　　　　　**16** 14
17 예 ❶ $42-(19+8)÷3=42-27÷3$
　　　　　　　　　　　　$=42-9=33$
　　❷ □는 33보다 커야 하므로 □ 안에 들어갈 수 있는 가장 작은 자연수는 34입니다.
　　/ 34
18 $50×7+60×(7-2)=650$, 650번
19 예 ❶ 양파 1개의 가격을 식으로 나타내면 $2400÷3$이고, 청경채 200 g의 가격을 식으로 나타내면 $1300×2$입니다.
거스름돈은 얼마인지 하나의 식으로 나타내면 $5000-2400÷3-1300×2$입니다.
❷ (거스름돈)$=5000-2400÷3-1300×2$
　　　　　　　　$=5000-800-1300×2$
　　　　　　　　$=5000-800-2600$
　　　　　　　　$=4200-2600=1600$(원)
/ 1600원
20 예 ❶ 어떤 수를 □라 하여 식을 세우면 $(□-22)×6+3=15$입니다.
❷ $(□-22)×6+3=15$,
$(□-22)×6=12$, $□-22=2$,
$□=24$입니다.
/ 24

풀이

04 (1) $72-(5+16)=72-21=51$
　　(2) $91÷7×5=13×5=65$

05 $9 \times 8 \div 6 - 5 + 12 = 72 \div 6 - 5 + 12$
$= 12 - 5 + 12 = 7 + 12 = 19$

06 $\cdot 65 - 16 + 27 = 49 + 27 = 76$
$\cdot 65 - (16 + 27) = 65 - 43 = 22$ ⎤ 다릅니다.

07 $10 + 9 \div 3 - 5 = 10 + 3 - 5 = 13 - 5 = 8$
$7 - 3 + 54 \div 9 = 7 - 3 + 6 = 4 + 6 = 10$

08 $45 + 8 - 14 = 53 - 14 = 39$

09 $8 \times (6 - 2) + 14 \div 2$
$= 8 \times 4 + 14 \div 2 = 32 + 14 \div 2 = 32 + 7 = 39$

10 나누어 준 공책의 수: $(3 + 2) \times 2$
남은 공책의 수: $26 - (3 + 2) \times 2$

11 $26 - (3 + 2) \times 2 = 26 - 5 \times 2 = 26 - 10 = 16$(권)

12 $3 \times 16 \div 4 = 48 \div 4 = 12$,
$90 \div (3 \times 6) = 90 \div 18 = 5$ ➡ $12 + 5 = 17$

13 $67 + 54 - 39 = 121 - 39 = 82$

14 6명이 한 시간에 만들 수 있는 팔찌의 수: 4×6
따라서 팔찌 144개를 만드는 데 걸리는 시간:
$144 \div (4 \times 6) = 144 \div 24 = 6$(시간)

15 ㉠ $52 - 64 \div (4 + 4) \times 3$
$= 52 - 64 \div 8 \times 3 = 52 - 8 \times 3 = 52 - 24 = 28$
㉡ $30 - 5 \times 3 + 28 \div 4$
$= 30 - 15 + 28 \div 4 = 30 - 15 + 7 = 15 + 7 = 22$
➡ ㉠이 $28 - 22 = 6$ 더 큽니다.

16 가 대신에 16, 나 대신에 9를 넣어 식을 만듭니다.
$16 ▲ 9 = 35 \div (16 - 9) + 9 = 35 \div 7 + 9$
$= 5 + 9 = 14$

17
채점 기준		
❶ $42 - (19 + 8) \div 3$ 계산하기		3점
❷ ☐ 안에 들어갈 수 있는 가장 작은 자연수 구하기		2점

18 지안이가 일주일 동안 한 줄넘기 수: 50×7
승화가 일주일 동안 한 줄넘기 수: $60 \times (7 - 2)$
$50 \times 7 + 60 \times (7 - 2) = 50 \times 7 + 60 \times 5$
$= 350 + 60 \times 5 = 350 + 300 = 650$(번)

19
채점 기준		
❶ 거스름돈은 얼마인지 하나의 식으로 나타내기		3점
❷ 거스름돈은 얼마인지 구하기		2점

20
채점 기준		
❶ 어떤 수를 ☐라 하여 식으로 나타내기		2점
❷ 어떤 수 구하기		3점

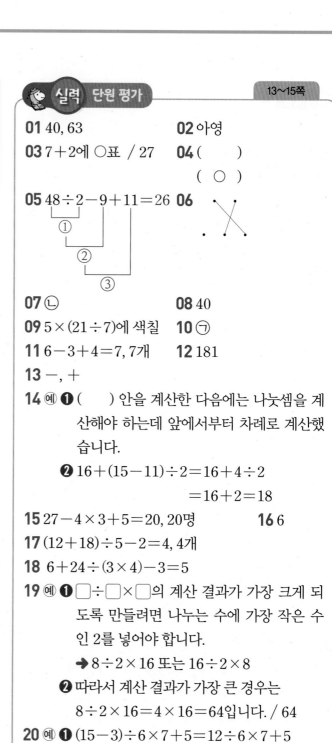

실력 단원 평가 · 13~15쪽

01 40, 63 　　**02** 아영

03 $7 + 2$에 ○표 / 27 　　**04** (　)
　　　　　　　　　　　　　　 (○)

05 $48 \div 2 - 9 + 11 = 26$
(① : $48 \div 2$, ② : -9, ③ : $+11$)

06 (선 잇기)

07 ㉡ 　　**08** 40

09 $5 \times (21 \div 7)$에 색칠 　　**10** ㉠

11 $6 - 3 + 4 = 7$, 7개 　　**12** 181

13 $-$, $+$

14 예 ❶ ( ) 안을 계산한 다음에는 나눗셈을 계산해야 하는데 앞에서부터 차례로 계산했습니다.
❷ $16 + (15 - 11) \div 2 = 16 + 4 \div 2$
$= 16 + 2 = 18$

15 $27 - 4 \times 3 + 5 = 20$, 20명 　　**16** 6

17 $(12 + 18) \div 5 - 2 = 4$, 4개

18 $6 + 24 \div (3 \times 4) - 3 = 5$

19 예 ❶ ☐ $\div$ ☐ $\times$ ☐의 계산 결과가 가장 크게 되도록 만들려면 나누는 수에 가장 작은 수인 2를 넣어야 합니다.
➡ $8 \div 2 \times 16$ 또는 $16 \div 2 \times 8$
❷ 따라서 계산 결과가 가장 큰 경우는
$8 \div 2 \times 16 = 4 \times 16 = 64$입니다. / 64

20 예 ❶ $(15 - 3) \div 6 \times 7 + 5 = 12 \div 6 \times 7 + 5$
$= 2 \times 7 + 5$
$= 14 + 5 = 19$
❷ ☐ $+ 3 \times 4 = $ ☐ $+ 12$이므로 $19 < $ ☐ $+ 12$여야 합니다.
따라서 ☐ 안에 들어갈 수 있는 수는 8, 9입니다. / 8, 9

풀이

03 $34 - 63 \div (7 + 2) = 34 - 63 \div 9 = 34 - 7 = 27$

04 $6 \times (7 + 2) - 42 = 6 \times 9 - 42 = 54 - 42 = 12$

05 $48 \div 2 - 9 + 11 = 24 - 9 + 11 = 15 + 11 = 26$

06 $40 - (5 + 3) \times 2 = 40 - 8 \times 2 = 40 - 16 = 24$
$15 - 11 + 3 \times 6 = 15 - 11 + 18 = 4 + 18 = 22$

07 ㉠ $63 - (19 + 5) = 63 - 24 = 39$
㉡ $45 + 26 - 17 = 71 - 17 = 54$
➡ ㉠ $39 <$ ㉡ 54

08 $4 \times (13 + 12) \div 2 - 26 = 4 \times 25 \div 2 - 26$
$= 100 \div 2 - 26 = 50 - 26 = 24$
➡ $24 + 16 = 40$

09 • $5 \times (21 \div 7) = 15, 5 \times 21 \div 7 = 15$
• $42 \div (3 \times 2) = 7, 42 \div 3 \times 2 = 28$

10 ㉠ $5 \times (8 - 3) + 6 \div 3 = 5 \times 5 + 6 \div 3$
$= 25 + 6 \div 3 = 25 + 2 = 27$
㉡ $9 + 28 \div (2 \times 2) - 10 = 9 + 28 \div 4 - 10$
$= 9 + 7 - 10 = 16 - 10 = 6$

12 $(17 + 21) \times 5 - 9 = 38 \times 5 - 9 = 190 - 9 = 181$

13 $26 + 8 - 12 = 34 - 12 = 22$ (×)
$26 - 8 + 12 = 18 + 12 = 30$ (○)

14
채점 기준		
❶ 계산이 잘못된 곳을 찾아 이유 쓰기		3점
❷ 바르게 계산하기		2점

15 휴지를 줍고 있는 학생 수를 식으로 나타내면 4×3
입니다. 따라서 꽃을 심고 있는 학생은
$27 - 4 \times 3 + 5 = 27 - 12 + 5 = 15 + 5 = 20$(명)
입니다.

16 $36 \div \square - 5 + 9 = 10, 36 \div \square - 5 = 1,$
$36 \div \square = 6, \square = 6$

17 한 명이 가지게 되는 구슬 수를 식으로 나타내면
$(12 + 18) \div 5$입니다. 따라서 동생에게 2개를 주었
을 때 혜지에게 남은 구슬은 $(12 + 18) \div 5 - 2 =$
$30 \div 5 - 2 = 6 - 2 = 4$(개)입니다.

18 $(6 + 24) \div 3 \times 4 - 3 = 37$ (×)
$6 + 24 \div (3 \times 4) - 3 = 5$ (○)
$6 + 24 \div 3 \times (4 - 3) = 14$ (×)
$(6 + 24 \div 3) \times 4 - 3 = 53$ (×)
$6 + 24 \div (3 \times 4 - 3)$ (계산할 수 없습니다.)

19
채점 기준		
❶ 계산 결과가 가장 크게 되도록 식 만들기		3점
❷ 계산 결과가 가장 클 때는 얼마인지 구하기		2점

20
채점 기준		
❶ $(15 - 3) \div 6 \times 7 + 5$ 계산하기		3점
❷ $\square$ 안에 들어갈 수 있는 수 모두 구하기		2점

연습 서술형 평가
16~17쪽

01 예 ❶ ( ) 안을 계산한 다음에는 곱셈과 나눗
셈을 차례로 계산해야 하는데 앞에서부터
차례로 계산해서 잘못되었습니다.
❷ 바르게 계산하면 $7 \times 4 + (13 - 5) \div 4$
$= 7 \times 4 + 8 \div 4 = 28 + 8 \div 4 = 28 + 2 = 30$
입니다. / 30

02 예 ❶ $16 \spadesuit 5 = 16 - (5 + 3) = 16 - 8 = 8$
❷ $17 \spadesuit 8 = 17 - (8 + 3) = 17 - 11 = 6$
❸ 두 식의 계산 결과의 합은 $8 + 6 = 14$입
니다. / 14

03 예 ❶ $6 \times (9 - 3) + 8 = 6 \times 6 + 8 = 36 + 8 = 44$
이므로 $\square$ 안에 들어갈 수 있는 자연수는
$43, 42, 41, 40, ...$입니다.
❷ $45 \div 3 + 32 - 7 = 15 + 32 - 7$
$= 47 - 7 = 40$
이므로 $\square$ 안에 들어갈 수 있는 자연수는
$41, 42, 43, 44, ...$입니다.
❸ 따라서 $\square$ 안에 공통으로 들어갈 수 있는
자연수는 $41, 42, 43$으로 모두 3개입니다.
/ 3개

04 예 ❶ 계산 결과가 가장 작게 되도록 식을 만들
려면 빼는 수에 가장 큰 수인 9를 넣고, 맨
앞의 곱해지는 수에 가장 작은 수인 2를 넣
은 다음, 남은 $\square$안에 3, 4를 넣습니다.
➡ $2 \times (3 + 4) - 9$ 또는 $2 \times (4 + 3) - 9$
❷ 따라서 계산 결과가 가장 작은 경우는
$2 \times (3 + 4) - 9 = 2 \times 7 - 9 = 14 - 9 = 5$
입니다. / 5

풀이

01

채점 기준	❶ 계산 과정이 잘못된 이유 쓰기	15점
	❷ 바르게 계산한 값 구하기	10점

02

채점 기준	❶ 16♠5 계산하기	10점
	❷ 17♠8 계산하기	10점
	❸ 16♠5와 17♠8의 계산 결과의 합 구하기	5점

03

채점 기준	❶ $6×(9-3)+8>□$에서 □ 안에 들어갈 수 있는 자연수 구하기	10점
	❷ $45÷3+32-7<□$에서 □ 안에 들어갈 수 있는 자연수 구하기	10점
	❸ □ 안에 공통으로 들어갈 수 있는 자연수는 모두 몇 개인지 구하기	5점

04

채점 기준	❶ 계산 결과가 가장 작게 되도록 식 만들기	15점
	❷ 계산 결과가 가장 작을 때는 얼마인지 구하기	10점

실전 서술형 평가   18~19쪽

01 ⓔ ❶ 현재 기온을 섭씨로 나타내면 몇 도인지 하나의 식으로 나타내면 $(77-32)×5÷9$ 입니다.

❷ $(77-32)×5÷9=45×5÷9=225÷9$ $=25$이므로 현재 기온을 섭씨로 나타내면 $25\,°C$입니다.

/ $25\,°C$

02 ⓔ ❶ 80 cm인 색 테이프를 5등분 한 것 중의 한 도막의 길이를 식으로 나타내면 $80÷5$이고, 63 cm인 색 테이프를 3등분 한 것 중의 한 도막의 길이를 식으로 나타내면 $63÷3$입니다. 이어 붙인 색 테이프의 전체 길이를 하나의 식으로 나타내면 $80÷5+63÷3-4$입니다.

❷ $80÷5+63÷3-4=16+63÷3-4$ $=16+21-4$ $=37-4=33$

이므로 이어 붙인 색 테이프의 전체 길이는 33 cm입니다.

/ 33 cm

03 ⓔ ❶ 달에서 몸무게를 재었을 때 건우와 시후의 몸무게의 합을 식으로 나타내면 $(42+48)÷6$이므로 건우와 시후의 몸무게의 합에서 선생님의 몸무게를 빼는 하나의 식으로 나타내면 $(42+48)÷6-14$입니다.

❷ $(42+48)÷6-14=90÷6-14$ $=15-14=1$

이므로 건우와 시후의 몸무게의 합은 선생님의 몸무게보다 1 kg 더 무겁습니다.

/ 1 kg

04 ⓔ ❶ 어떤 수를 □라 하여 잘못 계산한 식을 세우면 $(□+6)÷4×3=36$입니다.

❷ $(□+6)÷4×3=36,$ $(□+6)÷4=12, □+6=48, □=42$

❸ 바르게 계산하면 $(42-6)×4÷3=36×4÷3$ $=144÷3=48$

입니다.

/ 48

풀이

01

채점 기준	❶ 현재 기온을 섭씨로 나타내면 몇 도인지 하나의 식으로 나타내기	10점
	❷ 현재 기온을 섭씨로 나타내면 몇 도인지 구하기	15점

02

채점 기준	❶ 이어 붙인 색 테이프의 전체 길이를 하나의 식으로 나타내기	15점
	❷ 이어 붙인 색 테이프의 전체 길이 구하기	10점

03

채점 기준	❶ 건우와 시후의 몸무게의 합은 선생님의 몸무게보다 얼마나 더 무거운지 하나의 식으로 나타내기	15점
	❷ 건우와 시후의 몸무게의 합은 선생님의 몸무게보다 얼마나 더 무거운지 구하기	10점

04

채점 기준	❶ 어떤 수를 □라 하여 잘못 계산한 식 세우기	5점
	❷ 어떤 수 구하기	10점
	❸ 바르게 계산한 값 구하기	10점

② 배수와 약수

쪽지시험 **1**회   21쪽

01 8, 12, 16, 20   **02** 24, 48
03 24   **04** 27에 ○표
05 12, 24, 36 / 12   **06** 12의 배수
07 60   **08** ㉡
09 16, 32, 48   **10** 3개

풀이

05 4의 배수: 4, 8, <u>12</u>, 16, 20, <u>24</u>, 28, 32, <u>36</u>, …
6의 배수: 6, <u>12</u>, 18, <u>24</u>, 30, <u>36</u>, 42, 48, …
➡ 4와 6의 공배수: 12, 24, 36, …
    4와 6의 최소공배수: 12

06 어떤 수의 배수 중 가장 작은 수는 자기 자신이므로 12의 배수를 쓴 것입니다.

07 12의 배수: 12, 24, 36, 48, <u>60</u>, 72, …
15의 배수: 15, 30, 45, <u>60</u>, 75, 90, …
따라서 12와 15의 최소공배수는 60입니다.

08 7과 3의 공배수: 21, 42, 63, 84, 105, …
따라서 7과 3의 공배수가 아닌 수는 ㉡입니다.

09 어떤 두 수의 공배수는 최소공배수인 16의 배수와 같습니다. 따라서 16, 32, 48, …입니다.

10 7×5=35, 7×6=42, 7×7=49, 7×8=56,
7×9=63, …
40보다 크고 60보다 작은 수 중에서 7의 배수는 42, 49, 56으로 모두 3개입니다.

쪽지시험 **2**회   22쪽

01 3, 9   **02** 4, 6, 12 / 8, 16, 32
03 1, 2, ④   **04** 4에 ×표
05 1, 2, 4, 8 / 8   **06** 1, 38
07 9   **08** ㉡
09 1, 5, 7, 35   **10** 6개

풀이

01 9를 나누어떨어지게 하는 수 1, 3, 9가 9의 약수입니다.

06 어떤 수의 약수 중 가장 작은 수는 1이고, 가장 큰 수는 그 수와 같습니다.

07 30의 약수: <u>1</u>, 2, <u>3</u>, <u>5</u>, 6, 10, <u>15</u>, 30
45의 약수: <u>1</u>, <u>3</u>, <u>5</u>, 9, <u>15</u>, 45
➡ 30과 45의 공약수: 1, 3, 5, 15

08 젤리 18개를 남김없이 똑같이 나누어 주려면 18의 약수를 구해야 합니다. 18의 약수는 1, 2, 3, 6, 9, 18이므로 1명, 2명, 3명, 6명, 9명, 18명에게 똑같이 나누어 줄 수 있습니다.

09 어떤 두 수의 공약수는 최대공약수인 35의 약수와 같습니다.
따라서 1, 5, 7, 35입니다.

10 25의 약수: 1, 5, 25 → 3개
36의 약수: 1, 2, 3, 4, 6, 9, 12, 18, 36 → 9개
➡ 9−3=6(개)

쪽지시험 **3**회   23쪽

01 (1) 배수에 ○표   (2) 약수에 ○표
02 27, 9 / 3, 9, 27 / 3, 9, 27
03 ×   **04** ○
05 7에 ○표   **06** ㉠
07 ㉲ 24   **08** ㉲ 5×8=40
09 ㉡   **10** 6개

풀이

03 큰 수를 작은 수로 나누었을 때 나누어떨어지면 두 수는 배수와 약수의 관계입니다.
15÷4=3…3이므로 배수와 약수의 관계가 아닙니다.

04 21÷7=3이므로 두 수는 배수와 약수의 관계입니다.

05 7×4=28이므로 7은 28의 약수이고 28은 7의 배수입니다.

06 ㉠ 6은 48의 약수입니다.

07 빈칸에는 12의 약수가 들어가도 되고 12의 배수가 들어가도 됩니다.

08
5는 40의 약수
$5 \times 8 = 40$
40은 5의 배수

09 ㉡ $5 \times 5 = 25$이므로 5는 25의 약수이고 25는 5의 배수입니다.

10 44가 ☐의 배수이므로 ☐는 44의 약수입니다. 44의 약수를 구하면 1, 2, 4, 11, 22, 44로 6개입니다.

쪽지시험 4회 | 24쪽

01 2, 4
02 2, 5, 7, 140
03 5, 3 / 90
04 4
05 120
06 (교차 연결)
07 ㉠
08 30, 75
09 18
10 18 cm

풀이

06
$4) \overline{12 \quad 8}$
$\quad \; 3 \quad 2$
최소공배수:
$4 \times 3 \times 2 = 24$

$2) \overline{10 \quad 6}$
$\quad \; 5 \quad 3$
최소공배수:
$2 \times 5 \times 3 = 30$

07 ㉠ 27과 42의 최대공약수: 3
㉡ 25와 45의 최대공약수: 5
따라서 두 수의 최대공약수가 더 작은 것은 ㉠입니다.

08 · ☐$\div 3 = 10$이므로 ☐$= 10 \times 3 = 30$
· ☐$\div 3 = 25$이므로 ☐$= 25 \times 3 = 75$

09
$2) \overline{54 \quad 36}$
$3) \overline{27 \quad 18}$
$3) \overline{\;9 \quad \; 6}$
$\quad \;\; 3 \quad 2$ 최대공약수: $2 \times 3 \times 3 = 18$

10 54와 36의 최대공약수가 18이므로 자른 막대 한 도막의 길이는 18 cm입니다.

기본 단원 평가 | 25~27쪽

01 12, 18, 24
02 (1) 약수 (2) 배수 / 6, 12, 18
03

1	2	③	4	5
⑥	7	8	⑨	10
11	⑫	13	14	⑮
16	17	⑱	19	20

04 6
05 (○) ( )
06 1, 8, 16에 색칠
07 9
08 ㉡
09 2개
10 32, 64, 96
11 8개에 ×표
12 ㉠, ㉢
13 민아
14 예 ❶ $6 \times 5 = 30$, $6 \times 6 = 36$, $6 \times 7 = 42$, $6 \times 8 = 48$, $6 \times 9 = 54$, ...이므로 30과 50 사이의 수 중에서 6의 배수는 36, 42, 48입니다.
❷ 따라서 모두 3개입니다. / 3개

15 108
16 20 cm
17 예 ❶ 6의 배수도 되고 9의 배수도 되는 수는 6과 9의 공배수입니다.
6의 배수: 6, 12, <u>18</u>, 24, 30, <u>36</u>, 42, ...
9의 배수: 9, <u>18</u>, 27, <u>36</u>, 45, ...
➜ 6과 9의 공배수: 18, 36, ...
❷ 6과 9의 공배수 중에서 두 번째로 작은 수는 36입니다. / 36

18 예 (6, 12), (12, 18)
19 4개, 5개
20 예 ❶ ☐은/는 27의 약수이므로 ☐은/는 1, 3, 9, 27입니다.
❷ 1, 3, 9, 27 중에서 약수를 모두 더하면 13이 되는 수는 9입니다.
9의 약수: 1, 3, 9 ➜ $1 + 3 + 9 = 13$
❸ 따라서 ☐ 안에 공통으로 들어갈 수 있는 수는 9입니다. / 9

풀이

04 최대공약수: $2 \times 3 = 6$

05 $32 \div 4 = 8$이므로 32는 4의 배수이고 4는 32의 약수입니다.

10 어떤 두 수의 공배수는 최소공배수인 32의 배수와 같습니다. 따라서 32, 64, 96, ...입니다.

11 물고기 12마리를 남김없이 똑같이 나누어 담으려면 12의 약수를 구해야 합니다.
12의 약수: 1, 2, 3, 4, 6, 12
따라서 나누어 담을 수 있는 어항 수로 8개는 알맞지 않습니다.

12 ㉠ 15×3=45이므로 15는 45의 약수이고 45는 15의 배수입니다.
㉣ 5×3=15이므로 15는 5의 배수이고 5는 15의 약수입니다.

13 민아: 60, 소현: 70

14

채점 기준		
❶ 30과 50 사이의 수 중에서 6의 배수 구하기	3점
❷ 30과 50 사이의 수 중에서 6의 배수는 모두 몇 개인지 구하기	2점

15 어떤 수의 배수 중 가장 작은 수는 어떤 수이므로 9의 배수를 쓴 것입니다. 12번째 수: 9×12=108

16 검은색 점과 파란색 점이 처음으로 같이 찍히는 곳은 4와 10의 최소공배수만큼 떨어진 곳입니다.
2) 4 10
 2 5 최소공배수: 2×2×5=20
따라서 시작점에서 20 cm 떨어진 곳입니다.

17

채점 기준		
❶ 6과 9의 공배수 구하기	3점
❷ 6과 9의 공배수 중에서 두 번째로 작은 수 구하기	2점

18 최대공약수가 6인 두 수가 되려면 두 수 모두 약수로 6을 가지고 6보다 큰 공약수는 없어야 합니다. 이것을 만족하는 두 수를 찾으면 6과 12, 6과 18, 12와 18 등입니다.

19 8) 32 40
　　 4　5　최대공약수: 8
따라서 최대 8봉지에 나누어 담을 수 있습니다.
(한 봉지에 들어가는 쿠키 수)=32÷8=4(개)
(한 봉지에 들어가는 사탕 수)=40÷8=5(개)

20

채점 기준		
❶ 27의 약수 구하기	2점
❷ 27의 약수 중에서 약수를 모두 더하면 13이 되는 수 구하기	2점
❸ □ 안에 공통으로 들어갈 수 있는 수 구하기	1점

28~30쪽

실력 단원 평가

01 1, 5　　　　　　**02** 21에 ○표
03 (위에서부터) 2, 2, 3, 5 / 4
04 12, 24, 36　　　**05** (　　) (○)
06 1, 3, 7, 21　　　**07**
08 5　　　　　　　**09** 45에 색칠
10 ㉠, ㉣　　　　　**11** 서윤
12 24
13 예 ❶ 63의 약수: 1, 3, 7, 9, 21, 63
　42의 약수: 1, 2, 3, 6, 7, 14, 21, 42
→ 63과 42의 공약수는 1, 3, 7, 21이므로 가장 큰 수는 21, 가장 작은 수는 1입니다.
❷ 따라서 가장 큰 수와 가장 작은 수의 차는 21-1=20입니다.
/ 20
14 15일 후　　　　　**15** ㉢
16 예 ❶ 가장 큰 정사각형 모양으로 자르려면 정사각형의 한 변의 길이가 64와 56의 최대공약수이어야 합니다.
64와 56의 최대공약수는 8입니다.
❷ 따라서 정사각형의 한 변의 길이는 8 cm가 됩니다.
/ 8 cm
17 98
18 예 ❶ 오전 9시부터 40분 간격으로 출발하므로 분이 40의 배수가 될 때 출발합니다.
→ 오전 9시, 오전 9시 40분, 오전 10시 20분, 오전 11시
❷ 따라서 오전 9시부터 오전 11시까지 버스는 4번 출발합니다.
/ 4번
19 72　　　　　　　**20** 12

풀이

05 40=5×8에서 40은 5와 8의 배수이고 5와 8은 40의 약수입니다.

06 $21÷1=21$, $21÷3=7$, $21÷7=3$, $21÷21=1$
➜ 21의 약수: 1, 3, 7, 21

07
$$2\,)\underline{\;6\quad 8\;}$$
$$\quad\;\,3\quad 4$$

$$8\,)\underline{\;48\quad 64\;}$$
$$2\,)\underline{\;\,6\quad\;\,8\;}$$
$$\quad\;\,3\quad\;\,4$$

최소공배수:
$2×3×4=24$

최대공약수: $8×2=16$

08 20의 약수: <u>1</u>, <u>2</u>, <u>4</u>, 5, 10, 20, 8의 약수: <u>1</u>, <u>2</u>, <u>4</u>, 8
➜ 20과 8의 공약수: 1, 2, 4

09 45의 약수: 1, 3, 5, 9, 15, 45 (6개)
27의 약수: 1, 3, 9, 27 (4개)
➜ 약수의 개수가 더 많은 수는 45입니다.

10 ㉠ $7×8=56$에서 7은 56의 약수이고 56은 7의 배수입니다.
㉣ $16×4=64$에서 16은 64의 약수이고 64는 16의 배수입니다.

11 [성규] 10과 18의 공배수 중에서 가장 작은 수는 90입니다.

12 가장 작은 수가 6이므로 6의 배수를 쓴 것입니다.
➜ $\square=6×4=24$

13

채점 기준	❶ 63과 42의 공약수 중에서 가장 큰 수와 가장 작은 수 구하기	3점
	❷ ❶에서 구한 두 수의 차 구하기	2점

14 홍석이가 자전거를 타는 날은 3일, 6일, 9일, 12일, 15일, 18일, … 후이고, 선영이가 자전거를 타는 날은 5일, 10일, 15일, 20일, … 후입니다. 3과 5의 공배수는 15, 30, …이므로 다음번에 두 사람이 처음으로 함께 자전거를 타는 날은 15일 후입니다.

15 ㉠ 8과 9의 최소공배수: 72
㉡
$$2\,)\underline{\;6\quad 10\;}$$
$$\quad\;\,3\quad\;\,5$$
최소공배수: $2×3×5=30$
㉢
$$3\,)\underline{\;9\quad 15\;}$$
$$\quad\;\,3\quad\;\,5$$
최소공배수: $3×3×5=45$
➜ 최소공배수가 50에 가장 가까운 것은 ㉢입니다.

16

채점 기준	❶ 64와 56의 최대공약수 구하기	3점
	❷ 정사각형의 한 변의 길이는 몇 cm가 되는지 구하기	2점

17
$$\square\,)\underline{\;㉠\quad ㉡\;}$$ 에서 $\square×7=14$, $\square=2$
$$7\,)\underline{\;14\quad 35\;}$$
$$\quad\;\,2\quad\;\,5$$

$$2\,)\underline{\;㉠\quad ㉡\;}$$ 에서 ㉠$=2×14=28$,
$$7\,)\underline{\;14\quad 35\;}$$ ㉡$=2×35=70$
$$\quad\;\,2\quad\;\,5$$
➜ ㉠$+$㉡$=28+70=98$

18

채점 기준	❶ 오전 9시부터 오전 11시까지 버스가 출발하는 시각 모두 구하기	3점
	❷ 오전 9시부터 오전 11시까지 버스는 몇 번 출발하는지 구하기	2점

19 40보다 크고 80보다 작은 수 중에서 9의 배수는 45, 54, 63, 72입니다. 45, 54, 63, 72 중에서 12를 약수로 가지는 수는 72이므로 조건을 모두 만족하는 수는 72입니다.

20
$$4\,)\underline{\;28\quad \square\;}$$
$$\quad\;\,7\quad\;\,\bigcirc$$
최소공배수: $4×7×\bigcirc=112$
$28×\bigcirc=112$에서 $\bigcirc=112÷28=4$
$\square=4×\bigcirc=4×4=16$
➜ 두 수의 차는 $28-16=12$입니다.

연습 서술형 평가

31~32쪽

01 예 ❶ 40이 $\square$의 배수이므로 $\square$는 40의 약수입니다. 40의 약수는 1, 2, 4, 5, 8, 10, 20, 40입니다.
❷ 따라서 $\square$ 안에 들어갈 수 있는 수는 모두 8개입니다. / 8개

02 예 ❶ 어떤 수가 될 수 있는 수는 36과 42의 공약수입니다.
36의 약수: <u>1</u>, <u>2</u>, <u>3</u>, 4, <u>6</u>, 9, 12, 18, 36
42의 약수: <u>1</u>, <u>2</u>, <u>3</u>, <u>6</u>, 7, 14, 21, 42
➜ 36과 42의 공약수: 1, 2, 3, 6
❷ 따라서 어떤 수가 될 수 있는 수 중에서 가장 큰 수는 6입니다. / 6

03 예 ❶ 손뼉을 치는 6의 배수는 6, 12, <u>18</u>, 24, 30, <u>36</u>, 42, 48이고, 제자리 뛰기를 하는 9의 배수는 9, <u>18</u>, 27, <u>36</u>, 45입니다.

❷ 따라서 손뼉을 치면서 동시에 제자리 뛰기를 하게 하는 첫 번째 수는 18이고 두 번째 수는 36입니다. / 36

04 예 ❶ 가장 작은 정사각형을 만들려면 정사각형의 한 변의 길이가 16과 20의 최소공배수이어야 합니다.

$$2 \underline{)\ 16\ \ 20}$$
$$2 \underline{)\ \ \ 8\ \ 10}\quad \text{16과 20의 최소공배수:}$$
$$4\ \ \ \ 5\quad 2\times2\times4\times5=80$$

❷ 정사각형의 한 변의 길이는 80 cm가 되어야 합니다.

❸ 종이는 가로로 $80\div16=5$(장),
세로로 $80\div20=4$(장) 필요하므로
모두 $5\times4=20$(장) 필요합니다. / 20 장

풀이

01 채점기준
❶ □ 안에 들어갈 수 있는 수 모두 구하기	15점
❷ □ 안에 들어갈 수 있는 수는 모두 몇 개인지 구하기	10점

02 채점기준
❶ 36과 42의 공약수 구하기	15점
❷ 어떤 수가 될 수 있는 수 중에서 가장 큰 수 구하기	10점

03 채점기준
❶ 손뼉을 치는 수와 제자리 뛰기를 하게 하는 수 각각 구하기	15점
❷ 손뼉을 치면서 동시에 제자리 뛰기를 하게 하는 두 번째로 작은 수 구하기	10점

04 채점기준
❶ 16과 20의 최소공배수 구하기	10점
❷ 정사각형의 한 변의 길이 구하기	5점
❸ 종이는 모두 몇 장 필요한지 구하기	10점

실전 서술형 평가　　　　33~34쪽

01 예 ❶ □, 26, □, 52, 65, □ ...은 어떤 수의 배수를 가장 작은 수부터 차례로 놓은 것이므로 26은 어떤 수를 2배 한 수이고 52는 어떤 수를 4배 한 수입니다.
$26\div2=13$, $52\div4=13$이므로 어떤 수는 13입니다.

❷ 9번째 카드에 적힌 수는 13을 9배 한 수이므로 $13\times9=117$입니다. / 117

02 예 ❶ 64의 약수는 1, 2, 4, 8, 16, 32, 64이므로 풍선을 2명, 4명, 8명, 16명, 32명, 64명에게 똑같이 나누어 줄 수 있습니다.

❷ 따라서 나누어 줄 수 있는 방법은 모두 6가지입니다. / 6가지

03 예 ❶ 정우는 2의 배수마다, 호연이는 5의 배수마다 빨간색 구슬을 놓고 있으므로 2와 5의 최소공배수인 10번째마다 같은 자리에 빨간색 구슬이 놓입니다.

❷ 같은 자리에 빨간색 구슬이 놓이는 경우는 10번째, 20번째, 30번째로 모두 3번입니다.
/ 3번

04 예 ❶ 최대한 많은 봉지에 남김없이 똑같이 나누어 담았으므로 최대공약수를 이용합니다.

$$2 \underline{)\ 70\ \ 84}$$
$$7 \underline{)\ 35\ \ 42}$$
$$5\ \ \ \ 6\quad \text{최대공약수:}\ 2\times7=14$$

❷ 최대 14봉지에 나누어 담았습니다.

❸ 따라서 판매 금액은 모두
$2000\times14=28000$(원)입니다.
/ 28000원

풀이

01 채점기준
❶ 어떤 수 구하기	10점
❷ 9번째 카드에 적힌 수 구하기	15점

02 채점기준
❶ 풍선을 나누어 줄 수 있는 학생 수 모두 구하기	15점
❷ 풍선을 나누어 줄 수 있는 방법은 모두 몇 가지인지 구하기	10점

03 채점기준
❶ 몇 번째마다 같은 자리에 빨간색 구슬이 놓이는지 구하기	10점
❷ 같은 자리에 빨간색 구슬이 놓이는 경우는 모두 몇 번인지 구하기	15점

04 채점기준
❶ 70과 84의 최대공약수 구하기	10점
❷ 최대 몇 봉지에 나누어 담았는지 구하기	5점
❸ 판매 금액 구하기	10점

3 규칙과 대응

쪽지시험 1회 36쪽

01 2개   **02** 4개
03 예 분홍색 모양 조각의 수
04 예 분홍색, 늘어납니다에 ○표
05 예 토끼의 수, 귀의 수
06 예 바퀴의 수
07 예 바퀴의 수도 많아집니다.
08 6개
09 예 검은색 바둑돌의 수, 흰색 바둑돌의 수
10 예 검은색 바둑돌의 수가 늘어나면 흰색 바둑돌의 수도 늘어납니다.

풀이

01 연두색 모양 조각이 1개일 때 분홍색 모양 조각은 2개입니다.

02 연두색 모양 조각이 2개일 때 분홍색 모양 조각은 4개입니다.

03 함께 변하는 두 양은 연두색 모양 조각의 수와 분홍색 모양 조각의 수입니다.

04 연두색 모양 조각의 수가 늘어나면 분홍색 모양 조각의 수도 늘어납니다.

05 함께 변하는 두 양은 토끼의 수와 귀의 수, 토끼의 수와 다리의 수 등입니다.

06 함께 변하는 두 양은 버스의 수와 바퀴의 수입니다.

07 버스의 수가 많아지면 바퀴의 수도 많아집니다.

08 흰색 바둑돌의 수는 검은색 바둑돌의 수보다 2개 많으므로 검은색 바둑돌이 4개일 때 흰색 바둑돌은 6개입니다.

09 함께 변하는 두 양은 검은색 바둑돌의 수와 흰색 바둑돌의 수입니다.

10 검은색 바둑돌의 수가 늘어나면(줄어들면) 흰색 바둑돌의 수도 늘어납니다.(줄어듭니다.)

쪽지시험 2회 37쪽

01 8, 12, 16   **02** 20개
03 4   **04** 3, 6, 9, 12
05 3   **06** 3, 4, 5, 6
07 예 2개 더 많습니다.   **08** 8개
09 (위에서부터) 2024, 13
10 예 지아의 나이에 2012를 더하면 연도가 됩니다.

풀이

01 접시의 수가 1개, 2개, 3개, 4개, ...일 때 만두의 수는 4개, 8개, 12개, 16개, ...입니다.

02 접시 1개에 만두가 4개씩 담겨있으므로 접시가 5개일 때 만두는 20개입니다.

03 만두의 수는 접시의 수에 4를 곱한 것과 같습니다.

04 단추의 수가 1개, 2개, 3개, 4개, ...일 때 단춧구멍의 수는 3개, 6개, 9개, 12개, ...입니다.

05 단춧구멍의 수는 단추의 수에 3을 곱한 것과 같습니다.

06 주황색 모양 조각의 수가 1개, 2개, 3개, 4개, ...일 때 초록색 모양 조각의 수는 3개, 4개, 5개, 6개, ...입니다.

07 초록색 모양 조각의 수는 주황색 모양 조각의 수보다 2개 많고, 주황색 모양 조각의 수가 1개 늘어날 때마다 초록색 모양 조각의 수는 1개씩 늘어납니다.

08 초록색 모양 조각의 수는 주황색 모양 조각의 수보다 2개 많으므로 8개입니다.

09 연도가 2022년, 2023년, 2024년, 2025년, ...일 때 지아의 나이는 10살, 11살, 12살, 13살, ...입니다.

10 연도는 지아의 나이보다 2012 더 많습니다.

01 5, 10, 15, 20

02 연필꽂이의 수, 연필의 수

03 ○×5=◇에 색칠   **04** 2, 3, 4, 5

05 자른 횟수, 도막의 수

06 예 □+1=△

07 8, 12, 16   **08** 예 △×4=○

09 32장   **10** 예 □×7=△

풀이

01 연필꽂이의 수가 1개, 2개, 3개, 4개, ...일 때 연필의 수는 5자루, 10자루 15자루, 20자루, ...입니다.

02 연필의 수는 연필꽂이의 수의 5배입니다.

03 (연필꽂이의 수)×5=(연필의 수) ➡ ○×5=◇

04 자른 횟수가 1회, 2회, 3회, 4회, ...일 때 도막의 수는 2개, 3개, 4개, 5개, ...입니다.

05 도막의 수는 자른 횟수보다 1 큽니다.

06 (자른 횟수)+1=(도막의 수) ➡ □+1=△

07 학생 수가 1명, 2명, 3명, 4명, ...일 때 필요한 색종이의 수는 4장, 8장, 12장, 16장, ...입니다.

08 (학생 수)×4=(색종이의 수)
➡ △×4=○

09 색종이의 수는 학생 수의 4배이므로 학생 수가 8명일 때 필요한 색종이는 32장입니다.

10 (책꽂이의 칸 수)×7=(책의 수)
➡ □×7=△

01 예 집게의 수

02 2, 예 집게의 수

03 예 ◇, 집게의 수 (○), ◇×2=○

04 예 □×5=○

05 예 ◇, ○, ◇+1=○

06 예 □, △, □×250=△

07 예 ☆, ♡, ☆×300=♡

08 예 케이크의 수, 초의 수

09 예 초의 수는 케이크의 수의 4배입니다.

10 예 케이크의 수 (□), 초의 수 (♡), □×4=♡

풀이

01 사진의 수와 집게의 수 사이의 대응 관계를 찾을 수 있습니다.

02 집게의 수는 사진의 수의 2배입니다.

03 (사진의 수)×2=(집게의 수) ➡ ◇×2=○
(집게의 수)÷2=(사진의 수) ➡ ○÷2=◇

04 (실의 수)×5=(구슬의 수) ➡ □×5=○

05 (의자의 수)+1=(팔걸이의 수) ➡ ◇+1=○

06 (피자의 수)×250=(열량) ➡ □×250=△

07 (인형의 수)×300=(무게) ➡ ☆×300=♡

08 케이크의 수와 초의 수 사이의 대응 관계, 케이크의 수와 딸기의 수 사이의 대응 관계를 찾을 수 있습니다.

09 케이크의 수가 1개 늘어날 때마다 초의 수는 4개씩 늘어납니다.

10 (케이크의 수)×4=(초의 수) ➡ □×4=♡

01 예 초콜릿의 수

02 예 초콜릿의 수, 많아집니다에 ○표

03 6, 9, 12

04 3   **05** 21송이

06 2, 4   **07** 은서

08 ㉡   **09** 3, 4, 5, 6

10 2

11 예 (책상의 수)+2=(의자의 수)

12 예 ◇+2=○   **13** 예 ♡, ○, ♡×2=○

14 예) △, □, △×7=□

15 예) ❶

상우의 나이(살)	12	13	14	15	…
동생의 나이(살)	7	8	9	10	…

동생의 나이는 상우의 나이보다 5살 적습니다.

❷ 따라서 두 양 사이의 대응 관계를 식으로 나타내면 ◇−5=△입니다.

/ 예) ◇−5=△

16 예) 비행기의 수가 많아지면 날개의 수도 많아집니다.

17 예) 바구니의 수(□), 감자의 수(△), □×5=△

18 10

19 예) ◇+2=○, 오후 10시

20 예) ❶

자른 횟수(회)	1	2	3	4	…
도막의 수(개)	2	3	4	5	…

도막의 수는 자른 횟수보다 1 큽니다.

❷ 따라서 자른 도막이 27개가 되게 하려면 27−1=26(회) 잘라야 합니다.

/ 26회

풀이

01 함께 변하는 두 양은 상자의 수와 초콜릿의 수입니다.

02 상자의 수가 많아지면 초콜릿의 수도 많아집니다.

03 꽃병의 수가 1개, 2개, 3개, 4개, …일 때 꽃의 수는 3송이, 6송이, 9송이, 12송이, …입니다.

04 꽃병 1개에 꽃이 3송이씩 꽂혀 있으므로 꽃의 수는 꽃병의 수의 3배입니다.

05 꽃의 수는 꽃병의 수의 3배이므로 꽃병이 7개일 때 꽃은 21송이입니다.

06 분홍색 모양 조각이 1개, 2개, …일 때 초록색 모양 조각은 2개, 4개, …입니다.

07 분홍색 모양 조각의 수가 늘어나면 초록색 모양 조각의 수도 늘어나므로 바르게 말한 사람은 은서입니다.

08 ㉡ 메뚜기의 수가 많아지면 메뚜기의 다리의 수도 많아집니다.

09 책상의 수가 1개, 2개, 3개, 4개, …일 때 의자의 수는 3개, 4개, 5개, 6개, …입니다.

10 책상의 수에 2를 더하면 의자의 수입니다.

11 의자의 수는 책상의 수보다 2개 더 많으므로 식으로 나타내면 (책상의 수)+2=(의자의 수)입니다.

12 (책상의 수)+2=(의자의 수) ➡ ◇+2=○

13 (학생 수)×2=(마라카스의 수) ➡ ♡×2=○

14 (나뭇가지의 수)×7=(잎의 수) ➡ △×7=□

15

채점 기준	❶ 상우의 나이와 동생의 나이 사이의 대응 관계 찾기	2점
	❷ 두 양 사이의 대응 관계를 기호를 사용하여 식으로 나타내기	3점

16

채점 기준	함께 변하는 두 양을 찾아 대응 관계 설명하기	5점

17 (바구니의 수)×5=(감자의 수) ➡ □×5=△

18 고은이가 답한 수는 선유가 말한 수보다 3 작습니다. 따라서 선유가 13을 말할 때 고은이가 답하는 수는 13−3=10입니다.

19 공연의 시작 시각과 끝나는 시각은 2시간 차이가 납니다.
(시작 시각)+2=(끝나는 시각) ➡ ◇+2=○
따라서 공연을 오후 8시에 시작하면 오후 10시에 끝납니다.

20

채점 기준	❶ 자른 횟수와 도막의 수 사이의 대응 관계 찾기	3점
	❷ 자른 도막이 27개가 되게 하려면 몇 회 잘라야 할지 구하기	2점

01 ⑩ 꽃잎의 수   **02** ⑩ 꽃잎의 수, 3

03 4, 5, 6   **04** ⑩ 2개 더 많습니다.

05 4, 8, 12, 16   **06** (○)
                                  (   )

07 ⑩ $\triangle \times 4 = \heartsuit$ **08** 2, 3, 4, 5

09 ⑩ (고리의 수)$+1=$(카드의 수)

10 ⑩ $\bigcirc +1 = \square$ **11** 서후

12 ⑩ 탁자의 수, 의자의 수

13 ⑩ 의자의 수는 탁자의 수의 6배입니다.

14 ⑩ 탁자의 수(◇), 의자의 수(☆)
    / ⑩ $\diamondsuit \times 6 = \star$

15 ⑩ 북의 수가 많아지면 북채의 수도 많아집니다.

16 26

17 12, 24, 36, 48
    / ⑩ 달걀의 수는 달걀 판의 수의 12배입니다.

18 ⑩ ❶ 입장료는 어린이 입장객 수의 1500배이므로 어린이 입장객의 수를 ♡, 입장료의 합을 ○원이라고 할 때 두 양 사이의 대응 관계를 식으로 나타내면 $\heartsuit \times 1500 = \bigcirc$입니다.
     ❷ 따라서 어린이가 6명이면 입장료를 $6 \times 1500 = 9000$(원) 내야 합니다.
     / 9000원

19 2, 4, 6, 8 / 26개

20 ⑩ ❶ 정사각형은 네 변의 길이가 같으므로 둘레는 한 변의 길이의 4배입니다. 정사각형의 한 변의 길이를 □cm, 둘레를 △cm라고 할 때 두 양 사이의 대응 관계를 식으로 나타내면 $\square \times 4 = \triangle$입니다.
     ❷ 따라서 정사각형의 둘레가 96 cm일 때 한 변의 길이는 $96 \div 4 = 24$ (cm)입니다.
     / 24 cm

풀이

02 꽃의 수가 1송이씩 늘어남에 따라 꽃잎의 수는 3개씩 늘어납니다.

03 분홍색 모양 조각의 수가 1개, 2개, 3개, 4개, ...일 때 초록색 모양 조각의 수는 3개, 4개, 5개, 6개, ...입니다.

04 분홍색 모양 조각의 수에 2를 더하면 초록색 모양 조각의 수입니다.

05 풍차의 수가 1개, 2개, 3개, 4개, ...일 때 풍차 날개의 수는 4개, 8개, 12개, 16개, ...입니다.

06 풍차의 날개의 수는 풍차의 수의 4배이므로 식으로 나타내면 (풍차의 수)$\times 4 =$(날개의 수)입니다.

07 (풍차의 수)$\times 4 =$(날개의 수) ➜ $\triangle \times 4 = \heartsuit$

08 고리의 수가 1개, 2개, 3개, 4개, ...일 때 카드의 수는 2장, 3장, 4장, 5장, ...입니다.

09 카드의 수는 고리의 수보다 1 크므로 (고리의 수)$+1=$(카드의 수)입니다.

10 (고리의 수)$+1=$(카드의 수) ➜ $\bigcirc +1 = \square$

11 고리의 수는 카드의 수보다 1 적으므로 바르게 이야기한 사람은 서후입니다.

12 탁자의 수와 의자의 수 사이의 대응 관계, 탁자의 수와 컵의 수 사이의 대응 관계 등을 찾을 수 있습니다.

14 (탁자의 수)$\times 6 =$(의자의 수) ➜ $\diamondsuit \times 6 = \star$

15

채점 기준	함께 변하는 두 양을 찾아 대응 관계 설명하기	5점

16 ○는 ☆보다 4 큰 규칙입니다.
따라서 ☆이 22일 때 ○는 $22+4=26$입니다.

17 달걀 판의 수가 1개 늘어날 때마다 달걀의 수는 12개씩 늘어납니다.

18

채점 기준	❶ 어린이 입장객 수와 입장료 사이의 대응 관계를 기호를 사용하여 식으로 나타내기	3점
	❷ 어린이가 6명일 때 입장료 구하기	2점

19 흰색 바둑돌의 수는 검은색 바둑돌의 수의 2배입니다. 따라서 검은색 바둑돌이 13개일 때 흰색 바둑돌은 26개입니다.

20

채점 기준	❶ 정사각형의 한 변의 길이와 둘레 사이의 대응 관계를 기호를 사용하여 식으로 나타내기	3점
	❷ 정사각형의 둘레가 96 cm일 때 한 변의 길이 구하기	2점

연습 서술형 평가

46~47쪽

01 예 ❶ 어항의 수, 물고기의 수

❷ 어항의 수가 늘어나면 물고기의 수도 늘어납니다.

02 예 ❶ 기훈이가 하루에 라디오를 들은 시간은 $10+20=30$(분)이므로 라디오를 들은 전체 시간은 날수의 30배입니다.

❷ 따라서 두 양 사이의 대응 관계를 기호를 사용하여 식으로 나타내면 $\diamondsuit \times 30 = \heartsuit$입니다. / 예 $\diamondsuit \times 30 = \heartsuit$

03 예 ❶

분홍색 모양 조각의 수(개)	1	2	3	4	…
초록색 모양 조각의 수(개)	3	4	5	6	…

초록색 모양 조각의 수는 분홍색 모양 조각의 수보다 2 큽니다.

❷ 따라서 분홍색 모양 조각이 16개일 때 초록색 모양 조각은 18개입니다. / 18개

04 예 ❶

자른 횟수(회)	1	2	3	4	5	…
도막의 수(개)	2	3	4	5	6	…

도막의 수는 자른 횟수보다 1 큽니다.

❷ 통나무를 잘라 13도막이 되려면 $13-1=12$(회) 잘라야 합니다.

❸ 따라서 통나무를 쉬지 않고 자르는 데 걸리는 시간은 $2 \times 12 = 24$(분)입니다. / 24분

풀이

01 채점 기준

❶ 함께 변하는 두 양 찾기	10점
❷ 어떻게 변하는지 설명하기	15점

02 채점 기준

❶ 라디오를 들은 날수와 라디오를 들은 전체 시간 사이의 대응 관계에서 규칙 찾기	15점
❷ 두 양 사이의 대응 관계를 기호를 사용하여 식으로 나타내기	10점

03 채점 기준

❶ 분홍색 모양 조각의 수와 초록색 모양 조각의 수 사이의 대응 관계에서 규칙 찾기	15점
❷ 분홍색 모양 조각이 16개일 때 초록색 모양 조각의 수 구하기	10점

04 채점 기준

❶ 자른 횟수와 도막의 수 사이의 대응 관계에서 규칙 찾기	10점
❷ 13도막이 되려면 몇 번 잘라야 하는지 구하기	8점
❸ 통나무를 쉬지 않고 13도막으로 자르는 데 걸리는 시간 구하기	7점

실전 서술형 평가

48~49쪽

01 예 ❶ 얼음의 수는 컵의 수의 4배입니다.

❷ 대응 관계를 나타낸 식 $\star \times 4 = \bigcirc$에서 $\star$은 컵의 수, $\bigcirc$는 얼음의 수를 나타내므로 잘못 말한 사람은 은채입니다. / 은채

02 예 ❶ 세 발 자전거 바퀴의 수($\triangle$)는 세 발 자전거의 수($\square$)의 3배입니다.

❷ 삼각형의 변의 수($\triangle$)는 삼각형의 수($\square$)의 3배입니다.

03 예 ❶

그림의 수(장)	1	2	3	4	…
자석의 수(개)	4	6	8	10	…

자석의 수는 그림의 수의 2배보다 2 큽니다.

❷ 따라서 그림이 8장일 때 필요한 자석은 $8 \times 2 + 2 = 18$(개)입니다. / 18개

04 예 ❶ 서울의 시각이 파리의 시각보다 7시간 더 빠르므로 (파리의 시각)+7시간=(서울의 시각)입니다.

❷ 파리가 오후 1시일 때 서울의 시각은 오후 1시+7시간=오후 8시입니다. / 오후 8시

풀이

01 채점 기준

❶ 컵의 수와 얼음의 수 사이의 대응 관계 찾기	10점
❷ 대응 관계를 잘못 말한 사람 구하기	15점

02 채점 기준

❶ 식에 알맞은 상황을 한 가지 만들기	15점
❷ 식에 알맞은 또다른 상황을 한 가지 만들기	10점

03 채점 기준

❶ 그림의 수와 자석의 수 사이의 대응 관계에서 규칙 찾기	15점
❷ 그림이 8장일 때 필요한 자석의 수 구하기	10점

04 채점 기준

❶ 서울의 시각과 파리의 시각 사이의 대응 관계에서 규칙 찾기	15점
❷ 파리가 오후 1시일 때 서울의 시각 구하기	10점

4 약분과 통분

01 $\dfrac{\boxed{3}}{5}=\dfrac{\boxed{9}}{15}$ **02** 8, 9, 12

03 21, 8, 4   **04** 예 $\dfrac{10}{12}, \dfrac{15}{18}, \dfrac{20}{24}$

05 예 $\dfrac{18}{27}, \dfrac{12}{18}, \dfrac{6}{9}$ **06** $\dfrac{6}{8}, \dfrac{18}{24}$

07 5   **08** 9

09 2, 4, 8   **10** 6개

풀이

04 분모와 분자에 0이 아닌 같은 수를 곱하여 크기가 같은 분수를 만듭니다.

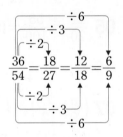

$$\dfrac{5}{6}=\dfrac{10}{12}=\dfrac{15}{18}=\dfrac{20}{24}$$

05 분모와 분자를 0이 아닌 같은 수로 나누어 크기가 같은 분수를 만듭니다.

$$\dfrac{36}{54}=\dfrac{18}{27}=\dfrac{12}{18}=\dfrac{6}{9}$$

06 $\dfrac{6}{8}=\dfrac{6\times3}{8\times3}=\dfrac{18}{24}$

07 $7\times8=56$이므로 분모와 분자에 각각 8을 곱한 것입니다. ➡ ㉠$\times8=40$, ㉠$=5$

08 $28\div7=4$이므로 분모와 분자를 각각 7로 나눈 것입니다. ➡ $63\div7=9$, ㉠$=9$

09 72와 32의 최대공약수가 8이므로 72와 32의 공약수는 8의 약수인 1, 2, 4, 8입니다.
➡ 분모와 분자를 공통으로 나눌 수 있는 자연수 중에서 1이 아닌 수는 2, 4, 8입니다.

10 $\dfrac{3}{8}$과 크기가 같은 분수는

$$\dfrac{3}{8}=\dfrac{6}{16}=\dfrac{9}{24}=\dfrac{12}{32}=\dfrac{15}{40}=\dfrac{18}{48}=\dfrac{21}{56}=\dfrac{24}{64}=\cdots$$

이므로 분모가 60보다 작은 분수는 모두 6개입니다.

01 $\dfrac{28\div\boxed{4}}{36\div4}=\dfrac{\boxed{7}}{\boxed{9}}$ **02** $\dfrac{\overset{5}{30}}{\underset{8}{48}}=\dfrac{\boxed{5}}{\boxed{8}}$

03 3, 9에 ○표   **04** 예 $\dfrac{10}{16}, \dfrac{5}{8}$

05 예 $\dfrac{24}{42}, \dfrac{16}{28}$ **06** (1) $\dfrac{4}{5}$ (2) $\dfrac{2}{9}$

07 9   **08** $\dfrac{3}{10}, \dfrac{17}{24}$ **09** 3개   **10** $\dfrac{2}{3}$

풀이

03 45와 18의 최대공약수는 9이므로 공약수는 1, 3, 9입니다.
➡ 분모와 분자를 나눌 수 있는 수는 18과 45의 공약수 중에서 3, 9입니다.

04 $\dfrac{\overset{10}{20}}{\underset{16}{32}}=\dfrac{10}{16}, \dfrac{\overset{5}{20}}{\underset{8}{32}}=\dfrac{5}{8}$

05 $\dfrac{\overset{24}{48}}{\underset{42}{84}}=\dfrac{24}{42}, \dfrac{\overset{16}{48}}{\underset{28}{84}}=\dfrac{16}{28}$

06 (1) 30과 24의 최대공약수가 6이므로 6으로 약분하면 $\dfrac{4}{5}$입니다.

(2) 72와 16의 최대공약수가 8이므로 8로 약분하면 $\dfrac{2}{9}$입니다.

07 63과 45의 최대공약수인 9로 약분해야 합니다.

08 $\dfrac{9}{15}=\dfrac{9\div3}{15\div3}=\dfrac{3}{5}, \dfrac{12}{32}=\dfrac{12\div4}{32\div4}=\dfrac{3}{8}$

09 75와 60의 최대공약수는 15이므로 공약수는 1, 3, 5, 15입니다. 약분할 수 있는 수는 3, 5, 15로 3개이므로 약분하여 나타낼 수 있는 수는 $\dfrac{20}{25}, \dfrac{12}{15}, \dfrac{4}{5}$로 모두 3개입니다.

10 합이 40인 두 수를 알아보면 (20, 20), (21, 19), (22, 18), (23, 17), (24, 16), (25, 15), …이고, 이 중에서 차가 8인 두 수는 (24, 16)입니다.
➡ 진분수로 나타내면 $\dfrac{16}{24}$이고 기약분수로 나타내면 $\dfrac{2}{3}$입니다.

01 $\left(\dfrac{3 \times \boxed{10}}{8 \times \boxed{10}}, \dfrac{7 \times \boxed{8}}{10 \times \boxed{8}} \right), \left(\dfrac{\boxed{30}}{80}, \dfrac{\boxed{56}}{80} \right)$

02 $\left(\dfrac{3 \times \boxed{5}}{8 \times \boxed{5}}, \dfrac{7 \times \boxed{4}}{10 \times \boxed{4}} \right), \left(\dfrac{\boxed{15}}{40}, \dfrac{\boxed{28}}{40} \right)$

03 $\left(\dfrac{15}{20}, \dfrac{8}{20} \right)$ **04** $\left(\dfrac{20}{24}, \dfrac{15}{24} \right)$ **05** $\left(\dfrac{35}{60}, \dfrac{32}{60} \right)$

06 ③   **07** $\left(\dfrac{66}{150} \text{ m}, \dfrac{85}{150} \text{ m} \right)$

08 (앞에서부터) 7, 24, 48   **09** $\left(\dfrac{5}{8}, \dfrac{7}{16} \right)$

10 $\left(\dfrac{\boxed{5}}{6}, \dfrac{\boxed{7}}{9} \right), \left(\dfrac{\boxed{15}}{18}, \dfrac{\boxed{14}}{18} \right)$

풀이

03 $\left(\dfrac{3}{4}, \dfrac{2}{5} \right) \Rightarrow \left(\dfrac{3 \times 5}{4 \times 5}, \dfrac{2 \times 4}{5 \times 4} \right) \Rightarrow \left(\dfrac{15}{20}, \dfrac{8}{20} \right)$

04 $\left(\dfrac{5}{6}, \dfrac{5}{8} \right) \Rightarrow \left(\dfrac{5 \times 4}{6 \times 4}, \dfrac{5 \times 3}{8 \times 3} \right) \Rightarrow \left(\dfrac{20}{24}, \dfrac{15}{24} \right)$

05 $\left(\dfrac{7}{12}, \dfrac{8}{15} \right) \Rightarrow \left(\dfrac{7 \times 5}{12 \times 5}, \dfrac{8 \times 4}{15 \times 4} \right) \Rightarrow \left(\dfrac{35}{60}, \dfrac{32}{60} \right)$

06 공통분모가 될 수 있는 수는 두 분모 12와 18의 공배수입니다. 12와 18의 최소공배수는 36이므로 공통분모가 될 수 있는 수는 36의 배수인 36, 72, 108, 144, …입니다.

07 가장 작은 수를 공통분모로 하므로 25와 30의 최소공배수 150을 공통분모로 하여 통분합니다.

08 · $\left(\dfrac{\boxed{㉠}}{16}, \dfrac{13}{\boxed{㉡}} \right) \Rightarrow \left(\dfrac{21}{48}, \dfrac{26}{\boxed{㉢}} \right)$ 통분한 것이므로 ㉢=48입니다.

   · $\dfrac{21}{48} \Rightarrow \dfrac{7}{16} \Rightarrow$ ㉠=7

   · $\dfrac{26}{48} \Rightarrow \dfrac{13}{24} \Rightarrow$ ㉡=24

09 $\dfrac{80}{128}$: 128과 80의 최대공약수가 16이므로 16으로 약분하여 기약분수로 나타냅니다.

   $\dfrac{56}{128}$: 128과 56의 최대공약수가 8이므로 8로 약분하여 기약분수로 나타냅니다.

10 18을 공통분모로 하여 통분할 수 있는 진분수는 $\dfrac{5}{6}$와 $\dfrac{7}{9}$입니다.

01 (예) 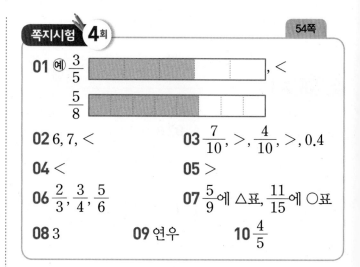 , <

02 6, 7, <   **03** $\dfrac{7}{10}$, >, $\dfrac{4}{10}$, >, 0.4

04 <   **05** >

06 $\dfrac{2}{3}, \dfrac{3}{4}, \dfrac{5}{6}$ **07** $\dfrac{5}{9}$에 △표, $\dfrac{11}{15}$에 ○표

08 3   **09** 연우   **10** $\dfrac{4}{5}$

풀이

01 색칠한 부분을 비교하면 $\dfrac{3}{5} < \dfrac{5}{8}$입니다.

03 소수를 분수로 나타내거나 분수를 소수로 나타내어 비교합니다.

04 $\left(\dfrac{7}{9}, \dfrac{13}{15} \right) \rightarrow \left(\dfrac{35}{45}, \dfrac{39}{45} \right) \rightarrow \dfrac{7}{9} < \dfrac{13}{15}$

   $\Rightarrow 1\dfrac{7}{9} < 1\dfrac{13}{15}$

05 $\dfrac{11}{20} = \dfrac{55}{100} = 0.55 \Rightarrow 0.55 > 0.5$

06 $\dfrac{3}{4} > \dfrac{2}{3}, \dfrac{3}{4} < \dfrac{5}{6} \Rightarrow \dfrac{2}{3} < \dfrac{3}{4} < \dfrac{5}{6}$

07 $\left(\dfrac{5}{9}, \dfrac{7}{12} \right) \rightarrow \left(\dfrac{20}{36}, \dfrac{21}{36} \right) \rightarrow \dfrac{5}{9} < \dfrac{7}{12}$

   $\left(\dfrac{5}{9}, \dfrac{11}{15} \right) \rightarrow \left(\dfrac{25}{45}, \dfrac{33}{45} \right) \rightarrow \dfrac{5}{9} < \dfrac{11}{15}$

   $\left(\dfrac{7}{12}, \dfrac{11}{15} \right) \rightarrow \left(\dfrac{35}{60}, \dfrac{44}{60} \right) \rightarrow \dfrac{7}{12} < \dfrac{11}{15}$

   $\Rightarrow \dfrac{5}{9} < \dfrac{7}{12} < \dfrac{11}{15}$

08 $\dfrac{9}{25} = \dfrac{36}{100} = 0.36$이므로 $0.36 > 0.\square 4$입니다.

   $\Rightarrow \square$ 안에 들어갈 수 있는 자연수는 1, 2, 3이므로 가장 큰 수는 3입니다.

09 $\dfrac{3}{4} = 0.75$이므로 $0.75 < 0.8$입니다.

   $\Rightarrow$ 연우가 운동을 더 오래 했습니다.

10 분모가 4, 5, 9일 때 분자가 가장 큰 진분수를 만들어 보면 $\dfrac{2}{4}, \dfrac{4}{5}, \dfrac{5}{9}$입니다. 이 중 가장 큰 분수는 $\dfrac{4}{5}$입니다.

기본 단원 평가 55~57쪽

01 예

/ $\dfrac{\boxed{3}}{\boxed{6}} = \dfrac{\boxed{6}}{\boxed{12}}$

02 14, 36, 42

03 $\dfrac{35}{77} = \dfrac{35 \div \boxed{5}}{77 \div 7} = \dfrac{7}{11}$, $\dfrac{35}{77} = \dfrac{35 \div 7}{77 \div 7} = \dfrac{5}{11}$

04 (1) $\left(\dfrac{60}{96}, \dfrac{88}{96} \right)$ (2) $\left(\dfrac{15}{24}, \dfrac{22}{24} \right)$

05 <

06 (교차 연결)

07 3, 5, 15 **08** ④

09 ⑤ **10** 24, 48, 72

11 $\dfrac{17}{24}$, $\dfrac{1}{2}$, $\dfrac{7}{16}$

12 (○)( ) **13** ㉢

14 주희 **15** 15

16 (위에서부터) 0.7, 0.7, $\dfrac{13}{20}$

17 예 ❶ 분모가 20인 진분수는 $\dfrac{1}{20}$, $\dfrac{2}{20}$, …, $\dfrac{19}{20}$입니다.

❷ 이 중에서 기약분수는 분모와 분자의 공약수가 1뿐인 분수이므로 $\dfrac{1}{20}$, $\dfrac{3}{20}$, $\dfrac{7}{20}$, $\dfrac{9}{20}$, $\dfrac{11}{20}$, $\dfrac{13}{20}$, $\dfrac{17}{20}$, $\dfrac{19}{20}$입니다.

❸ 분모가 20인 기약분수는 모두 8개입니다.
/ 8개

18 4개

19 예 ❶ 36을 공통분모로 하여 통분해 보면 $\left(\dfrac{2}{9}, \dfrac{5}{12} \right)$ ➡ $\left(\dfrac{8}{36}, \dfrac{15}{36} \right)$이므로 $\dfrac{8}{36} < \dfrac{\square}{36} < \dfrac{15}{36}$입니다.

❷ 분자끼리 크기를 비교하면 $8 < \square < 15$이므로 $\square$ 안에 들어갈 수 있는 자연수는 9, 10, 11, 12, 13, 14로 모두 6개입니다.
/ 6개

20 예 ❶ 숫자 카드로 만들 수 있는 가장 작은 진분수는 $\dfrac{2}{5}$입니다. 나머지 숫자 카드로 만들 수 있는 소수는 0.3입니다.

❷ 두 수를 비교하면 $\dfrac{2}{5} = 0.4$이므로 $\dfrac{2}{5} > 0.3$입니다. 따라서 더 큰 수는 $\dfrac{2}{5}$입니다.

/ $\dfrac{2}{5}$

풀이

01 분수만큼 색칠해 보고 색칠한 부분의 크기가 같은 두 분수를 찾습니다.

02 분모와 분자에 0이 아닌 같은 수를 각각 곱하여 크기가 같은 분수를 만듭니다.

03 분모와 분자를 0이 아닌 같은 수로 각각 나누어야 합니다.
77과 35의 공약수가 1, 7이므로 7로 약분합니다.

04 (1) 8과 12의 곱 96을 공통분모로 하여 통분합니다.
(2) 8과 12의 최소공배수 24를 공통분모로 하여 통분합니다.

05 $\left(\dfrac{7}{18}, \dfrac{13}{30} \right)$ ➡ $\left(\dfrac{35}{90}, \dfrac{39}{90} \right)$ ➡ $\dfrac{7}{18} < \dfrac{13}{30}$

06 $\dfrac{7}{12} = \dfrac{7 \times 3}{12 \times 3} = \dfrac{21}{36}$, $\dfrac{15}{25} = \dfrac{15 \div 5}{25 \div 5} = \dfrac{3}{5}$

07 분모 60과 분자 45의 최대공약수는 15이므로 공약수는 1, 3, 5, 15입니다.
➡ 3, 5, 15로 약분할 수 있습니다.

08 48과 36의 최대공약수가 12입니다. 공약수는 1, 2, 3, 4, 6, 12이므로 분수를 2, 3, 4, 6, 12로 약분할 수 있습니다.

09 분모와 분자의 공약수가 1뿐인 분수를 찾으면 $\dfrac{25}{42}$입니다.

10 공통분모가 될 수 있는 수 중에서 가장 작은 수는 두 분모의 최소공배수이고, 공배수는 모두 공통분모가 될 수 있습니다.
➡ 6과 8의 최소공배수 24의 배수를 작은 것부터 3개 구하면 24, 48, 72입니다.

11 $\left(\dfrac{17}{24}, \dfrac{1}{2}\right) \rightarrow \left(\dfrac{17}{24}, \dfrac{12}{24}\right) \rightarrow \dfrac{17}{24} > \dfrac{1}{2}$

$\left(\dfrac{7}{16}, \dfrac{1}{2}\right) \rightarrow \left(\dfrac{7}{16}, \dfrac{8}{16}\right) \rightarrow \dfrac{7}{16} < \dfrac{1}{2}$

➡ $\dfrac{17}{24} > \dfrac{1}{2} > \dfrac{7}{16}$

12 $1\dfrac{13}{20} = 1\dfrac{65}{100} = 1.65$ ➡ $1.65 < 1.7$

13 ㉠ $\dfrac{1}{4} = \dfrac{25}{100} = 0.25$ ➡ $2\dfrac{1}{4} = 2.25$

㉡ 1.4

㉢ $\dfrac{4}{25} = \dfrac{16}{100} = 0.16$ ➡ $1\dfrac{4}{25} = 1.16$

➡ 작은 수부터 차례대로 쓰면 $1.16 < 1.4 < 2.25$입니다.

14 $1\dfrac{7}{20} = 1\dfrac{35}{100}$, $1\dfrac{11}{25} = 1\dfrac{44}{100}$이므로 $1\dfrac{7}{20} < 1\dfrac{11}{25}$입니다.

➡ 가방이 더 가벼운 사람은 주희입니다.

15 분자에 더해야 하는 수를 ☐라고 하면

$\dfrac{5+☐}{9+27} = \dfrac{5+☐}{36}$이고 $\dfrac{5}{9}$와 크기가 같은 분수입니다.

$\dfrac{5}{9} = \dfrac{20}{36}$이므로 $\dfrac{5+☐}{36} = \dfrac{20}{36}$, $5+☐ = 20$입니다.

➡ ☐ = 15

16 $\dfrac{3}{5} = \dfrac{6}{10} = 0.6$ ➡ $0.7 > \dfrac{3}{5}$

$\dfrac{13}{20} = \dfrac{65}{100} = 0.65$ ➡ $\dfrac{13}{20} > 0.62$

➡ $0.7 > \dfrac{13}{20}(=0.65)$

17

채점기준		
❶ 분모가 20인 진분수 구하기		2점
❷ 기약분수 구하기		2점
❸ 분모가 20인 기약분수의 개수 구하기		1점

18 $\dfrac{3}{4} = \dfrac{75}{100} = 0.75$이고, 소수 둘째 자리 숫자가 7인 소수 두 자리 수를 $0.☐7$이라 하면

$0.28 < 0.☐7 < 0.75$입니다.

➡ ☐ 안에 들어갈 수 있는 수는 3, 4, 5, 6으로 모두 4개입니다.

19

채점기준		
❶ 분수를 통분하여 비교하기		3점
❷ ☐ 안에 들어갈 수 있는 자연수는 모두 몇 개인지 구하기		2점

20

채점기준		
❶ 가장 작은 진분수와 소수 구하기		2점
❷ 분수와 소수의 크기 비교하기		3점

---

01 (   )(◯)(◯)   **02** $\dfrac{4}{5}, \dfrac{8}{10}, \dfrac{12}{15}$

03 (1) $<$ (2) $>$ **04** ㉡

05 ✕   **06** ②   **07** 2개

        08 ③   **09** ㉡

10 $\dfrac{5}{8}, \dfrac{13}{24}, \dfrac{7}{16}$ **11** 태호   **12** ㉢, ㉡, ㉠

13 예 ❶ $\dfrac{5}{7} = \dfrac{10}{14} = \dfrac{15}{21} = \dfrac{20}{28} = \dfrac{25}{35} = \dfrac{30}{42} = \cdots$

     ❷ 이 중에서 분모와 분자의 차가 12인 분수는 $\dfrac{30}{42}$입니다. / $\dfrac{30}{42}$

14 $\left(\dfrac{5}{12}, \dfrac{25}{48}\right)$ **15** 45, 90   **16** 4개

17 $\dfrac{18}{30}$ **18** 4개

19 예 ❶ 3으로 약분하기 전: $\dfrac{13}{17} = \dfrac{39}{51}$

     분자에 3을 더하고, 분모에서 3을 빼기 전: 분자에서 3을 빼고, 분모에 3을 더합니다.

     $\dfrac{39}{51} \rightarrow \dfrac{39-9}{51+3} \rightarrow$ 어떤 분수: $\dfrac{36}{54}$

     ❷ 36과 54의 최대공약수가 18이므로 기약분수로 나타내면

     $\dfrac{36}{54} = \dfrac{36 \div 18}{54 \div 18} = \dfrac{2}{3}$입니다. / $\dfrac{2}{3}$

20 예 ❶ $3\dfrac{2}{5} = 3\dfrac{4}{10} = 3.4$ ➡ $3.4 < ☐$,

     $3\dfrac{13}{20} = 3\dfrac{65}{100} = 3.65$ ➡ $☐ < 3.65$

     이므로 ☐ 안에 공통으로 들어가는 수는 $3.4 < ☐ < 3.65$입니다.

     ❷ 3.4보다 크고 3.65보다 작은 소수 한 자리 수는 3.5, 3.6입니다. / 3.5, 3.6

풀이

01 $\dfrac{8}{14} = \dfrac{4}{7} = \dfrac{12}{21}$

02 $\dfrac{72}{90} = \dfrac{72 \div 18}{90 \div 18} = \dfrac{4}{5}$이므로 $\dfrac{4}{5}$의 분모와 분자에 2, 3을 곱하여 크기가 같은 분수를 만듭니다.

03 (1) $\left(\dfrac{9}{16}, \dfrac{17}{24}\right) \rightarrow \left(\dfrac{27}{48}, \dfrac{34}{48}\right) \rightarrow \dfrac{9}{16} < \dfrac{17}{24}$

(2) $\dfrac{17}{25}=\dfrac{68}{100}=0.68$ → $0.68>0.65$

04 75와 50의 공약수는 1, 5, 25이므로 $\dfrac{50}{75}$ 을 약분할 수 없는 수는 15입니다.

05 $\dfrac{24}{56}=\dfrac{24\div8}{56\div8}=\dfrac{3}{7},\ \dfrac{36}{54}=\dfrac{36\div6}{54\div6}=\dfrac{6}{9}$

06 분모와 분자에 0이 아닌 같은 수를 곱하거나 나누어서 크기가 같은 분수를 만듭니다.

07 분모와 분자의 공약수가 1뿐인 분수를 찾으면 $\dfrac{8}{9},\ \dfrac{18}{35}$ 로 2개입니다.

08 ① 56 ② 36 ③ 30 ④ 80 ⑤ 72
→ 공통분모가 가장 작은 것은 ③ 30입니다.

09 ㉡ $\left(\dfrac{8}{15},\ \dfrac{11}{20}\right)$ → $\left(\dfrac{8\times4}{15\times4},\ \dfrac{11\times3}{20\times3}\right)$
→ $\left(\dfrac{32}{60},\ \dfrac{33}{60}\right)$

10 $\left(\dfrac{13}{24},\ \dfrac{7}{16}\right)$ → $\left(\dfrac{26}{48},\ \dfrac{21}{48}\right)$ → $\dfrac{13}{24}>\dfrac{7}{16}$
$\left(\dfrac{13}{24},\ \dfrac{5}{8}\right)$ → $\left(\dfrac{13}{24},\ \dfrac{15}{24}\right)$ → $\dfrac{13}{24}<\dfrac{5}{8}$
→ $\dfrac{5}{8}>\dfrac{13}{24}>\dfrac{7}{16}$

11 $\dfrac{3}{8}=\dfrac{3\times125}{8\times125}=\dfrac{375}{1000}=0.375$

$0.36<0.375$ → $0.36<\dfrac{3}{8}$ 이므로 하루에 마시는 우유의 양이 더 많은 사람은 태호입니다.

12 주어진 수를 각각 소수로 나타냅니다.

㉠ $2\dfrac{1}{4}=2\dfrac{25}{100}=2.25$

㉡ 0.01이 235개인 수: 2.35

㉢ $\dfrac{1}{5}$ 이 12개인 수: $\dfrac{12}{5}=\dfrac{24}{10}=2.4$

→ $2.4>2.35>2.25$

13

채점 기준		
❶ $\dfrac{5}{7}$ 와 크기가 같은 분수 구하기		3점
❷ 분모와 분자의 차가 12인 분수 구하기		2점

14 $\dfrac{100}{240}$: 240과 100의 최대공약수가 20이므로 20으로 약분하면 $\dfrac{5}{12}$ 입니다.

$\dfrac{125}{240}$: 240과 125의 최대공약수가 5이므로 5로 약분하면 $\dfrac{25}{48}$ 입니다.

15 15와 9의 최소공배수가 45이므로 공통분모가 될 수 있는 수는 45의 배수인 45, 90, 135, …입니다. 이 중에서 100보다 작은 수는 45, 90입니다.

16 분모가 24인 분수로 나타내기: $\dfrac{3}{8}=\dfrac{9}{24},\ \dfrac{7}{12}=\dfrac{14}{24}$

구하는 분수를 $\dfrac{\square}{24}$ 라고 하면 $\dfrac{9}{24}<\dfrac{\square}{24}<\dfrac{14}{24}$ 입니다.

분자를 비교하면 $9<\square<14$ 이므로 분자가 될 수 있는 수는 10, 11, 12, 13입니다.

→ $\dfrac{10}{24},\ \dfrac{11}{24},\ \dfrac{12}{24},\ \dfrac{13}{24}$ 으로 모두 4개입니다.

17 $\dfrac{3}{5}$ 의 분모와 분자의 합은 8입니다.

합이 48이 되려면 8에 6을 곱해야 하므로 분모, 분자에 각각 6을 곱하면 됩니다.

→ $\dfrac{3}{5}=\dfrac{3\times6}{5\times6}=\dfrac{18}{30}$

18 만들 수 있는 진분수: $\dfrac{3}{5},\ \dfrac{3}{7},\ \dfrac{5}{7},\ \dfrac{3}{8},\ \dfrac{5}{8},\ \dfrac{7}{8}$

$\dfrac{3}{5}<\dfrac{5}{7},\ \dfrac{3}{8}<\dfrac{3}{7}<\dfrac{5}{7},\ \dfrac{5}{8}<\dfrac{5}{7}$ └ 분자 또는 분모를 비교해 봅니다.

$\left(\dfrac{5}{7},\ \dfrac{7}{8}\right)$ → $\left(\dfrac{40}{56},\ \dfrac{49}{56}\right)$ → $\dfrac{5}{7}<\dfrac{7}{8}$

$\dfrac{5}{7}$ 보다 작은 분수: $\dfrac{3}{5},\ \dfrac{3}{7},\ \dfrac{3}{8},\ \dfrac{5}{8}$ → 4개

19

채점 기준		
❶ 어떤 분수 구하기		3점
❷ 기약분수로 나타내기		2점

20

채점 기준		
❶ $\square$ 의 범위 구하기		3점
❷ $\square$ 안에 공통으로 들어갈 수 있는 소수 구하기		2점

연습 서술형 평가 61~62쪽

01 예 ❶ 6조각 중 4조각은 $\dfrac{4}{6}$ 이므로 하준이가 먹은 피자의 양은 전체의 $\dfrac{4}{6}$ 입니다.

❷ $\dfrac{4}{6}=\dfrac{4\times2}{6\times2}=\dfrac{8}{12}$ 이므로 서현이는 12조각 중 8조각을 먹어야 하준이와 똑같은 양을 먹게 됩니다. / 8조각

02 예 ❶ 만들 수 있는 진분수는 $\dfrac{3}{5},\ \dfrac{3}{6},\ \dfrac{5}{6},\ \dfrac{3}{8},\ \dfrac{5}{8},$ $\dfrac{6}{8}$ 입니다.

❷ 이 중에서 기약분수는 $\dfrac{3}{5},\ \dfrac{5}{6},\ \dfrac{3}{8},\ \dfrac{5}{8}$ 로 4개입니다. / 4개

03 ⓔ ❶ $\left(1\frac{3}{8},\ 1\frac{1}{4}\right)$ ➡ $\left(1\frac{3}{8},\ 1\frac{2}{8}\right)$ ➡ $1\frac{3}{8}>1\frac{1}{4}$

$\left(1\frac{3}{8},\ 1\frac{5}{12}\right)$ ➡ $\left(1\frac{9}{24},\ 1\frac{10}{24}\right)$

➡ $1\frac{3}{8}<1\frac{5}{12}$

❷ $1\frac{1}{4}<1\frac{3}{8}<1\frac{5}{12}$이므로 가장 큰 수는 $1\frac{5}{12}$ 입니다. 따라서 가장 먼 길은 다 길입니다.

/ 다 길

04 ⓔ ❶ 1보다 작고 소수 첫째 자리 숫자가 2인 소수 두 자리 수이므로 0.2□로 나타낼 수 있습니다.

❷ $\frac{7}{25}=\frac{28}{100}=0.28$이므로 0.28보다 큰 소수입니다. 0.28<0.2□이므로 □ 안에 들어갈 수 있는 수는 9입니다. 따라서 우진이와 민서가 설명하는 수는 0.29입니다.

/ 0.29

풀이

01 채점 기준	❶ 하준이가 먹은 피자의 양을 분수로 나타내기	10점
	❷ 서현이는 몇 조각을 먹어야 하는지 구하기	15점

02 채점 기준	❶ 숫자 카드로 만들 수 있는 진분수 구하기	10점
	❷ 진분수 중 기약분수 구하기	15점

03 채점 기준	❶ 분수의 크기 비교하기	10점
	❷ 가장 먼 길 구하기	15점

04 채점 기준	❶ 소수 둘째 자리 숫자를 □로 하여 소수로 나타내기	10점
	❷ 분수와 비교하여 설명하는 소수 구하기	15점

실전 서술형 평가　　63~64쪽

01 ⓔ ❶ $\frac{5}{6}$와 $\frac{8}{9}$을 각각 분모가 72인 분수로 나타내면 $\frac{60}{72}$, $\frac{64}{72}$입니다.

❷ $\frac{60}{72}$보다 크고 $\frac{64}{72}$보다 작은 분수 중에서 분모가 72인 분수는 $\frac{61}{72}$, $\frac{62}{72}$, $\frac{63}{72}$입니다.

❸ 이 중에서 기약분수는 $\frac{61}{72}$입니다.

/ $\frac{61}{72}$

02 ⓔ ❶ 두 수의 곱 또는 공배수가 36이 되는 두 수는 6과 9입니다. 6과 9를 분모로 하고, 숫자 카드를 한 번씩만 사용하여 만들 수 있는 진분수는 $\frac{5}{6}$, $\frac{8}{9}$입니다.

❷ $\left(\frac{5}{6},\ \frac{8}{9}\right)$ ➡ $\left(\frac{30}{36},\ \frac{32}{36}\right)$ ➡ $\frac{5}{6}<\frac{8}{9}$

따라서 더 큰 수는 $\frac{8}{9}$입니다.

/ $\frac{8}{9}$

03 ⓔ ❶ $\left(\frac{3}{10},\ \frac{2}{5}\right)$ ➡ $\left(\frac{3}{10},\ \frac{4}{10}\right)$

우유 전체를 10으로 나눈 것 중에 하영이가 3만큼, 은우가 4만큼 마신 것이므로 유진이가 마신 우유는 전체를 똑같이 10으로 나눈 것 중 10-3-4=3만큼인 것과 같으므로 전체의 $\frac{3}{10}$입니다.

❷ $\frac{3}{10}<\frac{2}{5}$이므로 우유를 가장 많이 마신 사람은 은우입니다. / 은우

04 ⓔ ❶ $3.575=3\frac{575}{1000}=3\frac{23}{40}$이므로

$3\frac{17}{40}<□<3\frac{23}{40}$입니다.

❷ 자연수 부분이 같으므로 분자를 비교하면 □ 안에 들어갈 수 있는 수는 $3\frac{18}{40}$, $3\frac{19}{40}$, $3\frac{20}{40}$, $3\frac{21}{40}$, $3\frac{22}{40}$입니다. 따라서 조건에 알맞은 분수는 모두 5개입니다. / 5개

풀이

01 채점 기준	❶ 분모가 72인 분수로 통분하기	10점
	❷ 분수의 크기를 비교하여 분모가 72인 분수 구하기	10점
	❸ 기약분수 구하기	5점

02 채점 기준	❶ 조건에 맞는 두 진분수 구하기	10점
	❷ 더 큰 진분수 구하기	15점

03 채점 기준	❶ 유진이가 마신 우유의 양을 분수로 나타내기	10점
	❷ 가장 많이 마신 사람 구하기	15점

04 채점 기준	❶ 분모가 40인 분수로 통분하여 나타내기	10점
	❷ 분수의 크기를 비교하여 분모가 40인 분수가 모두 몇 개인지 구하기	15점

5 분수의 덧셈과 뺄셈

01 3, 2 / 3, 2, 5

02 18, 20, 38, 19, $1\frac{7}{12}$

03 $\dfrac{\boxed{9}}{\boxed{12}}+\dfrac{\boxed{10}}{\boxed{12}}=\dfrac{\boxed{19}}{\boxed{12}}=\boxed{1\frac{7}{12}}$

04 $\dfrac{15}{28}$ **05** $1\dfrac{5}{24}$ **06** $\dfrac{7}{9}$

07 > **08** < **09** $\dfrac{17}{18}$ kg **10** $1\dfrac{1}{8}$

풀이

01 $\dfrac{1}{2}+\dfrac{1}{3}=\dfrac{3}{6}+\dfrac{2}{6}=\dfrac{5}{6}$ ─두 분모를 6으로 통분하여 더합니다.

02 두 분모의 곱 24를 공통분모로 하여 통분합니다.

03 두 분모의 최소공배수 12를 공통분모로 하여 통분합니다.

04 $\dfrac{2}{7}+\dfrac{1}{4}=\dfrac{8}{28}+\dfrac{7}{28}=\dfrac{15}{28}$ ─28을 분모로 통분하여 더합니다.

05 $\dfrac{5}{8}+\dfrac{7}{12}=\dfrac{15}{24}+\dfrac{14}{24}=\dfrac{29}{24}=1\dfrac{5}{24}$ ─24를 분모로 통분하여 더합니다.

06 $\dfrac{4}{9}+\dfrac{1}{3}=\dfrac{4}{9}+\dfrac{3}{9}=\dfrac{7}{9}$

07 $\dfrac{2}{5}+\dfrac{3}{10}=\dfrac{4}{10}+\dfrac{3}{10}=\dfrac{7}{10}=\dfrac{42}{60}$

$\dfrac{8}{15}+\dfrac{3}{20}=\dfrac{32}{60}+\dfrac{9}{60}=\dfrac{41}{60}$ ➡ $\dfrac{42}{60}>\dfrac{41}{60}$

08 $\dfrac{1}{4}+\dfrac{17}{18}=\dfrac{9}{36}+\dfrac{34}{36}=\dfrac{43}{36}=1\dfrac{7}{36}$

$\dfrac{5}{12}+\dfrac{8}{9}=\dfrac{15}{36}+\dfrac{32}{36}=\dfrac{47}{36}=1\dfrac{11}{36}$

➡ $1\dfrac{7}{36}<1\dfrac{11}{36}$

09 $\dfrac{1}{6}+\dfrac{7}{9}=\dfrac{3}{18}+\dfrac{14}{18}=\dfrac{17}{18}$ (kg)

10 가장 큰 진분수: $\dfrac{3}{4}$, 가장 작은 진분수: $\dfrac{3}{8}$

➡ $\dfrac{3}{4}+\dfrac{3}{8}=\dfrac{6}{8}+\dfrac{3}{8}=\dfrac{9}{8}=1\dfrac{1}{8}$

01 $1\dfrac{3}{4}+1\dfrac{2}{5}=1\dfrac{15}{20}+1\dfrac{8}{20}$

$\quad=(1+1)+\left(\dfrac{15}{20}+\dfrac{8}{20}\right)$

$\quad=2+\dfrac{23}{20}=2+1\dfrac{3}{20}=3\dfrac{3}{20}$

02 $1\dfrac{3}{4}+1\dfrac{2}{5}=\dfrac{7}{4}+\dfrac{7}{5}=\dfrac{35}{20}+\dfrac{28}{20}=\dfrac{63}{20}=3\dfrac{3}{20}$

03 $3\dfrac{13}{21}$ **04** $4\dfrac{5}{18}$ **05** $5\dfrac{14}{15}$

06 $3\dfrac{19}{28}$ m **07** $4\dfrac{3}{16}$ **08** $5\dfrac{1}{12}$

09 $7\dfrac{29}{30}$ **10** 4 L

풀이

03 $2\dfrac{1}{3}+1\dfrac{2}{7}=2\dfrac{7}{21}+1\dfrac{6}{21}=3+\dfrac{13}{21}=3\dfrac{13}{21}$

04 $1\dfrac{4}{9}+2\dfrac{5}{6}=1\dfrac{8}{18}+2\dfrac{15}{18}=3+\dfrac{23}{18}$

$\quad=3+1\dfrac{5}{18}=4\dfrac{5}{18}$

05 $3\dfrac{4}{15}+2\dfrac{2}{3}=3\dfrac{4}{15}+2\dfrac{10}{15}=5\dfrac{14}{15}$

06 $1\dfrac{3}{7}+2\dfrac{1}{4}=1\dfrac{12}{28}+2\dfrac{7}{28}=3\dfrac{19}{28}$ (m)

07 $2\dfrac{9}{16}+1\dfrac{5}{8}=2\dfrac{9}{16}+1\dfrac{10}{16}=3+\dfrac{19}{16}=3+1\dfrac{3}{16}$

$\quad=4\dfrac{3}{16}$

08 $\square-1\dfrac{7}{20}=3\dfrac{11}{15}$

➡ $\square=3\dfrac{11}{15}+1\dfrac{7}{20}=3\dfrac{44}{60}+1\dfrac{21}{60}=4\dfrac{65}{60}$

$\quad=5\dfrac{5}{60}=5\dfrac{1}{12}$

09 어떤 수를 $\square$라고 하면 $\square-5\dfrac{1}{6}=2\dfrac{4}{5}$입니다.

➡ $\square=2\dfrac{4}{5}+5\dfrac{1}{6}=2\dfrac{24}{30}+5\dfrac{5}{30}=7\dfrac{29}{30}$

10 (주스의 양)$=1\dfrac{7}{8}+\dfrac{1}{4}=1\dfrac{7}{8}+\dfrac{2}{8}=2\dfrac{1}{8}$ (L)

➡ (우유의 양)+(주스의 양)

$\quad=1\dfrac{7}{8}+2\dfrac{1}{8}=3+\dfrac{8}{8}=4$ (L)

쪽지시험 3회 68쪽

01 (예)

$$\frac{\boxed{8}}{10} - \frac{\boxed{5}}{10} = \frac{\boxed{3}}{10}$$

$$\frac{\boxed{8}}{10} \qquad \frac{\boxed{5}}{10}$$

02 70, 24, 46, 23　　　**03** 35, 12, 23

04 $\dfrac{5}{12}$　　　**05** $\dfrac{13}{36}$　　　**06** $\dfrac{1}{3}$

07 $\dfrac{19}{48}$　　**08** $\dfrac{1}{5}$　　**09** $\dfrac{1}{4}$ m　　**10** 7, 2

풀이

04 $\dfrac{2}{3} - \dfrac{1}{4} = \dfrac{8}{12} - \dfrac{3}{12} = \dfrac{5}{12}$

05 $\dfrac{7}{9} - \dfrac{5}{12} = \dfrac{28}{36} - \dfrac{15}{36} = \dfrac{13}{36}$

06 $\dfrac{11}{15} - \dfrac{2}{5} = \dfrac{11}{15} - \dfrac{6}{15} = \dfrac{5}{15} = \dfrac{1}{3}$

07 $\square = \dfrac{17}{24} - \dfrac{5}{16} = \dfrac{34}{48} - \dfrac{15}{48} = \dfrac{19}{48}$

08 $\dfrac{3}{4} - \dfrac{11}{20} = \dfrac{15}{20} - \dfrac{11}{20} = \dfrac{4}{20} = \dfrac{1}{5}$

09 $\dfrac{11}{12} - \dfrac{2}{3} = \dfrac{11}{12} - \dfrac{8}{12} = \dfrac{3}{12} = \dfrac{1}{4}$ (m)

10 $\dfrac{\text{㉠}}{8} - \dfrac{\text{㉡}}{6} = \dfrac{13}{24}$ ➡ $\dfrac{\text{㉠}\times 3}{24} - \dfrac{\text{㉡}\times 4}{24} = \dfrac{13}{24}$

㉠×3-㉡×4=13이므로 7×3-2×4=13입니다. 따라서 $\square$ 안에 알맞은 수는 7, 2입니다.

쪽지시험 4회 69쪽

01 $2\dfrac{4}{5} - 1\dfrac{1}{3} = 2\dfrac{12}{15} - 1\dfrac{5}{15}$
$= (2-1) + \left(\dfrac{12}{15} - \dfrac{5}{15}\right) = 1\dfrac{7}{15}$

02 $2\dfrac{4}{5} - 1\dfrac{1}{3} = \dfrac{14}{5} - \dfrac{4}{3} = \dfrac{42}{15} - \dfrac{20}{15} = \dfrac{22}{15} = 1\dfrac{7}{15}$

03 $2\dfrac{7}{12}$　　　**04** $1\dfrac{31}{35}$　　　**05** $3\dfrac{11}{18}$

06 $3\dfrac{23}{45}$　　**07** $1\dfrac{29}{40}$ m　　**08** $3\dfrac{5}{6}$, $2\dfrac{2}{15}$

09 $6\dfrac{25}{42}$ kg　　**10** 10개

풀이

03 $3\dfrac{5}{6} - 1\dfrac{1}{4} = 3\dfrac{10}{12} - 1\dfrac{3}{12} = 2\dfrac{7}{12}$

04 $4\dfrac{2}{7} - 2\dfrac{2}{5} = 4\dfrac{10}{35} - 2\dfrac{14}{35} = 3\dfrac{45}{35} - 2\dfrac{14}{35} = 1\dfrac{31}{35}$

05 $6\dfrac{4}{9} - 2\dfrac{5}{6} = 6\dfrac{8}{18} - 2\dfrac{15}{18} = 5\dfrac{26}{18} - 2\dfrac{15}{18} = 3\dfrac{11}{18}$

06 $4\dfrac{11}{15} - 1\dfrac{2}{9} = 4\dfrac{33}{45} - 1\dfrac{10}{45} = 3\dfrac{23}{45}$

07 $3\dfrac{7}{20} - 1\dfrac{5}{8} = 3\dfrac{14}{40} - 1\dfrac{25}{40} = 2\dfrac{54}{40} - 1\dfrac{25}{40}$
$= 1\dfrac{29}{40}$ (m)

08 $4\dfrac{1}{2} - \dfrac{2}{3} = 4\dfrac{3}{6} - \dfrac{4}{6} = 3\dfrac{9}{6} - \dfrac{4}{6} = 3\dfrac{5}{6}$
$3\dfrac{5}{6} - 1\dfrac{7}{10} = 3\dfrac{25}{30} - 1\dfrac{21}{30} = 2\dfrac{4}{30} = 2\dfrac{2}{15}$

09 $8\dfrac{5}{21} - 1\dfrac{9}{14} = 8\dfrac{10}{42} - 1\dfrac{27}{42} = 7\dfrac{52}{42} - 1\dfrac{27}{42}$
$= 6\dfrac{25}{42}$ (kg)

10 $4\dfrac{2}{9} - 1\dfrac{11}{12} = 4\dfrac{8}{36} - 1\dfrac{33}{36} = 3\dfrac{44}{36} - 1\dfrac{33}{36} = 2\dfrac{11}{36}$
➡ $2\dfrac{11}{36} > 2\dfrac{\square}{36}$

$\square$ 안에 들어갈 수 있는 자연수는 1부터 10까지이므로 10개입니다.

기본 단원 평가 70~72쪽

01 8, 3, 5

02 (1) 27, 20, 47, $1\dfrac{5}{42}$

(2) 4, 15, $\boxed{3}\dfrac{\boxed{22}}{18}$, $1\dfrac{\boxed{15}}{18}$, $\boxed{2}\dfrac{\boxed{7}}{18}$

03 (1) $\dfrac{1}{6}$　(2) $4\dfrac{1}{36}$　　　　**04** $1\dfrac{13}{48}$

05 $2\dfrac{41}{60}$　　　**06** $4\dfrac{1}{36}$　　　**07** $\dfrac{23}{54}$

08 $\dfrac{5}{8} + \dfrac{17}{20} = \dfrac{25}{40} + \dfrac{34}{40} = \dfrac{59}{40} = 1\dfrac{19}{40}$

09 $1\dfrac{1}{4}$, $2\dfrac{11}{24}$　　**10** $1\dfrac{19}{75}$　　**11** $1\dfrac{25}{28}$

12 <　　　**13**

14 $1\dfrac{47}{48}$ **15** 6개 **16** $\dfrac{1}{10}$

17 예 ❶ (동생이 캔 감자의 양)

$$=5\dfrac{1}{4}-1\dfrac{3}{5}=5\dfrac{5}{20}-1\dfrac{12}{20}$$
$$=4\dfrac{25}{20}-1\dfrac{12}{20}=3\dfrac{13}{20}\ (\text{kg})$$

❷ (윤수와 동생이 캔 감자의 양)

$$=5\dfrac{1}{4}+3\dfrac{13}{20}=5\dfrac{5}{20}+3\dfrac{13}{20}=8\dfrac{18}{20}$$
$$=8\dfrac{9}{10}\ (\text{kg})\ /\ 8\dfrac{9}{10}\ \text{kg}$$

18 3시간 55분

19 예 ❶ $3\dfrac{7}{8}+3\dfrac{5}{6}=3\dfrac{21}{24}+3\dfrac{20}{24}=6+\dfrac{41}{24}=7\dfrac{17}{24}$

이므로 7보다 크고 8보다 작습니다.

❷ $\dfrac{17}{24}$ 은 $\dfrac{1}{2}=\dfrac{12}{24}$ 보다 크므로 $7\dfrac{17}{24}$ 과 가장

가까운 자연수는 8입니다. / 8

20 예 ❶ 숫자 카드로 만들 수 있는 진분수는

$\dfrac{4}{5}, \dfrac{4}{7}, \dfrac{5}{7}$ 입니다.

가장 큰 수: $\dfrac{4}{5}$, 가장 작은 수: $\dfrac{4}{7}$

❷ 가장 큰 수와 가장 작은 수의 차를 구하면

$\dfrac{4}{5}-\dfrac{4}{7}=\dfrac{28}{35}-\dfrac{20}{35}=\dfrac{8}{35}$ 입니다.

$/\ \dfrac{8}{35}$

풀이

03 (1) $\dfrac{13}{15}-\dfrac{7}{10}=\dfrac{26}{30}-\dfrac{21}{30}=\dfrac{5}{30}=\dfrac{1}{6}$

(2) $1\dfrac{5}{12}+2\dfrac{11}{18}=1\dfrac{15}{36}+2\dfrac{22}{36}=3+\dfrac{37}{36}$
$$=3+1\dfrac{1}{36}=4\dfrac{1}{36}$$

04 $\dfrac{17}{24}+\dfrac{9}{16}=\dfrac{34}{48}+\dfrac{27}{48}=\dfrac{61}{48}=1\dfrac{13}{48}$

05 $5\dfrac{4}{15}>2\dfrac{7}{12}$ ➡ $5\dfrac{4}{15}-2\dfrac{7}{12}=5\dfrac{16}{60}-2\dfrac{35}{60}$
$$=4\dfrac{76}{60}-2\dfrac{35}{60}$$
$$=2\dfrac{41}{60}$$

06 $2\dfrac{4}{9}+1\dfrac{7}{12}=2\dfrac{16}{36}+1\dfrac{21}{36}=3+\dfrac{37}{36}$
$$=3+1\dfrac{1}{36}=4\dfrac{1}{36}$$

07 $\dfrac{19}{27}-\dfrac{5}{18}=\dfrac{38}{54}-\dfrac{15}{54}=\dfrac{23}{54}$

08 공통분모는 분모의 공배수로 통분해야 하는데 수를
더해 분모를 큰 수로 맞추어서 잘못 계산했습니다.

09 $4\dfrac{1}{6}-2\dfrac{11}{12}=4\dfrac{2}{12}-2\dfrac{11}{12}=3\dfrac{14}{12}-2\dfrac{11}{12}$
$$=1\dfrac{3}{12}=1\dfrac{1}{4}$$
$5\dfrac{3}{8}-2\dfrac{11}{12}=5\dfrac{9}{24}-2\dfrac{22}{24}=4\dfrac{33}{24}-2\dfrac{22}{24}=2\dfrac{11}{24}$

10 $\dfrac{13}{25}+\dfrac{11}{15}=\dfrac{39}{75}+\dfrac{55}{75}=\dfrac{94}{75}=1\dfrac{19}{75}$

11 가장 큰 수: $3\dfrac{9}{14}$, 가장 작은 수: $1\dfrac{3}{4}$

$3\dfrac{9}{14}-1\dfrac{3}{4}=3\dfrac{18}{28}-1\dfrac{21}{28}=2\dfrac{46}{28}-1\dfrac{21}{28}=1\dfrac{25}{28}$

12 $\dfrac{8}{9}-\dfrac{2}{3}=\dfrac{8}{9}-\dfrac{6}{9}=\dfrac{2}{9}$,

$\dfrac{11}{12}-\dfrac{5}{9}=\dfrac{33}{36}-\dfrac{20}{36}=\dfrac{13}{36}$ ➡ $\dfrac{2}{9}\left(=\dfrac{8}{36}\right)<\dfrac{13}{36}$

13 $1\dfrac{5}{16}+1\dfrac{7}{12}=1\dfrac{15}{48}+1\dfrac{28}{48}=2\dfrac{43}{48}$

$4\dfrac{7}{18}-1\dfrac{3}{4}=4\dfrac{14}{36}-1\dfrac{27}{36}=3\dfrac{50}{36}-1\dfrac{27}{36}=2\dfrac{23}{36}$

14 $\square+2\dfrac{9}{16}=4\dfrac{13}{24}$

➡ $\square=4\dfrac{13}{24}-2\dfrac{9}{16}=4\dfrac{26}{48}-2\dfrac{27}{48}$
$$=3\dfrac{74}{48}-2\dfrac{27}{48}=1\dfrac{47}{48}$$

15 $\dfrac{17}{25}-\dfrac{8}{20}=\dfrac{68}{100}-\dfrac{40}{100}=\dfrac{28}{100}=\dfrac{7}{25}$

➡ $\dfrac{7}{25}>\dfrac{\square}{25}$

따라서 $\square$ 안에 들어갈 수 있는 자연수는 1, 2, 3, 4,
5, 6으로 모두 6개입니다.

16 어떤 수를 $\square$라고 하면 $\square+\dfrac{9}{14}=\dfrac{31}{35}$ 이므로

$\square=\dfrac{31}{35}-\dfrac{9}{14}=\dfrac{62}{70}-\dfrac{45}{70}=\dfrac{17}{70}$ 입니다.

➡ $\dfrac{17}{70}-\dfrac{1}{7}=\dfrac{17}{70}-\dfrac{10}{70}=\dfrac{7}{70}=\dfrac{1}{10}$

17

채점 기준		
❶ 동생이 캔 감자의 양 구하기		3점
❷ 윤수와 동생이 캔 감자의 양 구하기		2점

18 $10분=\dfrac{10}{60}$시간$=\dfrac{1}{6}$시간이므로

기차를 탄 시간은 $2\dfrac{1}{6}$시간입니다.

(버스와 기차를 탄 시간)

$=1\dfrac{3}{4}+2\dfrac{1}{6}=1\dfrac{9}{12}+2\dfrac{2}{12}=3\dfrac{11}{12}$(시간)

➜ 3시간 55분

19

채점기준	❶ 두 분수의 합 구하기	3점
	❷ 두 분수의 합과 가장 가까운 자연수 구하기	2점

20

채점기준	❶ 가장 큰 진분수와 가장 작은 진분수 만들기	2점
	❷ 가장 큰 진분수와 가장 작은 진분수의 차 구하기	3점

실력 단원 평가 `73~75쪽`

01 $\dfrac{33}{40}$, $\dfrac{17}{40}$

02 $5\dfrac{7}{12}-2\dfrac{13}{18}=5\dfrac{21}{36}-2\dfrac{26}{36}=4\dfrac{57}{36}-2\dfrac{26}{36}$
$\qquad =2\dfrac{31}{36}$

03 $\dfrac{5}{12}$ **04** $1\dfrac{10}{63}$ **05**

06 $>$ **07** $6\dfrac{13}{40}$, $4\dfrac{21}{40}$

08 $3\dfrac{23}{42}$ **09** $1\dfrac{9}{20}$ m   **10** ㉢   **11** $5\dfrac{11}{56}$

12 $\boxed{6\dfrac{1}{15}}-\boxed{2\dfrac{5}{9}}=\boxed{3\dfrac{23}{45}}$

13 $\dfrac{3}{8}$ kg   **14** $\dfrac{17}{24}$

15 예 ❶ $\dfrac{11}{24}+\dfrac{\square}{9}=\dfrac{33}{72}+\dfrac{\square\times8}{72}=\dfrac{33+\square\times8}{72}$

$\qquad ➜ \dfrac{33+\square\times8}{72}>\dfrac{72}{72}$, $33+\square\times8>72$

❷ $\square=4$이면 $33+4\times8=65<72$

$\square=5$이면 $33+5\times8=73>72$

따라서 $\square$ 안에 들어갈 수 있는 가장 작은
자연수는 5입니다. / 5

16 $\dfrac{1}{\boxed{4}}+\dfrac{1}{\boxed{5}}$ **17** $\dfrac{3}{4}$, $\dfrac{1}{6}$ / $\dfrac{7}{12}$

18 예 ❶ 합이 가장 크게 되려면 가장 큰 분수와 두
번째로 큰 분수를 더합니다.

수민: $3\dfrac{2}{3}+\dfrac{4}{5}=3\dfrac{10}{15}+\dfrac{12}{15}=3+1\dfrac{7}{15}$
$\qquad =4\dfrac{7}{15}$

재영: $2\dfrac{4}{7}+1\dfrac{1}{3}=2\dfrac{12}{21}+1\dfrac{7}{21}=3\dfrac{19}{21}$

❷ $4\dfrac{7}{15}>3\dfrac{19}{21}$이므로 합이 더 큰 사람은 수
민입니다. / 수민

19 나, $\dfrac{31}{45}$ kg

20 예 ❶ 동물원을 지나가는 거리:
$2\dfrac{3}{8}+1\dfrac{3}{4}=2\dfrac{3}{8}+1\dfrac{6}{8}=3\dfrac{9}{8}=4\dfrac{1}{8}$ (km)

❷ 식물원을 지나가는 거리:
$1\dfrac{9}{10}+2\dfrac{1}{2}=1\dfrac{9}{10}+2\dfrac{5}{10}=3\dfrac{14}{10}$
$\qquad =4\dfrac{4}{10}=4\dfrac{2}{5}$ (km)

❸ $4\dfrac{1}{8}<4\dfrac{2}{5}$이므로 동물원을 지나가는 길이
$4\dfrac{2}{5}-4\dfrac{1}{8}=4\dfrac{16}{40}-4\dfrac{5}{40}=\dfrac{11}{40}$ (km)

더 가깝습니다. / 동물원, $\dfrac{11}{40}$ km

풀이

01 합: $\dfrac{1}{5}+\dfrac{5}{8}=\dfrac{8}{40}+\dfrac{25}{40}=\dfrac{33}{40}$

차: $\dfrac{5}{8}-\dfrac{1}{5}=\dfrac{25}{40}-\dfrac{8}{40}=\dfrac{17}{40}$

03 $\dfrac{19}{20}-\dfrac{8}{15}=\dfrac{57}{60}-\dfrac{32}{60}=\dfrac{25}{60}=\dfrac{5}{12}$

04 ㉮ $\dfrac{7}{9}$, ㉯ $\dfrac{8}{21}$

$➜\dfrac{7}{9}+\dfrac{8}{21}=\dfrac{49}{63}+\dfrac{24}{63}=\dfrac{73}{63}=1\dfrac{10}{63}$

05 $\dfrac{8}{15}+\dfrac{11}{12}=\dfrac{32}{60}+\dfrac{55}{60}=\dfrac{87}{60}=1\dfrac{27}{60}=1\dfrac{9}{20}$

$\dfrac{13}{20}+\dfrac{9}{16}=\dfrac{52}{80}+\dfrac{45}{80}=\dfrac{97}{80}=1\dfrac{17}{80}$

06 $6\dfrac{2}{7}-1\dfrac{2}{3}=6\dfrac{6}{21}-1\dfrac{14}{21}=5\dfrac{27}{21}-1\dfrac{14}{21}=4\dfrac{13}{21}$

$1\dfrac{3}{8}+2\dfrac{3}{4}=1\dfrac{3}{8}+2\dfrac{6}{8}=3+\dfrac{9}{8}=3+1\dfrac{1}{8}=4\dfrac{1}{8}$

$➜4\dfrac{13}{21}>4\dfrac{1}{8}$

07 $2\dfrac{5}{8}+3\dfrac{7}{10}=2\dfrac{25}{40}+3\dfrac{28}{40}=5+\dfrac{53}{40}=6\dfrac{13}{40}$

$6\dfrac{13}{40}-1\dfrac{4}{5}=6\dfrac{13}{40}-1\dfrac{32}{40}=5\dfrac{53}{40}-1\dfrac{32}{40}=4\dfrac{21}{40}$

08 $\cdot\,3\dfrac{3}{14}-1\dfrac{8}{21}=3\dfrac{9}{42}-1\dfrac{16}{42}=2\dfrac{51}{42}-1\dfrac{16}{42}$

$=1\dfrac{35}{42}=1\dfrac{5}{6}$

$\cdot\,1\dfrac{5}{7}+3\dfrac{2}{3}=1\dfrac{15}{21}+3\dfrac{14}{21}=4+\dfrac{29}{21}=5\dfrac{8}{21}$

$\rightarrow 5\dfrac{8}{21}-1\dfrac{5}{6}=5\dfrac{16}{42}-1\dfrac{35}{42}=4\dfrac{58}{42}-1\dfrac{35}{42}$

$=3\dfrac{23}{42}$

09 $\dfrac{7}{10}+\dfrac{3}{4}=\dfrac{14}{20}+\dfrac{15}{20}=\dfrac{29}{20}=1\dfrac{9}{20}$ (m)

10 ㉠ $\dfrac{1}{3}+\dfrac{3}{4}=\dfrac{4}{12}+\dfrac{9}{12}=\dfrac{13}{12}=1\dfrac{1}{12}\,(>1)$

㉡ $\dfrac{2}{5}+\dfrac{6}{7}=\dfrac{14}{35}+\dfrac{30}{35}=\dfrac{44}{35}=1\dfrac{9}{35}\,(>1)$

㉢ $\dfrac{5}{9}+\dfrac{4}{15}=\dfrac{25}{45}+\dfrac{12}{45}=\dfrac{37}{45}\,(<1)$

11 $\square-1\dfrac{4}{7}=3\dfrac{5}{8}$

$\rightarrow \square=3\dfrac{5}{8}+1\dfrac{4}{7}=3\dfrac{35}{56}+1\dfrac{32}{56}=4+\dfrac{67}{56}$

$=4+1\dfrac{11}{56}=5\dfrac{11}{56}$

12 두 분수의 차가 가장 크게 되려면 가장 큰 분수에서 가장 작은 분수를 빼야 합니다.

$6\dfrac{1}{15}-2\dfrac{5}{9}=6\dfrac{3}{45}-2\dfrac{25}{45}=5\dfrac{48}{45}-2\dfrac{25}{45}=3\dfrac{23}{45}$

13 가장 많이 사용한 사람: 민성$\left(\dfrac{7}{8}\,\text{kg}\right)$

가장 적게 사용한 사람: 유정$\left(\dfrac{1}{2}\,\text{kg}\right)$

$\rightarrow \dfrac{7}{8}-\dfrac{1}{2}=\dfrac{7}{8}-\dfrac{4}{8}=\dfrac{3}{8}$ (kg)

14 $\dfrac{2}{3}+㉠=\dfrac{7}{8}\rightarrow ㉠=\dfrac{7}{8}-\dfrac{2}{3}=\dfrac{21}{24}-\dfrac{16}{24}=\dfrac{5}{24}$

$\dfrac{11}{12}-㉠=㉡,\ \dfrac{11}{12}-\dfrac{5}{24}=㉡,$

$\rightarrow ㉡=\dfrac{11}{12}-\dfrac{5}{24}=\dfrac{22}{24}-\dfrac{5}{24}=\dfrac{17}{24}$

15

채점 기준	❶ 분수의 덧셈을 하여 나타내기	2점
	❷ □ 안에 들어갈 수 있는 가장 작은 자연수 구하기	3점

16 20의 약수: 1, 2, 4, 5, 10, 20

두 수의 합이 9인 두 수를 찾으면 4, 5입니다.

$\rightarrow \dfrac{9}{20}=\dfrac{5}{20}+\dfrac{4}{20}=\dfrac{1}{4}+\dfrac{1}{5}$

17 승우: $\dfrac{3}{4}$, 지희: $\dfrac{1}{6}$ $\rightarrow \dfrac{3}{4}-\dfrac{1}{6}=\dfrac{9}{12}-\dfrac{2}{12}=\dfrac{7}{12}$

18

채점 기준	❶ 가장 큰 합 각각 구하기	3점
	❷ 합이 더 큰 사람은 누구인지 구하기	2점

19 $2\dfrac{2}{9}>1\dfrac{8}{15}$ 이므로 나 저울에

$2\dfrac{2}{9}-1\dfrac{8}{15}=2\dfrac{10}{45}-1\dfrac{24}{45}=1\dfrac{55}{45}-1\dfrac{24}{45}$

$=\dfrac{31}{45}$ (kg)

더 올려야 합니다.

20

채점 기준	❶ 동물원을 지나가는 거리 구하기	2점
	❷ 식물원을 지나가는 거리 구하기	2점
	❸ 어느 곳을 지나가는 것이 몇 km 더 가까운지 구하기	1점

연습 서술형 평가

01 예 ❶ 경민이가 산 책은 동화책과 사전이므로 무게의 합은

$\dfrac{7}{9}+\dfrac{8}{15}=\dfrac{35}{45}+\dfrac{24}{45}=\dfrac{59}{45}=1\dfrac{14}{45}$ (kg)

입니다.

서진이가 산 책은 과학책과 문제집이므로 무게의 합은

$\dfrac{11}{12}+\dfrac{5}{8}=\dfrac{22}{24}+\dfrac{15}{24}=\dfrac{37}{24}=1\dfrac{13}{24}$ (kg)

입니다.

❷ $1\dfrac{14}{45}<1\dfrac{13}{24}$ 이므로 서진이가 산 책의 무게가 더 무겁습니다. / 서진

02 예 ❶ $\dfrac{5}{6}-\dfrac{2}{3}=\dfrac{5}{6}-\dfrac{4}{6}=\dfrac{1}{6}=\dfrac{3}{18}$ 이므로

$\dfrac{\square}{18}<\dfrac{3}{18}$ 입니다.

❷ 분자끼리 비교하면 $\square<3$ 이므로 $\square$ 안에 들어갈 수 있는 자연수는 1, 2이므로 2개입니다. / 2개

03 ⑩ ❶ 어떤 수를 □라고 하면 잘못 계산한 식은

$$\square - 3\frac{9}{14} = 2\frac{6}{7} \text{입니다.}$$

$$\rightarrow \square = 2\frac{6}{7} + 3\frac{9}{14} = 2\frac{12}{14} + 3\frac{9}{14}$$

$$= 5 + \frac{21}{14} = 5 + 1\frac{7}{14} = 6\frac{7}{14} = 6\frac{1}{2}$$

❷ $6\frac{1}{2} + 3\frac{9}{14} = 6\frac{7}{14} + 3\frac{9}{14} = 9 + \frac{16}{14}$

$$= 9 + 1\frac{2}{14} = 10\frac{2}{14} = 10\frac{1}{7} \bigм / 10\frac{1}{7}$$

04 ⑩ ❶ 만들 수 있는 대분수 중에서 가장 큰 수는

$9\frac{5}{6}$, 두 번째로 작은 수는 $3\frac{6}{9}$입니다.

❷ 만든 두 분수의 차는

$$9\frac{5}{6} - 3\frac{6}{9} = 9\frac{15}{18} - 3\frac{12}{18} = 6\frac{3}{18} = 6\frac{1}{6}$$

입니다. / $6\frac{1}{6}$

풀이

01	채점 기준	❶ 경민이와 서진이가 산 책의 무게의 합 각각 구하기	15점
		❷ 더 무거운 책을 산 사람은 누구인지 구하기	10점
02	채점 기준	❶ 분수의 뺄셈 계산하기	15점
		❷ □ 안에 들어갈 수 있는 자연수의 개수 구하기	10점
03	채점 기준	❶ 어떤 수 구하기	15점
		❷ 바르게 계산한 값 구하기	10점
04	채점 기준	❶ 만들 수 있는 대분수 중에서 가장 큰 수와 두 번 째로 작은 수 만들기	15점
		❷ 만든 두 분수의 차 구하기	10점

실전 서술형 평가 78~79쪽

01 ⑩ ❶ (혜진이가 마신 사과주스의 양)

$$= \frac{3}{10} + \frac{7}{20} = \frac{6}{20} + \frac{7}{20} = \frac{13}{20} \text{(L)}$$

(영우와 혜진이가 마신 사과주스의 양의 합)

$$= \frac{3}{10} + \frac{13}{20} = \frac{6}{20} + \frac{13}{20} = \frac{19}{20} \text{(L)}$$

❷ (남은 사과주스의 양)

$$= 2 - \frac{19}{20} = 1\frac{20}{20} - \frac{19}{20} = 1\frac{1}{20} \text{(L)}$$

/ $1\frac{1}{20}$ L

02 ⑩ ❶ 노란색, 보라색, 하늘색을 칠한 부분의 합은

$$\frac{1}{4} + \frac{3}{20} + \frac{3}{10} = \frac{5}{20} + \frac{3}{20} + \frac{6}{20}$$

$$= \frac{14}{20} = \frac{7}{10} \text{입니다.}$$

❷ 전체가 1이므로 연두색을 칠한 부분은 전

체의 $1 - \frac{7}{10} = \frac{10}{10} - \frac{7}{10} = \frac{3}{10}$입니다.

/ $\frac{3}{10}$

03 ⑩ ❶ 15분 $= \frac{15}{60}$시간 $= \frac{1}{4}$시간, $1\frac{5}{12}$시간,

20분 $= \frac{20}{60}$시간 $= \frac{1}{3}$시간입니다.

❷ (집에서 출발하여 공원에 갔다가 집으로

돌아올 때까지 걸린 시간)

$$= \frac{1}{4} + 1\frac{5}{12} + \frac{1}{3} = \frac{3}{12} + 1\frac{5}{12} + \frac{4}{12}$$

$$= 1 + \frac{12}{12} = 2(시간) / 2시간$$

04 ⑩ ❶ (리본 4장의 길이의 합)

$$= 2\frac{7}{16} + 2\frac{7}{16} + 2\frac{7}{16} + 2\frac{7}{16}$$

$$= 8 + \frac{28}{16} = 9\frac{12}{16} = 9\frac{3}{4} \text{(m)}$$

❷ (겹쳐진 부분의 길이의 합)

$$= \frac{1}{8} + \frac{1}{8} + \frac{1}{8} = \frac{3}{8} \text{(m)이므로}$$

(이어 붙인 리본의 전체 길이)

$$= 9\frac{3}{4} - \frac{3}{8} = 9\frac{6}{8} - \frac{3}{8} = 9\frac{3}{8} \text{(m)입니다.}$$

/ $9\frac{3}{8}$ m

풀이

01	채점 기준	❶ 영우와 혜진이가 마신 사과주스의 양의 합 구하기	15점
		❷ 남은 사과주스의 양 구하기	10점
02	채점 기준	❶ 노란색, 보라색, 하늘색을 칠한 부분은 전체의 얼 마인지 구하기	10점
		❷ 연두색을 칠한 부분은 전체의 얼마인지 구하기	15점
03	채점 기준	❶ 시간을 분수로 나타내기	10점
		❷ 집에서 출발하여 공원에 갔다가 집으로 돌아올 때까지 걸린 시간 구하기	15점
04	채점 기준	❶ 리본 4장의 길이의 합 구하기	10점
		❷ 이어 붙인 리본의 전체 길이 구하기	15점

6 다각형의 둘레와 넓이

81쪽

쪽지시험 1회

01 16 cm   02 44 cm   03 54 cm   04 36 cm
05 28 cm   06 10 cm²   07 34 cm   08 ㉡
09 6 cm   10 5 cm

풀이

01 $(5+3) \times 2 = 16$ (cm)

02 $11 \times 4 = 44$ (cm)

03 $(17+10) \times 2 = 54$ (cm)

04 $9 \times 4 = 36$ (cm)

05 $4 \times 7 = 28$ (cm)

06 도형의 넓이는 1 cm²가 10개이므로 10 cm²입니다.

07 $(10+7) \times 2 = 34$ (cm)

08 ㉠ $(10+6) \times 2 = 32$ (cm)
   ㉡ $13 \times 4 = 52$ (cm)

09 $30 \div 5 = 6$ (cm)

10 (변 ㄷㄹ)$=(24-7-7) \div 2 = 10 \div 2 = 5$ (cm)

쪽지시험 2회

82쪽

01 60 cm²   02 49 cm²   03 88 cm²
04 48 cm², 81 cm²   05 33 cm²
06 (1) 20000   (2) 7   07 >
08 15 km²   09 40 m², 20 m²   10 60 m²

풀이

01 $12 \times 5 = 60$ (cm²)   02 $7 \times 7 = 49$ (cm²)

03 $11 \times 8 = 88$ (cm²)

04 가: $8 \times 6 = 48$ (cm²), 나: $9 \times 9 = 81$ (cm²)

05 $81 - 48 = 33$ (cm²)

07 10000000 m²$=10$ km² ➡ 10 km²>8 km²

08 5000 m$=5$ km, 3000 m$=3$ km이므로 직사각형의 넓이는 $5 \times 3 = 15$ (km²)입니다.

09 ㉮: $4 \times 10 = 40$ (m²)
   ㉯: $5 \times (10-3-3) = 5 \times 4 = 20$ (m²)

10 (도형의 넓이)$=40+20=60$ (m²)

쪽지시험 3회

83쪽

01 12 cm²   02 72 cm²   03 32 cm²
04 다   05 8   06 7, 42
07 120 cm²   08 14 m²   09 다
10 18

풀이

01 `1 cm²`가 12개이므로 넓이는 12 cm²입니다.

02 $9 \times 8 = 72$ (cm²)

03 $4 \times 8 = 32$ (cm²)

04 가와 나는 밑변의 길이가 2 cm, 높이가 4 cm로 같으므로 넓이가 같습니다.

05 밑변의 길이를 ☐ cm라 하면 ☐$\times 9 = 72$, ☐$=72 \div 9 = 8$입니다.

07 $16 \times 15 \div 2 = 120$ (cm²)

08 $7 \times 4 \div 2 = 14$ (m²)

09 세 삼각형의 높이가 모두 5 cm로 같으므로 밑변의 길이가 같으면 삼각형의 넓이가 같습니다.

10 ☐$\times 9 \div 2 = 81$, ☐$=81 \times 2 \div 9 = 18$

쪽지시험 4회

84쪽

01    02 60 cm²
03 30 cm²   04 12, 2, 96
05 14, 14, 2, 98   06 20 cm², 15 cm²
07 35 cm²   08 90 m²
09 9   10 102 cm²

풀이

02 (직사각형 ㅁㅂㅅㅇ의 넓이)$=10 \times 6 = 60$ (cm²)

03 마름모 ㄱㄴㄷㄹ의 넓이는 직사각형 ㅁㅂㅅㅇ의 넓이의 반입니다. ➡ 60÷2=30 (cm²)

04 16×12÷2=96 (cm²)

05 14×14÷2=98 (m²)

06 ㉮: 8×5÷2=20 (cm²), ㉯: 6×5÷2=15 (cm²)

07 (사다리꼴의 넓이)=20+15=35 (cm²)

08 (9+11)×9÷2=90 (m²)

09 (5+□)×7÷2=49, (5+□)×7=98, 5+□=98÷7, 5+□=14, □=14−5=9

10 17×12÷2=102 (cm²)

기본 단원 평가   85~87쪽

01 24 cm   **02** 가   **03** 40 cm²

04 63 cm²   **05** (1) 70000   (2) 4000000

06 32 cm   **07** 1.2 km²   **08** 44 m²

09 27 m²   **10** 49 m²   **11** 8

12 나   **13** 10   **14** 72 cm²   **15** 6

16 예

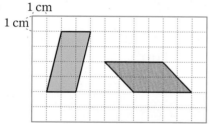

17 예 ❶ (직사각형의 둘레)=(24+20)×2
　　　　　　　　　　=88 (cm)
　❷ 마름모의 둘레도 88 cm이므로 마름모의 한 변의 길이는 88÷4=22 (cm)입니다.
　/ 22 cm

18 144 cm²

19 예 ❶ 밑변의 길이가 15 cm일 때 높이는 20 cm이므로 삼각형의 넓이는
　　15×20÷2=150 (cm²)입니다.
　❷ 밑변의 길이가 25 cm일 때 높이를 □ cm라 하면 25×□÷2=150입니다.
　　25×□=300, □=12이므로 높이는 12 cm입니다. / 12 cm

20 예 ❶ 넓이가 460 cm²이므로 높이가 23 cm일 때 밑변의 길이는 460÷23=20 (cm)입니다.
　❷ 평행사변형의 둘레는
　　(20+24)×2=44×2=88 (cm)입니다.
　/ 88 cm

풀이

01 (정육각형의 둘레)=4×6=24 (cm)

02 가: 1 cm²가 6개 ➡ 6 cm²
　　나: 1 cm²가 5개 ➡ 5 cm²
　　다: 1 cm²가 7개 ➡ 7 cm²

03 (직사각형의 넓이)=8×5=40 (cm²)

04 7×9=63 (cm²)

05 (1) 1 m²=10000 cm² ➡ 7 m²=70000 cm²
　　(2) 1 km²=1000000 m² ➡ 4 km²=4000000 m²

06 (10+6)×2=32 (cm)

07 600 m=0.6 km
　　(땅의 넓이)=2×0.6=1.2 (km²)

08 (삼각형의 넓이)=8×11÷2=44 (m²)

09 (마름모의 넓이)=9×6÷2=27 (m²)

10 (4+10)×7÷2=49 (m²)

11 10×□=80, □=80÷10, □=8

12 삼각형의 높이가 모두 같으므로 밑변의 길이가 다른 것은 나입니다.

13 12×□÷2=60, 12×□=120, □=10

14 색칠한 두 사다리꼴을 하나로 이어 붙이면 가로가 12 cm, 세로가 9−3=6 (cm)인 직사각형이 됩니다.
　　➡ (색칠한 부분의 넓이)=12×6=72 (cm²)

15 14×□=84, □=84÷14, □=6

16 주어진 평행사변형의 넓이는 2×4=8 (cm²)입니다. 넓이가 8 cm²인 평행사변형을 1개 그립니다.

17

채점 기준		
❶ 직사각형의 둘레 구하기		2점
❷ 마름모의 한 변의 길이 구하기		3점

18 만들 수 있는 가장 큰 정사각형의 한 변의 길이를
□ cm라 하면 □×4=48, □=12입니다.
➜ (정사각형의 넓이)=12×12=144 (cm²)

19 채점 기준	❶ 삼각형의 넓이 구하기	2점
	❷ 삼각형의 다른 높이 구하기	3점

20 채점 기준	❶ 밑변의 길이 구하기	2점
	❷ 평행사변형의 둘레 구하기	3점

실력 **단원 평가**　　　　88~90쪽

01 (1) m² (2) km²　　　**02** 45 cm

03 38 cm　　**04** 35 m²　　**05** ㉡

06 180 cm²　　**07** 24 cm²　　**08** 99 cm²

09 128 m²　　**10** 8　　**11** 7

12 16 cm　　**13** 200 cm²　　**14** 32 cm

15 8　　　　　　**16** 45 cm²　　**17** 32 cm

18 예 ❶ 가는 11000000 m²=11 km²이고, 나는
14 km²입니다.
❷ 11<14이므로 가 공연장의 넓이가
14−11=3 (km²) 더 넓습니다.
/ 나, 3 km²

19 8

20 예 ❶ 사다리꼴 ㉮의 윗변과 아랫변의 길이의 합
은 4+10=14 (cm)입니다.
❷ 사다리꼴 ㉮와 ㉯의 높이가 같으므로 사다
리꼴 ㉮와 ㉯의 윗변과 아랫변의 길이의
합이 14 cm로 같습니다.
➜ □+8=14, □=14−8, □=6 / 6

풀이

01 (1) 농구 경기장의 넓이를 나타낼 때에는 m²가 알
맞습니다.
(2) 광주광역시 땅의 넓이를 나타낼 때에는 km²가
알맞습니다.

02 9×5=45 (cm)

03 (8+11)×2=38 (cm)

04 7×5=35 (m²)

---

05 ㉠ 1 m²=10000 cm² ➜ 5 m²=50000 cm²
㉡ 1000000 m²=1 km² ➜ 8000000 m²=8 km²
㉢ 20 km²=20000000 m²

06 12×15=180 (cm²)

07 8×6÷2=24 (cm²)

08 두 대각선의 길이는 각각 22 cm, 9 cm입니다.
➜ (종이의 넓이)=22×9÷2=99 (cm²)

09 (14+18)×8÷2=128 (m²)

10 (□+7)×2=30 ➜ □+7=15, □=15−7=8

11 9×□=63 ➜ □=63÷9, □=7

12 밑변의 길이를 □ cm라 하면 □×8÷2=64입니다.
□=64×2÷8, □=16입니다.

13 (마름모의 넓이)=(정사각형의 넓이)÷2
=20×20÷2=200 (cm²)

14 정사각형의 한 변의 길이를 □ cm라 하면
□×□=64, 8×8=64에서 □=8입니다.
➜ (정사각형의 둘레)=8×4=32 (cm)

15 (평행사변형의 넓이)=10×12=120 (cm²)
직사각형의 넓이도 120 cm²이므로
□=120÷15=8입니다.

16 (14+8)×6÷2−14×3÷2
=66−21=45 (cm²)

17 변을 평행하게 이동하면 직사각형의 둘레와 같으
므로 (9+7)×2=32 (cm)입니다.

18 채점 기준	❶ 공연장의 넓이를 km² 단위로 나타내기	2점
	❷ 어느 공연장의 넓이가 몇 km² 더 넓은지 구하기	3점

19 (마름모의 넓이)=(삼각형 ㄱㄴㅁ의 넓이)×4이므
로 (삼각형 ㄱㄴㅁ의 넓이)=112÷4=28 (cm²)
입니다.
삼각형 ㄱㄴㅁ의 밑변의 길이를 □ cm라 하면
□×7÷2=28, □×7=56, □=8입니다.

20 채점 기준	❶ 사다리꼴 ㉮의 윗변과 아랫변의 길이의 합 구하기	2점
	❷ □ 안에 알맞은 수 구하기	3점

정답 및 풀이

01 예 ❶ 평행사변형은 마주 보는 두 변의 길이가 같으므로

(변 ㄴㄷ＋변 ㄷㄹ)×2＝24 (cm)입니다.

➡ (변 ㄴㄷ＋변 ㄷㄹ)＝24÷2

＝12 (cm)

❷ 변 ㄷㄹ의 길이는 12－7＝5 (cm)입니다.

/ 5 cm

02 예 ❶ (삼각형의 넓이)＝12×6÷2＝36 (cm²)

❷ □×4÷2＝36, □×4＝72,

□＝72÷4＝18

/ 18

03 예 ❶ 평행사변형의 둘레는

(8＋4)×2＝24 (cm)입니다.

❷ 마름모의 둘레도 24 cm이고 네 변의 길이가 모두 같으므로 한 변의 길이는

24÷4＝6 (cm)입니다.

/ 6 cm

04 예 ❶ 삼각형 ㄴㄷㅁ의 밑변의 길이를 선분 ㄴㅁ이라 하면 높이는 선분 ㄷㄹ의 길이와 같으므로 18 cm입니다.

❷ 삼각형 ㄴㄷㅁ의 넓이는

15×18÷2＝135 (cm²)입니다.

/ 135 cm²

---

01 예 ❶ 평행사변형은 밑변의 길이와 높이가 같으면 넓이가 같습니다.

❷ 높이는 모두 같고 밑변의 길이가 다른 가의 넓이가 다릅니다. / 가

02 예 ❶ 직사각형의 세로를 □ cm라 하면

(5＋□)×2＝16, 5＋□＝8, □＝3입니다.

❷ 직사각형의 넓이는 5×3＝15 (cm²)입니다.

/ 15 cm²

03 예 ❶ 직사각형의 둘레는 정팔각형의 둘레와 같으므로 6×8＝48 (cm)입니다.

❷ 직사각형의 세로를 □ cm라고 하면

(15＋□)×2＝48, 15＋□＝24,

□＝24－15＝9입니다.

따라서 정훈이가 새로 만든 직사각형의 넓이는 15×9＝135 (cm²)입니다.

/ 135 cm²

04 예 ❶ 삼각형 ㄱㄴㄹ의 넓이는

5×6÷2＝15 (cm²)입니다.

❷ 선분 ㄱㅁ의 길이를 □ cm라 하면

10×□÷2＝15, 10×□＝30,

□＝30÷10, □＝3입니다. 선분 ㄱㅁ의 길이는 3 cm입니다.

/ 3 cm

풀이

01 채점 기준	❶ 변 ㄴㄷ과 변 ㄷㄹ의 길이의 합 구하기	15점
	❷ 변 ㄷㄹ의 길이 구하기	10점

02 채점 기준	❶ 삼각형의 넓이 구하기	15점
	❷ □ 안에 알맞은 수 구하기	10점

03 채점 기준	❶ 평행사변형의 둘레 구하기	10점
	❷ 마름모의 한 변의 길이 구하기	15점

04 채점 기준	❶ 삼각형 ㄴㄷㅁ의 높이 구하기	10점
	❷ 삼각형 ㄴㄷㅁ의 넓이 구하기	15점

풀이

01 채점 기준	❶ 평행사변형의 넓이가 같을 조건 설명하기	15점
	❷ 넓이가 다른 평행사변형 찾기	10점

02 채점 기준	❶ 직사각형의 세로 구하기	15점
	❷ 직사각형의 넓이 구하기	10점

03 채점 기준	❶ 직사각형의 둘레 구하기	10점
	❷ 새로 만든 직사각형의 넓이 구하기	15점

04 채점 기준	❶ 삼각형 ㄱㄴㄹ의 넓이 구하기	10점
	❷ 선분 ㄱㅁ의 길이 구하기	15점